Y SUS NACIONALIDADES

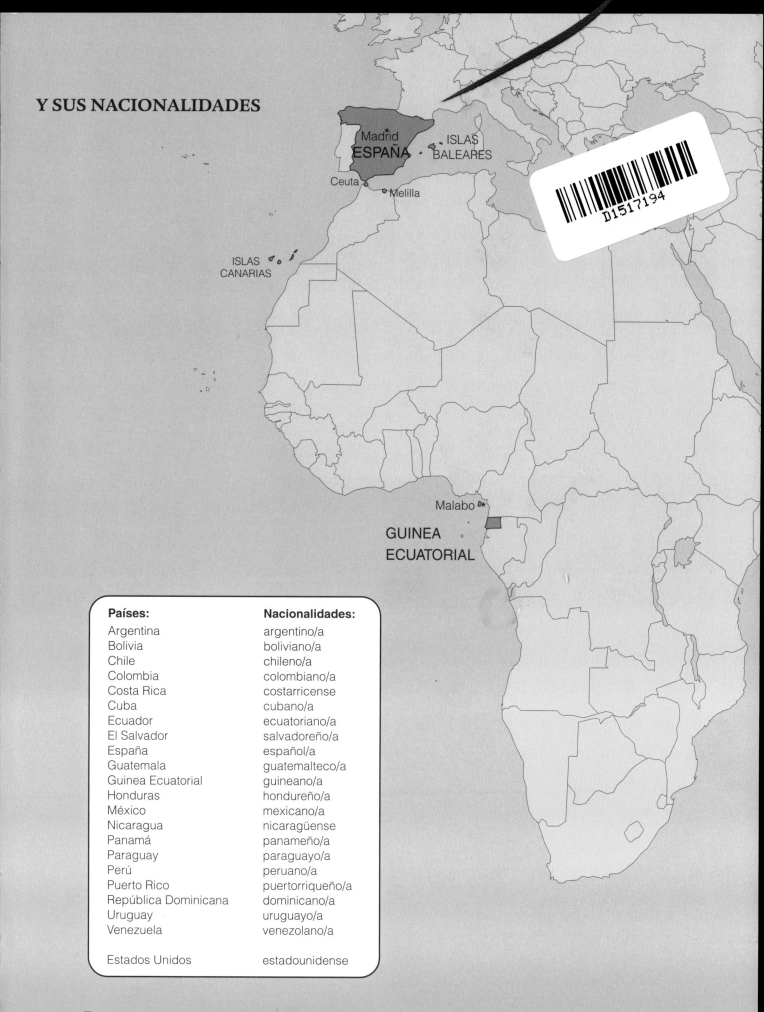

Madrid
ESPAÑA · ISLAS BALEARES
Ceuta
Melilla
ISLAS CANARIAS
Malabo
GUINEA ECUATORIAL

Países:	Nacionalidades:
Argentina	argentino/a
Bolivia	boliviano/a
Chile	chileno/a
Colombia	colombiano/a
Costa Rica	costarricense
Cuba	cubano/a
Ecuador	ecuatoriano/a
El Salvador	salvadoreño/a
España	español/a
Guatemala	guatemalteco/a
Guinea Ecuatorial	guineano/a
Honduras	hondureño/a
México	mexicano/a
Nicaragua	nicaragüense
Panamá	panameño/a
Paraguay	paraguayo/a
Perú	peruano/a
Puerto Rico	puertorriqueño/a
República Dominicana	dominicano/a
Uruguay	uruguayo/a
Venezuela	venezolano/a
Estados Unidos	estadounidense

For a complete listing of the nationalities of the world, see the inside back cover of your text book.

INSTRUCCIONES

 Siéntense, por favor.

 Abran el libro en la página 30.

 Cierren el libro, por favor.

 Escriban la respuesta en el cuaderno.

 Estudien el vocabulario.

 Lean en voz alta.

El origen del español...

PREGUNTAS Y EXPRESIONES ÚTILES

Make a poster with these expressions so that students can easily see them and use them for reference.

 ¿Cómo se dice **backpack** en español?

Se dice **mochila**.

Muchas gracias.

De nada.

 Tengo una pregunta. ¿Qué significa la palabra **escritorio**?

PARA LA CLASE

PARA EL ESTUDIANTE

Do a mime activity, asking students to carry out the classroom directions. On an alternate day, play "Simon says". *Simón dice*: **Cierren el libro.** (Students all close books.) *Simón dice*: **Repitan la palabra "español".** (Students repeat "español".) **Abran el libro en la página 10.** (Students don't do anything, and students who open books are out!)

i

¡Con brío!

¡Con brío!

Second Edition

María Concepción Lucas Murillo
Black Hawk College

Laila M. Dawson

WILEY

John Wiley & Sons, Inc.

VICE PRESIDENT AND EXECUTIVE PUBLISHER	Jay O'Callaghan
DIRECTOR, MODERN LANGUAGES	Magali Iglesias
SENIOR DEVELOPMENTAL EDITOR	Elena Herrero
ASSOCIATE DIRECTOR OF MARKETING	Jeffrey Rucker
MARKETING MANAGER	Tiziana Aime
MARKET SPECIALIST	Elena Casillas
ASSOCIATE EDITOR	Maruja Malavé
SENIOR PRODUCTION EDITOR	William A. Murray
EDITORIAL PROGRAM ASSISTANT	Lisha Perez
SENIOR PHOTO EDITOR	Jennifer MacMillan
SENIOR ILLUSTRATION EDITOR	Anna Melhorn
CREATIVE DIRECTOR	Harry Nolan
COVER DESIGN	Harry Nolan/Wendy Lai
COVER PHOTO	Martin Barraud/Iconica/Getty Images, Inc.
PHOTO RETOUCHING	Ron Gravius/Norm Christiansen
SENIOR MEDIA EDITOR	Lynn Pearlman
MEDIA PROJECT MANAGER	Margarita Valdez

This book was set in ITC Legacy Serif Book by Pre-Press PMG and printed and bound by Courier/Kendallville.

ISBN: 978-0-470-50062-0
BRV ISBN: 978-0-470-54689-5
AIE ISBN: 978-0-470-56061-7

Printed in the United States of America

10 9 8 7 6 5 4 3 2 1

Dedication

I was born with the sounds of Castilian in my ears. Other sounds soon followed. At an early age my family moved from Salamanca, Spain, to Galicia, where *gallego* began to compete, and then on to the Basque country, where I came into contact with this ancient language. But these sounds were only the start of my life's linguistic journey.

My major at the University of Deusto in Bilbao led me to additional studies in Germany, where once again a new language filled my world. My *Licenciatura* in German gave me the opportunity to work as an interpreter at the European Union in Brussels, Belgium. There, surrounded by Walloon and Flemish speakers, I interpreted from German and French into my native Spanish. Later, fate brought me to the United States, where once again, I found myself linguistically challenged teaching Spanish and learning English while obtaining a Master's degree in Spanish, from the University of Iowa. Italian followed next, with studies in Italy and the opportunity to teach this language so dear to me. At the present moment I am studying Arabic, a long time dream of mine that will keep me busy for years to come. Out of this broad linguistic background, studying and teaching the Spanish language have become my professional passion.

This book, *¡Con brío!*, is the result not only of my life and professional experiences, but also those of my co-author Laila. We created it for today's evolving classroom, where I have been active for the past 22 years at Black Hawk College. It mirrors the spirit and diversity of our culture and our students today.

Dedico este libro a mis padres, Pablo Lucas Verdú y Carmen Murillo de la Cueva, con todo cariño.

María Concepción Lucas Murillo

Interacting with students in and outside the classroom, sharing my love for Hispanic countries and their cultures, and opening doors to new adventures and opportunities define my life-long passion for teaching.

I was born in Buenos Aires, Argentina, and attended bilingual schools there and in Mexico City. This foundation eventually led me to graduate studies at the University of Wisconsin and a teaching career, first at Virginia Union University, and then at the University of Richmond, where, as director of the Intensive Spanish-Language Program, I was able to help promote a communicative and truly student-centered approach to language learning. I was also able to share my love for travel with students by leading study-abroad programs in Spain, Venezuela, Ecuador, and Costa Rica. My most meaningful experiences as a teacher included coordinating and leading a unique service-learning program in Honduras and developing a course at the University of Richmond that combined a traditional academic component with service to the local Hispanic community.

As a complement to classroom teaching, sharing cultures abroad, and promoting service to the community, I began authoring Spanish textbooks in 1981. It quickly became clear that writing was my second calling, with the classroom and my students undoubtedly my primary source of inspiration and my testing ground.

These life experiences and more have helped shape *¡Con brío!*, a book that I proudly dedicate to my beloved grandchildren, Joel and Maya.

Laila Dawson

Acknowledgments

The *¡Con brío!* authors wish to express a very sincere and heartfelt thanks to the many individuals who were instrumental in making this second-edition project possible.

First, we gratefully acknowledge the indispensable contributions of members of the Wiley team: Elena Herrero, our editor and friend, for her on-going devotion and hands-on contributions to all aspects of the project, including her participation in the script-writing and on-site filming of the DVD; Magali Iglesias, for the expertise, vision, and *brío* she brings to the project; Lisha Perez, for her extensive work in lining up reviewers; Maruja Malavé for her fine work with the supplements and for her sharp eye and helpful suggestions in the critical final stages of manuscript preparation; and Jay O'Callahan for his attentive ear and constant encouragement and support.

We also want to thank Jeffrey Rucker and Melissa Kleckner for their enthusiasm, creativity, and brilliant work in developing a marketing program that conveys the *¡Con brío!* message to colleges and universities across the nation. For their tireless and extraordinary work as marketing manager and market specialist and their friendship, we thank Tiziana Aime and Elena Casillas.

We are grateful to Jennifer MacMillan, Senior Photo Editor, for her excellent and efficient work in selecting magnificent photographs for *¡Con brío!;* to Lynn Pearlman, Senior Media Editor, and Margarita Valdez, Media Project Manager, who are responsible for the text's highly innovative and technologically relevant media ancillaries; and to Bill Murray, Senior Production Editor, for coordinating all of the technical aspects of production.

We express our sincere gratitude to Katy Gabel, Senior Project Manager from PrePress for her skillful management of the production stages of the project.

We greatly appreciate the outstanding contributions of Donna Shelton, who wrote the new *¡Con brío!* Grammar Handbook to accompany the text and was responsible for creating both the test bank and the PowerPoint slides. We thank Kimberley Sallee for her fine work in creating the *¡Lectura en acción!* sections, with their authentic reading selections, practical reading strategies, and accompanying comprehension activities. We also thank Hilary Grant for developing the excellent activities for the *¡DVD en acción!* sections, and for her work in writing the scripts for the video. And, we extend our sincere gratitude to Juan Calduch for his creative work in developing the characters and the story line for the *¡Con brío!* comic strips, and Craig Stokes for his careful work on the second edition WB and LM.

We acknowledge and applaud our splendid artists: award-winning Dusan Petricic, who so cleverly captured the spirit of *¡Con brío!* in his extraordinary illustrations of the opener scenes; Peter Grau, for his detailed and lively rendition of the cartoon characters and situations; and Todd Umbarger, Steve McDonald, and Anna Melhorn, Senior Illustration Editor for making our in-chapter activities come alive through their illustrations.

Special gratitude is extended to Professor Dorothy Beck, Chairperson of the Department of Humanities, Languages and Journalism at Black Hawk College for her support, and to colleagues Julie Hanger, Diana Good, and Keith Bonnstetter, for their on-going use of *¡Con brío!*

For their generous assistance in answering questions and providing information, we acknowledge and thank Bettina Díaz de Bolger, Teresa Dukes, Gladys Navarro, Carlos Schwalb, Anabel Parma, and Yessica Guzmán García. Al Dawson, our in-house editor who answered countless questions and assisted in multiple other capacities, deserves a very special thank you.

For their critically important observations and comments, we wish to thank the following reviewers from across the nation:

Christine Huhn, *Marshall University;* Sarah Fritz, *Madison Area Technical College, Madison;* Victor Slesinger, *Palm Beach Community College;* Sergio Martinez, *San Antonio College;* Ana Maria de Barling, *West Valley College;* Thomas Claerr, *Henry Ford Community College;* Maria Bauluz, *Santa Clara University;* Fernando Rubio, *University of Utah;* Leah Fonder-Solano, *University of Southern Mississippi;* Rosalinda Silva-Alemany, *University of Louisiana at Lafayette;* Marie Blair, *University of Nebraska, Lincoln;* Lourdes Sanchez-Lopez, *University of Alabama, Birmingham;* Bridgette Gunnels, *University of West Georgia;* Virginia Hojas, *Ohio University;* Jane Addeo, *Anne Arundel Community College;* Anna Diakow, *Northwestern University;* Janet Sedlar, *University of Chicago;* Daisy Bustio, *La-Guardia Community College, CUNY;* Max Rodriguez, *LaGuardia Community College, CUNY;* Vanessa Valdes, *City College of New York;* Angeles Dam, *Norwalk Community College;* Aranzazu Borrachero, *Queensborough Community College;* Luisa Garcia-Conde, *Queensborough Community College;* M. Nieves Alonso-Almagro, *Suffolk County Community College;* Ana Menendez-Collera, *Suffolk County Community College;* Ronna Feit, *Nassau Community College;* Leticia Lopez-Jaurequi, *Santa Ana College;* Sandra Plyler, *Academy of Art College;* D. Eric Holt, *University of South Carolina, Columbia;* Catalina Adams, *Winthrop University;* Silvia Byer, *Park University;* Stacey Amling, *Des Moines Area Community College;* Diana Good, *Black Hawk College;* Keith Bonnstetter, *Black Hawk College;* Sergio Guzman, *Community College of Southern Nevada, Cheyenne;* Mayra Cortes-Torres, *Pima Community College - North West;* Carolina Palacios Diazceballos, *Vanderbilt University;* Stephanie Daffer, *University of Texas, El Paso;* Stacy Jazan, *University of California, Los Angeles;* Marcos Contreras, *University of California, Santa Barbara;* Aymara Boggiano, *University of Houston;* Maria Moratto, *University of North Carolina, Greensboro;* Paula Ellister, *University of Oregon;* José López-Marrón, *CUNY - Bronx Community College;* Jonnie Wilhite, *Kalamazoo Community College.*

WILEY PLUS Go to *WileyPLUS* for activities and online version of the text.

Go to *WileyPLUS* for activities and online version of the text.

WILEY **PLUS** Go to *WileyPLUS* for activities and online version of the text.

Preface
¡Con brío!
Second Edition

You simply can't be passive when you encounter the vibrant and diverse Spanish-speaking world. You must approach it with an equal amount of gusto and flair... with brio! From this passion was born *¡Con brío!*, a book that embodies and reflects that same spirit of energy and enthusiasm.

Your students may come from all walks of life and represent a variety of generations, returning to school or just starting out. They may have different perspectives, and be on different career paths. Whatever their background or personal goals, with *¡Con brío!* they will go a long way in gaining the confidence, skills, and cultural awareness they need to communicate with Spanish speakers in their present or future jobs and in their everyday lives, both in the USA and abroad.

This 12-chapter introductory Spanish program, designed to address the needs and life circumstances of a broad audience, takes a highly **practical** approach that focuses on useful vocabulary presented through each chapter's unique visual *Escenas*, functional grammar of high-frequency usage, situational and contextual activities, and cultural selections relevant to everyday life and everyday interactions.

HERE'S HOW *¡CON BRÍO!* WORKS

1. Follows current National Standards in Foreign Language Education.

- In its pedagogical approach, *¡Con brío!* incorporates the Three Modes of Communication: Interpretive ("one way" reading and listening); Interpersonal ("two way" interactive communication); and Presentational ("one to many" writing and speaking communication, with focus on clear transmission of message). It also embraces the goals of the National Standards, placing primary emphasis on the purpose and context of communication, and focuses on the "Five C's": Communication, Culture, Connections, Comparisons, and Communities.

2. Grounds learning in everyday themes and scenes.

- *Temas y Escenas*—Every chapter is organized around a theme that reflects either everyday life, work, or community situations. Following the first introductory chapter, Chapters 2–12 are each divided into three culturally rich *Escenas* or modules that portray different facets of the chapter theme. Each begins with a vivid illustration that depicts places and events representative of the lives of Spanish-speaking people and relevant to the lives of the students. The vocabulary, activities, comic strips, culture, and reading selections are tightly woven around each chapter's theme and scenes.

3. Equips students with vocabulary they will really use.

- *Escenas*—About 90% of the vocabulary is presented visually through the *Escenas*. The remainder appears in easily identifiable charts followed by activities that require use of those particular words or expressions. Special effort has been made to select words that are standard to all Hispanic countries, with lexical variations presented in annotations to the instructor for presentation to the class as needed.

- *¡A escuchar!*—Each *Escena* is followed by multiple activities that practice the vocabulary, and an *¡A escuchar!* listening selection that is closely linked to the scenes' vocabulary and reflects everyday situations. The selections, available on the CD packaged with the book and on *WileyPLUS*, conclude with a simple comprehension-check activity in the textbook.

4. Presents grammar in a meaningful way.

- In *¡Con brío!*, grammar helps students navigate through everyday experiences in their new language. The focus is on grammar applicable to communication at the first-year level. For ease of comprehension, concepts and structures are presented in clear and concise charts, with theme-related examples.

- *¡Manos a la obra!* charts present major grammatical points, while the **...y algo más** boxes introduce minor points and clarify vocabulary usage.

- *Historietas*—One major grammar point per scene is followed by a comic strip that incorporates the grammar of that scene in natural conversations. A cast of characters and an ongoing story line maintain student interest throughout. The comic strips are also available in *WileyPLUS*, with accompanying audio, and comprehension and grammar-related activities.

- *¡Oye!*—Every *¡Manos a la obra!* structure is followed by an *¡Oye!* interactive listening activity. This instructor-directed input exercise allows students to hear the structure in context and to give simple responses in the follow-up comprehension section. The instructor's script is provided in the margin next to each *¡Oye!* activity.

5. Builds skills through a variety of engaging activities.

- **Sequencing**— Each *¡En acción!* vocabulary or grammar-based section begins with one tightly-structured practice activity which is designed to "ground" the student and build self-confidence, followed by carefully sequenced semi-controlled and then more open-ended communicative activities. In the grammar activities, students move from comprehension to production (input → output), and from simpler, contextualized activities to more involved, real-life applications.

- **Variety**— *¡Con brío!* includes instructor-led activities as well as a significant number to be done in pairs or in small groups. Both types may be adapted according to the instructor's preferences. Throughout the program, the authors have striven to make the activities engaging, purposeful, and varied. Activity types range from games and role-plays to cultural comparisons, all with strong ties to the chapter's scenes and themes. Additional practice activities are available in the *¡Con brío!* Grammar Handbook found in *WileyPLUS*, or sold on a print-on-demand basis.

6. Gets students thinking about culture.

- *Tu mundo cultural*—An attractive two-page spread at the end of each *Escena* or module presents an array of carefully selected cultural topics *closely related to the chapter's themes*. These cultural spreads provide insights into representative aspects and ways of life of the various cultures of the Hispanic world, with special emphasis given to the traditions originating in Spanish-speaking countries that can also be found in the ever-growing Hispanic communities in the United States.

- *Actividades culturales*—Each cultural presentation is followed by three activities: *¿Qué aprendiste?* guides the students in identifying the key points in the reading. The *Actividad cultural* provides a hands-on task for applying the cultural insights learned. The *Contraste cultural* stimulates students to look at aspects of their own culture through different eyes by comparing them to what they have learned about aspects of the Hispanic world.

- *¿Sabes que...?*—These brief culture capsules provide insightful information relevant to the themes and scenes of the chapter. They are given in English so that students are able to quickly and easily comprehend the content on their own.

- *Tu mundo en vivo*—This special feature includes two components: *¡Video en acción!*, with comprehension activities that accompany the video (with additional activities found in *WileyPLUS*), and *¡Lectura en acción!* The latter presents a Reading Strategy and an accompanying authentic reading selection, along with pre-reading, while-reading, and post-reading activities, all of which are designed to help students successfully apply the strategy and gain confidence reading in the target language.

7. Reinforces learning through synthesis and review.

- *¡Exprésate!*—A chapter-wrap-up section found in *Apéndice 3* offers students additional opportunities to converse (*¡A conversar!*) and write (*¡A escribir!*) about theme-based topics using the vocabulary and structures learned in the chapter. The latter is accompanied by writing strategies and process-writing steps.

- *Vocabulario*—A scene-by-scene listing of all vocabulary introduced in the chapter is presented to facilitate review.

- *Autoprueba y repaso*—This self-testing feature appearing at the end of each chapter reviews the vocabulary and structures presented in the chapter and helps students to prepare for tests. The Answer Key that appears in *Apéndice 2* in the book gives students instant feedback. Additional *Autopruebas* for each scene are available on the Book Companion Web Site and in *WileyPLUS*.

NEW FEATURES OF THE SECOND EDITION OF *¡CON BRÍO!*

¡Con brío! First Edition was classroom tested for several semesters with a variety of audiences at public and private institutions, in two- and four-year colleges, and even in a US company with branches in Spanish-speaking countries. The feedback received from instructors representing different backgrounds and teaching styles was invaluable in helping to polish and fine-tune this second edition. It features:

- Many revised and **new** activities, with **even greater emphasis on personalized, meaningful interchanges and communication** (often with visual stimuli)

- Careful attention to sequencing of activities, from input to output (comprehension to production), thus refining the *¡Con brío!* methodology

- A pronunciation-review section, *La pronunciación*, to accompany each chapter-opener scene with audio in *WileyPLUS*

- An audio link to accompany the comic strips in *WileyPLUS*

- Examples added to most grammar-presentation charts

- Special recycling annotations alongside activity titles highlight the material being recycled

- A lightly restructured Chapter 12, now includes the imperfect subjunctive

- An *Exprésate* in *Apéndice 3*, that provides end-of-chapter comprehensive speaking and writing activities, the latter accompanied by writing strategies and process-writing steps

- A more detailed Chapter Opener showing new features

- A Grammar Handbook available in *WileyPLUS* and sold print-on-demand; contains example sentences and controlled practice for all grammar presented in the text, and additional grammar in *Expansión* sections, also with accompanying practice

- An expanded testing program with more challenging exams

- A revised Workbook and Lab Manual now also found in *WileyPLUS Premium*

Visual Walkthrough

Escenas

Each chapter is organized around three *Escenas*, or modules, which portray various facets of the chapter theme. Each *Escena* begins with an illustration that presents the vocabulary of the scene. The scenes are color coded: *Escena 1* is orange, *Escena 2* is blue, and *Escena 3* is green.

Pronunciación

To reinforce and review the *La pronunciación* section found at the beginning of the book (P-1 → P-5), a small pronunciation section appears in the bottom right-hand corner of each opener scene, highlighting a particular point with examples taken from the scene vocabulary. Audio is available in *WileyPLUS*.

Vocabulario

For ease of acquisition, about 90% of the vocabulary in *¡Con brío!* is taught through situational visuals and is recycled throughout the activities of each scene. A cumulative list of words is presented at the end of each chapter. These are included for oral practice in the audio CD and in *WileyPLUS*.

¡A escuchar!

At the end of each vocabulary section, a listening selection, closely linked to the scene, provides practice that reflects everyday situations. These selections help students develop listening comprehension skills as they hear new vocabulary and structures in a natural context. The number of the CD and the corresponding track number are given by the title of each *¡A escuchar!*

¡Manos a la obra!

Grammar and structures are presented in the *¡Manos a la obra!* charts, scaffolding the knowledge that students need to navigate their new language. *¡Manos a la obra!* charts present the basic grammar needed for successful communication at the first year level.

...y algo más

These boxes introduce minor grammar points related to the *¡Manos a la obra!* charts and clarify usage of newly-presented vocabulary.

Grammar Handbook

A Grammar Handbook found in *WileyPLUS* presents example sentences and controlled practice for all grammar presented in the text, and additional grammar in *Expansión* sections, also with accompanying practice. This can also be purchased print-on-demand.

¡A escuchar! Dos ancianos en el parque   CD 3 Track 47

Paso 1. Listen to the dialogue between don Tomás and doña Remedios. They are sitting on a bench in the park observing the young people passing by.

Paso 2. Listen again, then indicate if the statements are true or false.

1. Don Tomás y doña Remedios no son jóvenes.   ☐ Cierto   ☐ Falso
2. Los jóvenes están enamorados.   ☐ Cierto   ☐ Falso
3. Doña Remedios está casada.   ☐ Cierto   ☐ Falso
4. Don Tomás es divertido y joven de espíritu.   ☐ Cierto   ☐ Falso

Historietas

Each *Escena* presents a comic strip illustrating an on-going story line with characters and situations that students can relate to. The comic strip follows a specific grammar point and provides practice for that structure within an authentic dialog. The conversations are available on audio, in *WileyPLUS*, where you will also find a version without the bubble content, for students to write their own dialogs.

¡En acción!

The first activity in each grammar-related *¡En acción!* section is *¡Oye!*, an interactive listening activity where students hear the structure in context and give simple responses in the instructor-directed follow up. Each *¡Oye!* is then followed by a series of varied and often unique activities carefully sequenced for building communication skills.

Tu mundo cultural

Appearing in each *Escena*, this section presents a cultural topic related to the theme of the chapter. These carefully selected topics provide insights into the everyday life of various cultures of the Hispanic world. Special emphasis is given to traditions originating in Spanish-speaking countries that can also be found in Hispanic communities in the United States.

¡En acción!

◆ ¡Oye! **Raimundo habla de sus planes**

Raimundo has some plans that are feasible, and others that are crazy. As you hear each one, react by saying «**¡Es un buen plan!**» or «**¡Est loco!**»

4-25 El clima

◆ **Paso 1.**   Imagine that you and your classmates live in Chicago, near Lake Michigan, and have the week off. Before planning your activities, you decide to check out the weather on *Yahoo! en espol*. Divide into *five* groups, with each deciding what the group is going to do on a particular day. Fill in the chart with the weather forecast and *five* appropriate activities.

Día	Pronóstico	Actividades
1. hoy (viernes)	Parcialmente nublado. Buen tiempo. Temperatura máxima, 85 grados.	Vamos a…
2. sábado		
3. domingo		
4. lunes		
5. martes		

◆ **Paso 2.**   One spokesperson from each group now shares the forecast and plans for the day with the class.

🔨 Tu mundo cultural

La etiqueta en los negocios

Nunca se sabe. Quizás en un futuro próximo tengas que ir de viaje de negocios a un país hispano, y si eso ocurre, ¿estás preparado/a? Lee lo que sigue. Tal vez un día te pueda ser muy útil[1].

Hacer negocios en un país extranjero es siempre un reto[2] porque requiere conocer un idioma[3], una cultura y un sistema legal diferente. Para tener éxito[4] en las relaciones comerciales con los países hispanos, conviene conocer la etiqueta o protocolo que siguen en los negocios. Es cuestión de estar preparado.

Las relaciones personales son la base del éxito en los negocios con los hispanos. Lo primero que hay que hacer es crear una relación personal y amistosa y luego, vienen los negocios.

En los negocios, como en el resto de la vida hispana, la proximidad física es algo normal, tanto en los saludos como durante la conversación y negociación.

El almuerzo es para los hispanos una ocasión para entablar[5] relaciones personales y conocerse, y no necesariamente para hacer negocios. En ocasiones, el almuerzo puede durar de 1:30 a 3:00 de la tarde o incluso más.

[1]useful, [2]challenge, [3]language, [4]**tener...** to be successful, [5]to initiate

¿SABES QUE...?

Guatemala is the world's leading producer of chewing gum (**chicle**). The revenue from gum exports totals more than $2 million a year. Until 1973, Guatemala exported gum solely to the United States.

¿Sabes que...?

Located throughout each chapter, with topics that reflect the chapter theme, *¿Sabes que...?* provides brief tidbits of interesting information related to Spanish culture within the USA and in Spanish-speaking countries.

Tu mundo en vivo

This special feature includes two components: *¡Video en acción!*, with activities for the two text-specific and culturally based video segments that accompany each chapter, and *¡Lectura en acción!*, with authentic readings from newspapers, magazines, and websites from Spanish-speaking countries. Students gain confidence in reading comprehension following practical Reading Strategies.

Autoprueba y repaso

This section at the end of the chapter provides the opportunity for students to self-test their proficiency in the vocabulary and structures studied in the chapter. Instant feedback is provided in the Answer Key found in *Apéndice 2*.

¡Exprésate!

To supplement the speaking and writing activities within each chapter, *¡Exprésate!*, found in *Apéndice 3*, provides chapter-comprehensive *¡A conversar!* and *¡A escribir!* activities.

Writing Strategies

The *¡A escribir!* sections are accompanied by Writing Strategies: Prewriting in Chapters 2–4, Writing in 5–10, and Revising in 11–12. Each also includes process-writing steps.

The Complete Program

To receive an examination or desk copy of any of these program components, please contact your local Wiley sales representative at www.wiley.com/college/rep or call our Sales Office at 1.800.237.2665.

Student Textbook
Packaged with Textbook Audio CD
978-0-470-50062-0
The Student Textbook includes *Exprésate*, a chapter wrap-up section found in *Apéndice 3* which offers students additional opportunities to converse (*¡A conversar!*) and write (*¡A escribir!*), accompanied by writing strategies and process-writing steps. It also contains audio CDs which include recordings of the textbook's *La pronunciación* component, the *¡A escuchar!* listening activities, and the end-of-chapter vocabulary.

Annotated Instructor's Edition
Packaged with Textbook Audio CD
978-0-470-56061-7
The Annotated Instructor's Edition contains side notes with suggestions for teaching, meaningful structural exercises, suggestions for varying or expanding communicative activities, scripts for the *¡Oye!* listening activities, and answers to point-specific exercises.

Activities Manual
978-0-470-50063-7
The revised Activities Manual for the second edition focuses on the sequencing of activities, moving from input to output (comprehension to production), thus adhering to the *¡Con brío!* methodology. It contains:
1. The Workbook links reading and writing, builds vocabulary, practices grammar, and helps students develop personal expression and composition skills. Some activities are self correcting, with an Answer Key available at the end of the manual, and others are more open-ended, involving creative expression. The *Toque final* section includes a guided composition and a comprehension check for the three *Tu mundo cultural* selections of each chapter.
2. The Lab Manual includes a variety of contextualized listening comprehension activities. The audio is available in *WileyPLUS* and the CDs which are sold separately. 978-0-470-57388-4

Grammar Handbook
978-0-470-59385-1
A new Grammar Handbook offers over 140 additional activities for student practice to help review all the grammar points taught in the book. It also contains a section named *Expansión*, which explores other grammar points related to the lesson, and offers practical examples. Available in *WileyPLUS* and sold print-on-demand.

Video
978-0-470-57387-7
The *¡Con brío!* video consists of two text-specific and culturally based segments per chapter, which follow the interview or documentary formats. Throughout the segments, students will watch real-life interactions between native speakers of Spanish in the U.S. and abroad, in professional and social settings, in order to explore cultural topics presented in the textbook. The video is complimentary for instructors and can be purchased by students. It is also available in *WileyPLUS*.

Book Companion Website for Students
www.wiley.com/college/lucasmurillo
The website for students contains complimentary *Autopruebas,* Audio Flashcards, internet activities and *Panoramas Culturales*.

Book Companion Website for Instructors with Exams and PowerPoint® Slides
www.wiley.com/college/lucasmurillo
The website for instructors features everything available in the student site, plus Word and computerized versions of the testbank, as well as Word versions of exams with digital audio files, with many revised and new activities, with even greater emphasis on personalized, meaningful interchanges, and communication. It also includes PowerPoint presentations for all sections of the chapters, answer keys for all tests, exams and activities, scripts for all audio, and *¡Exprésate!*, the end-of-chapter wrap-up focusing on conversation and writing.

WileyPLUS

www.wiley.com/college/wileyplus
www.wileyplus.com
¡Con brío! is available with *WileyPLUS*, a powerful online tool that provides instructors and students with an integrated suite of teaching and learning resources in one easy-to-use Website. *WileyPLUS* is organized around the activities you and your students perform in class.

For Instructors
Prepare & Present: Create class presentations using a wealth of Wiley-provided resources—such as an online version of the textbook, PowerPoint slides, tutorials, audio, video, and an Image Gallery—making your preparation time more efficient. You may easily adapt, customize, and add to this content to meet the needs of your course. Other supplements offered in this section include: Testbank, Exams, Grammar Handbook, *La pronunciación*, Lab Manual audio scripts and answer keys, and *¡A escuchar!* audio scripts.

Create Assignments: Automate the assigning and grading of homework or quizzes by using Wiley-provided question banks, or by writing your own. Student results will be automatically graded and recorded in your gradebook. *WileyPLUS* can link the pre-lecture quizzes and test bank questions to the relevant section of the online text. You can choose to assign Video Activities, Internet Activities, *Autopruebas*, Voice tool questions, Comic strip activities, or the eSAM in our *WileyPLUS* Premium version.

Track Student Progress: Keep track of your students' progress via an instructor's gradebook, which allows you to analyze individual and overall class results to determine students' progress and level of understanding.

Administer Your Course: *WileyPLUS* can easily be integrated with another course management system, gradebook, or other resources you are using in your class, providing you with the flexibility to build your course, your way.

For Students
WileyPLUS provides immediate feedback on student assignments and a wealth of support materials. This powerful study tool will help your students develop their conceptual understanding of the class material and increase their ability to answer questions.

A **Read, Study & Practice** area provides an interactive electronic version of the textbook, and includes opportunities for self-assessment, video, visual learning interactive exercises, and links to Web sites that offer opportunities for further exploration. There are a wealth of resources available, including Laboratory Audio, *¡A escuchar!*, *Autopruebas*, Audio Flashcards, Internet Activities, *Panoramas culturales*, Animated Grammar Tutorials, and English Grammar Checkpoints. Students can take control of their own learning and practice until they master the material.

An **Assignment** area keeps all the work you want your students to complete in one location, making it easy for them to stay "on task." Students will have access to a variety of interactive self-assessment tools, as well as other resources for building their confidence and understanding. In addition, all of the pre-lecture quizzes contain a link to the relevant section of the multimedia book, providing students with context-sensitive help that allows them to conquer problem-solving obstacles as they arise.

A Personal Gradebook for each student will allow students to view their results from past assignments at any time.

Please view our online demo at www.wiley.com/college/wileyplus. Here you will find additional information about the features and benefits of *WileyPLUS*, how to request a "test drive" of *WileyPLUS* for *¡Con brío!*, and how to adopt it for class use.

ICONS IN YOUR TEXTBOOK

Activities

Individual

Pairs

Group

Instructor-led

Listening

Writing Skills

Resources

WileyPLUS

Video

Instructor

PowerPoint

Recycling

Reading Skills

LA PRONUNCIACIÓN

Learning to pronounce Spanish correctly is the first step in an exciting adventure with the Spanish language and Hispanic cultures. The information presented in this section will help you absorb the basic rules of pronunciation. Its content is recorded on the student CD that accompanies this textbook, and is also found in www.wileyplus.com under Audio. Remember that you will only achieve correct pronunciation with regular practice from the very first day. *¡Con brío!* also offers you pronunciation guidance and practice throughout the Laboratory Manual.

1. VOWELS   CD 3 Tracks 2–3

Unlike English vowels, each Spanish vowel has only one basic sound. Spanish vowels are short and clipped, never long and drawn out. Listen to and repeat each vowel sound and the corresponding examples.

Vowel	Sound	Examples
a	like the **a** in *spa*	banana, Amanda, Panamá
e	like the **e** in *Betty*	bebé, pelele, tema
i	like the **ee** in *tree* or the **ea** in *tea*	mi, sí, isla
o	like the **o** in *more*	oso, ocho, Rosa
u	like the **u** in *blue* or the **oo** in *too*	uno, único, Úrsula

A. Práctica

Read each of the following words, concentrating on the vowel sounds. The vowel in bold is the one to stress. Begin after you hear **¡Adelante!**[1] After you read each word, listen for confirmation.

alma	mamá	acampar	cama
Elena	entera	tema	meta
analista	misa	típica	ermita
no	dos	color	once
último	punto	Cuba	musa

[1]Go ahead! Begin!

2. DIPHTHONGS   CD 3 Tracks 4–5

In Spanish there are two types of vowels: strong (**a, e, o**) and weak (**i, u**). A diphthong is either a combination of two weak vowels or a combination of a weak vowel and a strong vowel. The consonant **y**, when it occurs at the end of a word, is pronounced like the vowel **i** and also forms a diphthong. Diphthongs constitute one unit of sound, and are thus pronounced as a single syllable. Listen to and repeat the following sounds and words.

Diphthongs	Examples	Diphthongs	Examples
ai/ ay	aire, ¡ay!	iu	triunfo, veintiuno
au	aula, auténtico	oi/ oy	oigo, soy
ei/ ey	seis, rey	ou	estadounidense
eu	Europa, feudo	ua	Guatemala, agua
ia	piano, diario	ue	luego, bueno
ie	siete, fiesta	ui/ uy	Luisa, muy
io	idioma, Dios	uo	cuota, inocuo

B. Práctica

Read each of the following words, concentrating on the diphthong in bold. Begin after you hear **¡Adelante!** After you read each word, listen for confirmation.

estudiante   veinte   asiento   idioma   viuda   Eduardo   escuela   dúo

buitre   carey   baile   Bombay   auto   doy   euro   oiga   cuy

3. STRESS AND WRITTEN ACCENT   CD 3 Tracks 6–7

Listen to each of the following rules, then listen to and repeat each word, stressing the syllable in bold.

a. Words that end in a vowel, **n**, or **s** are stressed on the next-to-the-last syllable.

a-ma-ri-llo   al-ma   gus-to   re-pi-tan   cla-ses   do-lo-res

b. Words that do not end in a vowel, **n** or **s** are stressed on the last syllable.

pro-fe-sor   co-lor   doc-tor   u-ni-ver-si-dad   re-loj   es-pe-cial

c. Words that do not follow these rules carry a written accent to indicate where the stress falls.

ca-fé   te-lé-fo-no   pá-gi-na   mu-sul-mán   di-fí-cil   fi-lo-so-fí-a

Sometimes a written accent signals a different meaning in words with the same spelling. Examples: **tú** *you,* **tu** *your;* **él** *he,* **el** *the;* **sí** *yes,* **si** *if*

C. Práctica

Pronounce the following words, stressing the correct syllable. Begin after you hear **¡Adelante!** After you pronounce each word, listen for confirmation.

1. lu-nes
2. op-ti-mis-ta
3. có-mi-co
4. es-tu-dian
5. ac-tor
6. ca-li-dad
7. con-fir-mar
8. ge-ne-ral
9. brí-o
10. te-lé-fo-no
11. gra-tis
12. es-ta-dou-ni-den-se

4. THE ALPHABET AND PRONUNCIATION CD 3 Tracks 8–37

As you have seen, the pronunciation of Spanish vowels is different from the pronunciation of their English counterparts. This is also true for certain Spanish consonants. In addition, pronunciation can vary in different regions of the Hispanic world.

Below, you will find the Spanish alphabet* with guidelines for pronouncing each letter. Note that every letter is pronounced except for **h**, which is always silent. Listen to and repeat the name of each letter (second column) and each example word (fourth column).

Letter	Name	Pronunciation	Examples
a	a	Like the **a** in *spa*.	ama, mapa
b	be	Like English **b**, but stronger at the beginning of a word or sentence and after **m**.	banco, nombre
		Softer in other positions (between vowels).	fábula, cabo
c	ce	Like English **c** in *cat*.	casa, coma, Cuba
		Like **s** before **e** or **i**.	cero, cita
		In some regions of Spain, like **th** in *thirst*.	cero, cita
		Ch is pronounced like **ch** in *chief*.	ocho, chévere
d	de	Like English **d**, but stronger at the beginning of a word or sentence and after **n** or **l**.	dama, disco banda, saldo
		Softer in other positions (between vowels; at the end of words)—like **th** in *though*.	todo, cada, Madrid
e	e	Like the **e** in *Betty*.	estéreo, mesero
f	efe	The same as in English.	feliz, Filipinas
g	ge	Like the **g** in *go*.	gasolina, golfo
		Like the **h** in *help* (before **e**) or in *hit* (before **i**).	general, Gibraltar
		In the combination **gue** and **gui**, the **u** is silent and the **g** is pronounced like the **g** in *game*.	guerra, guitarra
		When the **u** carries a *dieresis* (**ü**), **gü** is pronounced like the **gu** in *language*.	bilingüe, pingüino
h	hache	Always silent.	hola, hotel
i	i	Like the **ee** in *tree* or the **ea** in *tea*.	insecto, isla
j	jota	Like the **h** in *help*.	jefe, julio
k	ka	The same as in English. (Used only in words of foreign origin.)	kilómetro, karate

*In the past, two two-letter combinations—**ch** (che), **ll** (elle)—were part of the Spanish alphabet.

Letter	Name	Pronunciation	Examples
l	ele	The same as in English. Double l (ll) is most often pronounced like the y in *yes*.	lunes, loco llama, calle
m	eme	Same as in English.	mandarina, mano
n	ene	Same as in English.	nada, nunca
ñ	eñe	Like ni in *onion*.	mañana, niño
o	o	Like the o in *more*.	oro, doctor
p	pe	Same as in English.	paso, piso
q	cu	Same as in English. (It occurs only in the combinations que and qui, where the u is silent.)	pequeño, arquitecto
r	ere, erre	Single r at the beginning of a word and double r (rr) in the middle of a word are trilled. Otherwise, as tt and dd in *bitter* and *ladder*.	reloj, rojo perro, carro puro, caro
s	ese	Same as in English.	salsa, seis
t	te	Same as in English.	teléfono, tímido
u	u	Like the u in *true* or the oo in *too*.	único, usar
v	ve chica, uve*	Spanish b and v are pronounced the same. Like English b, but stronger at the beginning of a word or sentence and after n. Softer in other positions (between vowels).	 vista, vosotros enviar ceviche, aventura
w	ve doble, uve doble*	Like Spanish u. (Used only in words of foreign origin.)	whisky, walkman
x	equis	Between vowels, like ks in *thanks*. Before a consonant or at the beginning of a word, like s or ks. (In words like Texas and México, pronounced like j.)	examen, boxeo excelente, extraño xenofobia, xilófono mexicano
y	i griega	Stronger than y in *yesterday*. At the end of a word, pronounced like i.	yo, yuca muy, soy
z	zeta	Like s. In some regions of Spain, like th in *thanks*.	zapato, jerez zapato, jerez

*In Spain

D. Práctica

Read each of the following words, paying special attention to the consonants. Don't forget to stress each word on the right syllable. Begin after you hear ¡**Adelante!** After you read each word, listen for confirmation.

casa	cero	costa	cinco	silencio
dedo	Dinamarca	nido	soldado	
gato	gente	gitano	guerra	guitarra
hotel	historia	Jalisco	Juan	
luna	llama	calle	llamar	
año	maña	niñera	dueño	
queso	quince	chiquito		
Ramón	risa	caro	carro	pero
violeta	brócoli	vestido	bicicleta	
zapato	Sandra	zumo	secreto	celestial

E. Práctica

Practice the alphabet by reading and spelling each of the following words. Read the word, spell it, then listen for confirmation. If the word has an accent, say the name of the letter, and then say **con acento**. Begin after you hear ¡**Adelante!**

1. hora
2. lápiz
3. carro
4. ocho
5. amarillo
6. bueno
7. fugitivo
8. veinte
9. mañana

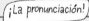

¡La pronunciación!

The pronunciation of **tr** is particularly difficult for native speakers of English. Observe your instructor and be sure to position your mouth and tongue properly in order to pronounce the sound correctly: **tres, cuatro, trabajo, triángulo, teatro, tronco, trucha, semestre.**

Correct pronunciation is the key to avoiding misunderstandings.
Examples: **pero** *but* / **perro** *dog*
                    campaña *campaign* / **campana** *bell*

Also, be sure to stress the vowel with the written accent.
Examples: Estudio. *I study*   Estudió. *He studied*
                    ¡Hable! *Speak!*   Hablé. *I spoke.*

5. LINKING WORDS   CD 3 Tracks 38–41

Linking is a very important element of Spanish pronunciation.

a. A vowel sound at the end of a word is always linked to the vowel sound at the beginning of the next word. If the vowels are the same, they are pronounced as one long vowel. In linking, **y** acts like a vowel. Listen to and repeat each of the following sentences, paying special attention to the linked vowels.

No entiendo eso.

Va a hablar de ese estudiante.

Voy a almorzar.

b. A consonant sound at the end of a word is always linked to the vowel sound at the beginning of the next word. Listen to and repeat each of the following sentences, paying special attention to the linking of consonants and vowels.

Hablan español.

Están en un restaurante.

Nos encanta escribir y leer.

c. Two identical consonants, one at the end of a word and the other at the beginning of a word, sound like a single but longer consonant. Listen to and repeat each of the following sentences, paying special attention to the linking of consonants.

El borrador rojo no me gusta.

Es su restaurante favorito.

No trabajan nada.

F. Práctica

First mark all the links between words in the following sentences. Then read each of the sentences, paying special attention to the linking sounds. Begin after you hear **¡Adelante!** After you read each sentence, listen for confirmation.

1. ¿Cómo está usted?

2. Hoy es el ocho de enero.

3. Mi color favorito es el amarillo.

4. Es el día de su aniversario.

5. No hay examen en la clase de español.

6. ¿Qué hora es?

Primeros pasos*

WILEY PLUS

Additional activities and **Autopruebas** for each **Escena** available online.

✏ For *Writing Strategies* see *Apéndice 3*.

Paso I
- Greetings, introductions, and saying good-bye

Paso II
- Asking and answering questions about where you are from

Paso III
- Describing yourself and others using cognates

Paso IV
- Counting to 59

Paso V
- Telling time

Paso VI
- Indicating days of the week and dates

TU MUNDO CULTURAL
Breve historia del español

TU MUNDO EN VIVO
¡Video en acción!

¡Lectura en acción! (with *Reading Strategies*)

*Primeros pasos *First steps*

Note: Before you begin this chapter, practice pronunciation in the preceding section using the CD titled *La pronunciación* that accompanies this book or go to www.wileyplus.com

Paso I

Greetings, introductions, and saying good-bye

Informal greetings and introductions

Note: Classroom directions in Spanish may be found on the pages that immediately follow the inside front cover of your book.

You may present the informal greetings and introductions using the PowerPoint slide of the scenes. Have students repeat each phrase, concentrating on pronunciation and intonation. Then have students read the conversations in groups of five playing the five characters. Finally, have students practice the dialogues again, using their own names.

Vocabulary options that appear in bold face, such as 7. ...**Mal** and 10. ...**Encantado,** are active.

1. Hello / Hi! How are you (doing)? 2. Fine, thanks, and you? 3. My name is Hugo. What is your name? 4. Rosa. 5. Good morning, Lupe. How are you? 6. Very well, and you? 7. Okay. / So, so. (**Mal**. Not so well. Bad.) 8. Antonio, let me introduce you to Magdalena García. 9. Nice / Pleased to meet you. 10. I'm delighted to meet you. (Said by a female. If said by a male → **Encantado**.)

¡En acción!

 ¡Oye![1]   El primer[2] día de clase

It is your first day on campus and you hear Spanish-speaking students meeting and greeting each other. On the basis of what you hear, determine whether the following people just met or already know each other.

1. Hugo and Rosa:

   ☑ just met   ☐ already know each other

2. Antonio and Lupe:

   ☐ just met   ☑ already know each other

3. Antonio and Magdalena:

   ☑ just met   ☐ already know each other

> ### . . . y algo más
>
> In written Spanish, questions are preceded by an inverted question mark (¿), and exclamations are preceded by an inverted exclamation point (¡): **¡Hola! ¿Cómo estás?**

For additional practice on this grammar point, see PowerPoint slides at www.wiley.com/college/lucasmurillo or visit www.wileyplus.com

1-1 ¡Hola!

You want to get to know your classmates. Walk around the classroom and say «**Hola**» to at least *six* of them, and ask their names. Follow the model.

MODELO

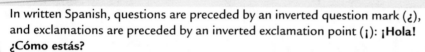

E (Estudiante) 1:	¡Hola! ¿Cómo te llamas?
E2:	Me llamo María, ¿y tú?
E1:	Me llamo Juan. Mucho gusto.
E2:	Encantada.

 Juan   María

1-2 Presentaciones[3]

Some of your classmates want to meet your partner. Walk around the classroom in pairs and introduce your partner to at least *four* other classmates, following the model. Then switch roles.

MODELO

E1:	Hola,... ¿Qué tal? (o) ¿Cómo estás?
E2:	Muy bien. ¿Y tú?
E1:	Bien, gracias. Te presento a...
E2:	Mucho gusto.
E3:	Encantado/a. (Shake hands.)

You may want to project the Power-Point slide of the scenes. As you present each conversation, point to the people speaking.

Guión para ¡Oye!

1. —¡Hola! ¿Qué tal?
   —Bien, gracias, ¿y tú?
   —Bien, gracias.
   —Me llamo Hugo. ¿Cómo te llamas?
   —Rosa.
2. —Buenos días, Lupe. ¿Cómo estás?
   —Muy bien, ¿y tú?
   —Regular.
3. —Antonio, te presento a Magdalena García.
   —Mucho gusto.
   —Encantada.

1-1 Upon completing the activity, ask students to identify each individual in the class by name.

As an example, point to one student and write **Se llama** + *his/her name* on the board.

1-1 Remind students that **Me llamo** means *My name is . . .* and that it is incorrect to add **es** after **Me llamo.**

1-2 Review the **modelo** with students, having them repeat each phrase. Students provide their classmates' names in the ellipses [...].

1-2 ANOTHER STEP: First, review the alphabet with students. Then write **nombre** and **apellido** on the board, with an example of each. Finally, have students ask *four* classmates their names and how to spell them. E1: **¿Cómo te llamas?** E2: **Peter.** E1: **¿Y tu apellido?** E2: **Johansen.** E1: **¿Cómo se escribe?** E2: **J-O-H-A-N-S-E-N.** E1: **¿Así?** (Show spelling to classmate for confirmation.)

1-1, 1-2 "Walk around the classroom" activities encourage communication, keep students alert and motivated, and provide a change of pace. Each activity can generally be completed in five minutes. *Option:* Students complete the activities in groups of six.

For additional vocabulary practice, see PowerPoint slides at www.wiley.com/college/lucasmurillo or visit www.wileyplus.com

---

[1]Listen up!, [2]first, [3]Introductions

Formal greetings and introductions; saying good-bye

You may present the formal greetings, introductions, and saying good-bye, using the PowerPoint slide of the scenes. Have students repeat each phrase, concentrating on pronunciation and intonation. In pairs, students practice the conversations, playing the roles of the various characters.

1. Professor Ruiz, let me introduce you to my friend David Smith. 2. I'm delighted to meet you. 3. Nice to meet you, David.
4. Good morning, ma'am. How are you? 5. Very well, thanks, and you? 6. Fine, thanks. My name is Kei Suzuki. What is your name? 7. Carmen López. Pleased to meet you! 8. I'm delighted to meet you! 9. Good afternoon, Mónica. How are you?
10. Very well. And you, professor? 11. Fine, thanks. 12. Good night, friends. 13. Good-bye! 14. See you later! 15. Bye!
16. See you tomorrow!

. . . y algo más

In Spanish, there are formal and informal ways of addressing people. As a general rule for greetings, you use a formal greeting when speaking to someone you would address by his/her last name, and an informal greeting when you are on a first-name basis. Compare the following formal and informal greetings:

Formal	**Informal**
¿Cómo está (usted)*?	¿Cómo estás (tú)?
¿Cómo se llama (usted)?	¿Cómo te llamas (tú)?
Le presento a...	Te presento a...

For additional practice on this grammar point, see PowerPoint slides at www.wiley.com/college/lucasmurillo or visit www.wileyplus.com

PERSONAS Y TÍTULOS

masculino	femenino
(el) amigo	(la) amiga
(el) profesor	(la) profesora
(el) señor (Sr.)	(la) señora (Sra.)
	(la) señorita (Srta.)

Write on the board: **dice** *says/* **dicen** *say*. After students are familiar with the formal greetings, read the following statements to them. Be expressive! To confirm responses, you may use the appropriate PowerPoint illustration.

Guión para ¡Oye!
1. Dos (*hold up two fingers*) estudiantes conversan con la profesora. *1*
2. Mónica conversa con el profesor. *3*
3. Diego presenta a su amigo David Smith. *1*
4. La señora y la señorita están muy bien. *2*
5. Luis dice: «Buenas noches, amigos.» *4*
6. Una persona dice: «Buenos días.» *2*
7. Una persona dice: «Buenas tardes.» *3*
8. Dos estudiantes dicen: «¡Adiós!» «¡Hasta luego!» *4*

 ¡Oye! Escenas

You will hear statements, each of which describes one of the scenes on page 4. Indicate which scene is being described by raising one, two, three, or four fingers, according to the number of the scene.

 1-3 ¿Qué respondes?

Your instructor arrives on the first day of class. Match each of his/her greetings or inquiries with the corresponding response, completing the statements appropriately.

1-3 For each item, elicit responses from several students. For additional practice, students repeat the activity working in pairs, with one student playing the role of the instructor.

Tu profesor/a		Tú (*yourself*)
1. Buenos días, señor / señora / señorita. c		a. Me llamo...
2. ¿Cómo está usted? e		b. Mucho gusto.
3. ¿Cómo se llama usted? a		c. Buenos días, profesor/a...
4. Le presento a... b		d. Adiós.
5. Hasta luego. d		e. Muy bien/ regular, gracias. ¿Y usted?

*The parentheses around **(usted)** and **(tú)** indicate that these subjects are optional, and except for emphasis or clarification, are often dropped.

1-4 En una reunión

1-4 For *Paso 1*, ask two students to present their conversation to the class. For *Paso 2*, students walk around the classroom to make their four introductions. Encourage some of them to introduce their "colleagues" to you.

For additional vocabulary practice, see PowerPoint slides at www.wiley.com/college/lucasmurillo or visit www.wileyplus.com

Paso 1. You have just entered a business meeting that has not yet begun. You do not know the person sitting next to you. Speak with him/her following the outline in the chart.

Person 1:	Person 2:
· Greet the person (use **Sr., Sra., Srta.**) according to the time of day.	· Respond to the greeting.
· Introduce yourself giving your name, and ask the other person's name.	· Give your name.
· Shake the person's hand, and say that you are pleased to meet him/her.	· Shake the person's hand, and say that you are pleased to meet him/her.
· Say good-bye.	· Say good-bye.

Paso 2. Later you want to introduce your colleague to *four* of your business associates. On an individual basis, **(a)** greet them and **(b)** make your introductions. The people introduced **(c)** shake hands and say that they are pleased to meet each other.

In Latin America, women generally greet each other with a light kiss on the cheek, and in Spain, with a kiss on each cheek. Men and women greet each other with kisses too.

Men greet other men with either a hug or a handshake. In formal job or business situations the handshake is the norm for both men and women.

Paso II

Asking and answering questions about where you are from

HUGO

¿De dónde eres, Rosa?

Soy de Nuevo México, ¿y tú?

De Chicago.

ROSA

LA SRTA. SUZUKI

¿De dónde es usted, señora?

De Japón.

Soy de Venezuela. ¿Y usted?

LA SRA. LÓPEZ

 See Grammar Handbook found in WileyPLUS.

GRAMÁTICA

¡Manos a la obra!

Saying where you are from: *Ser* (to be) + *de* + place of origin

1

The following chart presents subject pronouns and the verb **ser,** which has a number of uses in Spanish. In this section you will use it to say where people are from.

Subject pronouns		Ser *(to be)*	
yo	*I*	soy	*I am*
tú	*you, singular informal*	eres	*you are*
usted (Ud.)	*you, singular formal*	es	*you are*
él	*he*	es	*he/it is*
ella	*she*	es	*she/it is*
nosotros/as	*we*	somos	*we are*
vosotros/as	*you, plural informal*	sois	*you are*
ustedes (Uds.)	*you, plural formal/informal*	son	*you are*
ellos	*they, masculine*	son	*they are*
ellas	*they, feminine*	son	*they are*

- Spanish uses two different words to express *you, singular.* Although usage varies from region to region, **tú** is generally used when the relationship is informal (first-name basis); **usted** is used when the relationship is more distant (last-name basis). When in doubt, use **usted.**

- **Vosotros/as** is used in Spain. In Spanish America, **ustedes** is used in both formal and informal situations.

- Because Spanish verb forms almost always indicate the subject of a sentence, subject pronouns are usually omitted.

    Soy de Nueva York.   *I am from New York.*

- Subject pronouns *are* used, however, to clarify or contrast.

    Yo soy de México y **ella** es de Costa Rica.

- When a pair or group includes both males and females, the masculine forms are used: **nosotros, vosotros, ellos.**

For additional practice on this grammar point, see PowerPoint slides at www.wiley. com/college/ lucasmurillo or visit www. wileyplus.com

Mention to your students that in some countries, the use of **tú** is very frequent (for example, Spain and the Caribbean), whereas in others (for example, Costa Rica, Honduras and Ecuador) the **Ud.** is more common, even between parents and children. When in doubt, students should use the **Ud.** form.

Also mention that there is no Spanish equivalent for the subject pronoun *it.* In Spanish, to say *It is my friend,* begin with the verb: **Es mi amigo.**

¡En acción!

¡Oye! ¿De dónde son?

You will hear where your instructor and various people that he/she knows are from. Listen carefully. Then answer the questions, naming the place of origin of each person mentioned.

On the board, draw the faces of some of your friends and relatives that come from different places. Write the person's name under each drawing. Then tell the class where you and they are from. Expand and personalize the list as you wish.

Guión para ¡Oye!
1. Yo soy de...
2. Mi amigo/a... es de...
3. Mis amigos... y... son de...
4. Mi mamá/papá es de...
5. ...

Comprensión para ¡Oye!
1. ¿De dónde soy yo?
2. ¿De dónde es él/ella?
3. ¿De dónde son ellos/ellas?
4. ¿De dónde es mi mamá/papá?
5. ¿De dónde es...?

1-5 ¿Quién?[1]

In Spanish, using the correct form of address is important. How would you address or refer to the following people? Use **tú, usted, él, ella, nosotros/as, ustedes, ellos, ellas.**

You are talking to:	You are talking about:
la profesora de biología → *usted*	la Sra. López y la Srta. Suzuki → *ellas*
dos profesores	el profesor Blanco
David, un amigo	Diego y David
dos amigos	Magdalena
un adolescente	Rosa y tú (*yourself*)
el rector[2] de la universidad	tú (*yourself*)

1-5 ANSWERS: *Left column:* usted (provided), ustedes, tú, ustedes, tú, usted *Right column:* ellas (provided), él, ellos, ella, nosotros/as, yo

1-6 De orígenes diferentes

Paso 1. College and university students are often from cities and countries all over the world. Tell where the following students are from, matching the capital cities to the countries in the chart.

Países
Rusia
Francia
Argentina
Japón
Inglaterra
Egipto
España
Italia

1. Roger/ Londres → *Roger **es de** Londres, Inglaterra.*
2. Sergei y Anton/ Moscú
3. Yuko y Sayaka/ Tokio
4. Giovanni/ Roma
5. Tania/ El Cairo
6. Elena y María/ Madrid
7. Ernesto/ Buenos Aires
8. Monique/ París

Paso 2. If you or any members of your family are from countries other than the U.S.A., share the information with the class. Use the countries listed on the inside back cover of your textbook as needed. *Yo... Mi mamá... Mi papá... Mis abuelos[3]...*

1-7 ¿De dónde eres?

1-7 After students complete *Paso 1,* have several individuals tell the origin of everyone in their circle. Go over the expressions of courtesy on page 9 before students do *Paso 2.*

Paso 1. It is always interesting to find out the origin of your classmates. In groups of *five,* stand in a circle and tell each other where you are from. Listen carefully. Then take turns stating the origin of every person in the group. Use subject pronouns.

MODELO

E1: *Yo soy de...*   **E1:** *Tú eres de...*   **E1:** *Él/Ella es de...*

[1]Who/Whom, [2]president, [3]grandparents

EXPRESIONES DE CORTESÍA

Perdón.	*Pardon me/Excuse me (to get someone's attention or to seek forgiveness).*
Con permiso.	*Excuse me (to ask permission to pass by someone or to leave).*
Gracias.	*Thanks.*
De nada.	*You're welcome.*

Paso 2. Ask approximately *ten* students **(tú)** and your instructor **(Ud.)** where they are from. Write down the information. Your goal is to try to find classmates that are from the same places. Be prepared to report to the class.

1-7 Students use their notes to report their findings to the class: **Linda y yo somos de Colorado. Tomás, Daniela y Carmen son de California.** Jot down the places of origin on the board; later ask for a show of hands to determine how many students are from each place mentioned.

MODELO

E1: *Con permiso. / Perdón. ¿De dónde eres?*

E2: *Soy de...*

E1: *Gracias.*

E2: *De nada.*

¿Cuál es tu nacionalidad?

 Soy mexicana.

 Soy cubano.

 Soy costarricense.

 Soy español.

Have students practice the nationalities in pairs looking at the maps on the inside front cover of their textbooks. One student calls out a country, and the other identifies the nationality.

 See Grammar Handbook found in WileyPLUS.

When you meet Hispanics in the United States, or travel to a Spanish-speaking country, you will frequently be asked **¿De dónde eres?** or **¿De dónde es usted?** If you are from the U.S., your response should be **Soy de Estados Unidos** or **Soy estadounidense.**

Turn to the map of the Hispanic world on the inside front cover of your textbook. Familiarize yourself with the names of the countries and their corresponding nationalities. Many nationalities have two forms: those ending in **-o** refer to a male, and those ending in **-a,** to a female.

Also find the nationalities that end in **-e** and note that they have only one form, used for both males and females. What is the nationality of a male from Costa Rica? And a female?

Are the nationalities capitalized in Spanish?

_____

Variation: What is the nationality of a male from Spain? And a female? Nationalities that end in a consonant add **-a** to indicate a female. For example: **español → española; francés → francesa; inglés → inglesa; japonés → japonesa.** Notice that the accent is dropped in the feminine form.

_____

For a complete listing of the countries and nationalities of the world, see the inside back cover of your textbook.

1-8 Entrevista intercultural

For your intercultural communications class, you and your classmate have been assigned to interview people from several Spanish-speaking countries. One of you asks if there is someone on campus from the assigned country **(List A)** and the other finds a person of that nationality on the Hispanic Student Association roster **(List B)**. Take turns. Use the nationalities chart on the inside-front-cover of your textbook as a guide.

MODELO

1. Argentina

E1: *¿Hay una persona de Argentina?*

E2: *Sí, Juan Silvestrini es **argentino**.*

A. Curso de Comunicación Intercultural	B. Asociación de Estudiantes Hispanos
Proyecto nº 1: Entrevista	**Lista de alumnos hispanos:**
1. Argentina	Alba, José (República Dominicana)
2. Bolivia	Castro, Lucía (Perú)
3. Chile	Domínguez, César (Chile)
4. Costa Rica	Estévez, Nuria (Honduras)
5. Ecuador	Fernández, Alberto (Uruguay)
6. España	González, Luis (Puerto Rico)
7. Guatemala	Jiménez, Alejandro (España)
8. Honduras	Montiel, Rafael (Guatemala)
9. República Dominicana	Palacios, Susana (Bolivia)
10. Perú	Silvestrini, Juan (Argentina)
11. Puerto Rico	Trojaola, Cecilia (Costa Rica)
12. Uruguay	Balenciaga, Gladys (Ecuador)

¿SABES QUE...?

Puerto Rico is a self-governing commonwealth associated with the United States. Its official name is Commonwealth of Puerto Rico (**Estado Libre Asociado de Puerto Rico**). It has two legislative houses: the Senate and the House of representatives. Its chief of state is the President of the United Sates and its head of government, the governor.

Since 1917, people born in Puerto Rico are U.S. citizens and as such, are entitled to vote at the federal level. When a Puerto Rican establishes residence within any of the 50 U.S. states, he or she can also vote for president. The currency of Puerto Rico is the dollar.

¿SABES QUE...?[1]

The number of international students enrolled in colleges and universities in the U.S. reached a record high of 623,805 (2007–08 academic year). The number of students from Mexico increased by 7% this year, to 14,837, with additional significant enrollments from Colombian, Peruvian, Argentine, and Chilean students. The most popular fields of study are Business and Management.

Conversely, the number of U.S. students recognizing the importance of study abroad is also on the rise, with a record 241,791 U.S. students studying abroad in 2006–07. Latin America hosted 15% of all Americans studying abroad, with Argentina and Ecuador showing a 20% increase over the previous year. Spain is the third leading destination of U.S. study abroad students, Mexico is the 7th, Argentina the 12th, and Chile and Ecuador, the 16th and 17th respectively.

[1]**Sabes...** Do you know that... ?

Paso III

Describing yourself and others using cognates

 See Grammar Handbook found in WileyPLUS.

GRAMÁTICA

¡Manos a la obra!

Using cognates to describe people: Adjectives, an introduction

2 A number of words in Spanish and English are cognates—words that are identical or similar in both languages and that have the same meaning. Below is a list of adjectives commonly used with the verb **ser** to describe people. All these adjectives are cognates.

Soy modesta y un poco introvertida, pero muy romántica.

Most adjectives have a masculine form (ending in **-o**), used when describing a masculine noun, and a feminine form (ending in **-a**), used when describing a feminine noun.

• Adjectives that change **-o** to **-a** when describing a female:

ambicioso/a	atlético/a	cómico/a	creativo/a
dinámico/a	extrovertido/a	generoso/a	impulsivo/a
introvertido/a	modesto/a	organizado/a	práctico/a
religioso/a	romántico/a	serio/a	tranquilo/a

El señor Blanco es ambicios**o**.   La profesora Ruiz es ambicios**a**.
Pablo es extrovertid**o**.   Alejandra es extrovertid**a**.

• Adjectives that end in **-e, -ista,** or most consonants do not change in form when describing a female:

arrogante	eficiente	egoísta	flexible
independiente	inteligente	irresponsable	materialista
optimista	paciente	pesimista	puntual
rebelde	responsable	sentimental	tolerante

Luis es eficient**e**.   Mónica también (*also*) es eficient**e**.
Alberto es optimist**a**.   Sara también es optimist**a**.

To describe more than one person, adjectives are made plural by adding **-s** to those that end in a vowel and **-es** to those that end in a consonant:

optimista   →   optimista**s**   Luis y Mónica son optimista**s**.
puntual   →   puntual**es**   David y Diego son puntual**es**.

For additional vocabulary practice, see Power Point slides at www.wiley.com/college/lucas-murillo or visit www.wileyplus.com

Sometimes students have difficulty recognizing cognates, particularly in the spoken vs. written form. Review the cognates listed and have students identify their English equivalents. Then have students volunteer a brief description of themselves, using two or three cognates from the lists.

¡En acción!

¡Oye! Los célebres y famosos

How much do you know about the following famous people? You will hear statements describing them. Say whether the description is true **(cierto)** or false **(falso).**

1-9 Los estudiantes hispanos

Paso 1. You have completed the interviews assigned in your intercultural communications class (Act. 1-8), and you have gotten together with your partner to review the results. Look over your notes (given below) and summarize what the students said about themselves. Take turns.

MODELO

E1: ¿Cómo es Rafael?[1]

E2: Es optimista y responsable. No es cómico.

Rafael	optimista	✓
	cómico	✗
	responsable	✓
Lucía	romántica	✓
	generosa	✓
	ambiciosa	✗
Susana	seria	✗
	práctica	✓
	responsable	✓
Nuria	eficiente	✗
	seria	✓
	creativa	✓
César	religioso	✓
	modesto	✓
	impulsivo	✗
Gladys	atlética	✓
	dinámica	✓
	modesta	✗
Alejandro	cómico	✓
	paciente	✗
	extrovertido	✓

[1]¿Cómo... What is Rafael like?

Before beginning, in order to make sure the class knows each person mentioned, ask: ¿Sabes quién es... ?/ ¿Sabes quiénes son... ? *(Do you know who... is?/ Do you know who... are?)* Students then respond **Sí, sé** *(Yes, I know)* and provide the information, or **No, no sé.**

Guión para ¡Oye!
1. Eva Longoria es **dinámica.** *C*
2. George Lopez es **tranquilo.** *F*
3. Donald Trump es **ambicioso.** *C*
4. J. K. Rowling es **creativa.** *C*
5. Hillary Clinton es **independiente.** *C*
6. Amy Winehouse es **rebelde.** *C*
7. Will Farrell es **extrovertido.** *C*
8. Oprah Winfrey y Ellen DeGeneres son **introvertidas.** *F*
9. Bill y Melinda Gates son **generosos.** *C*
10. Serena Williams y Venus Williams son **atléticas.** *C*

Paso 2. You made some other observations about the students you interviewed that were not in your notes.

MODELO

Lucía / organizado → *Lucía es organizada.*

1. Susana y Nuria / independiente
2. Alejandro / impulsivo
3. César y Gladys / práctico
4. Lucía / creativo
5. Rafael / tolerante
6. Nuria y Gladys / muy religioso

1-9 ANSWERS:
1. Susana y Nuria son independientes. 2. Alejandro es impulsivo. 3. César y Gladys son prácticos.
4. Lucía es creativa.
5. Rafael es tolerante.
6. Nuria y Gladys son muy religiosas.

PALABRAS FRECUENTES

un poco	*a little*
muy	*very*
pero	*but*
también	*also*
tampoco	*not either*
y	*and*
o	*or*

Y becomes **e** before words beginning with an **i** or **hi**:
Luisa es generosa **e** inteligente.
Madre **e** hijo son modestos.
O becomes **u** before words beginning with **o** or **ho**:
¿Eres pesimista **u** optimista?
¿Es deshonesto **u** honesto?

. . . y algo más

- To answer a yes/no question affirmatively, **sí** (*yes*) is used before the statement: *Sí, soy práctico.*

- To answer a yes/no question negatively, **no** is used before the statement and also before the verb: *No, no soy práctico.*

- To make a statement negative, **no** is used before the verb: **Carlos *no* es muy religioso.**

For additional practice on this grammar point, see PowerPoint slides at www.wiley.com/college/lucasmurillo or visit www.wileyplus.com

See Grammar Handbook found in WileyPLUS.

1-10 ¿Cómo son? ¿Cómo somos?

Paso 1. What are some of the personality traits of the students in your Spanish class? To find out, walk around the classroom and ask at least *six* of your classmates yes/no questions.

MODELO

E1: *Pablo, ¿eres optimista?*   o: E1: *Susana, ¿eres puntual?*
E2: *Sí, soy optimista. ¿Y tú?*   E2: *No, no soy puntual. ¿Y tú?*
E1: *Yo también soy optimista.*   E1: *Yo tampoco.*

1-10 Make sure that every student is asked questions about his/her personality. Step in and make inquiries yourself, if needed.

¿SABES QUE...?

A number of Spanish words are used in English. Examples include *rodeo, lasso, gusto, fiesta, salsa, taco, arena, burro, armadillo, llama, amigo, guerrilla, adios, loco,* and many more.

Paso 2. Report one of your classmates' personality traits to the class: *Pablo es optimista.* Also indicate *one* or *two* traits you and a classmate have in common: *Susana y yo no somos puntuales, pero sí somos muy responsables.*

1-11 Mi personalidad

Paso 1. The tutor for your study group wants to get to know each of you and asks you to write a description of yourself. Write *four* sentences using cognates from the chart on page 11. and words like **y, un poco, muy, también,** and **tampoco** as applicable.

Paso 2. The tutor wants the study group to get along well and encourages members to get to know each other and discover what they have in common. In groups of *four*, read your descriptions to each other, noting similarities and/or differences: *Yo soy romántico/a y Mónica también es romántica. Yo soy un poco serio/a, pero Pedro es muy cómico.*

1-11 First, ask students to give you feedback on traits they have in common with their classmates, then ask them to report differences.

Paso IV

Counting to 59

Have students practice the numbers in the chart by counting in even numbers, in odd numbers, and by fives. Clip football game scores from your local newspaper, write them on the board, and have students read the numbers.

 See Grammar Handbook found in WileyPLUS.

For additional vocabulary practice, see PowerPoint slides at www.wiley.com/college/lucasmurillo or visit www.wileyplus.com

For additional practice on this grammar point, see PowerPoint slides at www.wiley.com/college/lucasmurillo or visit www.wileyplus.com

LOS NÚMEROS DEL 0 AL 59

¡BINGO!

0 cero	1 uno	2 dos	3 tres	4 cuatro	5 cinco
6 seis	7 siete	8 ocho	9 nueve	10 diez	11 once
12 doce	13 trece	14 catorce	15 quince	16 dieciséis	17 diecisiete
18 dieciocho	19 diecinueve	20 veinte	21 veintiuno	22 veintidós	23 veintitrés
24 veinticuatro	25 veinticinco	26 veintiséis	27 veintisiete	28 veintiocho	29 veintinueve
30 treinta	31 treinta y uno	40 cuarenta	41 cuarenta y uno	50 cincuenta	59 cincuenta y nueve

. . . y algo más

- The numbers from 16 to 29 are usually written as one word. Those from 31 on are written as three words. What numbers carry accent marks?

- **Uno** shortens to **un** before a masculine noun and becomes **una** before a feminine noun: **un** amigo, **una** amiga.

- Likewise, **veintiuno** shortens to **veintiún** before a masculine noun and becomes **veintiuna** before a feminine noun: **veintiún** profesores, **veintiuna** profesoras. The same changes take place with **treinta y uno, cuarenta y uno,** and so on.

¡En acción!

¡Oye! ¡Bingo!

On a sheet of paper, make a Bingo board with five squares across and five down. Fill it *only* with the following 25 numbers: 0–20, 30, 40, 50, 59. Be sure to place the numbers in random order.

Listen as your instructor calls out numbers and circle those that appear on your board. Call out *Bingo!* if you complete a horizontal, vertical, or diagonal row. Then call out your marked row of numbers to the class for confirmation.

Call out numbers in random order, keeping track of those called. Continue the game until several students call out *Bingo!*

Guión para ¡Oye!
1, 5, 30,...

2			0	
	1			

1-12 Las matemáticas

Paso 1.   You are tutoring a Spanish-speaking first grader who needs to review his/her addition and subtraction facts. When you call out the numbers to be added or subtracted, your pupil gives the answers. After five items, switch roles.

MODELO

Tú: 4 + 2 =   →   *Cuatro más dos son...*

Alumno/a: *seis*

1. 6 + 3 =
2. 7 + 8 =
3. 10 + 4 =
4. 18 + 6 =
5. (your choice)

6. 17 – 5 =
7. 13 – 12 =
8. 45 – 15 =
9. 59 – 49 =
10. (your choice)

Palabras útiles are for use in a particular activity.

> **Palabras útiles**
> más +
> menos –
> son/es =

Paso 2.   Now you want to make sure your pupil knows how to spell numbers. Say the following numbers, and he/she writes them out. After four items, switch roles. Then check each other's answers.

MODELO

Tú: *29*

Alumno/a: (writes) *veintinueve*

1. 16
2. 22
3. 15
4. 17

5. 23
6. 10
7. 33
8. 56

For additional practice on numbers, see PowerPoint slides at www.wiley.com/college/lucasmurillo or visit www.wileyplus.com

¹La clase

1. class 2. clock, watch 3. man 4. woman 5. student (*m.*) 6. student (*f.*) 7. backpack 8. Is there…? **Hay** There is/ There are; **¿Hay…?** Is there/Are there? 9. How many (*m.pl.*)? 10. How many (*f.pl.*)? 11. pencil/s 12. book 13. pen 14. notebook 15. computer 16. desk

An additional presentation of classroom vocabulary is provided in *Capítulo 2.*

For additional vocabulary practice, see PowerPoint slides at www. wiley.com/college/lucasmurillo or visit www.wileyplus.com

*The definite articles **el** and **la** (*the*) are included to indicate whether the noun is masculine or feminine.
¿Cuántos…? is used with masculine nouns (generally designated by the definite article **el or **los**). ¿Cuántas…? is used with feminine nouns (generally designated by **la** or **las**).

For additional practice on this grammar point, see PowerPoint slides at www.wiley.com/college/lucasmurillo or visit www.wileyplus.com

. . . y algo más

To make nouns plural:

- add **-s** if the word ends in **a, e, i, o,** or **u:** estudiante → estudiantes
- add **-es** if it ends in any other letter: mujer → mujeres

 1-13 ¿Cuántos hay?

1-13 You may use the PowerPoint slide to share the scene with the class.

How observant are you? Study the classroom scene on page 16 and then take turns asking and answering the following questions.

MODELO

E1: *¿Cuántos libros hay en el escritorio del profesor?*

E2: *Hay cuatro.*

E1: *¡Sí, hay cuatro!* (In cases where the answer is incorrect, say *No, no hay...*)

1. ¿Cuántos estudiantes hay en la clase?
2. ¿Cuántos hombres hay? ¿Y mujeres?
3. ¿Cuántas computadoras hay? ¿Y cuántos relojes?
4. ¿Cuántos profesores hay en la clase?
5. ¿Cuántos lápices hay en el escritorio del profesor? ¿Y cuántos bolígrafos?
6. ¿Cuántos cuadernos hay en el escritorio?
7. ¿Cuántas mochilas hay en la clase?

1-13   ANSWERS:
1. 18
2. 10 hombres, 9 mujeres
3. 19 computadoras, 1 reloj
4. 1
5. 5 lápices, 2 bolígrafos
6. 3
7. 11

1-14   Vamos a contar[1]

In groups of *four,* determine how many of the following items are visible in your class. If there are none, write **cero.** The first team to complete the chart is the winner. One member of the winning team reads the numbers in each category to the class, and the class determines whether they are correct.

estudiantes	
mujeres	
hombres	
computadoras	
televisores	
mapas	
mochilas	
relojes de clase	
iPods	
cuadernos	
diccionarios	
celulares	
lápices	
suéteres	

1-14   ANOTHER STEP: Have students find out who in their group has the highest number of the following items in his/her backpack: **libros, cuadernos, lápices, bolígrafos,...** Students jot down the numbers and report their conclusions to the class: **En la mochila de José hay ocho libros.**

[1]**Vamos...** Let's count

Paso V

Telling time

¿Qué hora es?[1]

You may use the PowerPoint slide of the clocks to present telling time.

You may present the option of telling time on digital clocks, for example: (next to last clock), **Son las ocho cuarenta,** (last clock) **Son las ocho cincuenta.**

Es la una.

Son las siete.

Son las ocho y diez.

Son las ocho y cuarto. / Son las ocho y quince

Son las ocho y media. / Son las ocho y treinta.

Son las nueve **menos** veinte.*

Son las nueve **menos** diez.**

For additional practice on this grammar point, see PowerPoint slides at www.wiley.com/college/lucasmurillo or visit www.wileyplus.com.

. . . y algo más

Both **Es** and **Son** mean *It's. . .* when telling time.

Es la una.   *It's one o'clock.*   **Son** las dos.   *It's two o'clock.*

¿QUÉ HORA ES?

de la mañana	*in the morning*	menos	*less (literally), to*
de la tarde	*in the afternoon*	menos cuarto	*quarter to*
de la noche	*in the evening*	Es mediodía.	*It's noon.*
y cuarto	*fifteen past or quarter after*	Es medianoche.	*It's midnight.*
y media	*half past... or ...thirty*	en punto	*on the dot, sharp*

In most Spanish-speaking countries, **de la tarde** is used as long as there is daylight.

---

[1]**¿Qué...** What time is it?

---

*May also be said **Son veinte para las nueve**. **May also be said **Son diez para las nueve**.

¡En acción!

¡Oye! ¿Qué hora es?

Draw six clock faces on a sheet of paper while a volunteer does the same on the board. When you hear a clock time, draw the time on your clock. Your instructor will indicate whether it is correct. Continue until all the clocks have hands indicating the stated times.

¡Oye! Ask ¿Qué hora es? and then say a time, such as Son las tres. Continue by giving five more clock times. Repeat the activity with a new volunteer, asking a student or students to call out the times. Use the clocks on the board to confirm answers.

1-15 ¡Vamos a practicar la hora!

Your instructor will call out the time on each of the clocks below in random order, and you identify the corresponding clock by number. Repeat the activity with a partner. Take turns.

MODELO

Son las nueve menos diez de la mañana. → *El número 8.*

1-15 You may use the PowerPoint slide of the clocks to read the following times. Once students have identified the correct clock, point to it on the slide. *Times*: Son las cinco y cuarto (quince) de la tarde. [3]; Son las siete y media (treinta) de la mañana. [9]; Es la una y diez de la mañana. [1]; Es mediodía. [5]; Es medianoche. [6]; Son las diez menos cuarto (quince) de la noche. [4]; Son las seis y cinco de la tarde. [7]; Son las once menos veinte de la mañana. [10]; Son las tres y veinte de la tarde. [2]

1-16 ANSWERS:
1. Modelo, 2. E, 3. C, 4. B, 5. A, 6. F

1-16 La rutina de Mónica

You know Mónica's schedule well, and can usually tell where she is at any given time. Your partner wants to know where she is during the times indicated on the chart, and you respond selecting the appropriate place according to the illustrations. After three items, switch roles.

MODELO

E1: *Son las ocho y media de la mañana. ¿Dónde está Mónica ahora?*

E2: *En el gimnasio (D)*

1. 8:30 a. m.
2. 10:20 a. m.
3. 12:00 ☀
4. 2:45 p. m.
5. 6:15 p. m.
6. 8:00 p. m.

A En el restaurante   B En la clase de historia   C En la cafetería   D En el gimnasio   E En la clase de inglés   F En su carro

1-17 Husos horarios[1]

1-17 Explain that the 24-hour clock is often used on maps, for transportation schedules, for TV and movie times, and so on. *Option:* Before beginning *Actividad 1-17*, ask the class to convert all PM times on the chart from the 24-hour clock to the 12-hour clock. For example: 15:15 minus 12 equals 3:15 PM.

For additional practice on telling time, see PowerPoint slides at www.wiley.com/college/lucasmurillo or visit www.wileyplus.com

Paso 1. The student organization at your school in New Orleans is setting up a video conference with similar organizations in other cities around the world. You and a friend have offered to find a time that will work for everyone. As you mention each city, your friend gives the time there, according to the time zone chart below. Take turns playing each role.

MODELO

E1: *Cuando[2] son las ocho y cuarto de la mañana aquí, ¿qué hora es en Nueva York?*

E2: *Son las nueve y cuarto de la mañana.*

E1: *¿Y en Buenos Aires?*

E2: *Son las once y cuarto de la mañana.*

E1: *¿Y en Barcelona?*

E2: *Son las tres y cuarto de la tarde.*

Nueva Orleans	Nueva York	Buenos Aires	Barcelona	
8:15	9:15	11:15	15:15	Times shown follow the 24-hour clock. To convert to the 12-hour clock, subtract 12 from times beginning with 13:00.
10:15	11:15	13:15	17:15	
11:30	12:30	14:30	18:30	
13:45	14:45	16:45	20:45	
15:30	16:30	18:30	22:30	

Paso 2. Choose a convenient time for the video conference: *La conferencia es a las[3]... de Nueva Orleans; a las... de Nueva York; a las... de Buenos Aires; y a las... de Barcelona.*

Paso VI

Indicating days of the week and dates

Write the days of the week on the board with the letters scrambled: sulne = **lunes,** and so on. Have students unscramble each day, writing it correctly. This activity helps with spelling and placement of accents.

LOS DÍAS DE LA SEMANA

lunes*	martes	miércoles	jueves	viernes	sábado	domingo
Monday	*Tuesday*	*Wednesday*	*Thursday*	*Friday*	*Saturday*	*Sunday*

---

[1]**Husos...** Time zones, [2]When, [3]**a...** at

---

*Note that the Spanish calendar starts with Monday and ends with Sunday, and that the days of the week are not capitalized.

. . . y algo más

- The days of the week are masculine: **el lunes, el martes,** and so on.

- **El lunes** means *on Monday,* **el martes** means *on Tuesday,* and so on.

  La fiesta es **el sábado.**   *The party is on Saturday.*

- **Los lunes** means *on Mondays, every Monday,* **los martes** means *on Tuesdays, every Tuesday,* and so on.

  Los viernes vamos al gimnasio.   *On Fridays/Every Friday we go to the gym.*

See Grammar Handbook found in WileyPLUS.

For additional practice on this grammar point, see PowerPoint slides at www.wiley.com/college/lucasmurillo or visit www.wileyplus.com

¡En acción!

¡Oye!   Los días de la semana

Your instructor is absent-minded and sometimes gets confused about what day it is, when events take place, and so on. Indicate whether the statements he/she makes are true or false by saying «**¡Sí!**» or «**¡No!**» If they are false, correct them.

1-18   Programación en televisión

Paso 1.   You and your friend are checking out the TV programs of the week. Ask each other questions to find out what days of the week certain programs are featured.

MODELO

E1: *¿Qué días hay partidos?*

E2: *El martes hay partido de golf, el miércoles...*

1. partidos
2. noticias
3. películas
4. documentales
5. programas especiales

Guión para ¡Oye!
1. Hoy es... (*give wrong day*).
2. La clase de español es el/los..., ... (*give correct day/s*).
3. En muchas universidades hay fiestas los sábados.
4. También hay fiestas los lunes por la noche.
5. El día favorito de los estudiantes es el lunes.
6. Un día muy, muy malo para los estudiantes es el viernes.

Palabras útiles
la película *movie*
el partido de béisbol *baseball game*
las noticias *news*

	lunes 4	martes 5	miércoles 6	jueves 7	viernes 8	sábado 9	domingo 10
CANAL 15 7:00	Noticias de Asia	Documental: *Turismo en Costa Rica*	Noticias de Europa	Noticias de Latinoamérica	Documental: *La diabetes y la obesidad*	Especial: *Concierto de guitarra*	Partido de tenis
CANAL 37 8:30	Documental: *Animales en extinción*	Noticias internacionales	Partido de béisbol	Especial: *Casas de los famosos*	Película: *El diablo se viste de Prada* M. Streep A. Hathaway	Película: *Frida* S. Hayek	Película: *Harry Potter y la Orden del Fénix*
CANAL 46 11:00	Película: *Piratas del Caribe* J. Depp	Partido de golf	Película: *El curioso caso de Benjamin Button* B. Pitt K. Blanchett	Película: *Diarios de motocicleta* G. García Bernal	Documental: *Exploración del espacio*	Película: *Shrek III* M. Myers E. Murphy	Documental: *Historia del chocolate*

(continúa en la pág. 22)

Paso 2. Individually, review all the programs, films, and other offerings and circle the ones you want to see. Then share the information with your classmate, indicating on which day each is featured.

MODELO

E1: ¿Qué quieres ver[1] en la televisión?

E2: El lunes, quiero ver el documental **Animales en extinción.** El martes,... ¿Y tú?

DESEOS	
querer	*to want, wish, love*
¿Quieres...?	*Do you want…?*
Quiero...	*I want…*

LOS MESES DEL AÑO

enero	febrero	marzo	abril	mayo	junio
julio	agosto	septiembre	octubre	noviembre	diciembre

For additional practice on this grammar point, see PowerPoint slides at www.wiley.com/college/lucasmurillo or visit www.wileyplus.com

. . . y algo más

¿Qué fecha es hoy?

el + (día) + **de** + (mes)   Hoy es **el** 8 **de** julio.

The first day of the month is **el primero.**   El primero de mayo = *May 1*

In Spanish, numerical dates are written with the day first, followed by the month. Example: 22/10 = the 22nd of October.

LA FECHA

¿Qué fecha es hoy?	*What is today's date?*
¿Cuándo es...?	*When is…?*
Hoy es...	*Today is…*
mi/tu cumpleaños	*my/your birthday*
la Navidad	*Christmas*
el Año Nuevo	*New Year's*

¡Oye! Los meses del año

Your instructor will name some important annual celebrations. Name the month in which each takes place, selecting from the months you hear.

1-19 Meses en común

Walk around the classroom calling out the month of your birthday in Spanish, to find classmates with birthdays in the same month. You have *three* minutes. Form groups according to the month and then share your birth dates with each other: *Mi cumpleaños es el 24 de septiembre.*

[1]to see

1-20 Los cumpleaños de personas influyentes

Your instructor wants to know if you can identify the birthday dates of the following people. Remember that in Spanish, numerical dates are written with the day first, followed by the month. Repeat the activity with a partner. Take turns.

MODELO

¿Quién celebra su cumpleaños el 4 de septiembre?

E: *¿El 4 de septiembre? Beyoncé Knowles.*

1. Barack Obama, 4/8
2. Tina Fey 18/5
3. Beyoncé Knowles 4/9
4. Michael Phelps 30/6
5. Oprah Winfrey 29/1
6. Hillary Clinton, 26/10

ENERO

LUNES MONDAY	MARTES TUESDAY	MIÉRCOLES WEDNESDAY	JUEVES THURSDAY	VIERNES FRIDAY	SÁBADO SATURDAY	DOMINGO SUNDAY
○ LUNA LLENA FULL MOON 1st-31st - DÍA 1-31	☽ C. MENGUANTE LAST QUARTER 9th - DÍA 9	○ LUNA NUEVA NEW MOON 17th - DÍA 17	☾ C. CRECIENTE FIRST QUARTER 24th - DÍA 24	**1** AÑO NUEVO NEW YEAR'S DAY	**2** SAN BASILIO M.	**3** S. ANTERO PAPA
4 SAN PRISCO	**5** S. TELESFORO	**6** LOS REYES MAGOS EPIPHANY	**7** SAN RAIMUNDO	**8** SAN APOLINAR	**9** SAN MARCELINO	**10** SAN GONZALO
11 S. HIGINIO PAPA	**12** S. ARCADIO	**13** S. HILARIO	**14** SAN FÉLIX	**15** S. MAURO ABAD	**16** SAN MARCELO	**17** SAN ANTONIO ABAD
18 STA. PRISCA	**19** SAN MARIO	**20** SAN FABIÁN	**21** SAN FRUCTUOSO	**22** SAN VICENTE	**23** SAN ALBERTO	**24** SAN FRANCISCO DE S.
25 STA. ELVIRA	**26** S. TIMOTEO	**27** STA. ÁNGELA	**28** STO. TOMÁS DE A.	**29** SAN VALERIO	**30** STA. MARTINA	**31** S. JUAN BOSCO

¿Cuándo celebra Ángela el día de su santo? El 27 de enero, ¿verdad? ¿Y Elvira? ¿Alberto? ¿Martina? ¿Tomás?

1-21 ¿Cuál es tu signo del zodíaco?

Walk around the classroom asking as many students as possible the dates of their birthdays. Then identify their zodiac sign (see chart below) and jot down the information: name and sign. You have *five* minutes. The person who finds the most students with different zodiac signs wins! Report your findings to the class for confirmation.

MODELO

E1: *¿Cuándo es tu cumpleaños?*
E2: *El 24 de julio.*

E1: *¿Eres Leo?*
E2: *¡Sí!*

Aries	♈	20 de marzo – 19 de abril	Libra	♎	23 de septiembre – 22 de octubre
Tauro	♉	20 de abril – 20 de mayo	Escorpión	♏	23 de octubre – 22 de noviembre
Géminis	♊	21 de mayo – 20 de junio	Sagitario	♐	23 de noviembre – 20 de diciembre
Cáncer	♋	21 de junio – 22 de julio	Capricornio	♑	21 de diciembre – 19 de enero
Leo	♌	23 de julio – 22 de agosto	Acuario	♒	20 de enero – 18 de febrero
Virgo	♍	23 de agosto – 22 de septiembre	Piscis	♓	19 de febrero – 19 de marzo

1-20 ANOTHER STEP:
Write down the names of two friends or family members (**mi mamá, mi papá,...**) and their birthdays (day/month). Include your name on the slip of paper, and turn it in to your instructor. Keep a copy for yourself. Your instructor will then call out birthday dates at random (**Su cumpleaños es el 8 de enero. ¿Quién es?**) and the appropriate student identifies whose birthday it is (**Es mi amigo/a Joe/Mary**) and confirms the date (**Su cumpleaños es el 8 de enero**).

¿SABES QUE...?

A Hispanic tradition is the celebration of one's **santo**, or saint's day. For example, March 19 is Saint Joseph's Day (**el día de San José**), so people named José celebrate on that date, as well as on their birthday.

1-21 ANOTHER STEP:
Have students line up in two teams. Each team rearranges itself according to birthdays (month and day, not year) by asking each other **¿Cuándo es tu cumpleaños?** and getting into the appropriate order. No English is allowed! The first team to complete the lineup wins. The winning team members call out their individual birthdays to confirm the lineup.

1-22 Averigua[1] la fecha

You **(E1)** have a list of some important events for the month of May, but forgot to mark the dates on your calendar. Let's see if you can find out the exact date of each one from your brother/sister **(E2)**, who has marked them all (shown sideways). Play this game by asking first what *day* of the week the event takes place, and then the *date*. After four items, change roles.

MODELO

E1: La inauguración del museo, ¿es el viernes?

E2: No, después.

E1: ¿Es el domingo?

E2: Sí.

E1: ¿Es el veintiséis?

E2: No, antes.

E1: ¿Es el doce?

E2: ¡Sí! La inauguración del museo es el 12 de mayo.

Agenda para mayo (E2)

La inauguración del museo: 12
El fin del año académico: 16
La cita con el doctor Gómez: 20
El cumpleaños de la tía Rita: 1
El concierto de jazz: 17
El picnic con la familia: 25
La reunión con amigos: 14
La fiesta de Cristóbal: 31
La celebración del 5 de mayo: 5

Agenda para mayo (E1)

La inauguración del museo
El fin del año académico
La cita con el doctor Gómez
El cumpleaños de la tía Rita
El concierto de jazz
El picnic con la familia
La reunión con amigos
La fiesta de Cristóbal
La celebración del 5 de mayo

MAYO

LUNES	MARTES	MIÉRCOLES	JUEVES	VIERNES	SÁBADO	DOMINGO
		1	2	3	4	5
6	7	8	9	10	11	12 inauguración del museo
13	14	15	16	17	18	19
20	21	22	23	24	25	26
27	28	29	30	31		

For additional practice on dates, see PowerPoint slides at www.wiley.com/college/lucasmurillo or visit www.wileyplus.com

A *Cinco de Mayo* parade in St. Paul, Minnesota. *Cinco de Mayo* celebrations are becoming more and more popular in the U.S. On that day, Mexican culture is celebrated with parades, floats, music, dancing, and typical Mexican food. This date commemorates the victory of the Mexicans over the French at Puebla.

[1]Find out

Tu mundo cultural

Breve historia del español

Año 218* a. C.¹: el latín llega² a Hispania

Reading strategy: Tell your students that they do not need to know every word in order to understand the general meaning of a text. Encourage them to guess the meaning of unknown words by context.

For additional information on this culture section, see Power-Point slides at www.wiley.com/college/lucasmurillo or visit www.wileyplus.com

Los romanos conquistan la Península Ibérica (218–204 a. C.) y la llaman **Hispania.** El latín, la lengua³ de los soldados y comerciantes⁴ romanos, se introduce en la península y se convierte en la lengua oficial del nuevo territorio romano. Con el paso de los siglos⁵, el latín se transforma en lo que hoy llamamos castellano o español.

¿SABES QUE...?

Spanish, like French, Italian, Portuguese, and Romanian, comes from Latin. These are called Romance languages because of their Roman origin. The Latin word **Hispania** evolved into the Spanish word **España** (*Spain*).

¿SABES QUE...?

The title of this text, **¡Con brío!,** comes from a Spanish expression that has an interesting origin. The word **brío** relates to the Celtic word *brig* which denotes strength. To do something with **brío** refers to the energy and determination with which one moves, works or does anything that requires effort. Other possible meanings include: with spirit, enthusiasm, gusto, grace, vigor, and courage.

¹B.C., ²arrives, ³language, ⁴merchants, ⁵centuries

---

*218 **doscientos dieciocho**, **CON BRÍO** *With gusto, determination and courage*

Año 1492*: el idioma[1] español llega a América

El 12 de octubre de 1492, Cristóbal Colón llega a América. Con la exploración, conquista y cristianización del continente americano, el español se convierte en la lengua oficial de gran parte del Nuevo Mundo[2].

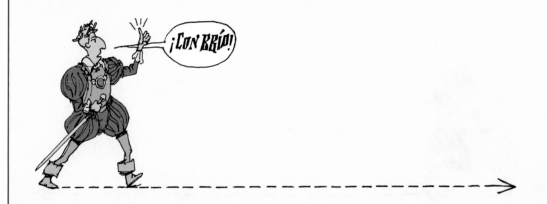

[1]language, [2]**Nuevo...** New World

*1492 **mil cuatrocientos noventa y dos**, **¡Tierra!** Land!

Año 1492–presente: el español continúa su expansión

¿SABES QUE...?

The term **castellano** (*Castilian*) refers to the Spanish spoken in **Castilla** (*Castile*) in central Spain. Many Spanish-speakers use it as a synonym for **español.**

¿SABES QUE...?

The term Hispanic designates a cultural identity, not a race. Spanish-speaking countries, as you will learn in *Capítulo 9*, are racially diverse, including indigenous peoples of the Americas, Africans, Caucasians, and mixtures of the three.

En el siglo XIX, incluso[1] después de la independencia, la mayoría de los países[2] que anteriormente formaban parte de España conservan el español como lengua oficial. Actualmente el español es la lengua oficial de 20** países: España, 18 países en América y Guinea Ecuatorial, una antigua colonia española situada en África. El español es también la lengua de más de 40 millones de personas residentes en EE.UU.[3], adonde por razones políticas o económicas, continúan llegando inmigrantes procedentes de países hispanohablantes[4] (véanse las flechas[5] en el mapa).

¡Con brío!

 ¿Qué aprendiste?[6]

Mark the correct option for each question.

1. ¿De qué lengua se deriva el castellano o español?
   ☐ del italiano   ☐ del latín   ☐ del inglés

2. ¿En qué año llega el español a América?
   ☐ en el año 218 a. C.   ☐ en 1776   ☐ en 1492

3. En este momento, ¿en cuántos países es el español la lengua oficial?
   ☐ en 20   ☐ en 19   ☐ en 10

4. En EE.UU., ¿aproximadamente cuántas personas son hispanohablantes?
   ☐ 5 millones   ☐ 13 millones   ☐ 41 millones

[1]even, [2]countries, [3]United States, [4]Spanish-speaking, [5]arrows, [6]**¿Qué...** What did you learn?

*As written on the T-shirt: **¡Viva lo latino!** *Long live everything Hispanic!;* **Puerto Rico is not counted, as it is a commonwealth associated with the United States. See ¿Sabes que...?, p. 10.

🎞 Tu mundo en vivo

¡Video en acción!

1.1 La influencia española en las Américas

1. Antes de ver el video

   a. In what year did Christopher Columbus arrive in America?

   b. What Spanish conquistadores are you familiar with?

   c. Can you name any products that were brought to the Americas from Europe? And products from the Americas that were introduced into Europe?

2. Mientras ves el video Marca **C** (Cierto) o **F** (Falso).

   a. ___F___ En 1492 los Reyes de España son Fernando e Isadora.

   b. ___C___ La Hispaniola es la primera colonia que funda Colón en América.

   c. ___C___ Francisco Pizarro es un conquistador.

   d. ___C___ El café llega a América procedente de Europa.

   e. ___C___ En 1898 España pierde[1] sus últimos territorios en América.

3. Comenta con la clase

   What influences did Spain have over the Americas? Talk about the political, economic, religious and cultural impact of the Spanish presence in the Americas. Use the images below, the information from the video, and any other knowledge you have.

[1]loses

¡Lectura en acción!

Anuncios de actividades para niños[1]

The following advertisements from a Mexican newspaper publicize summer and weekend activities for children.

Paso 1. Without trying to understand these ads yet, simply look at the individual words and circle all the ones you know or are pretty certain of what they mean.

Paso 2. Now focusing primarily on the words you have circled, answer the following questions in Spanish, when possible, or in English, if necessary.

← **ANUNCIO 1**

1. When is this event?
2. How much does it cost to participate?
3. Who can participate?
4. Where is this event held?

ANUNCIO 2 →

1. When are these classes? What days? What times? What dates?
2. How much do they cost (in Mexican pesos)?
3. Who can participate?
4. Where are the classes?

Paso 3. Using all of the words you understand from each ad, as well as the images in each one, answer these questions, in English.

1. What do you think *ajedrez* is? How did you guess?
2. Can you figure out what *artes plásticas* are? What are some examples? What information helped you to make your guess?

[1]children

Resist telling students what individual words mean during this activity, but rather encourage them to focus on the words that are familiar to them. This will help set them up for independent reading without the need of the instructor, a dictionary, or an online translation tool to understand a text.

Reading Strategy

Skimming a text for cognates and other familiar words or information

When approaching your first readings in Spanish, it is important to focus on what you do know in order to not become overwhelmed by all the unfamiliar words. One way to overcome this is to highlight all the words that are familiar to you and use those words to decipher meaning from the context they help create.

Reassure students that all guesses are okay and part of the process of learning another language. Whenever possible, help guide students to the images or information that may better enable them to make a correct guess.

Reading Strategy

Using images to understand content

Frequently the images in a reading will offer clues to the text. What do the ones used here tell you?

🎵 Vocabulario: Capítulo 1

Saludos *Greetings*
Hola. *Hello. Hi.*
Buenos días. *Good morning.*
Buenas tardes. *Good afternoon.*
Buenas noches. *Good evening. Good night.*

Despedidas *Good-byes*
Adiós. *Good-bye.*
Chao. *Bye.*
Hasta luego. *See you later.*
Hasta mañana. *See you tomorrow.*

Presentaciones *Introductions*
¿Cómo te llamas? *What is your name?*
  (informal)
¿Cómo se llama usted? *What is your name?*
  (formal)
Me llamo... *My name is...*
Le presento a... *Let me introduce you to...*
  (formal)
Te presento a... *Let me introduce you to...*
  (informal)
Encantado/a. *I'm delighted to meet you.*
Mucho gusto. *Nice/Pleased to meet you.*

Preguntas y respuestas
Questions and answers
¿Cómo estás? *How are you? (informal)*
¿Cómo está usted? *How are you? (formal)*
¿De dónde eres? *Where are you from?*
  (informal)
¿De dónde es usted? *Where are you from?*
  (formal)
¿Qué tal? *How are you (doing)? (informal)*
¿Y tú? ¿Y usted? *And you? (informal/*
  formal)
Bien./ Muy bien, gracias. *Fine. Very well,*
  thanks.
Regular. *Okay. So, so.*
Mal. *Not so well. Bad.*

Otras palabras y expresiones
Other words and expressions
Con permiso. *Excuse me (to ask permission to*
  pass by someone or to leave).
Perdón. *Pardon me/ Excuse me (to get some-*
  one's attention or to seek forgiveness).
Gracias. *Thanks.*
De nada. *You're welcome.*
(el) señor (Sr.) *Mr., Sir*
(la) señora (Sra.) *Mrs., Ma'am*
(la) señorita (Srta.) *Miss*
el profesor/ la profesora *professor (m./f.)*
el amigo/ la amiga *friend (m./f.)*
el hombre *man*
la mujer *woman*
un poco *a little*
muy *very*

pero *but*
también *also*
tampoco *not either*
y *and*
o *or*

Los números del 0 al 59
Numbers 0 to 59
cero *zero*
uno *one*
dos *two*
tres *three*
cuatro *four*
cinco *five*
seis *six*
siete *seven*
ocho *eight*
nueve *nine*
diez *ten*
once *eleven*
doce *twelve*
trece *thirteen*
catorce *fourteen*
quince *fifteen*
dieciséis *sixteen*
diecisiete *seventeen*
dieciocho *eighteen*
diecinueve *nineteen*
veinte *twenty*
veintiuno... *twenty-one...*
treinta *thirty*
treinta y uno... *thirty-one...*
cuarenta *forty*
cincuenta *fifty*
cincuenta y nueve *fifty nine*
¿cuántos?/ ¿cuántas? *How many? (m./f. pl.)*

La clase *Class*
la alumna/ la estudiante *student (f.)*
el alumno/ el estudiante *student (m.)*
el bolígrafo *pen*
la computadora *computer*
el cuaderno *notebook*
el escritorio *desk*
el lápiz *pencil*
el libro *book*
la mochila *backpack*
el reloj *clock, watch*

Los días *Days*
el lunes *Monday*
el martes *Tuesday*
el miércoles *Wednesday*
el jueves *Thursday*
el viernes *Friday*
el sábado *Saturday*
el domingo *Sunday*

Los meses *Months*
enero *January*
febrero *February*
marzo *March*
abril *April*
mayo *May*
junio *June*
julio *July*
agosto *August*
septiembre *September*
octubre *October*
noviembre *November*
diciembre *December*

Las fechas *Dates*
¿Qué fecha es hoy? *What is today's date?*
¿Cuándo es...? *When is...?*
Hoy es... *Today is...*
mi/ tu cumpleaños *my/ your birthday*
la Navidad *Christmas*
el Año Nuevo *New Year's*

¿Qué hora es? *What time is it?*
y cuarto *fifteen past or quarter after*
y media *half past or thirty*
menos *less (literally), to*
menos cuarto *quarter to*
en punto *on the dot, sharp*
de la mañana *in the morning*
de la tarde *in the afternoon*
de la noche *in the evening*
Es mediodía. *It's noon.*
Es medianoche. *It's midnight.*

Verbos y expresiones verbales
Verbs and verbal expressions
hay *there is, there are*
ser *to be*
querer *to want, wish, love*
¿Quieres...? *Do you want...?*
Quiero... *I want...*

Autoprueba y repaso: Capítulo 1

Paso I: Greetings, introductions, and saying good-bye

A. Complete the conversations.

1. **Rosa:** ¡Hola! ¿____ ____ llamas?

   Susana: Susana, ¿y ____?

   Rosa: ____ ____ Rosa.

2. **Sergio:** ¡____, Tomás! ¿Cómo ____?

   Tomás: Bien, ____. Sergio, te ____ a mi amigo Manuel.

   Sergio: ____ ____.

3. **Linda:** Anita, ¿____ tal?

   Anita: ____, gracias, ¿____ ____?

   Linda: Muy bien. Voy (*I'm going*) a la clase de arte.

   Anita: ¡____ ____!

4. **la Sra. Gómez:** ____ tardes. ¿____ se ____ Ud.?

   la profesora: Carmen Ruiz, ¿____ ____?

   la Sra. Gómez: María Gómez. Profesora, ____ ____ a mi amiga Aurora.

   la profesora: ____ ____.

   Aurora: ____.

Paso II: Asking and answering questions about where you are from

B. Complete the sentences or questions with the correct forms of the verb **ser**.

1. Yo ____ de Costa Rica y mi amigo Juan ____ de Honduras.
2. Ana y yo ____ de San José, pero Juan y Ramón ____ de Tegucigalpa.
3. ¿De dónde ____ tú?

Paso III: Describing yourself and others using cognates

C. Say what the following people are like, changing the adjective as needed.

MODELO

Él es atlético. (ella)

Ella es atlética.

1. Él es modesto. (ella)
2. Ella es inteligente. (él)
3. Él es responsable. (Uds.)
4. Él es muy organizado. (ellas)
5. Ella es puntual. (ellos)

Additional **Autopruebas** online.

D. Answer the following questions in complete sentences.

1. ¿Eres extrovertido/a?
2. ¿Eres sentimental?
3. Tus (*Your*) amigos y tú, ¿son independientes?

Paso IV: Counting to 59

E. Spell out your answers to these problems.

1. 4 + 3 = __*siete*__
2. 6 + 3 = _____
3. 5 + 6 = _____
4. 20 + 10 = _____
5. 20 – 5 = _____
6. 16 – 2 = _____
7. 17 + 8 = _____
8. 40 + 15 = _____

F. How many people or items are there in the following places?

1. ¿Cuántos estudiantes hay en la clase de español?
2. ¿Cuántos libros hay en tu mochila? *Hay...*
3. ¿Cuántos lápices y bolígrafos hay en tu escritorio?

Paso V: Telling time

G. Tell what time it is.

MODELO

9:30 p. m. *Son las nueve y media de la noche.*

1. 8:15 a. m. (give two ways)
2. 9:40 a. m.
3. 1:30 p. m. (give two ways)
4. 3:25 p. m.
5. 12:00 a. m. (give two ways)

Paso VI: Indicating days of the week and dates

H. Fill in the missing day/s of the week.

1. En la universidad hay clases los martes y _____ .
2. También hay clases los lunes, _____ y _____ .
3. ¿Hay clases _____ _____ y domingos?

I. Indicate the dates. (In Spanish, when dates are given in numbers, the day precedes the month.)

MODELO

2/1

Es el dos de enero.

1. 12/2
2. 1/4
3. 4/7
4. 23/11

En resumen

Answer the questions in complete sentences.

1. ¿Cómo te llamas?
2. ¿Cómo estás?
3. ¿De dónde eres?
4. ¿Qué hora es?
5. ¿Qué día es hoy?
6. ¿Qué fecha es hoy?

Answers to the *Autoprueba y repaso* are found in **Apéndice 2**.

¡Próximamente![1]

Historietas[2] ¡Con brío!

Meet the main characters of the *¡Con brío!* comic strips! They will accompany you throughout the text, beginning in Chapter 2 (see p. 41).

¡Hola! ¿Qué tal? Me llamo Jennifer. Soy de Puerto Rico. Estudio derecho[3].

Jennifer

Me llamo Fabio. Soy policía y estudiante. Soy estadounidense.

Fabio

¡Hola! Me llamo Ysenia. Soy de Ecuador. Soy estudiante de la universidad y amiga de Jennifer y de Mabel.

Ysenia

¿Qué tal? Me llamo Ernesto. Soy cubano. Me gusta[4] el béisbol. Soy amigo de Fabio y de Mario. Estudio ingeniería.

Ernesto

¿Cómo están? Me llamo Mabel. Soy dominicana. Soy enfermera[5] y también[6] estudio en la universidad.

Mabel

¡Hola! ¿Qué tal? Soy Mario y soy de Chile. Me gustan las computadoras. Soy amigo de Fabio y de Ernesto.

Mario

Nosotros somos los padres de Jennifer. Somos puertorriqueños.

Los señores Rivera

Me llamo Yolanda. Mi mamá es Jennifer.

Yolanda

Yo soy Olivia y mi papá es Fabio.

Olivia

[1]Coming up!, [2]Comic strips, [3]law, [4]**Me...** I like, [5]nurse, [6]also

La universidad y el trabajo

WILEY PLUS

Additional activities and **Autopruebas** for each **Escena** available online.

 For *Writing Strategies* see *Apéndice 3*.

Escena 1
El campus universitario

- Identifying gender and number: Nouns and definite and indefinite articles
- Saying where you are: The verb *Estar* (to be) + **location**

TU MUNDO CULTURAL
Dos universidades hispanas

Escena 2
En clase

- Describing people's current conditions: *Estar* + **condition**

TU MUNDO CULTURAL
La influencia hispana en EE.UU.

Escena 3
Las profesiones y el trabajo

- Talking about going places: *Ir* (to go) + *a* + **destination**
- Asking questions: Interrogative words.

TU MUNDO CULTURAL
El español en el mundo laboral

TU MUNDO EN VIVO
¡Video en acción!

¡Lectura en acción! (with *Reading Strategies*)

El campus universitario

1. UNIVERSIDAD CON BRIO
2. AVENIDA Pablo Neruda
15. AUTOBÚS
16. GIMNASIO
17. TEATRO
18. GUARDERÍA INFANTIL
19. FACULTAD DE ADMINISTRACIÓN DE EMPRESAS
20. FACULTAD DE CIENCIAS
21. BIBLIOTECA
22. FACULTAD DE MEDICINA
23. FACULTAD DE FILOSOFÍA Y LETRAS
24. ESTATUA
25. Plaza de la Universidad

AVENIDA Miguel de Cervantes

AVENIDA Pablo Neruda

HOSPITAL San Lucas

CINE LOS ÁNGELES
VOLVER
P. Almodóvar

METRO UNIVERSIDAD

CERVANTES

1. university
2. avenue
3. Law School*
4. building
5. street
6. stadium
7. Registrar's Office
8. student center
9. cafeteria
10. bookstore
11. parking
12. bicycles
13. cars
14. dormitory, residence hall
15. bus
16. gym
17. theater
18. daycare center
19. Business School
20. School of Sciences
21. library
22. Medical School
23. School of Arts
24. statue
25. square, plaza

*La **Facultad** is a school or a college within a university. The word for *faculty* is **el profesorado.**

You may use the PowerPoint slides of all scenes to present and practice the vocabulary.

¡La pronunciación!

Pay attention to the correct pronunciation of Spanish vowels and diphthongs (see P-1, P-2).

autobús   estadio
bicicleta   universidad

¡En acción!

2-1 En tu universidad

Indicate whether these statements apply to your campus by saying «**Cierto**» or «**Falso**».

MODELO

Profesor/a: Hay un teatro.

Tú: Cierto. **o:** Falso. No hay un teatro.

1. Hay una cafetería.
2. Hay una guardería infantil.
3. Hay una Facultad de Derecho.
4. Hay una biblioteca.
5. Hay una Facultad de Medicina.
6. Hay un centro estudiantil.
7. Hay un gimnasio.
8. Hay un estadio de deportes.
9. Hay una librería-papelería.
10. Hay residencias estudiantiles.
11. Hay una Facultad de Administración de Empresas.
12. Hay una estatua.

2-2 El campus universitario

RECYCLES numbers, telling time, dates.

A friend is visiting you at the *Universidad Con Brío*. While touring the campus, he/she asks you about the school. One of you plays the role of the friend, and the other responds according to what he/she sees in the scene on pages 34–35. Take turns. Partial answers are provided for items 1 and 2.

1. ¿Qué facultades hay en la Universidad Con Brío? *La Facultad de...*
2. ¿En qué avenida hay un autobús? *En la avenida...* ¿Y una biblioteca? ¿Y un centro estudiantil?
3. ¿Cuántos carros hay en el estacionamiento? ¿Y cuántas bicicletas?
4. ¿Cómo se llama la cafetería? ¿Y la librería-papelería? ¿Y la residencia estudiantil?
5. ¿En qué calle hay un estadio de deportes?
6. ¿Cuántos estudiantes hay en la plaza de la universidad? ¿Cómo se llama la persona famosa representada en la estatua?
7. ¿Hay estudiantes en el gimnasio? ¿Cuántos?
8. ¿Qué hora es en el reloj de la avenida Pablo Neruda? ¿Qué fecha es?

Asignaturas y especialidades *Subjects and majors*

Asignaturas y especialidades vocabulary is passive.

Estudio...

alemán[1]
árabe
chino
español
francés
inglés
italiano
japonés
portugués
ruso

Yo estudio...

arte
ciencias políticas
filosofía
geografía
historia
literatura
música
oratoria[6]
religión
sociología

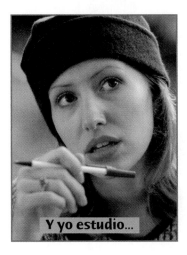

Y yo estudio...

álgebra
biología
cálculo
contabilidad[2]
economía
estadística[3]
física
geometría
informática[4]
matemáticas
(p)sicología
química
salud[5]

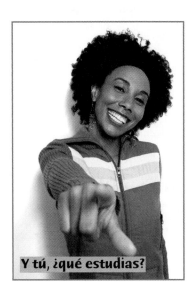

Y tú, ¿qué estudias?

¿SABES QUE...?

The word **álgebra**, along with more than 5,000 others, comes from Arabic. The Moors (Muslims of mixed Arab and Berber origin, from northern Africa) invaded Spain in the eighth century and occupied most of the peninsula for nearly 800 years (711–1492). Many of the Spanish words borrowed from Arabic begin with **al**.

Most of the courses your students take should appear listed here. If they are taking a specialized course, such as child psychology, they can simply say that they are taking a course in **psicología**. Indicate to students that most of the subjects are cognates and, therefore, recognizable and easy to learn.

Articles have been omitted, since they are not necessary for expressing what one studies.

For additional vocabulary practice, see PowerPoint slides at www.wiley.com/college/lucasmurillo or visit www.wileyplus.com

Otras especialidades y carreras:

arquitectura
derecho *law*
enfermería *nursing*
hotelería *hotel management*
ingeniería *engineering*

medicina
negocios *business*
terapia del lenguaje *speech therapy*
terapia física
trabajo social *social work*

. . . y algo más

To talk about a certain class or book, use **de** + *noun*: **la clase de contabilidad** *accounting class*; **el diccionario de español** *Spanish dictionary*.

For additional practice on this grammar point, see PowerPoint slides at www.wiley.com/college/lucasmurillo or visit www.wileyplus.com

 2-3 ¿Qué estudias?

Ask each other **¿Qué estudias?** to find out what the other person is studying. Respond saying **Estudio...**, adding subjects from those listed above. Take turns.

2-3 This activity previews the verb **estudiar**, to be presented formally on p. 80. Follow up by asking students to name their major: **Mi especialidad es...**

[1]German, [2] accounting, [3]statistics, [4]computer science, [5]health, [6]speech

See Grammar Handbook found in WileyPLUS.

For additional practice on this grammar point, see PowerPoint slides at www.wiley.com/college/lucasmurillo or visit www.wileyplus.com

2-4 For *Paso 2*, focus on one day at a time. Ask students to volunteer information as to who takes classes (and what classes they take) on that particular day.

. . . y algo más

To ask *(At) what time* a class or event takes place, use **¿A qué hora...?** In your answer, use **a la una/a las dos...**

¿A qué hora es la clase de biología? Es **a las 11:00** de la mañana.
¿A qué hora es el examen? Es **a la 1:00** de la tarde.

2-4 Mi horario y tu horario   RECYCLES days of the week and telling time.

Paso 1.   First, list your classes on a sheet of paper, without indicating the day/s or time/s, and give the list to your partner. Your partner does the same. Then ask your partner when each of his/her classes takes place (day/s and time/s) and in what building. Jot down the information. Take turns.

MODELO

E1: *¿Qué días es tu clase de inglés?*

E2: *Los martes y jueves.*

E1: *¿A qué hora?*

E2: *A las 6:30 de la tarde.*

E1: *¿En qué edificio?*

E2: *En Washington Hall.*

¿SABES QUE...?

In Spanish-speaking countries, there is no equivalent of the American two-year community college. Therefore, when referring to it, call it *college* or **universidad**.

El horario de mi compañero/a de clase

	lunes	martes	miércoles	jueves	viernes
CLASE		inglés		inglés	
HORA		6:30 de la tarde		6:30 de la tarde	
EDIFICIO		Washington Hall		Washington Hall	

Listening activities indicated by a headphone icon are recorded on the CD that accompanies each textbook. Do the listening activity in class, or assign it as homework.

The scripts for the *¡A escuchar!* sections are included in the Book Companion Site (BCS) for instructors and in WileyPLUS under "Prepare and Present." The recordings are on the student CDs and in WileyPLUS under "Read, Study, and Practice."

Paso 2. Exchange schedules to confirm their accuracy and compare results. Who has more classes? Be prepared to share some of the information with the class.

♪ ¡A escuchar![1]   ¡Bienvenidos!   CD 3 Track 42

Paso 1.   You have just arrived at the *Universidad Con Brío*. Listen to the walking tour given to new students. Look at the university scene on pages 34–35 while you listen.

Paso 2.   Now that you are familiar with this university, write the names of *four* places mentioned in the tour.

Palabras útiles
aquí *here*
allí *there*

1. la plaza de la universidad

2. la Facultad de Administración de Empresas

3. la Facultad de Ciencias

4. la Facultad de Filosofía y Letras

(alternate answers possible)

[1]¡**A**... Let's listen!

GRAMÁTICA

¡Manos a la obra!¹

Identifying gender and number: Nouns and definite and indefinite articles

1

The gender of nouns

Nouns are the names of people, animals, things, and ideas. All nouns in Spanish have *gender:* they are either masculine or feminine.

- Nouns *referring to males* and most nouns that *end in -o* are masculine:

  el hombre   el profesor   el lib**ro**   el teat**ro**

- Nouns *referring to females* and most nouns that *end in -a, -ión,* or *-dad/-tad* are feminine:

  la mujer   la profesor**a**   la plaz**a**   la avenid**a**
  la lecc**ión**   la vis**ión**   la activi**dad**   la facul**tad**

- In other instances, learn the gender of the noun by memorizing the noun along with its corresponding masculine **(el)** or feminine **(la)** article.

  el cine   el café   la clase   la calle
  el hospital   el autobús   el examen   el televisor

Forming the plurals of nouns

Add **-s** to nouns ending in a vowel: Add **-es** to nouns ending in a consonant:
  carro → carro**s**   universidad → universida**des**
  calle → calle**s**   hospital → hospita**les**

Definite and indefinite articles

- Both the **definite article** (*the*—specific) and the **indefinite article** (*a, some*— nonspecific) agree in gender and number with the noun they modify.

DEFINITE ARTICLES

	singular	*plural*
masculine	**el** libro	**los** libros
feminine	**la** mochila	**las** mochilas

INDEFINITE ARTICLES

	singular	*plural*
masculine	**un** carro	**unos** carros
feminine	**una** avenida	**unas** avenidas

- A mixed masculine/ feminine group calls for the masculine plural article:

  el profesor y **la** profesora → **los** profesores
  un alumno y **una** alumna → **unos** alumnos

. . . y algo más

Some exceptions are **el mapa, el día, la mano** (*hand*). Cognates ending in **-ma** are masculine: **el problema, el programa.**

¹Let's get down to work!

For additional practice on this grammar point, see PowerPoint slides at www.wiley.com/college/lucasmurillo or visit www.wileyplus.com

Call out nouns and have students supply the appropriate definite article:
clase → **la clase,**
estudiante, hombre, mujer, profesor, profesora, reloj, mochila, lápiz, libro, bolígrafo, cuaderno, edificio, calle, avenida, cine, estadio, and so on. Repeat with the indefinite articles, then have students change nouns from singular to plural, using the plural definite article:
clase → **las clases.**

For additional practice on this grammar point, see PowerPoint slides at www.wiley.com/college/lucasmurillo or visit www.wileyplus.com

¡En acción!

¡Oye! Las paradas[1] del autobús nº 5

You have just arrived on campus and are taking a guided bus tour. Listen to the guide tell you about the various stops. Then answer the questions (**sí** or **no**) to see how well you have learned the bus route.

Guión para ¡Oye!

Hay paradas del autobús universitario nº 5...

...en **el** hospital San Lucas, donde hay una clínica para estudiantes;

...en **la** biblioteca, donde muchos estudian (*point to students seen studying in library*);

...en **la** guardería infantil, que es para los hijos (*point to children seen through windows*) de los estudiantes y de los profesores;

...en **el** cine Los Ángeles, donde dan la película *Volver* (*point to film title*);

...en **la** residencia estudiantil San Carlos, donde viven muchos estudiantes;

...y en **el** estadio de deportes, donde hay partidos de fútbol.

Comprensión para ¡Oye!

¿Sí o no?
¿Hay una parada en...
...el hospital? *sí*
...la Facultad de Medicina? *no*
...la biblioteca? *sí*
...la guardería infantil? *sí*
...la estación de metro? *no*
...el cine Los Ángeles? *sí*
...la librería-papelería Cervantes? *no*
...la residencia estudiantil San Carlos? *sí*
...el estadio de deportes? *sí*

2-5 ¡Exacto!

First, add the correct missing definite article (**el, la, los, las**) in front of the words in the second column. Then, your partner, who often forgets the names of places on campus, reads the information in the first column and you complete it with the corresponding word from the second column. If you are right, your partner says **¡Exacto!** Take turns.

1. Los estudiantes levantan pesas y montan en bicicleta en . . . c.	a. . . . _la_ librería.
2. Muchos estudiantes estudian en . . . d.	b. . . . _la_ cafetería.
3. Dan películas[2] como *Volver* en . . . e.	c. . . . _el_ gimnasio.
4. Se estudia medicina, ciencias, etc. en . . . g.	d. . . . _la_ biblioteca.
5. Hay partidos de fútbol en . . . f.	e. . . . _el_ cine.
6. Sirven sándwiches deliciosos en . . . b.	f. . . . _el_ estadio.
7. Hay muchos carros y bicicletas en . . . h.	g. . . . _las_ facultades.
8. Venden[3] libros en . . . a.	h. . . . _los_ estacionamientos.

2-6 En la Universidad Con Brío

What is on campus? Complete each statement with the appropriate indefinite articles (**un, una, unos, unas**). Then observe the scene on pages 34–35 to determine whether each statement is true (**cierto**) or false (**falso**). If it is false, provide the correct information. Take turns.

MODELO

    C   **F**

☐ ☑ Hay **una** guardería infantil en la avenida Frida Kahlo.

Falso. Hay una guardería infantil en la avenida Miguel de Cervantes.

☑ ☐ 1. Hay _una_ biblioteca en la avenida Miguel de Cervantes.

☑ ☐ 2. _Unos_ estudiantes entran a la residencia estudiantil.

☑ ☐ 3. Hay _un_ autobús en la calle Colón.

☐ ☑ 4. En el estacionamiento hay _unas_ bicicletas.

☐ ☑ 5. Hay _una_ estatua y _un_ reloj en la avenida Frida Kahlo.

☐ ☑ 6. Hay _un_ carro en la avenida Miguel de Cervantes.

☐ ☑ 7. En el campus no hay _una_ plaza.

☑ ☐ 8. Hay _una_ facultad de Filosofía y Letras en la avenida Pablo Neruda.

[1]stops [2]movies [3]They sell

2-7 El inventario de la librería

RECYCLES numbers and classroom vocabulary.

You and a classmate have been hired to update the inventory of the Librería-Papelería Cervantes. One person reads the inventory from May 15 and the other states the current inventory.

MODELO

E1: *Un lápiz.*

E2: *Ocho lápices.* (**E1** and **E2** both write *lápices*)

 See Grammar Handbook found in WileyPLUS.

Inventario del 15 de mayo	
1	lápiz
1	calculadora
1	cuaderno
1	mochila
1	libro de español
1	mapa
1	reloj

Inventario actual	
8	lápices
25	
36	
43	
57	
12	
15	

2-7 ANSWERS: una calculadora, veinticinco calculadoras; un cuaderno, treinta y seis cuadernos; una mochila, cuarenta y tres mochilas; un libro de español, cincuenta y siete libros de español; un mapa, doce mapas; un reloj, quince relojes

For additional practice on grammar point 2, see PowerPoint slides at www.wiley.com/college/lucasmurillo or visit www.wileyplus.com

GRAMÁTICA

¡Manos a la obra!

2

Saying where you are: The verb *estar* (to be) + location

As you may have noticed, Spanish has two verbs that mean *to be:* **ser** and **estar.** You have already used both in conversation:

—¿De dónde **es** Ana? —**Es** de California. (*origin*)
—¿Qué **es**? —**Es** un lápiz. (*identification*)
—¿Qué hora **es**? —**Es** la una. (*time*)
—¿Qué fecha **es**? —**Es** el tres de julio. (*date*)
Soy responsable y organizado. (*description*)
¿Cómo **está** usted? (*how one is doing/ feeling*)

Now you are going to use **estar** to talk about the location of people, places and things.

Los estudiantes **están** en la biblioteca.
La biblioteca **está** en la avenida Miguel de Cervantes.

estar + en + lugar *(place)*	
(yo)* **estoy**	*I am*
(tú) **estás**	*you are*
(usted/ Ud., él, ella) **está**	*you are, he, she, it is*
(nosotros/as) **estamos**	*we are*
(vosotros/as) **estáis**	*you are*
(ustedes/ Uds., ellos/as) **están**	*you are, they are*

*The subject pronouns, unless used to clarify or contrast, are usually omitted.

Contrast hay (which denotes *existence*) and estar (which indicates *location*): *Hay 30 estudiantes en el salón de clase./ Los estudiantes están en el salón de clase.*

Students in pairs play the roles of the cartoon characters Jennifer and Fabio. Students should be expressive. Ask two students to perform in front of the class.

(p. 42)
¡Oye!
Write on the board: **en casa** *at home,* **en el trabajo** *at work.*

Also write the following times and point to each one as you narrate Mariana's schedule: 8:00, 8:15, 10:30, 12:00, 1:00, 4:00, 5:30, 10:00.

Guión para ¡Oye!

Los martes...
1. A las ocho en punto de la mañana, estoy en el estacionamiento de la universidad.
2. A las ocho y cuarto estoy en mi clase de química, y a las diez y media, en el laboratorio de biología. Estudio para ser médica.
3. A las doce en punto me reúno con mis amigas en la cafetería Oaxaca para tomar un café y una ensalada.
4. A la una de la tarde estoy en la biblioteca, y a las cuatro, voy al gimnasio y hago ejercicio (*mime doing exercises*).

Es el primer día de universidad. Jennifer habla[1] con Fabio, otro estudiante.

[1]speaks

(See p. 41 for beginning of Guión para ¡Oye!)
5. A las cinco y media de la tarde, estoy en el trabajo (trabajo en la clínica San Miguel).
6. A las diez de la noche estoy en casa, escribiendo en la computadora.

Comprensión para ¡Oye!
1. Los martes, a las ocho en punto de la mañana, ¿está Mariana en casa o en el estacionamiento?
2. A las ocho y cuarto, ¿está en la clase de literatura o en la clase de química? Y a las diez y media, ¿está en el laboratorio de física o en el de biología?
3. A las doce, ¿está en la cafetería o en el gimnasio?
4. A la una de la tarde, ¿está en la biblioteca o en el gimnasio?
5. A las cinco y media de la tarde, ¿está en casa o en la clínica San Miguel?
6. A las diez de la noche, ¿está en el trabajo o en casa?

Follow up with some personal questions, asking students where they are at the indicated times: ¿Dónde estás tú a las ocho de la mañana?

Palabras útiles
en el trabajo *at work*
en casa *at home*
estar libre/s *to be free (available)*

¡En acción!

¡Oye! El horario de Mariana

Mariana leads a very structured life. Listen carefully as she tells you where she is on Tuesdays at certain times. Then answer the questions, selecting the correct option.

2-8 ¿Dónde están?

Take turns guessing where each of the following people or things are on the campus of *Universidad Con brío*. Use **está** or **están** as appropriate. Use the scene on pages 34–35 as a guide.

MODELO

E1: *¿Dónde está Luis?*

E2: *Está en la residencia estudiantil.*

E1: *Falso. Está en el gimnasio.*

Luis

1.
Adela y Raúl
biblioteca

2.
el reloj
Avda. P. Neruda

3.
el profesor
cafetería

4.
las bicicletas
estacionamiento

5.
la estatua
plaza

6.
Sofía
librería

2-9 Mi horario[1] RECYCLES telling time.

Paso 1. You and your classmate want to get together to study. First, fill in the **¿Dónde estoy?** column to indicate where you usually are on the days and at the times indicated. Then ask questions to find out where your classmate is on those days and at those times. Write the information in the fourth column. Take turns.

MODELO

E1: *Normalmente, ¿dónde **estás** los lunes a las nueve de la mañana?*

E2: ***Estoy** en el trabajo. ¿Y tú?*

Días	Horas	¿Dónde estoy?	¿Dónde está él/ella?
los lunes	9:00 a. m.	Estoy...	Está...
los martes	11:00 a. m.		
los miércoles	12:00 (mediodía)		
los jueves	1:00 p. m.		
los viernes	4:00 p. m.		
los sábados	11:00 p. m.		
los domingos	9:00 p. m.		

Paso 2. Now tell the class when you are both free to study together: *Los jueves a la una de la tarde… y yo **estamos** libres para estudiar.*

[1]schedule

ADVERBIOS Y PREPOSICIONES DE LUGAR[1]

Here are some common words and expressions to say where things are:

aquí	here	cerca de	near
allí	there	lejos de	far from
en	in, at, on	detrás de	behind
entre	between	delante de	in front of
al lado de	beside	enfrente de	opposite, facing

. . . y algo más

de + el → del   La Facultad de Medicina está al lado **del** hospital.

de + la (no change)   El estacionamiento está enfrente **de la** cafetería Oaxaca.

For additional practice on these grammar points, see PowerPoint slides at www.wiley.com/college/lucasmurillo or visit www.wileyplus.com

2-10 ¿Dónde está...?

Paso 1. You are trying to locate certain places on campus. First, study the map on pages 34–35 to determine where certain places are. Select the appropriate response.

1. La Facultad de Medicina está **entre/ enfrente de** la biblioteca y el hospital.

2. El gimnasio está **detrás del/ delante del** cine Los Ángeles.

3. El estadio está **lejos del/ cerca del** campus.

4. La librería-papelería Cervantes está **al lado de/ detrás de** la cafetería Oaxaca.

5. La estatua de Cervantes está **enfrente de/ en** la plaza.

Paso 2. Now you are driving around campus and cannot find certain places. You call a friend on your cell phone, and he/she helps you locate them, according to the map on pages 34–35. Take turns playing the two roles, using the sites below.

MODELO

la Facultad de Medicina

E1: *¿Dónde está la Facultad de Medicina?*

E2: *Está **detrás de** la Facultad de Filosofía y Letras y **al lado del** hospital.*

E1: *Aquí está. Gracias.*

1. la Facultad de Ciencias
2. la biblioteca
3. el estacionamiento
4. la calle Colón
5. el hospital San Lucas
6. el cine Los Ángeles

2-11 Sesión de orientación   RECYCLES greetings, **hay**, and saying goodbye.

Imagine that you are a college mentor and that a new student needs information. Play the two roles, following the outline below.

- Greet each other and exchange names.

- The new student asks where certain places are located—the bookstore, the cafeteria, the library, and so on. The mentor replies, naming their location.

- The new student asks if certain places or services can be found on campus—a stadium, a movie theater, a day care, a subway, a bus, and so on. *¿Hay...?* The mentor replies.

- The new student thanks the mentor, and they say good-bye.

2-10 Students may complete *Paso 1* individually or in pairs, with answers reviewed by the instructor. ANSWERS (*Paso 1*): 1. entre 2. detrás del 3. cerca del 4. al lado de 5. en

2-10 Point out that ser is used to identify something (**Es la Facultad de Medicina.**) and estar, to indicate location (**Está al lado del hospital.**).

2-11 Remind students that after **hay** (see the third item) the *indefinite* article is used: **¿Hay un estadio en la universidad?** When students have completed their conversation, ask a pair to perform in front of the class. Encourage applause!

[1]location

Tu mundo cultural

Dos universidades hispanas

¿Quieres estudiar español en una universidad hispana? Mira la información de dos universidades con larga tradición y muy frecuentadas por estudiantes de todo el mundo.

La Universidad Nacional Autónoma de México (UNAM), fundada en 1553, y la Universidad de Salamanca, fundada en 1218, ofrecen cursos de español para extranjeros[1] durante todo el año.

Ciudad de México, México   Salamanca, España

Visita la página web de la UNAM:
www.unam.mx

La Universidad Nacional Autónoma de México (UNAM)

Cursos intensivos y superintensivos de español:
nivel elemental, intermedio y avanzado (2, 3, 4 y 10 semanas)

Cursos de cultura:
Arte: salsa y danza tradicional, teatro mexicano, arte popular mexicano y prehispánico
Historia: Historia general de México e Historia de la independencia a la revolución
Literatura: Literatura mexicana, Narrativa de la revolución

Actividades culturales:
conciertos, fiestas y especialidades típicas mexicanas, y visitas guiadas a sitios arqueológicos o históricos de la Ciudad de México

Residencia:
habitaciones (dobles o individuales) en casas[2] de familias mexicanas o en departamentos[3]

Excursiones:
Puebla, Taxco, Cuernavaca y las pirámides del Sol y la Luna en San Juan de Teotihuacán

Página web:
www.unam.mx

[1]foreigners, [2]homes, [3]apartments

La Universidad de Salamanca

Visita la página web de la Universidad de Salamanca: www.usal.es

Cursos «a la carta»:
clases individuales o para grupos

Cursos de lengua:
pronunciación, conversación, gramática y español comercial

Cursos de cultura:
cultura y civilización española, historia del arte español y teatro español contemporáneo, danza y gastronomía española, visitas guiadas de la ciudad de Salamanca para visitar su espléndida arquitectura, ciclos de cine[1] español, fiestas y café y tertulia[2] diaria en la famosa Plaza Mayor

Excursiones:
a Madrid, Toledo, Segovia, Ávila, Granada, Sevilla y Barcelona

Residencia:
en casas de familias españolas
o en residencias estudiantiles

Página web:
www.usal.es

¿Qué aprendiste?

1. ¿Dónde están situadas dos universidades hispanas de larga tradición?

2. ¿Son de fundación reciente?

3. ¿Qué ofrecen al estudiante extranjero?

Actividad cultural

Complete the form to indicate which of the two universities you would like to attend and your preferences as to month/s, courses, activities, and so on. Then compare the information with your classmate's.

Universidad:_____	Está en: _____	Fundada en: _____
Mes/es:		
Cursos:		
Actividades:		
Excursiones:		
Residencia en:		

Contraste cultural

In English, compare your college or university with **la UNAM** and **la Universidad de Salamanca.** Talk about the courses, lodging, activities, and excursions offered to foreign students at your school.

[1]**ciclos...** film series, [2]gathering

2 En clase

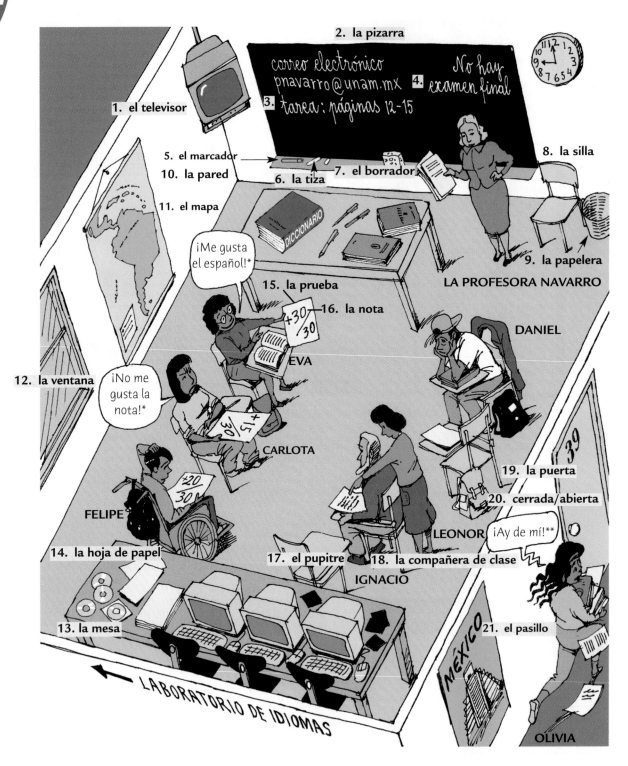

1. television 2. chalkboard 3. homework 4. (final) exam 5. marker 6. chalk 7. eraser 8. chair 9. wastebasket 10. wall 11. map 12. window
13. table 14. sheet of paper 15. quiz, test 16. grade 17. desk (student's) 18. classmate (f.) **compañero** (m.) 19. door 20. closed/open 21. hallway

@ **arroba**, *¡Me gusta/ No me gusta...!* *I like/I do not like . . . !* ** ¡**Ay de mí!** *Oh, my!*

¡En acción!

👥 **2-12** **¿Qué hay en nuestro salón de clase[1]?** RECYCLES prepositions of location.

♻️ First, read each statement and indicate whether it applies to your classroom by marking **Sí** or **No**. Then take turns asking and answering questions according to the model.

MODELO

un televisor enfrente de la clase

E1: *¿Hay un televisor enfrente de la clase?*

E2: *Sí, hay un televisor.* **o:** *No, no hay un televisor.*

Sí	No	
☐	☐	**1.** una pizarra detrás del escritorio del/de la profesor/a
☐	☐	**2.** un mapa en la pared
☐	☐	**3.** una puerta cerca de la papelera
☐	☐	**4.** una mesa con computadoras
☐	☐	**5.** un reloj al lado de la pizarra
☐	☐	**6.** unos lápices en los pupitres
☐	☐	**7.** unas mochilas al lado de los estudiantes
☐	☐	**8.** unos libros y unas hojas de papel en el escritorio del/de la profesor/a

👥 2-13 En la clase de español

Describe what the classroom on page 46 is like and what is happening there. Work with your partner to answer the questions.

1. ¿Qué número hay en la puerta del salón de clase? ¿Está cerrada o abierta?

2. ¿Qué hay en el escritorio de la profesora Navarro? ¿Y qué información hay en la pizarra?

3. ¿Cuántas mochilas hay en el salón de clase? ¿Y cuántos pupitres?

4. ¿Qué otras cosas[2] hay en el salón de clase?

5. ¿Es buena o mala la nota de la prueba de Eva? ¿Qué dice[3]?

6. ¿Carlota está bien o mal? ¿Es buena o mala su nota? ¿Qué dice?

7. ¿Felipe está preocupado o contento? Y Daniel, ¿está contento?

8. ¿Cómo se llama la compañera de clase que está detrás de Ignacio?

9. ¿Dónde está Olivia? ¿Qué dice?

10. ¿Hay un laboratorio de idiomas[4] cerca del salón de clase?

2-13 This activity may be assigned for homework or done in class. You may want to show the PowerPoint slide or the scene to check the answers. Note that **estar** + *condition* is previewed.

For additional vocabulary practice, see PowerPoint slides at www.wiley.com/college/lucasmurillo or visit www.wileyplus.com

2-13 PERSONALIZED QUESTIONS:
¿Qué hay en mi escritorio? Be sure to place several items on your desk. ¿Qué cosas hay en este salón de clase?

---

[1]**salón de clase** classroom (also **el aula, la clase**), [2] things, [3] **¿Qué . . .** What does she say?, [4]**laboratorio . . .** language lab

You may use the PowerPoint slide of the scene to practice colors, identifying the colors of the sweaters, backpacks, and other items.

For additional vocabulary practice, see PowerPoint slides at www.wiley.com/college/lucasmurillo or visit www.wileyplus.com

To reinforce **me gusta**, informally introduced in the previous scene, ask personal questions: **¿Qué color te gusta más, el... o el...?** **Gustar** is introduced formally on p. 112.

See Grammar Handbook found in WileyPLUS.

LOS COLORES

Colors, like the cognates you encountered in Capítulo 1—**romántico, cómica, inteligente**—function as adjectives.

- Those ending in **-o** change **-o** to **-a** to modify feminine nouns.

    un lib**ro** neg**ro**   una silla ro**ja**

- Those ending in **-e** or a consonant do not change to reflect gender.

    la mochila verd**e**   el suéter verd**e**

- All have plural forms, except **beige** and **(color) café**.

    unos lápices amarill**os**   unos bolígrafos azul**es**   unos cuadernos **(color) café**

  2-14 Libros.com   RECYCLES numbers.

You and your partner are packing orders at Libros.com's warehouse. As one reads the items from the chart, the other indicates which they are according to the company's color-coded system.

Compañía Libros.com

| CONTABILIDAD | BIOGRAFÍAS | ESPAÑOL | ENCICLOPEDIAS | GEOGRAFÍA | BIOLOGÍA | INGLÉS | GUÍAS TURÍSTICAS | DICCIONARIOS DE ESPAÑOL |

MODELO

11 libros de inglés

E1: *Necesito 11 libros de inglés.*

E2: *Son los (libros) amarillos.*

11 *libros de inglés* . . . .

43 *diccionarios de español* . . . .

30 *libros de contabilidad* . . . .

50 *enciclopedias* . . . .

15 *libros de biología* . . . .

19 *guías turísticas* . . . .

38 *libros de geografía* . . . .

10 *biografías* . . . .

For additional practice on this grammar point, see Power-Point slides at www.wiley.com/college/lucasmurillo or visit www.wileyplus.com

. . . y algo más

Ser + de

You have already used **ser + de** to indicate origin: **Soy de California.** You can also use **ser + de** to indicate possession.

> **Es** el libro **de** Ana.   **Son** los libros **de** Carlos.

To ask who owns something, use **¿De quién es...? ¿De quiénes son...?** *Whose is/are...?*

> **¿De quién es** el cuaderno rojo?   **Es de** Mónica. (o) **Es del** profesor.
>
> **¿De quiénes son** los libros?   **Son de** los estudiantes.

To introduce **ser + de**, gather various classroom and personal items belonging to students and put them on your desk. Students need not know how to identify the items in Spanish, as each is mentioned in the questions you ask. Pick up one item at a time and ask to whom it belongs, giving two options—the owner of the item and one other student: ¿De quién es este libro de español? ¿Es de... o es de...? ¿De quién son estos zapatos? ¿Son de... o son de...?

2-15 ¿De quiénes son? RECYCLES classroom vocabulary.

Find the following items in the classroom scene on page 46 and identify the owners.

1. La mochila amarilla *es de Leonor* .

2. El diccionario morado ___es de la profesora Navarro___.

3. El suéter rojo ___es de Eva___.

4. El lápiz y los bolígrafos que están en el escritorio ___son de la profesora Navarro___.

5. La prueba con la nota + 15/30 ___es de Carlota___.

6. El suéter azul ___es de Felipe___.

7. La gorra de béisbol anaranjada y la chaqueta (color) café ___son de Daniel___.

8. Las mochilas que están en el salón de clase ___son de los estudiantes___.

2-15 You may want to show the Power-Point slide of the scene to check answers.

¿Cómo están los estudiantes el día de su graduación?

[1]Orders

2-16 You may want to use the PowerPoint slide of the illustrations to check answers. Ask to whom each item in the lab belongs, and students respond.

2-16 En el laboratorio   RECYCLES classroom vocabulary

Paso 1. Some students have left their belongings behind in the computer lab. The lab director wants to know to whom these items belong, identifying each by its color. The director's assistant, who remembers where the students sat, responds. Play the two roles, with the director looking at drawing **A**, and the assistant, drawing **B**.

MODELO

Director: ¿De quién es el diccionario gris?

Asistenta: Es de la señora Gómez.

Paso 2. Five students stand in front of the class. One student describes an object belonging to someone in class stating its color. Others guess to whom it belongs. Students two through five then do the same.

MODELO

E1: Es un suéter blanco. ¿De quién es?

E2: ¿Es de Rafael?

E1: Sí, es de Rafael. **o:** No, no es de Rafael.

¡A escuchar!   ¡Ofertas!   CD 3 Track 43

Palabras útiles
camiseta *T-shirt*

Paso 1. Listen to this radio ad for a sale at the university bookstore.

Paso 2. List five items on sale at the bookstore.

Ofertas en la librería-papelería Cervantes:

1. _____cuadernos_____   4. _____diccionarios_____

2. _____lápices_____   5. _____libros_____

3. _____bolígrafos_____

GRAMÁTICA

For additional practice on this grammar point, see PowerPoint slides at www.wiley.com/college/lucasmurillo or visit www.wileyplus.com

¡Manos a la obra!

Describing people's current conditions: *Estar + condition*

3

You have used **estar** to indicate location **(Están en el gimnasio.)** and to ask or state how someone is feeling/doing **(¿Cómo estás? ¡Muy bien, gracias!).** Now you are going to use **estar** with certain adjectives to express a broader range of feelings or conditions.

> Olivia está **estresada.** Su mamá está **enferma.**

- Remember, adjectives that end in **-o** change **-o** to **-a** to modify a feminine noun:

> Él está nervios**o.** Ella está nervios**a.**

- All adjectives have plural forms:

> Ellos están cansado**s.** Ellas están aburrida**s.**

¿CÓMO ESTÁS?

The following adjectives are used with **estar** to express mental, emotional, or physical conditions—how a person is feeling /doing at a given time. Which words do you recognize?

 contento/a

 enojado/a

 preocupado/a

triste

 estresado/a

enfermo/a

 aburrido/a

 nervioso/a

ocupado/a

cansado/a

Write the vocabulary words on slips of paper and hand them to ten students. Have them mime each emotion or condition, one at a time and in random order. Ask **¿Cómo está?**, and the class identifies the corresponding emotion or condition.

Es el primer día de clase. Jennifer saluda a sus amigas Mabel e Ysenia.

Hola chicas, ¿cómo están?

Jenni, ¡qué sorpresa![1]

Yo estoy muy cansada porque son las 8 de la mañana.

¡Y yo, muy bien!

Pues yo estoy estresada... La familia, las clases y mi hija[2] Yolanda, ¡qué responsabilidad!

[1]**¡qué...** what a surprise!, [2]**mi...** my daughter

¡En acción!

¡Oye! ¿Cómo están Uds.?

Listen to the following university-related situations and imagine yourself in each circumstance. Then answer the follow-up questions to state how you feel.

2-17 ¿Cómo están los estudiantes? ¿Y tú?

Observe these people and describe how they are doing, selecting one or more items from the list. Then indicate if you are feeling the same as each of them or different. Follow the model.

MODELO

E1: *¿Cómo está Eva?*

E2: *Está contenta. ¿Y tú, cómo estás?*

E1: *Estoy contento/a también* **o:** *Estoy triste. ¿Y tú?*

E2: *Estoy…*

aburrido/a	cansado/a	contento/a	enfermo/a	enojado/a
estresado/a	nervioso/a	ocupado/a	triste	

1. EVA

2. CARLOTA

3. FELIPE

4. DANIEL

5. OLIVIA

6. LA PROFESORA NAVARRO

2-18 ¿Cómo están ellos?

2-18 You may review answers using the PowerPoint slide of the illustrations.

Tell your partner how one of the people in the illustrations is feeling, but do not give the person's name. Your partner guesses who it is. Take turns.

MODELO

E1: *Está muy contenta.*

E2: *Es Doña Lolita.*

E1: *¡Sí!* **o:** *No, inténtalo otra vez*[1].

Doña Lolita

1. Paco

2. Linda

3. el señor Wang

4. la señora Romero

5. Gonzalo

6. Carolina

2-19 ¿Cómo estás hoy?

2-19 At the conclusion of the activity, for each condition, ask students: ¿Quiénes están cansados?, etc. They respond according to what they learned: E1: Lisa está cansada. E2: José está cansado. E3:...

Walk around the classroom to find classmates that are tired, happy, etc. (see list below). As you find each one, jot down his/her name under the corresponding condition. At the conclusion of the activity, share what you learned with the class.

cansado/a	contento/a	triste	estresado/a	enfermo/a	muy ocupado/a
_____	_____	_____	_____	_____	_____

MODELO

E1: *Lisa, ¿estás cansada?*

E2: *Sí, estoy cansada.* (Write down her name. If she says no, ask another student.)

[1]**inténtalo...** try again

Tu mundo cultural

La influencia hispana en EE.UU.

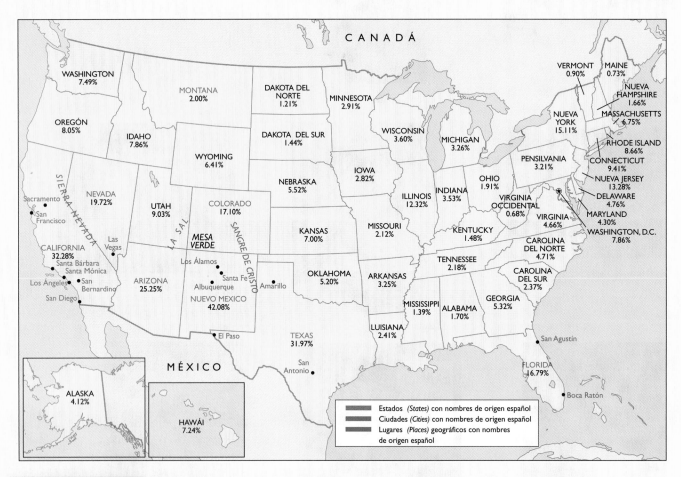

UNIVISIÓN canal 73
3:00 Entrevista con Salma Hayek

TELEMUNDO canal 19
5:00 Deportes: Copa mundial de fútbol

GALAVISIÓN canal 15
7:00 Ana Luisa, una historia romántica

CNN EN ESPAÑOL canal 27
7:30 Reportaje desde las Islas Galápagos

En EE.UU. la oferta de canales de televisión en español se está multiplicando. De todos los canales, Univisión figura con frecuencia en el puesto número uno, con un promedio[4] de 1,2 millones de telespectadores, unos 50.000 más que el canal *Fox*.

- En EE.UU. (Estados Unidos), como resultado de la exploración española, y por ser gran parte del país antiguo[1] territorio mexicano, muchos lugares[2] tienen nombres de origen español. (Véase el mapa.)

- En el siglo XX mucha de la inmigración procede de México, Puerto Rico y Cuba. En años más recientes llegan[3] inmigrantes de América Central, República Dominicana, Colombia, Ecuador, Perú y Venezuela.

- Se calcula que hay más de 40 millones de hispanos en EE.UU. Actualmente, la influencia hispana continúa en aumento y es evidente en diversos aspectos de la cultura estadounidense.

¿SABES QUE...?

The United States is the fifth-largest "Spanish-speaking country" in the world, after Mexico, Spain, Colombia, and Argentina.

[1]former, [2]places, [3]arrive, [4]average

Hispanos famosos que forman parte de la vida estadounidense

1. Richard Rodríguez, autor y editor de muchos artículos y libros, es hijo[1] de inmigrantes mexicanos. Premios[2] recibidos, entre otros: el prestigioso *George Foster Peabody Award* por *News Hour Essays on American Life* (1997), la medalla Frankel del *National Endowment for the Humanities*.

2. Bob Menéndez, hijo de inmigrantes cubanos, es el primer[3] hispano en representar a Nueva Jersey en el Congreso de EE.UU., primero, como miembro de la Cámara de Representantes (1993–2006), y en la actualidad, como miembro del Senado.

3. Sonia Sotomayor, hija de padres puertorriqueños, es la primera jueza hispana y la tercera mujer jueza del Tribunal Supremo de EE.UU. (2009). Estudió en la Universidad de Princeton, donde obtuvo su diploma "summa cum laude", y más tarde, se licenció como abogada en la Universidad de Yale.

4. Penélope Cruz, o *Pe* para los amigos, es una de las actrices españolas más reconocidas. En el año 2006 la Academia de Hollywood la nominó para el Oscar como mejor[4] actriz por su la película *Volver*. Finalmente, en el año 2009 ganó el Oscar por su papel secundario en *Vicky Cristina Barcelona*. Es una de las musas del famoso director Pedro Almodóvar.

5. Shakira, cantante[5] colombiana. Ha obtenido un premio *Grammy* y dos *Grammys* latinos.

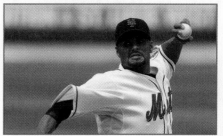

6. Johan Santana, jugador de béisbol venezolano, ha obtenido en dos ocasiones el premio *Cy Young* por ser el mejor *pitcher* de las grandes ligas. La Fundación Johan Santana organiza programas para mejorar la calidad de vida[6] de familias en Venezuela y Minnesota.

¿Qué aprendiste?

1. ¿Qué estados, ciudades[7] y otros puntos geográficos hay en EE.UU. con nombres de origen español? ¿Por qué hay nombres de origen español?

2. ¿Cuáles son siete de los estados con mayor porcentaje (%) de hispanos? ¿Cuál es el porcentaje de hispanos en tu estado?

3. ¿Cuántos hispanos hay en EE.UU. aproximadamente?

Actividad cultural

In groups of *five*, list as many items as you can in each category. You have five minutes.

- Restaurantes hispanos de su ciudad y las especialidades que sirven
- Cantantes, actores y actrices, artistas, políticos y deportistas[8] hispanos
- Compañeros, profesores y empleados hispanos de su universidad. ¿De dónde son?

Contraste cultural

In groups of *five*, talk in English about: **(a)** your Hispanic acquaintances and/or family members and the countries they come from; **(b)** the Hispanic influence in your college or community.

[1]son, [2]prizes, [3]first, [4]best, [5]singer, [6]life, [7]cities, [8]athletes

Ask students what states and cities boast large Mexican, Puerto Rican, and Cuban populations. Also ask about other Hispanic minorities. They may want to research this information on the web.

3 Las profesiones y ¹el trabajo

1

2

3 ¡No me gustan las inyecciones!

4 POLICÍA

2. **el dependiente/** la dependienta

3. el cajero/**la cajera**
4. **el mesero**/la mesera

5. **el médico/la médica**
6. **el enfermero/** la enfermera

7. **el policía**/la mujer policía

5 TELEX

6 ¡Hoy hay ¹¹**mucho** trabajo!

7 Me gusta esta clase. Tarea: págs. 10-30. ¡Hay mucha tarea!

8 Estoy ¹⁵**en casa**.

8. el hombre de negocios/ **la mujer de negocios**
9. el secretario/**la secretaria**
10. **el recepcionista/** la recepcionista

12. el programador/ **la programadora**
13. **el contador/** la contadora

14. **el maestro**/la maestra

16. **el ama (f.) de casa**

9 Hay muchos problemas.

10 SERVICIOS SOCIALES ¡Buenos días!

11 Hoy hay muchas emergencias.

12

17. **el abogado**/la abogada

18. **el trabajador social/la trabajadora social**

19. **el bombero/la bombera**

20. **el soldado/la soldado**

1. work, job 2. salesclerk 3. cashier 4. server 5. doctor 6. nurse 7. police officer 8. business executive 9. secretary 10. receptionist
11. much, a lot **(mucho/a); many (muchos/as)** 12. programmer 13. accountant 14. teacher 15. at home 16. homemaker 17. lawyer
18. social worker 19. firefighter 20. soldier

CAPÍTULO 2 LA UNIVERSIDAD Y EL TRABAJO

¡En acción!

2-20 Have students share responses in pairs or with the class.

2-20 ¿Dónde están?

Where would one usually find the following people when they are working? Draw a line from the profession to the appropriate location according to the scene on page 56.

2-20 ANOTHER STEP: Students or the instructor make incorrect and correct statements about where people usually are when they are working. If incorrect, the class gives the correct information: **El maestro está en el hospital.** → **¡No! El maestro está en la escuela.**

1.	abogado e	a.	escuela
2.	policía d	b.	hospital
3.	programadora h	c.	librería-papelería
4.	mesero g	d.	avenida
5.	médica b	e.	tribunal
6.	bombera i	f.	compañía
7.	dependiente c	g.	cafetería
8.	mujer de negocios f, h	h.	oficina
9.	maestro a	i.	estación de bomberos

For additional practice on this grammar point, see Power-Point slides at www.wiley.com/college/lucasmurillo or visit www.wileyplus.com

. . . y algo más

When simply identifying someone's profession, the indefinite article is omitted: **Es abogado. Es maestra.**

If the profession is modified, however, the indefinite article is included: **Es un abogado famoso. Es una maestra muy buena.**

2-21 You may use the PowerPoint slide of the scenes to spot-check answers.

For additional vocabulary practice, see PowerPoint slides at www.wiley.com/college/lucasmurillo or visit www.wileyplus.com

2-21 ¿Quién es?

Can you identify each profession or occupation? Observe the scenes on page 56 and work with your partner to answer the questions. Several have multiple answers.

2-21 PERSONALIZED QUESTIONS: ¿Hay meseros o meseras en la clase? ¿Dependientes o dependientas? ¿Abogados o abogadas? And so on.

1. ¿Quiénes trabajan en la oficina? ¿Qué dice el contador?

2. ¿Quiénes trabajan en el hospital? ¿Qué dice el paciente?

3. ¿Está contento el maestro con sus alumnos? ¿Qué dice? ¿Hay mucha tarea?

4. ¿Quién defiende a los «inocentes»? ¿Qué dice el abogado?

5. ¿Quiénes defienden la nación?

6. ¿Quiénes trabajan en el restaurante? ¿Y quién trabaja en la librería?

7. ¿Qué personas trabajan en situaciones de emergencia? ¿Qué dice la bombera?

8. ¿Quién trabaja en servicios sociales?

9. ¿Qué persona trabaja predominantemente en casa?

Palabras útiles
trabaja *he/she works*
trabajan *they work*

2-21 This activity previews the verb **trabajar**, formally presented on p. 80.

2-22 Me gustaría ser…

Palabras útiles

Me gustaría (ser)…
I would like (to be)…

2-22 With a student secretary at the board, have individuals call out one of their desired professions while others with the same preference raise their hands. The secretary records the results. The class then determines which professions are the most popular.

Which professions would you like to have, and which would you not like to have? Take turns naming *three* of each. Then share your information with the class to determine which professions are the most popular.

MODELO

E1: Me gustaría ser bombero.

o: No me gustaría ser bombero.

E2: Me gustaría ser…

 ## ¡A escuchar! ¡Ofertas de trabajo! CD 3 Track 44

Paso 1. Listen to the job opportunities offered in the radio ad by the Martínez employment agency.

Paso 2: List *five* job opportunities mentioned in the ad. *(alternate answers possible)*

1. _____ programadora _____
2. _____ secretario _____
3. _____ recepcionista _____
4. _____ abogado _____
5. _____ contador _____

 See Grammar Handbook found in WileyPLUS.

For additional practice on these grammar points, see PowerPoint slides at www.wiley.com/college/lucasmurillo or visit www.wileyplus.com

Ask students to divide into small circles. One student starts by asking another: **¿Adónde vas hoy después de la clase de español?** The next student responds: **Voy a +** *the class or location* where he or she is going. Once all students have asked and answered the question, each student says where the student to his or her right is going: Mary **va a…**

Before starting, you might want to make sure that all students know how to say in Spanish the name of the class or the place were they are going after class.

GRAMÁTICA

¡Manos a la obra!

4

Talking about going places: *Ir* (to go) + *a* + destination

To ask where someone is going, say **¿Adónde vas (tú)?** (informal) or **¿Adónde va (Ud.)?** (formal).

Voy a la oficina.	*I am going to the office.*
Vamos al teatro.	*We are going to the theatre.*

(yo)	**voy**	*I go/am going*
(tú)	**vas**	*you go/are going*
(Ud., él, ella)	**va**	*you go/are going; he, she, it goes/is going*
(nosotros/as)	**vamos**	*we go/are going*
(vosotros/as)	**vais**	*you go/are going*
(Uds., ellos, ellas)	**van**	*you go/are going; they go/are going*

. . . y algo más

 a + el → al Voy **al** hospital. **a + la** (no change) Vamos **a la** cafetería.

¡En acción!

¡Oye! ¿Adónde?

It is 8:30 AM and everyone is going off to work. Listen to discover where they are going according to their professions. Then answer the questions by selecting the appropriate option.

2-23 ¿Adónde van…?   RECYCLES vocabulary from the chapter-opener scene.

Paso 1.   Where do students go on or off campus to do certain things? Select the correct verb form and then fill in the blank to indicate the appropriate destination. *Hint*: Review the campus vocabulary on pages 34–35.

MODELO

Para ver partidos de fútbol, Carlos *va/ vas* _____.

Para ver partidos de fútbol, Carlos **va al estadio de deportes.**

1. Para hacer ejercicio y levantar pesas nosotros *van/ vamos* _____.
2. Para conversar con amigos y otros estudiantes Matilde y Alicia *van/ vas* _____.
3. Para comer un sándwich la profesora Juárez *voy/ va* _____.
4. Para recibir atención médica mis amigos y yo *van/ vamos* _____.
5. Para estacionar el carro o la bicicleta Pablo *va/ vas* _____.
6. Para ver *Hamlet* los señores Benítez *van/ voy* _____.
7. Para estudiar y consultar libros mis amigos y yo *voy/ vamos* _____.
8. Para comprar libros, cuadernos, lápices y bolígrafos tú *va/ vas* _____.

Paso 2.   Tell each other what places on campus you frequently go to, and where you almost never go. Then share the information with the class to determine the most frequented campus locations.

MODELO

E1:   *Con frecuencia voy al gimnasio y a la biblioteca. Casi nunca voy al centro estudiantil. ¿Y tú?*

¿Adónde van los estudiantes después de clase?

Guión para ¡Oye!

Son las 8:30 de la mañana.
1. José y Ana son maestros; van a la escuela.
2. La señorita García es médica; va al hospital.
3. …y yo somos profesores/ profesoras; vamos a la universidad.
4. Elena es dependienta; va a la librería-papelería Cervantes.
5. Alberto es hombre de negocios; va a la oficina.

Comprensión para ¡Oye!

1. ¿Van los maestros a la escuela o a la oficina?
2. ¿Va la médica al hospital o a la clínica?
3. ¿Van los profesores/las profesoras a la universidad o a la escuela?
4. ¿Va la dependienta al restaurante o a la librería?
5. ¿Va el hombre de negocios al hospital o a la oficina?

> **Palabras útiles**
> con frecuencia
>   *frequently*
> casi nunca *almost
>   never*

2-23   Encourage students to guess meaning by context.
ANSWERS:
1. …vamos al gimnasio.
2. …van al centro estudiantil.
3. …va a la cafetería.
4. …vamos al hospital.
5. …va al estacionamiento.
6. …van al teatro.
7. …vamos a la biblioteca.
8. …vas a la librería– papelería

EXPRESIONES DE TIEMPO[1]	
ahora	*now*
más tarde	*later*
después de clase	*after class*
hoy	*today*
mañana	*tomorrow*
esta mañana	*this morning*
esta tarde	*this afternoon*
esta noche	*tonight*
este fin de semana	*this weekend*
por la mañana/ tarde/ noche	*in the morning/ afternoon/ at night*

2-24 Sondeo[2]

Paso 1. Where do you and your classmates go during the time periods mentioned? First, fill in the **Yo** column to indicate where *you* usually go. Then, ask *two* classmates each of the following questions. Jot down the person's name and where he/she is going.

2-24 Provide vocabulary if students request it, such as **a la casa de mi amigo/a, al centro comercial, al supermercado.**

2-24 Possible instructor's questions for *Paso 2* follow-up: 1. **¿Adónde va... después de clase? ¿Y adónde va...?** Ask followup questions: **¿Adónde van... y... después de clase?** Conclude by eliciting some **nosotros** answers, asking two students if they go to the same place: **¿Van Uds. al gimnasio esta noche?** and so on.

¿Adónde vas...	Yo:	E1:	E2:
1. ...después de clase?	*Voy al trabajo.*	*Ana va al gimnasio.*	*Pablo va a casa.*
2. ...hoy por la tarde?			
3. ...esta noche?			
4. ...mañana por la mañana?			
5. ...el viernes por la noche?			
6. ...este fin de semana?			

Paso 2. Your instructor wants to know where your classmates go during the time periods in the chart. Answer his/her questions.

2-25 Mi semana

Martín, a student from Mexico, asks in an e-mail what your weekly schedule is like. Respond by writing *six* sentences. Include where you or you and your friends go during specific time periods. Then read your e-mail to a classmate or to the class.

Para: martin@unam.edu

Asunto: Mi semana

Hola, Martín. ¿Cómo estás? Mi semana es así: los lunes y miércoles por la mañana voy... Mis amigos/as y yo vamos...

[1]time, [2]Survey

GRAMÁTICA

¡Manos a la obra!

Asking questions: Interrogative words

5

You have been using interrogative words (*Who? What? When?*) since *Capítulo 1*.

¿Cómo estás?   **¿De dónde** eres?   **¿Dónde** estás?   **¿Cuántos** alumnos están aquí?

Here is a more complete list:

¿Cómo?	*How?*	**¿Cómo** estás?
¿Cuál/ Cuáles?*	*Which (one/s)?*	**¿Cuáles** son tus maestros favoritos?
¿Cuándo?	*When?*	**¿Cuándo** vas a casa?
¿Cuánto/ Cuánta?	*How much?*	**¿Cuánto** trabajo hay?
¿Cuántos/ Cuántas?	*How many?*	**¿Cuántos** abogados hay en el tribunal?
¿Dónde?	*Where?*	**¿Dónde** está la escuela?
¿Adónde?	*(To) where?*	**¿Adónde** vamos?
¿De dónde?	*From where?*	**¿De dónde** es la mesera?
¿Qué?*	*What?*	**¿Qué** es?
¿Por qué?	*Why?*	**¿Por qué** no está en el trabajo?
¿Quién/ Quiénes?	*Who?*	**¿Quién** es ella?
¿De quién/ quiénes?	*Whose?*	**¿De quién** es?

*To ask for a choice in Spanish, the general rule is: **¿Cuál/ Cuáles** + *verb*? or **¿Qué** + *noun*?

¿Cuál es tu gimnasio favorito? *Which is your favorite gym?*

¿Qué días vas al gimnasio? *What/ Which days do you go to the gym?*

See Grammar Handbook found in WileyPLUS.

. . . y algo más

The following words are similar to the interrogatives but have a different function and at times a different meaning. Note that they do not carry an accent.

que *that, which, who*   La mujer policía **que** está en el estacionamiento es muy eficiente.

cuando *when(ever)*   **Cuando** no hay clase, estoy en casa.

porque *because*   La recepcionista no está hoy en la oficina **porque** está enferma.

¿Por qué estás triste? **Porque** es lunes y hay mucho trabajo.

For additional practice on these grammar points, see PowerPoint slides at www. wiley.com/ college/ lucasmurillo or visit www. wileyplus.com

To introduce the interrogative words, ask students personalized questions, highlighting the particular interrogative word: **¿Cómo** estás hoy? **¿Cuáles** son tus clases favoritas? **¿Cuándo** es tu cumpleaños? **¿Cuántos** estudiantes hay en tu clase más pequeña (*smallest class*)? ¿Hay una clínica en la universidad? **¿Dónde** está? ¿Los estudiantes van allí con frecuencia? **¿Adónde** vas este fin de semana? **¿De dónde** es tu familia? **¿Qué** día es hoy? ¿Vas al trabajo hoy? **¿Por qué** no? **¿Quién** es tu mejor amigo/a? **¿Qué** cosas hay en tu mochila? ¿Y en tu pupitre? **¿De quién** es este bolígrafo? ¿Y este cuaderno?

Al mediodía, Mabel, Ysenia y Jennifer van a la cafetería.

¡En acción!

¡Oye!
Write **playas, bosques,** and **flores** on the board and draw an image of each. If you like, personalize the information. Ask students to jot down answers.

Guión para ¡Oye!
El quince de junio, ¡voy a Costa Rica! Voy con dos amigos/as,... y... ¡Vamos a estar allí dos semanas! En Costa Rica hay playas magníficas, volcanes activos (*draw a volcano*), bosques tropicales y flores de muchos colores. ¡Es un lugar fascinante!

Comprensión para ¡Oye!
1. ¿**Adónde** voy? ¿A Cancún o a Costa Rica?
2. ¿**Cuándo** voy? ¿El quince de junio o el quince de julio?
3. ¿**Con quién** voy? ¿Con dos o con tres amigos/as?
4. ¿**Cuántas** semanas vamos a estar allí? ¿Dos o tres?
5. ¿**Por qué** vamos? ¿Porque está lejos, o porque es fascinante?
6. ¿**Qué** atracciones hay? (*Students provide responses.*)

2-26 ANSWERS: 1. la trabajadora social (o) el maestro 2. el dependiente 3. el soldado/la soldado (o) el bombero/la bombera 4. el ama de casa 5. el abogado 6. el policía 7. el contador 8. la mujer de negocios

¡Oye! Unas vacaciones

Your instructor is planning to take a trip. Listen to the description of the trip. Then answer the questions by choosing the correct option.

2-26 ¿Quién lo pregunta?

Observe the scenes on page 56 to determine who might ask each question.

MODELO
¿**Qué** desean, café o té? → *el mesero*

1. ¿**Cómo** están Uds. hoy?
2. ¿**Cuántos** cuadernos necesita?
3. ¿**Adónde** vamos ahora?
4. ¿**Cuándo** vas al supermercado?
5. ¿**Quién** es el inocente?
6. ¿**Por qué** hay tanto tráfico hoy?
7. ¿**Cuál** es el total?
8. ¿**Quiénes** están en el salón de conferencias?

2-27 Mi profesor/a

Your professor will make some negative statements about him/herself. In order to get the correct information, ask questions using the interrogative words.

MODELO

Profesor/a: *No estoy triste ni preocupado/a hoy.*

E1: ¿*Cómo* está usted hoy?

Profesor/a: *Estoy muy bien, gracias.*

1. No soy de Francia.
   ¿ _De dónde_ es usted?
2. No tengo ocho hijos[1].
   ¿ _Cuántos_ hijos tiene usted?
3. No voy al gimnasio después de clase.
   ¿ _Adónde_ va usted después de clase?
4. No voy a mi oficina a las seis de la mañana.
   ¿ _A qué hora_ va usted a su oficina?
5. Por la tarde, no estoy en casa.
   ¿ _Cuándo_ está usted en casa?
6. Este fin de semana, no voy al cine con mis estudiantes.
   ¿Con _quién_ va al cine este fin de semana?
7. Enero no es mi mes favorito
   ¿ _Cuál_ es su mes favorito?

[1]children, sons and daughters

2-28 Una entrevista[1]

RECYCLES greetings, origin, **estar**, **ser**, **ir**, months, dates, days of the week.

Paso 1. In order to get to know your partner better, interview him/her using the questions in the first column. He/She responds following the cues in the second column. In the third column, write down what your partner said. Then switch roles.

Preguntas	Respuestas	Información escrita[2]
1. ¿Cómo te llamas?	Me llamo…	Se llama…
2. ¿De dónde eres?	Soy de…	Es de…
3. ¿Dónde está tu familia?	Está en…	Está en…
4. ¿Cuándo es tu cumpleaños?	Es el…	Es el…
5. ¿Qué días vas al trabajo?	Voy los…	Va los…
6. ¿Cuál es tu profesor/a favorito/a?	Mi…	Su…
7. ¿Cuántos libros hay en tu mochila? ¿Y cuántos cuadernos?	Hay…	Hay…

Paso 2. Using the information in the third column, report what you learned about your partner to another classmate and/or to the class.

2-29 Mi clase favorita

RECYCLES days, time, **estar**, **ser**, and numbers.

Paso 1. You want to know about your partner's favorite class. Ask him/her which class it is, when it takes place, where it takes place, who the professor is, and how many students are in it. Take notes, following the chart below. Then switch roles.

Clase	Día/hora	Edificio	Profesor/a	N° de estudiantes
¿Cuál es tu clase favorita?	¿Cuándo…?	¿Dónde…?	¿Quién…?	¿Cuántos…?

Paso 2. Read the information to your partner for accuracy. Then compare your results with two other pairs of classmates, to see if there is a consensus.

. . . y algo más

If you want to say that a class or an event *takes place* in a certain building or location, use **ser**.

La clase **es** en el edificio Colón. The class *takes place* in the Colón building.

2-28 This activity, following standard interview procedure, enables students to speak, listen, write, and report back to the class. For feedback (*Paso 2*), ask several students questions, such as ¿Cómo se llama tu amigo/a? Keep other students attentive by asking them follow-up questions: ¿Cómo se llama el amigo de…?

Since many activities in *¡Con brío!* are done in pairs, make sure that students change partners often. To reassign students, have them count off (in a class of 20) from 1 to 10, and then from 1 to 10 again. Student #1 joins with the other student #1, and so on.

2-29 After two or three students share what they learned with the class, get feedback from all students as to their partners' favorite class. A student records the information on the board. Finally, students determine which classes are the most popular.

¡Exprésate!, a chapter wrap-up focusing on conversation and writing (the latter with *Writing Strategies*), is included in *Apéndice 3*.

For additional practice on this grammar point, see PowerPoint slides at www.wiley.com/college/lucasmurillo or visit www.wileyplus.com

Prewriting Strategy

✎ *Listing information*

For more information about this Strategy go to p. A-16.

---

[1]interview, [2]written

Tu mundo cultural

El español en el mundo laboral

For additional information on this culture section, see PowerPoint slides at www.wiley.com/college/lucasmurillo or visit www.wileyplus.com

El enorme crecimiento[1] de la población hispana en EE.UU. es evidente, con un aumento del 58%* entre los años 1990* y 2000* y un 17% entre los años 2001 y 2005. Una de cada diez personas en EE.UU. es hispana.

En EE.UU. hay más de un millón y medio de compañías con propietarios[2] hispanos que emplean a un millón trescientas mil personas y generan ingresos de unos 190 mil millones[3] de dólares. Una tercera parte[4] de esas[5] compañías son administradas por mujeres.

Los expertos de mercado[6] y muchas compañías como American Airlines, Office Max, Kmart o BankAmerica confirman que la forma de atraer al consumidor hispano es comunicarse en su lengua y estar familiarizado con su cultura. En consecuencia, el conocimiento del español y de las culturas hispanas es ya una necesidad económica en EE.UU.

Sabemos por qué vuelas **AmericanAirlines**
AA.com

Muchas compañías estadounidenses como American Airlines anuncian sus servicios y productos en español para atraer al consumidor hispanohablante.

¿SABES QUE...?

On September 9, 2005, the Dallas Independent School District (DISD) voted 5–4 to require that some school administrators be fluent in Spanish.

¿SABES QUE...?

Have you noticed the increasing number of U.S. businesses, companies, and institutions that are advertising and offering services in Spanish? A few examples: When calling American Airlines, one has the option of speaking in Spanish; Target stores offer their surveys in Spanish and in English; school districts send registration forms in both languages. Can you think of more examples?

La demanda de médicos y enfermeras bilingües que hablan inglés y español es cada día mayor.

[1]growth, [2]owners, [3]**mil**... billion, [4]**una**... a third, [5]those, [6]marketing

---

*% **por ciento;** 1990 **mil novecientos noventa;** 2000 **dos mil**

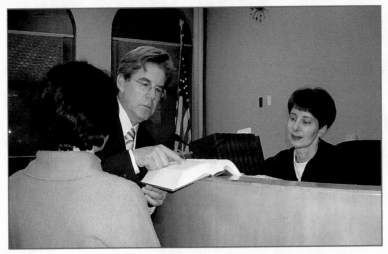

En los tribunales de EE.UU., el uso del español es con frecuencia necesario.

SE NECESITA EXPERTO EN MARKETING
- Persona bilingüe con inglés y español
- Familiaridad con el mercado hispano
- Salario muy atractivo

Llame al tel. 378-216843 o
envíe su currículo a P.O. Box 432
**Compañía multinacional,
Chicago, Illinois**

¡URGENTE! RECEPCIONISTA Y SECRETARIA
- Trabajo en oficina de abogados
- Contacto con clientela hispana
- Experiencia con computadoras
- Buen salario y seguro médico

Enviar currículo a la
**Oficina principal en Nueva York
P.O. Box 467893**

COOPERATIVA FAMILIAR
- Necesitamos asistente social
- Imprescindible: español e inglés
- Horario flexible

Se requiere recomendación
Enviar currículo a Fax: 3-41-87-24
Alamosa, CO.

¿Qué aprendiste?

1. ¿Qué sector de la población de EE.UU. está experimentando un crecimiento considerable? Explica.

2. Según los expertos de mercado y muchas compañías de EE.UU., ¿cuál es la forma de atraer al cliente hispano?

Actividad cultural

A. Imagine you and your partner are fluent in both English and Spanish. As students, you are considering career opportunities for the future. List in Spanish the professions in which you are most likely to use your bilingual skills. For inspiration, see the photo captions and ads above, and the list of professions on page 56.

B. Now you are actually looking for employment. Study the three job ads and select the one that appeals to you most, mentioning the reasons. For example: **Salario muy atractivo**.

Contraste cultural

Imagine that your job requires frequent contact both with Hispanic employees and with clients who speak little English and who are unfamiliar with U.S. culture. In English, make a list of measures necessary to communicate effectively with this important sector of the population. Work in groups of *four*.

Tu mundo en vivo
¡Video en acción!

2.1 Una visita a la UNAM

1. Antes de ver el video
   a. Why do you study Spanish?
   b. What do you think might be the best way to learn another language?

2. Mientras ves el video   Marca **C** (Cierto) o **F** (Falso).
   a. __F__ La UNAM está en la ciudad de Guadalajara.
   b. __F__ En la biblioteca hay murales que describen la historia de la UNAM.
   c. __C__ La UNAM tiene más de 269.000 estudiantes.
   d. __F__ La UNAM no es la universidad más grande de América Latina.

3. Después de ver el video   Marca **Sí** o **No.**
   a. El narrador habla[1] con estudiantes que son de:

__Sí__	Australia	__Sí__	Corea
__Sí__	Rusia	__Sí__	Japón
__No__	África	__No__	Vietnam
__Sí__	Haití	__No__	Venezuela

   b. A los estudiantes les gusta la UNAM porque:
   _____ Hay clases para aprender[2] la historia y cultura de México
   __X__ Los maestros están motivados.
   __X__ Hay oportunidades para aprender y practicar español.

4. Comenta con la clase   How is your college/university compare to the UNAM?

2.2 Ser bilingüe

1. Antes de ver el video
   a. Do you know a student that speaks Spanish very well?
   b. In what jobs or professions in the U.S.A. do you think knowing Spanish might be useful?

2. Mientras ves el video
   a. *La ley*[3] es un programa   ☒ de radio   ☐ de televisión
   b. Jaima   ☒ es bilingüe   ☐ no es bilingüe
   c. La mayoría de las personas que hablan en el programa son
      ☐ de Minnesota   ☒ de otros países[4]
   d. En el programa, hablan con frecuencia de   ☒ la inmigración   ☐ las fiestas
   e. Según Jaima, es importante también tomar clases de   ☐ contabilidad   ☒ cultura

3. Comenta con la clase
   Do you agree that learning about the culture of a country is as important as learning its language? Defend your opinion.

[1]speaks, [2]learn, [3]law, [4]countries

¡Lectura en acción!

Orientación para la universidad

The following passage from the University of Michigan's **Portal en español** website describes for Latino students and their families the new student orientation activities available on the Ann Arbor campus.

Paso 1.   Thinking about the title and introduction for this reading, and your own experiences attending new-student orientations in the past, check off each box in column 1 below that includes the types or information that you would expect to be included.

1 2

☐ ☐ information about the campus and its services

☐ ☐ a campus tour

☐ ☐ meet and talk to current students

1 2

☐ ☐ placement exams

☐ ☐ registration assistance

☐ ☐ general academic advising

Paso 2.   Now, read the program description from the website. Don't worry about understanding every single word. Instead, focus on what you do understand, identifying the types of information you anticipated would be included in the passage. As you identify some of the activities and information from **Paso 1**, put a check in the box in column 2 above.

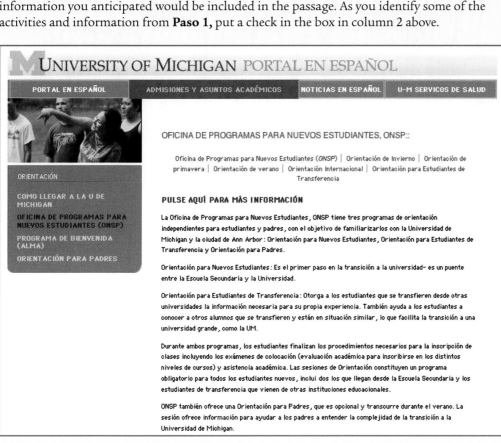

Paso 3.   Now, read the passage a second time and answer the questions below.

1.   ¿Cuántos programas de orientación ofrece la Universidad de Michigan? ¿Cómo se llaman?

2.   Imagina que decides estudiar en la Universidad de Michigan el próximo año. ¿A qué programa de orientación vas a ir? ¿Por qué?

3.   ¿Qué programa es para estudiantes recién graduados de la escuela secundaria[1]? ¿Cuál no es para estudiantes? ¿Es obligatorio o no?

[1]high school

Reading Strategy

Utilizing your background knowledge

Before reading an unfamiliar text, it can be helpful to think about what you already know about the main topic, and to anticipate some of the information that will be included.

Find out if your own institution (or others in your area) offers its webpage information in Spanish and point this out to your students. Ask them why it might be a good marketing step for a school to offer information related to its programs and admission process in Spanish. To whom is this information likely to be targets: students or parents? Why?

Remind students of the previous Reading Strategy, presented in *Capítulo 1* on p. 29: *Skimming a text for cognates and other familiar words or information.* Encourage them to utilize and practice previous reading strategies while adding new ones to their repertoire.

Vocabulario: Capítulo 2

Escena 1

En la calle *In the street*
el autobús *bus*
la bicicleta *bicycle*
el carro *car*
el estacionamiento *parking*
la avenida *avenue*
la estatua *statue*
la plaza *square, plaza*

Los edificios *Buildings*
la biblioteca *library*
la cafetería *cafeteria*
el centro estudiantil *student center*
el edificio *building*
el estadio de deportes *stadium*
la Facultad de Administración de
   Empresas *Business School*
la Facultad de Ciencias *School of Sciences*
la Facultad de Derecho *Law School*
la Facultad de Filosofía y Letras
   School of Arts
la Facultad de Medicina *Medical School*
la librería *bookstore*
la guardería infantil *daycare center*
el gimnasio *gym*
la residencia estudiantil *dormitory,*
   residence hall
la Secretaría *Registrar's Office*
el teatro *theater*
la universidad *university*

Preposiciones *Prepositions*
al lado de *beside*
allí *there*
aquí *here*
cerca de *near*
delante de *in front of*
detrás de *behind*
en *in, at, on*
enfrente de *opposite, facing*
entre *between*
lejos de *far from*

Verbo *Verb*
estar *to be*

Asignaturas y especialidades
   Subjects and majors
See page 37 for a listing of subjects and
majors (passive vocabulary).

Escena 2

En clase *In class*
el borrador *eraser*
el compañero/ la compañera de
   clase *classmate*
el examen (final) *(final) exam*
la hoja de papel *sheet of paper*
el marcador *marker*
el mapa *map*
la mesa *table*
la nota *grade*
la papelera *wastebasket*
la pared *wall*
el pasillo *hallway*
la pizarra *chalkboard*
la prueba *quiz, test*
la puerta *door*
el pupitre *desk (student's)*
la silla *chair*
la tarea *homework*
el televisor *television*
la tiza *chalk*
la ventana *window*

Los colores *Colors*
amarillo/a *yellow*
anaranjado/a *orange*
azul *blue*
blanco/a *white*
beige *beige*
(color) café *brown*
gris *gray*
morado/a *purple*
negro/a *black*
rojo/a *red*
rosado/a *pink*
verde *green*

Condiciones *Conditions*
abierto/a *open*
aburrido/a *bored*
cansado/a *tired*
cerrado/a *closed*
contento/a *happy*
enfermo/a *sick*
enojado/a *angry*
estresado/a *stressed*
nervioso/a *nervous*
ocupado/a *busy*
preocupado/a *worried*
triste *sad*

Escena 3

El trabajo *Work, job*
el abogado/ la abogada *lawyer*
el ama (f.) de casa *homemaker*
el bombero/ la bombera *firefighter*
el cajero/ la cajera *cashier*
el contador/ la contadora *accountant*
el dependiente/ la dependienta *salesclerk*
el enfermero/ la enfermera *nurse*
el hombre/ la mujer de negocios
   business executive
el maestro/ la maestra *teacher*
el médico/ la médica *doctor*
el mesero/ la mesera *server*
el policía/ la mujer policía *police officer*
el programador/ la programadora
   programmer
el/la recepcionista *receptionist*
el secretario/ la secretaria *secretary*
el soldado/ la soldado *soldier*
el trabajador social/ la trabajadora social
   social worker
en casa *at home*
en la escuela *at school*

¿Cuándo? *When?*
ahora *now*
después de clase *after class*
este fin de semana *this weekend*
esta mañana *this morning*
esta noche *tonight*
esta tarde *this afternoon*
hoy *today*
mañana *tomorrow*
más tarde *later*
por la mañana/ tarde/ noche *in the*
   morning/ afternoon/ at night

Adjetivos *Adjectives*
mucho/a/os/as *much, many, a lot*

Palabras interrogativas
Interrogative words
¿Adónde? *(To) where?*
¿Cómo? *How?*
¿Cuál? ¿Cuáles? *Which (one/s)?*
¿Cuándo? *When?*
¿Cuánto/a? *How much?*
¿Cuántos/as? *How many?*
¿De dónde? *From where?*
¿De quién? ¿De quiénes? *Whose?*
¿Dónde? *Where?*
¿Por qué? *Why?*
¿Qué? *What?*
¿Quién? ¿Quiénes? *Who?*

Verbos *Verbs*
ir *to go*
ir a *to go to*

Autoprueba y repaso: Capítulo 2

Escena 1
El campus universitario

A. Circle the *two* items that are most closely related.

1. la estatua   la plaza   la secretaría
2. la biblioteca   el carro   el estacionamiento
3. el teatro   la calle   la avenida
4. el autobús   la guardería infantil   el carro
5. la Facultad   la Facultad de   la Facultad
   de Ciencias   Filosofía y Letras   de Medicina
6. el estadio   el gimnasio   la librería

B. Circle the two subjects that are most closely related.

1. alemán   francés   geometría
2. física   cálculo   química
3. contabilidad   salud   matemáticas
4. arte   ciencias políticas música
5. ingeniería   sociología   psicología

I. Nouns and definite and indefinite articles

C. Complete the first sentence by adding the definite article **el**, **la**, **los**, or **las**. In the second sentence, make the article and the noun plural.

1. _La_ computadora está en el laboratorio.
   Las computadoras están en el laboratorio.

2. ____ profesor está en la biblioteca.
   ____ ____ están en la biblioteca.

3. ____ carro está en el estacionamiento.
   ____ ____ están en el estacionamiento.

4. ____ autobús está en la calle Colón.
   ____ ____ están en la calle Colón.

5. ____ estatua está en el centro de la plaza.
   ____ ____ están en el centro de la plaza.

6. ____ Facultad de Medicina está en la avenida Miguel de Cervantes. ____ ____ de Ciencias y de Filosofía y Letras están en la avenida Pablo Neruda.

D. Complete the sentences using the indefinite article **un**, **una, unos,** or **unas**.

1. En el estacionamiento hay ____ autobús, ____ carros y ____ bicicletas.
2. En la clase de español hay ____ reloj, ____ escritorio grande, ____ mapa, ____ pupitres y ____ computadoras.
3. En el escritorio de la profesora hay ____ calculadora, ____ bolígrafo, ____ cuadernos y ____ libros.

II. The verb *estar* (to be) + location

E. Tell where each of the following persons is. Complete the sentences with the correct form of **estar** plus the corresponding location from the list.

la biblioteca	**la cafetería**	**el estacionamiento**
el estadio de deportes	**el gimnasio**	

1. La profesora con el café y el sándwich ___está___ en _____.
2. Mónica y Luis, con las bicicletas, _____ en _____.
3. Yo, un aficionado al fútbol, _____ en _____.
4. Tú, una persona muy atlética, _____ en _____.
5. Nosotros, investigando unos documentos, _____ en _____.

En resumen

Answer the questions in complete sentences.

1. ¿Hay un gimnasio en tu universidad? ¿Y un teatro? ¿Y una guardería infantil?
2. ¿Hay un estacionamiento cerca de tu clase de español?
3. ¿Dónde está el centro estudiantil en tu universidad? ¿Y la biblioteca?
4. ¿Dónde está el estacionamiento de la biblioteca, delante, detrás o al lado del edificio?

Escena 2
En clase

F. Circle the two items that are most closely related.

1. la pizarra   el televisor   el borrador
2. la mesa   la ventana   la silla
3. la hoja de papel el escritorio   la papelera
4. la pared   el lápiz   la hoja de papel
5. el examen   la prueba   el mapa
6. la prueba   la silla   la nota
7. el marcador   la ventana   la puerta

G. Complete the second sentence using the color mentioned in the first. Make it agree with the noun where necessary.

1. La computadora es gris. Las mesas también son _grises_.
2. El marcador es azul. Los bolígrafos también son _____.
3. Los lápices de los estudiantes son amarillos. El lápiz de la profesora también es _____.

4. El suéter de Tina es rojo. La mochila de Tina también es _____.

5. El cuaderno de Tomás es verde. Su (*His*) gorra de béisbol es _____ también.

III. *Estar* + condition

H. Complete the sentences to indicate how the following people are feeling, given the circumstances. Use **estar** + the appropriate adjective. In some instances, more than one answer is possible.

1. ¡Mañana hay tres exámenes finales! (yo) __*estoy*__ __*estresado*__.

2. ¡No hay clases mañana! Los estudiantes no están tristes. ¡_____ _____!

3. Pancho tiene (*has*) vómitos y diarrea. _____ muy _____.

4. La clase de cálculo es ¡de cuatro horas!, y no es muy interesante. Es evidente que los estudiantes _____ _____.

5. Hay mucha tarea y otras (*other*) obligaciones. (Nosotros) _____ muy _____.

6. Después de tres horas en el gimnasio, Elena _____ _____.

En resumen

Answer the questions in complete sentences.

1. ¿Cuántas ventanas hay en tu clase de español?

2. ¿Hay un televisor en la clase? ¿Hay un mapa? ¿Qué otras cosas (*things*) hay allí?

3. Por lo general, ¿cómo están los estudiantes universitarios los lunes por la mañana? ¿Y los viernes por la tarde?

4. ¿Estás siempre (*always*) muy ocupado/a?

5. ¿Estás estresado/a con frecuencia?

Escena 3
Las profesiones y el trabajo

I. Circle the *two* professions or occupations that are most closely related.

1. la secretaria   la cajera   el mesero
2. el enfermero   la médica   el maestro
3. la dependienta   la secretaria   el recepcionista
4. el policía   el programador   el bombero
5. la mujer de negocios   el contador   el soldado
6. la trabajadora social   la abogada   el ama de casa

IV. *Ir* (to go) + *a* + destination

J. Indicate where the following people are going and when. Use the appropriate form of the verb **ir** + **a la** or **al (a + el).**

MODELO

ahora / María / centro estudiantil

Ahora, María va al centro estudiantil.

1. después de clase / (yo) / cafetería Oaxaca
2. más tarde / Uds. / biblioteca
3. esta tarde / Ana / laboratorio
4. a la una y cuarto / Esteban y Daniel / oficina de la profesora Ruiz
5. esta noche / (nosotros) / teatro
6. mañana / (tú) / gimnasio

V. Interrogative words

K. Each time your friend makes a statement, you ask a follow-up question using appropriate interrogative words.

1. No hay clase hoy.

¿__*Por*__ __*qué*__ no hay clase hoy?

2. No soy de Estados Unidos.

¿_____ _____ eres?

3. Mi cumpleaños no es el quince de febrero.

¿_____ es tu cumpleaños?

4. No voy al centro estudiantil ahora.

¿_____ vas?

5. La clase de psicología no es mi clase favorita.

¿_____ es tu clase favorita?

6. No hay quince estudiantes en mi clase de español.

¿_____ hay?

7. El señor Martínez no es el profesor de psicología.

¿_____ es el profesor de psicología?

8. No es mi mochila.

¿_____ _____ es?

9. No son las ocho y media.

¿_____ hora es?

En resumen

Answer the questions in complete sentences.

1. ¿Eres mesero/a? ¿Y dependiente/a o cajero/a?
2. ¿Hay médicos o enfermeros en tu universidad?
3. ¿Qué día/s vas a la clase de español?
4. ¿Adónde vas (normalmente) después de la clase de español?
5. ¿A qué hora vas a casa?
6. ¿Dónde está tu familia ahora?
7. ¿Cuántas personas hay en tu familia?

Answers to the *Autoprueba y repaso* are found in **Apéndice 2**.

Additional **Autopruebas** online

La familia y los amigos

WILEY
PLUS

Additional activities and **Autopruebas** for each **Escena** available online.

For *Writing Strategies* see *Apéndice 3*.

Escena 1
La familia

- Indicating possession: Possessive adjectives
- Talking about the present: The present indicative of regular *-ar* verbs

TU MUNDO CULTURAL
La familia hispana

Escena 2
Los mejores amigos

- Describing people and things: *Ser* + descriptive adjectives

TU MUNDO CULTURAL
Diferencias culturales

Escena 3
Las relaciones humanas

- Describing people, places, and things: A summary of *ser* and *estar*

TU MUNDO CULTURAL
Momentos importantes de la vida

TU MUNDO EN VIVO

¡Video en acción!

¡Lectura en acción! (with *Reading Strategies*)

La familia

La nueva familia de María Luisa

1. el padre (el papá)
2. la madre (la mamá)
3. la esposa
4. el esposo
5. la suegra
6. el suegro
7. la cuñada
8. el cuñado
9. la sobrina
10. el sobrino

CLAUDIO PAZ, 60*

ROSA PAZ, 59

Mª LUISA ROLDÁN, 23

DAMIÁN ROLDÁN, 25

LOLA ROLDÁN, 62

JOSÉ Mª ROLDÁN, 70

TERESA ROLDÁN, 35

CLARA, 4

PEDRO ROLDÁN, 37

LINO, 2

... y 17 años más tarde... la

26. la niñera
27. el tío
28. la tía
29. el primo
30. la prima

TERESA, 52   PEDRO, 54

LINO, 19

NURIA, 60

CLARA, 21

la familia Roldán...

11. los parientes

1. father
2. mother
3. wife
4. husband
5. mother-in-law
6. father-in-law
7. sister-in-law
8. brother-in-law
9. niece
10. nephew
11. relatives
12. grandson
13. grandfather
14. parents
15. baby (f.); **el bebé** baby (m.)
16. grandmother
17. granddaughter
18. dog
19. (older) brother
20. (younger) brother
21. son
22. daughter
23. (younger) sister
24. (older) sister
25. cat
26. nanny
27. uncle
28. aunt
29. cousin (m.)
30. cousin (f.)

*60 = 60 años *60 years old*
**¡Sonrían! *Smile!*

See *Palabras útiles* on p. 75 for additional vocabulary applicable to family relationships.

13. el abuelo
DON CLAUDIO, 77

16. la abuela
DOÑA ROSA, 76

14. los padres

17. la nieta

el nieto

¡Hola tíos, hola primos!

15. la bebé
ANITA, 3 meses

19. el hermano (mayor)

21. el hijo

20. el hermano (menor)

22. la hija

23. la hermana (menor)

24. la hermana (mayor)

EL, 16

ROBERTITO, 3

Mª LUISA, 40

DAMIÁN, 42

CARMEN, 9

GUADALUPE, 14

25. el gato
CALISTO

¡guau!, ¡guau!

¡Sonrían!**

18. el perro
PACHÁ

¡La pronunciación!
Pay attention to the silent h and the correct pronunciation of Spanish ñ (see P-3, P-4).

hermano hija
cuñado niñera

¡En acción!

 ## 3-1 Mi familia y mis parientes

3-1 Students may complete the activity individually or in pairs, with answers reviewed by the instructor.

Can you identify the members of your family and your relatives? Combine elements from each column to describe the ties.

MODELO

1f. Mi abuela es la madre de mi padre.

¿SABES QUE...?

Because of their Catholic heritage, Hispanic women are often named **María,** in combination with another name: **María Luisa,** for example. Hispanic men may also be named **María,** in which case **María** follows the first name: **José María,** for example. The abbreviation of **María** is **Mª.**

	es/son	
1. Mi abuela es f.		a. la hija de mis padres
2. Mi tío es d.		b. el esposo de mi hermana
3. Mis sobrinos son e.		c. los padres de mi esposo/a
4. Mi hermana es a.		d. el hermano de mi madre
5. Mi cuñado es b.		e. los hijos de mi hermano/a
6. Mis nietos son g.		f. la madre de mi padre
7. Mis primas son h.		g. los hijos de mis hijos
8. Mis suegros son c.		h. las hijas de mis tíos

For additional practice on this grammar point, see PowerPoint slides at www.wiley.com/college/lucasmurillo or visit www.wileyplus.com

. . . y algo más

The words **hijos, esposos, suegros, hermanos,** and so on, like the word **ellos,** represent both an all-male or a mixed-gender group.

3-2 La familia

Look at the wedding portrait and at the scene of the Roldán family seventeen years later (pages 72–73). Can you identify everyone? Take turns asking and answering the questions below.

¿SABES QUE...?

Doña (Dª) is a title of respect given to a married woman, or to a single woman that has reached an older age. **Don** is the masculine equivalent. Both titles are used in front of the first name: **Doña** Rosa, **Don** Carlos. **Doña** is often abbreviated to **Dª.**

La familia, el día del matrimonio

1. ¿Quién es la esposa de Damián? *Es...*
2. ¿Cómo se llaman los padres de Mª Luisa? ¿Y los de Damián?   *CLAUDIO/ROSA   JOSE/LOLA*
3. ¿Quiénes son los suegros de Mª Luisa? ¿Y los de Damián?
4. ¿Quiénes son los cuñados de Mª Luisa?   *TERESA/CLARA*
5. ¿Quiénes son los sobrinos de Mª Luisa y Damián?   *LINO/CLARA*

La familia, diecisiete años más tarde

6. ¿Quién es la madre de los cinco hijos? ¿Y el padre?   *MARIA LUISA   DAMIA*
7. ¿Cómo se llaman los hijos de Mª Luisa y Damián? ¿Quién es la bebé?
8. ¿Quién es el hermano menor de Ángel? ¿Y quiénes son las hermanas mayores de Anita?
9. ¿Cómo se llaman los abuelos? ¿Quiénes son sus nietos?
10. ¿Quiénes son Pedro y Teresa? ¿Y Clara y Lino?
11. ¿Cómo se llama el perro? ¿Y el gato?
12. ¿Quién es Nuria? ¿Y las personas que están en las fotos de la pared?

3-2 After students complete the activity, you may want to spot-check answers using the PowerPoint slide of the opener scene.

For additional vocabulary practice, see PowerPoint slides at www.wiley.com/college/lucasmurillo or visit www.wileyplus.com

. . . y algo más

tener *to have*

To talk about your family—how many brothers or sisters, how many children, etc. you have—use the verb **tener**.

—¿**Tienes** hermanos? —Sí, **tengo** tres hermanos y cuatro hermanas.
—¿Cuántos hijos **tiene** Pedro? —**Tiene** dos hijos.

(yo)	**tengo**	(nosotros/as)	**tenemos**
(tú)	**tienes**	(vosotros/as)	**tenéis**
(Ud., él, ella)	**tiene**	(Uds., ellos/as)	**tienen**

Tener is also used to express ownership: **Tenemos un gato y dos perros.**

For additional practice on this grammar point, see PowerPoint slides at www.wiley.com/college/lucasmurillo or visit www.wileyplus.com

3-2 PERSONALIZED QUESTIONS: ¿Cómo se llaman tus padres? Ask several students. ¿Quiénes de Uds. son: madres o padres/ abuelos o abuelas/tíos o tías? Students respond with a show of hands; the class counts them, and then states how many mothers, etc. there are in the class. ¿Quiénes tienen hermanos? ¿Cuántos hermanos o hermanas tienes? Ask each student who raised his/her hand.

3-2 and **3-3** Tell the class about your family using various forms of the verb tener: Tengo...; Tenemos un perro...; Mis hijos tienen...and so on, followed by true /false comprehension questions.

3-3 La familia de mi compañero/a

Paso 1. Would you like to know about your classmate's family? Ask him/her questions according to the chart. Write the information in the second column. Take turns asking and responding.

MODELO

E1: ¿*Tienes* hermanos?

E2: Sí, *tengo* dos hermanos y una hermana. ¿Y tú?

¿Tienes...?	La familia de... (*classmate's name*)
hermanos medio hermanos/ hermanastros	...*tiene* dos hermanos y una hermana.
esposo/a suegros cuñados y sobrinos	
hijos/ hijastros nietos	
abuelos tíos primos	
gatos y/o perros	

Paso 2. Share interesting information about your partner's family with the class. Also mention one or two things that you have in common: ...y yo *tenemos* dos gatos.

Palabras útiles

padrastro *stepfather*
madrastra *stepmother*
medio/a hermano/a
*half-brother /
half-sister*
hermanastro/a *step-
brother/ stepsister*
hijastro/a *stepson/
stepdaugher*

¿SABES QUE...?

Terms such as **madrastra** and **padrastro** carry negative connotations in some Spanish-speaking countries. Therefore some people prefer to say **el esposo de mi madre** (*stepfather*) and **la esposa de mi padre** (*stepmother*).

♪ ¡A escuchar! Un cantante de salsa y su familia CD 3 Track 45

Paso 1. Listen to Alicia talk about her favorite salsa singer, Rubén Blades.

Paso 2. Listen again, then answer the questions by checking the correct box.

1. ¿De qué nacionalidad es Rubén Blades?
   - ☐ cubano
   - ☑ panameño

2. ¿Cuándo es su cumpleaños?
   - ☑ el 16 de julio
   - ☐ el 6 de junio

3. ¿Cuál es una de sus profesiones?
   - ☐ es médico
   - ☑ es cantante

4. ¿Qué profesión tiene el padre de Rubén Blades?
   - ☑ es policía
   - ☐ es profesor

5. ¿Quién es Emma?
   - ☐ su hermana
   - ☑ su abuela

6. ¿Quiénes son Luis y Roberto?
   - ☑ sus hermanos
   - ☐ sus amigos

7. ¿En qué universidad estudió?
   - ☑ en Harvard
   - ☐ en la UNAM

See Grammar Handbook found in WileyPLUS.

GRAMÁTICA

To illustrate the possessive adjectives, gather objects from students such as two books, two pencils, a backpack, a sweater, etc. Then ask, for example: **¿Son mis libros?** The owner of the books says: **No, no son sus* libros. Son mis libros.** Then say: **¿Es verdad, clase? ¿Son sus libros?** The class responds: **Sí, son sus libros.**

*If you prefer that your students address you informally, change the **sus** to **tus**.

¡Manos a la obra!

Indicating possession: Possessive adjectives

To express possession, you have used **de** and **tener.**

Es el esposo **de** Lisa.	*It's Lisa's husband.*
Tenemos dos gatos.	*We have two cats.*

Now you will be introduced to the possessive adjectives (*my, your, his,* etc.) in Spanish:

mi, mis	*my*	**nuestro/a nuestros/as**	*our*
tu, tus	*your (informal)*	**vuestro/a vuestros/as**	*your (informal, Spain)*
su, sus	*his, her, its*	**su, sus**	*their, your (formal/informal)*

- Possessive adjectives agree in number with the noun that follows them:

mi hermana	**mis** hermanas
tu primo	**tus** primos

- The **nosotros** and **vosotros** forms also agree in gender with the noun they modify:

nuestro carro	**nuestra** familia
nuestros carros	**nuestras** familias

- If the ownership referred to by **su** or **sus** is unclear from the context, you can clarify using **de** + *person's name* or **de** + *pronoun*:

  Es **su** padre. ➔ Es el padre **de Elena.** (o) Es el padre **de ella.**

¡En acción!

¡Oye! ¿De quién es?

Your instructor will "borrow" items from you and your classmates and then claim to own them. Respond by saying «**¡No, no es su ... !**» or «**¡No, no son sus ... !**» Then set the record straight by declaring to whom each item belongs.

3-4 ¿Qué dicen?[1]

To find out what belongs to whom, first, complete the speech bubbles, putting yourself in the place of each character. Indicate to whom something belongs or to whom someone is related. The arrows point to the possessor/s. Your instructor will then ask you what each person is saying.

> Son **mis** padres y es...

1. ¿Qué dice Robertito?

> Es **su**... y son...

2. ¿Qué dice Nuria?

> ¡Es **nuestra**...!   ¡Son...!

3. ¿Qué dicen don Claudio y doña Rosa?

> ¡Es **mi**...! ¡Son...!

4. ¿Qué dice Damián?

> Son **sus**... y es...

5. ¿Qué dice Guadalupe?

> Es **tu**... y son...

6. ¿Qué dice Ángel?

[1]¿**Qué**...What are they saying?

Write on the board: **entonces** *then*; **¿verdad?** *right?* All items that you mention should be borrowed from students and not your own.

Guión para ¡Oye!
1. Es **mi** libro. ¿Sí o no? *No.* Entonces, ¿de quién es? *Es de Julia.* ¡Ah!, perdón, Julia. Es **tu** libro, ¿verdad? *Sí.* (*Return book to Julia and thank her.*)
2. Son **mis** bolígrafos. ¿Sí o no? *No.* Entonces, ¿de quién son? *Son de...* ¡Ah!, perdón,... Son **tus** bolígrafos, ¿verdad? (*Return pens to... and thank him/her.*)
3. *Other items:* lápices, mochila, cuadernos, gorra de béisbol, suéter (*actually put items on.*)

3-4 Students may first complete the activity in writing, working individually or in pairs. You may use the corresponding PowerPoint slide to review student responses.

ANSWERS:
1. (provided) ... mi perro.
2. Es su suéter y son sus libros .
3. ¡Es nuestra nieta! ¡Son nuestros nietos!
4. ¡Es mi esposa! ¡Son mis hijos!
5. Son sus lápices de colores y es su pelota.
6. Es tu bolígrafo y son tus lápices.

> **Palabras útiles**
> lápices de colores
> *colored pencils*
> pelota *ball*

3-5 Mis favoritos

Paso 1. Indicate your favorites by filling in the **yo** column. Then tell your partner your preferences and ask for his/hers. Use **mi/mis** or **tu/tus**. In the third column, write down what your classmate says. Take turns asking and responding.

MODELO

E1: *Mi color favorito es el azul. ¿Y **tu** color favorito?*

E2: *Es el rojo.*

E2: *Mis clases favoritas son la clase de... y la clase de... ¿Y **tus** clases favoritas?*

	yo	mi compañero/a
1. color	azul	rojo
2. clases		
3. amigo/a o persona		
4. restaurantes		
5. películas[1]		
6. programa (*m.*) de televisión		
7. carro		
8. aparatos electrónicos		

Paso 2. Join another pair of students and compare your answers for the following categories: **clases, restaurantes, películas, programas de televisión, aparatos electrónicos.**

MODELO

E1: (Asks the two students from the other pair) *¿Cuáles son **sus** clases favoritas?*

E2: (Answers on behalf of both) *Mis clases favoritas son... y **sus** clases favoritas son...*

o: *Nuestras clases favoritas son...*

. . . y algo más

tener... años *to be... years old*

The verb **tener** (*to have*), used previously to express possession or family relationships, is also used to express age. English, in contrast, uses the verb *to be*.

—¿Cuántos años **tienes**? *How old are you?*
—**Tengo** veintiún años. *I'm 21.*

[1]films

LOS NÚMEROS DEL 60 AL 100

To tell the age of those over 59, you will need to know the following numbers:

60	sesenta	90	noventa
70	setenta	100	cien
80	ochenta		

Review the numbers 0–59 on page 14.

To provide additional practice with numbers, have students in pairs play a game. E1 states a number under 100: **ochenta y tres** and E2 reverses the digits and says: **treinta y ocho**.

For further practice, have students walk around the classroom asking for (and jotting down) each other's phone numbers, with the digits given in pairs: 5-68-72-85.

3-6   El mayor y el menor de la familia   RECYCLES numbers 0-59.

Paso 1.   In groups of *four,* ask each other **¿Quién es la persona mayor de tu familia? ¿Cuántos años tiene? ¿Y quién es la persona menor de tu familia? ¿Cuántos años tiene?** Jot down the name of each classmate who responds and the information given.

Nombre de compañero/a	El/La mayor de su familia	El/La menor de su familia
Juan	su abuelo, 96 años	su sobrina, dos meses

3-6   Before the class determines who has the oldest or youngest family member, elicit feedback from many students.

Paso 2.   Share information with the class to determine who has the oldest family member: *¡El abuelo de Juan tiene noventa y seis años!* Then do the same to discover who has the youngest family member: *¡La sobrina de Juan tiene dos meses!*

3-7   ¿Quién es?

Looking at the picture of the Roldán family seventeen years later (pages 72–73), **(a)** give the age of a particular member of the family without stating who the person is, and **(b)** name one family member closely related to him/her. **(c)** Can your partner identify the person? Take turns.

MODELO

E1:   *Tiene cuarenta años. Su esposo se llama Damián.*

E2:   *Es Mª Luisa, la madre.*

E1:   *¡Correcto!*

o: *No, inténtalo otra vez.*

3-8   Mi familia

Write a *six* to *eight* sentence paragraph about your family. Begin with an introductory sentence that describes the family as a whole, followed by descriptions of some of its members, including their names, ages, and origin.

3-8   When students complete their paragraphs, they may work in pairs to correct each others' compositions, asking questions of the instructor as needed. Have a few volunteers read their paragraphs to the class.

For additional practice on this grammar point, see PowerPoint slides at www.wiley.com/college/lucasmurillo or visit www.wileyplus.com

Introduce **-ar** verbs by writing a model verb on the board with endings highlighted. Write several **-ar** infinitives on separate sheets of paper. Holding up one sheet at a time, move through the class quickly and call out subject pronouns for which students provide the corresponding verb forms. Start with a model sentence to present the verb in a context: **Desayuno en casa.**

GRAMÁTICA

¡Manos a la obra!

2

Talking about the present: The present indicative of regular *-ar* verbs

- In English, the infinitive form of a verb is two words: *to speak*. In Spanish, it is just one word: **hablar.**
- There are three infinitive forms in Spanish, each with a different ending: **-ar, -er,** and **-ir.**

    estudi**ar** *to study*   aprend**er** *to learn*   viv**ir** *to live*

- There are regular verbs and irregular verbs. So far, you have learned four irregular verbs: **ser, estar, ir,** and **tener.**
- The different tenses (such as present and past) of regular verbs follow a set pattern: the infinitive ending is dropped and new endings are added, according to the tense and the subject of the verb.

hablar *to speak* (a regular *-ar* verb)			
hablar	**habl- + *endings***		
(yo)	habl**o**	(nosotros/as)	habl**amos**
(tú)	habl**as**	(vosotros/as)	habl**áis**
(Ud., él, ella)	habl**a**	(Uds., ellos/as)	habl**an**

—¿**Hablan** Uds. español en casa? —Sí, **hablamos** español en casa.

In English, there are three ways to express the present tense: *I speak, I am speaking, I do speak.* Spanish uses the present tense for all three: **Hablo español.**

VERBOS EN *-AR*

cenar	*to have dinner*	llegar*	*to arrive*
comprar	*to buy*	regresar	*to return*
desayunar	*to have breakfast*	trabajar	*to work*
estudiar	*to study*	usar	*to use*
hablar	*to speak*		

* With the verb **llegar**, it is common to mention when someone arrives:

temprano *early*   **a tiempo** *on time*   **tarde** *late*

Jennifer y Fabio están en el centro estudiantil y hablan de sus familias.

Mira[1] Fabio, mi familia. Luis y Dolores, mis padres. Son de Puerto Rico. Mi hija Yolanda tiene cinco años. Nuestra familia está muy unida[2].

Yo soy hijo único. Estoy divorciado. Tengo una hija de 8 años que se llama Olivia. Soy americano de origen italiano.

¿Trabajas?

Sí, soy policía y también estudiante, ¿y tú?

Yo estudio derecho. Quiero ser abogada.

¡Qué interesante!

[1]Look, [2]close

¡En acción!

¡Oye! Ana y Andrés

Guión para ¡Oye!
(see p. 82)

You will hear about the daily routines of two students who are very different from each other. Then you will hear each statement again, in random order. Say whether the description fits Ana or Andrés.

3-9 Un día con los Roldán

The kids arrive home from school, mom is at work and dad is "holding down the fort". In pairs, read what each person says and, judging from the remarks, report what they are doing. Select the correct verb from the list provided.

3-9 Have students in pairs read the dialogues to the class, with other individuals providing the follow-up responses.

compran	desayuna	estudian	habla	van	llegan	regresan	trabaja

¡Hola, papá! ¡Ya estamos en casa! ¿Dónde está mamá?

Está en la sala de emergencias, ¡y todavía[1] tiene catorce pacientes!

¡Papá, vamos un momento a la papelería. Necesitamos lápices y bolígrafos.

Bueno. ¿Tienen dinero ($)?

1. Los hijos _____llegan_____ a casa de la escuela. Su madre _____trabaja_____ en el hospital.

2. Los hijos _____van_____ a la papelería y allí _____compran_____ lo que necesitan para la escuela.

¡Papá, ya tenemos los lápices y bolígrafos! ¿Cuándo vamos a cenar?

Muy pronto.

Abuelo, esta noche no es posible. Ángel y yo tenemos mucha tarea.

Sí, sí, la tarea es muy importante. Vamos el sábado.

3. Los hijos _____regresan_____ a casa y tienen hambre[2].

4. Guadalupe _____habla_____ con su abuelo por teléfono. Esta noche ella y Ángel _____estudian_____ porque tienen mucha tarea.

3-9 Remind students that **la familia** is singular, and as such, requires a singular verb: **La familia desayuna...**

Niños, ¿qué prefieren, cereal o croissants y fruta?

¡Croissants y fruta, mamá!

Yo también, y un cafecito, por favor.

¿Y tú, mi amor[3]?

5. Al día siguiente, a las 8:00 de la mañana, la familia _____desayuna_____ croissants y fruta.

[1]still, [2]**tienen...** are hungry, [3]love

Guión para ¡Oye!
(from p. 81)

Ana normalmente llega a clase tarde. No estudia mucho y no trabaja. Habla por el celular con sus amigas constantemente. Los sábados por la noche, va a la discoteca y regresa a casa ¡a las tres de la mañana!

Andrés desayuna en la cafetería por la mañana. Llega a clase a tiempo. Trabaja en el laboratorio por la tarde, y está en la computadora constantemente. Regresa a casa a las seis, cena, y por la noche, estudia.

Comprensión para ¡Oye!

Repeat each of Ana and Andrés' actions in random order and have students call out the name of the person described.

3-10 If students prefer not to write in their textbooks, they can draw the numbered squares in their notebooks and write the names there.

Play ¡**Bingo!** once or twice more, as time allows. If time is at a premium, students in groups of four ask each other the questions and jot down names.

3-10 ¡Bingo!

Paso 1. Walk around the classroom asking your classmates the questions on the Bingo board. In each square, jot down the name of the student who answers affirmatively. The first student to complete a horizontal, vertical, or diagonal line shouts **Bingo!** and informs the class of each answer: 1. *Jason estudia en la biblioteca,...* Then play again!

MODELO

E1: *¿Estudias en la biblioteca?*

E2: *Sí, estudio en la biblioteca.* (**E1** jots down the name of **E2** in the box.)

o: *No, no estudio en la biblioteca.* (**E1** asks someone else.)

B I N G O

1. ¿**Estudias** en la biblioteca?	2. ¿**Trabajas** por la noche?	3. ¿**Desayunas** en la cafetería?
_____	_____	_____
4. ¿**Compras** tus libros por Internet?	5. ¿**Llegas** a clase temprano?	6. ¿**Usas** las computadoras del laboratorio?
_____	_____	_____
7. ¿**Cenas** en casa normalmente?	8. ¿**Regresas** a casa después de las nueve?	9. ¿**Hablas** con tus amigos por el celular?
_____	_____	_____

Paso 2. Now share with the class two activities that you and a classmate have in common: *...y yo desayunamos en la cafetería,...*

¿CON QUÉ FRECUENCIA?

(casi) siempre *(almost) always*
(casi) nunca *(almost) never*
a veces *sometimes*
una vez/ dos veces por semana *once/ twice per week*
con frecuencia *frequently*

todo el día *all day*
todos los días *every day*
todas las mañanas/ tardes/ noches *every morning/ afternoon/ evening, night*
los fines de semana *on weekends*

3-11 ¿Con qué frecuencia?

Paso 1.   Ask your partner questions to find out how often he/she participates in each of the following activities. Your partner will respond using the expressions on page 82. Jot down his/her responses. Take turns asking and responding.

MODELO

E1: ¿Con qué frecuencia estudias español?

E2: **Dos veces por semana.** (**E1** writes the information on the chart.) ¿Y tú?

E1: Estudio español ¡**todas las noches!** (**E2** writes the information on the chart.)

Preguntas	Frecuencia
¿Con qué frecuencia...?	ESTUDIA ESP
1. estudiar español	
2. desayunar en casa	
3. llegar a clase tarde	
4. cenar en un restaurante	
5. comprar comida rápida¹	
6. ir al gimnasio	
7. hablar por teléfono con tus padres o con tus hijos	
8. visitar a tus abuelos o a tus suegros	

Paso 2.   Your instructor wants to know how often some of the students participate in the above activities. Supply the information according to what you learned about your partner:

...estudia español dos veces por semana.

3-12 La rutina diaria   RECYCLES telling *at what time*.

Paso 1.   Write *five* sentences that describe what you and/or members of your family usually do. Include:

- where and when you have breakfast
- where you or members of your family work
- at what time you usually arrive at the university or at work
- at what time you usually return home in the evening
- where, when, and with whom you usually have dinner

Paso 2.   You want to know about the daily routines of *four* of your classmates. In groups of five, ask them questions based on the items above. Each student responds according to what he/she has written. Take turns asking the questions.

MODELO

¿Dónde y cuándo desayunan Uds.? (Each student responds.)

3-11   Instructor's questions for *Paso 2*: ¿Con qué frecuencia estudian español los estudiantes de la clase?
E1: Elena estudia español dos veces por semana.
E2: Juan estudia español... For each question, elicit responses from several students.

3-12   At the conclusion of the activity, one member shares one interesting item from his/her group's conversation.

Palabras útiles
normalmente *usually*
con *with*

¹**comida...** fast food

Tu mundo cultural

La familia hispana

¿Qué sabes de la familia hispana y de sus costumbres?

Una familia (1989), óleo sobre lienzo, 241x195 cm, del pintor colombiano Fernando Botero. Museo Botero de Bogotá, Colombia.

Hijos por familia en México
· hace 30 años[5]: 7.3 hijos
· hace 10 años: 3.4 hijos
· actualmente: 2.4 hijos

La familia es una de las instituciones más sólidas de la sociedad hispana. En general, la vida[1] de los hispanos se centra en la familia.

Tradicionalmente, como se observa en el cuadro[2] de Botero, el padre tiene la autoridad, mientras que la madre se dedica a cuidar y a educar a los hijos. Pero, esto está cambiando[3] debido al número ascendente de mujeres universitarias y profesionales que cada día son más independientes.

También, como observamos en la primera fotografía de la página 85, las familias hispanas tradicionalmente son numerosas. Pero en años más recientes esto ha cambiado, tal como indican las estadísticas de México. En algunos casos reside más de una generación en la misma[4] casa, y por lo general, los hijos no se independizan hasta el día de su matrimonio.

[1]life, [2]painting, [3]changing, [4]same, [5]**hace...** thirty years ago

Una familia de Quito, Ecuador. La familia incluye a los parientes más inmediatos (madre, padre, hijos, hermanos) y también a los abuelos, tíos, primos, etc.

Familia hispana residente en EE.UU. Hoy día el núcleo familiar es, en general, más pequeño[1], con dos o tres hijos solamente[2].

¿Qué aprendiste?

1. ¿De dónde es Fernando Botero? ¿Cuántos miembros tiene la familia del cuadro? Según el cuadro, en la familia tradicional hispana, ¿quién tiene la autoridad?

2. En la primera fotografía, ¿cuántas personas hay en la familia? ¿De dónde son? ¿Dónde están?

3. ¿De dónde es la familia de la segunda fotografía? ¿Cuántos hijos tienen?

Actividad cultural

Jaime, a student from Mexico, will be spending one month with your family. Write an e-mail to tell him the name, relation, and age of each person in your family. Indicate professions where appropriate.

| To: | Jamie@novanet.com |
| Subject: | Mi familia |

Querido Jaime:
Te escribo para informarte acerca de mi familia. Mi...
...
Tu amigo/a,
...

Contraste cultural

In English, compare some characteristics of your family with those of the families described above, or with a Hispanic family you know. Talk about closeness of family members, how many generations live under the same roof, who makes what decisions, when children become independent, and to what degree family influences all aspects of life. Works in group of *three*.

[1]**más...** smaller; [2]only

¹Los mejores amigos

1

COMPAÑÍA CON BRÍO S.A.*

2. rubio
3. fuerte
5. ayudar
4. desordenado

Álvaro Gutiérrez y su amigo Damián

2

6. morena
7. bonita/guapa**
8. simpática
10. necesitar
9. llamar

Mi hija...

¡¡¡Mamááá!!!

Y mi hija...

Fátima Almanza y su amiga Mª Luisa

3

¡Ja, ja, ja!

16. amar

11. pelirroja
12. divertida
13. joven
14. delgada
15. visitar

PUERTO RICO

Dolores Toledo y su "amigo" Ángel

4

17. alta
18. baja
19. limpiar

Julia y Elena, las amigas de Guadalupe

5

20. cuidar
21. llorar
22. besar
23. abrazar
24. (muy) cariñosa

Nuria, la niñera, con Anita

6

¿Qué tal en la escuela, Carmen?...
¡Fenomenal!
25. calvo
26. viejo
27. charlar
¡miau, miau!
29. pequeño
28. grande

Don Gonzalo, un amigo de los Roldán

---

1. best friends 2. blond 3. strong 4. disorganized, messy 5. to help 6. dark-haired/ dark-skinned 7. pretty/ good looking 8. nice, likeable 9. to call 10. to need 11. red-headed 12. funny, fun 13. young 14. thin, slender 15. to visit 16. to love 17. tall 18. short 19. to clean 20. to take care of 21. to cry 22. to kiss 23. to hug 24. (very) affectionate 25. bald 26. old 27. to chat 28. large, big 29. small

*S.A. **(Sociedad Anónima)** *Inc.* **Guapo/a** is only used to refer to people.

¡En acción!

 3-13 ¿Cómo son?[1]

Take a close look at the friends of the Roldán family (scenes, page 86). Then see if you can match their faces with the adjectives provided in the box. Take turns asking and responding.

MODELO

E1: ¿Cómo es Fátima? **E2:** Es simpática.

Fátima

Calisto

Álvaro

Pachá

Dolores Toledo

Don Gonzalo

Nuria

Elena

3-13 ANSWERS (may vary): Fátima / (provided); Calisto / pequeño; Álvaro / desordenado; Pachá / grande; Dolores Toledo / delgada; Don Gonzalo / viejo; Nuria / cariñosa; Elena / baja.

baja
cariñosa
delgada
desordenado
grande
pequeño
simpática
viejo

3-14 After students complete the activity, you may want to project the opener scene using the PowerPoint slide. Have students describe the various sets of friends.

For additional vocabulary practice, see PowerPoint slides at www.wiley.com/college/lucasmurillo or visit www.wileyplus.com

3-14 Los mejores amigos

Find out more about the Roldán family and their best friends. Look at the scenes on page 86 and work with your partner to answer the questions.

1. ¿Quién es el mejor amigo y compañero de trabajo de Damián Roldán? ¿Cómo es Álvaro? ¿Ayuda Damián a su amigo?

2. ¿Con quién habla Fátima Almanza? ¿De quiénes hablan? ¿Cómo es Fátima? ¿Quién llama a su mamá? ¿Necesita a su mamá?

3. ¿Quién visita a Ángel? ¿Cómo es ella? ¿Ama Ángel a Dolores?

4. ¿Quiénes son Julia y Elena? ¿Cómo son? ¿A qué hora llegan a la casa de Guadalupe para estudiar? ¿Quién limpia la casa cuando llegan?

5. ¿Quién llora? ¿Quién cuida a Anita? ¿Besa y abraza a la bebé? ¿Cómo es Nuria?

6. ¿Con quién charla Carmen? ¿Cómo es don Gonzalo? ¿Es Pachá, el perro, grande o pequeño? ¿Y Calisto, el gato?

3-14 PERSONALIZED QUESTIONS: Ask several students the question: ¿Cómo se llama tu mejor amigo/a? ¿Cómo es? Assist them with adjective agreement.

¿SABES QUE...?

Many Mexican women are named Guadalupe (Lupe, Lupita), after the Virgen de Guadalupe, patron saint of Mexico, whose image is venerated throughout the nation.

. . . y algo más

The personal a

Note the **a** that precedes the reference to a person in several of the questions in *Actividad 3-13*—for example, **¿Ayuda Damián a su amigo?** This is called the "personal **a**," and it is used when the object of a verb—the recipient of the action—is a person or a family pet. The personal **a** is not translated.

The following verbs, presented on page 86, normally have a person as their object: **ayudar, llamar, necesitar, visitar, amar, cuidar, besar,** and **abrazar**.

Note: The personal **a** is not used with the verb **tener. Tengo dos hermanos.**

To visually present the personal a, write **Llamo**, **un taxi**, **María**, and **a** on four sheets of paper. Four students stand in front of the class, each holding up one of the sheets. Position students to form a sentence, placing or removing the **a** student according to the object (**un taxi** or **María**).

[1]What are they like?

 For additional practice on this grammar point, see PowerPoint slides at www.wiley.com/college/lucasmurillo or visit www.wileyplus.com

3-15 Mi vida personal

3-15 As students provide answers, be sure to ask whether they responded **sí** or **no** to the statement.

Get to know a classmate! First, add the personal **a** to each statement as needed. Then decide if for you, the statement is true or not. Mark **Sí** or **No**. Share the information with your partner.

Sí   No

☐   ☐   **1.** Tengo ___ novio/a o esposo/a.

☐   ☐   **2.** Tengo ___ hijo/a/os/as.

☐   ☐   **3.** Cuido _a_ mis sobrinos o _a_ mis hermanos menores con frecuencia.

☐   ☐   **4.** Necesito _a_ mis amigos. Son muy importantes en mi vida.

☐   ☐   **5.** Llamo _a_ mis abuelos con frecuencia.

☐   ☐   **6.** Limpio ___ mi carro todas las semanas.

3-16 Personas importantes de nuestras vidas

3-16 Call out each action and students volunteer their responses. You may want to use the PowerPoint slide of the scenes to point out each action being described.

In groups of *three*, observe the scenes on page 86, looking for people doing things for/to others. Write sentences to describe what is happening. Use each of the following verbs: **abrazar, amar, ayudar, besar, cuidar, llamar, necesitar, visitar**

MODELO

*Nuria cuida **a** Anita. Carmen cuida **a** Pachá.*

3-17 Preguntas personales

3-17 For the feedback, provide a model: **Tina llama a su novio con frecuencia.**

To share additional aspects of your personal life, ask each other the following questions. Jot down the responses. Then change partners and share what you learned.

Palabras útiles
novio/a *boyfriend/ girlfriend*
prometido/a *fiancé/ fiancée*

MODELO

E1: *¿A quién llamas por teléfono con frecuencia?*

E2: *Llamo **a**... ¿Y tú?*

¿A quién...?

• visitas los fines de semana
• amas con todo tu corazón ❤
• ayudas a veces
• besas y abrazas

♫ ¡A escuchar! El nuevo amigo de Manuela   CD 3 Track 46

Palabras útiles
cita *date*

Paso 1. Listen to the dialogue between two friends.

Paso 2. Listen again, then answer the questions by checking the correct box.

1. ¿Quién es Manuela?
☐ una compañera de clase de Teresa   ☑ la mejor amiga de Teresa

2. ¿De quién hablan?
☑ del amigo especial de Manuela   ☐ del amigo especial de Teresa

3. ¿Cómo es Raúl?
☐ es moreno y gordo   ☑ es moreno y alto

4. ¿Qué estudia?
☐ medicina   ☑ biología

5. ¿A qué hora tiene Manuela una cita con Raúl?
☑ a las siete   ☐ a las siete menos diez

¿SABES QUE...?

Human imitations of animal sounds vary from language to language. In Spanish, dogs say ¡guau guau!, cats say ¡miau miau!, birds say ¡pío pío!, and roosters say ¡Quiquiriquí!

GRAMÁTICA

¡Manos a la obra!

Describing people and things: *Ser* + descriptive adjectives

3

You have used adjectives with **estar** to express the mental, emotional, or physical condition of a person: Ella **está nerviosa.** To describe the basic characteristics of someone or something, you use **ser** + *descriptive adjective:* Ella **es** muy **simpática.**

- Adjectives that end in **-o** change **-o** to **-a** when describing a feminine noun.

    Él es divertid**o**. Ella es divertid**a**. Él es simpátic**o**. Ella es simpátic**a**.

- Adjectives ending in **-e, -ista,** or most consonants *do not change* in form when describing a feminine noun.

    Él es jove**n** y fuert**e**. Ella es jove**n** y fuert**e**. Él es ideal**ista**. Ella es ideal**ista**.

- When describing more than one person or thing, the plural form of the adjective is used. Adjectives ending in a vowel add **-s**, and adjectives ending in a consonant add **-es**.

    Ellas son simpática**s**. Son muy sentimental**es**.

- Most descriptive adjectives *follow* the nouns they modify—just the opposite of English:

    un suéter **verde** *a green sweater*   una chica **simpática** *a nice girl*

- Two types of adjectives precede the noun:

    Adjectives of quantity: **cinco** libros   **muchos** estudiantes
    Possessive adjectives: **mis** hermanos   **nuestra** escuela

---

ADJETIVOS Y SUS OPUESTOS

Here are some adjectives and their opposites, some of which you already know.

bonito/a	feo/a	*pretty*	*ugly*		joven	viejo/a	*young*	*old*
bueno/a	malo/a	*good*	*bad*		listo/a	tonto/a	*smart*	*silly, dumb*
delgado/a*	gordo/a**	*thin*	*fat*		nuevo/a	viejo/a	*new*	*old*
divertido/a	aburrido/a	*fun*	*boring*		rico/a	pobre	*rich*	*poor*
fácil	difícil	*easy*	*difficult*		simpático/a	antipático/a	*nice*	*unpleasant*
grande	pequeño/a	*large*	*small*		trabajador/a	perezoso/a	*hard-working*	*lazy*

*Or **flaco/a** *thin, skinny*.   **To soften, use **gordito** or **gordita**.

Jennifer está en casa de sus padres. Ellos le preguntan acerca de la universidad.

¡En acción!

 ¡Oye! Los opuestos

You will hear statements describing various people or their pets. In the follow-up questions, select the adjective that best describes each one.

See Grammar Handbook found in WileyPLUS.

> ### . . . y algo más
>
> The adjectives **bueno/a** and **malo/a** may appear either before or after the noun. Before the noun, the masculine forms **bueno** and **malo** are shortened to *buen* and *mal*:
>
> un libro **bueno** (o) un **buen** libro *a good book*
> un estudiante **malo** (o) un **mal** estudiante *a bad student*
>
> When it appears before a singular noun, the adjective **grande** changes to **gran**, and its meaning changes from *large* to **great**.
>
> una mujer **grande** *a large woman*   una **gran** mujer *a great woman*
> un libro **grande** *a large book*   un **gran** libro *a great book*

For additional practice on this grammar point, see PowerPoint slides at www.wiley.com/college/lucasmurillo or visit www.wileyplus.com

3-18 Profesores, amigos y familia

Paso 1.   Check the characteristics that best describe each of the following.

1. Mis profesores, por lo general, son:

   ☐ fáciles   ☐ difíciles   ☐ interesantes   ☐ aburridos
   ☐ buenos   ☐ malos   ☐ jóvenes   ☐ viejos

2. Mis amigos, por lo general, son:

   ☐ perezosos   ☐ trabajadores   ☐ simpáticos   ☐ antipáticos
   ☐ divertidos   ☐ aburridos   ☐ listos   ☐ tontos

3. Mi mejor amigo/a es:

   ☐ simpático/a   ☐ antipático/a   ☐ ordenado/a   ☐ desordenado/a
   ☐ trabajador/a   ☐ perezos/a   ☐ guapo/a   ☐ feo/a

4. Mi familia es:

   ☐ grande   ☐ pequeña   ☐ aburrida   ☐ divertida
   ☐ ordenada   ☐ desordenada   ☐ extrovertida   ☐ introvertida

 Paso 2.   Compare your results with those of a classmate, noting similarities and differences. Then report at least one observation to the class: *Mis amigos son perezosos pero los amigos de... son trabajadores. (o) Mis amigos y los amigos de... son perezosos.*

3-19 ¿Cómo son?

You and your friend sometimes gossip about others. Describe the people, pets, and objects in the illustrations using the following adjectives. Remember to make the adjectives agree with the nouns!

alto	calvo	desordenado	gordo	moreno	aburrido
antipático	cariñoso	divertido	grande	pequeño	simpático
atlético	bueno	feo	inteligente	perezoso	trabajador
bajo	delgado	fuerte	joven	rubio	viejo

3-19 You may want to project the corresponding PowerPoint slide of the illustrations. Have students describe the various characters, preferably with their books closed.

MODELO

Juan y Anita son jóvenes y fuertes.

Juan   Anita

1. Pedro   Pablo   Pepe

2. Raimundo

3. el carro rojo   el carro azul

4. Ana   Sergio   Samuel

5. el Sr. Gómez

6. el Sr. Gutiérrez

7. Tomás   Juanita

8. Noé   Nicolás
los dos perros

3-20 Mi mejor amigo/a

Paso 1. In groups of *four,* take turns describing your best friend. Take notes as others speak. Include the following:

- nombre de tu amigo/a
- origen: de dónde es
- edad: cuántos años tiene
- trabajo, profesión u ocupación
- descripción física
- descripción de su personalidad

3-20 ANOTHER STEP: Students write a seven-sentence summary of their presentations.

Paso 2. Determine who in your group has the most interesting best friend. The student to the right of that person tells the class why the selection was made.

Tu mundo cultural

Diferencias culturales

¿Es fácil adaptarse a una cultura y a una lengua diferentes? Antes de responder, lee[1] la correspondencia entre dos amigas mexicanas: Marta y Josefina. Marta reside en EE.UU. con su esposo y tres hijos, y Josefina, en Monterrey, México.

To:	Josefinam@tecnonet.com
Subject:	¡Llega mi mamá de México!

Querida Josefina:

¿Cómo estás? Yo estoy bien, pero un poco preocupada. Mi mamá llega esta semana, y va a pasar dos meses con nosotros. No conoce[2] esta cultura, y posiblemente va a tener problemas con mis hijas adolescentes. No quieren hablar español; y tampoco quieren estar con la familia, solamente con sus amigos. Ya sabes, en México, normalmente los hijos pasan mucho tiempo con la familia, especialmente los fines de semana y durante las vacaciones. Escríbeme pronto.

Un fuerte abrazo,

Marta

P.D. En el anexo hay una foto de los chicos.

Anexo

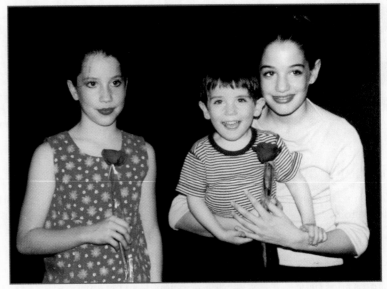

Elena, 13 años; Pablo, 4 años; Alexandra, 14 años

[1]read, [2]**No...** She does not know

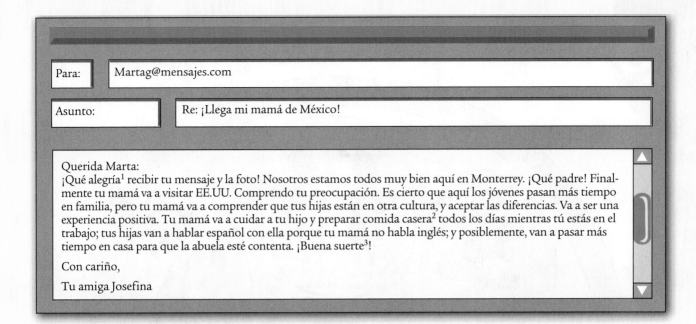

| Para: | Martag@mensajes.com |
| Asunto: | Re: ¡Llega mi mamá de México! |

Querida Marta:

¡Qué alegría[1] recibir tu mensaje y la foto! Nosotros estamos todos muy bien aquí en Monterrey. ¡Qué padre! Finalmente tu mamá va a visitar EE.UU. Comprendo tu preocupación. Es cierto que aquí los jóvenes pasan más tiempo en familia, pero tu mamá va a comprender que tus hijas están en otra cultura, y aceptar las diferencias. Va a ser una experiencia positiva. Tu mamá va a cuidar a tu hijo y preparar comida casera[2] todos los días mientras tú estás en el trabajo; tus hijas van a hablar español con ella porque tu mamá no habla inglés; y posiblemente, van a pasar más tiempo en casa para que la abuela esté contenta. ¡Buena suerte[3]!

Con cariño,

Tu amiga Josefina

 ## ¿Qué aprendiste?

1. ¿De dónde son las dos amigas? ¿Dónde están ahora?

2. ¿Quién va a visitar a Marta pronto? ¿Por qué está preocupada?

3. Según[4] Marta, ¿qué es diferente en México?

4. ¿Qué aspectos positivos menciona Josefina en relación con la visita de la madre de Marta a EE.UU.?

 ## Actividad cultural

Look at the photo in the attachment that Marta sent to Josefina. Describe Marta's three children: physical characteristics, personality, and age. Also indicate how they appear to be **(estar).** Take turns.

 ## Contraste cultural

Think of people that you know in your family or in your community who have immigrated from other countries. In English, talk about the aspects of U.S. life that a foreigner might find hard to adjust to, as well as which aspects that person might enjoy most.

¿SABES QUE...?

Spanish speakers express *How great!* in various ways, depending on the region: **¡Qué padre!** (Mexico), **¡Qué chévere!** (Puerto Rico, Venezuela), **¡Qué guay!** (Spain).

¿SABES QUE...?

When interacting with Hispanic people, as with members of any cultural group, one should keep in mind that other cultures, because of their values and priorities, may view the word in ways that differ from our own. Some of these values and priorities center on the concept of family, friendship, trust, time, food, and more. Differences are not necessarily better or worse, and open our eyes to new experiences.

[1]**Qué...** What a joy it was, [2]**comida...** homemade food, [3]**Buena...** Good luck!, [4]According to

Las relaciones humanas

LA NIÑEZ

LA INFANCIA

LA ADOLESCENCIA/LA JUVENTUD

LA MUERTE

LA VEJEZ

LA MADUREZ

2. la amistad

1. el amor

3. la niña/ la chica   4. el niño/ el chico

5. los jóvenes

6. el novio 7. la novia
8. estar enamorados

9. estar solteros

10. los adultos

19. estar viuda

16. estar divorciados/ separados

18. Mi media naranja...

17. los ancianos

12. la boda

11. estar comprometidos

13. la pareja
14. estar casados
15. los recién casados

1. love 2. friendship 3. child (*f*.), girl 4. child (*m*.), boy 5. young people 6. boyfriend 7. girlfriend 8. to be in love 9. to be single 10. adults
11. to be engaged 12. wedding 13. couple; **mi pareja** my significant other 14. to be married 15. newlyweds 16. to be divorced/ separated
17. elderly (*noun*) 18. my soul mate 19. to be a widow; **viudo** widower

¡En acción!

3-21 *Option:* Students may complete the activity in pairs. Then, to confirm answers, ask eight students to read the statements and another eight to provide the subsequent responses.

3-21 Estados civiles y emocionales

You are riding on the subway and overhear snatches of conversations about people's relationships with others. On the basis of what you hear, can you determine the marital or emotional status of each person? Use the adjectives provided. Sometimes more than one assumption is possible. Take turns reading the statements and responding.

casado/a	comprometido/a	divorciado/a	enamorado/a
separado/a	soltero/a	viudo/a	

1. Rosa dice: "Mi esposo es profesor de química". Ella está __casada__ .

2. La señora García dice: "Mi ex es gordo". Ella está _separada/divorciada_ .

3. Catalina dice: "Mi novio es perfecto". Ella está _enamorada_ .

4. Jorge dice: "Mi boda va a ser el 22 de junio". Él está _comprometido_ .

5. Héctor dice: "Mi esposa es enfermera". Él está ___casado___ .

6. Alonso dice: "Mi esposa murió[1]". Él está ___viudo___ .

7. Ramona dice: "No tengo novio". Ella está ___soltera___ .

8. Inés y Luz dicen: "Nuestros ex esposos están casados". Ellas están _divorciadas_ .

For additional practice on this grammar point, see PowerPoint slides at www.wiley.com/college/lucasmurillo or visit www.wileyplus.com

. . . y algo más

In general, **estar** is used with adjectives that denote marital status because the characteristic attributed to the subject (**estar casado, estar divorciado**, etc.) is considered the result of an action, a change, or is subject to change. When **ser** is used, particularly with **soltero/a** or **viudo/a**, it emphasizes that the condition of being single or a widow/er is of a more inherent nature.

Mis hermanas **están casadas**, pero yo **soy soltero**.

Hace años que mi abuela **es viuda**.

My sisters are married, but I am single.   *My grandmother has been a widow for years.*

3-22 Before students begin *Actividad 3-22,* you may want to project the PowerPoint slide of the opener scene. Review the stages of life presented in the outer circle, and see if students can guess the meaning of each by context. **La infancia** = *Infancy,* and so on.

For additional vocabulary practice, see PowerPoint slides at www.wiley.com/college/lucasmurillo or visit www.wileyplus.com

3-22 Las relaciones humanas

Comment on the various stages of life that you see in the scenes on page 94. Work with your partner to answer the questions.

1. En la escena que representa el amor, ¿quién ama al bebé?

2. En la escena que representa la amistad, ¿quiénes son los mejores amigos? ¿Cómo son?

3. ¿Quiénes están enamorados? ¿Cuántos años tienen los jóvenes, aproximadamente?

4. ¿Cómo están los dos adultos que están comprometidos?

5. ¿Qué celebran los recién casados? Describe a la pareja.

6. El hombre y la mujer que escalan las montañas, ¿probablemente están casados o están solteros?

7. Hay una pareja que no está muy contenta. ¿Están casados o divorciados?

8. ¿Están enamorados los ancianos que están en el parque? ¿Qué dice él?

9. ¿Por qué está triste la anciana?

10. ¿Qué palabras asocias con los términos "infancia", "niñez", "juventud" y "vejez"?

3-22 PERSONALIZED QUESTIONS: Ask several students each question. **¿Cuántos estudiantes están solteros?** Students respond with a show of hands. The class counts them and then states how many students are single. **¿Cuántos están enamorados? ¿Cuántos tienen pareja? ¿Cuántos están casados?**

3-23 La familia y los amigos

In groups of *three,* talk about the status of each other's friends and/or relatives. Also mention how they are doing.

casado/a   comprometido/a   divorciado/a   separado/a   enamorado/a   soltero/a   viudo/a

MODELO

casado/a

E1: *¿Cuáles de tus parientes o amigos están casados?*

E2: *Mi hermano Gonzalo está casado y está muy enamorado de su esposa.*

E3: *Mi amiga Marisela está casada, pero su matrimonio no va bien.*

¡A escuchar! Dos ancianos en el parque   CD 3 Track 47

Paso 1.   Listen to the dialogue between don Tomás and doña Remedios. They are sitting on a bench in the park observing the young people passing by.

Paso 2.   Listen again, then indicate if the statements are true or false.

1. Don Tomás y doña Remedios no son jóvenes.   ☑ Cierto   ☐ Falso
2. Los jóvenes están enamorados.   ☑ Cierto   ☐ Falso
3. Doña Remedios está casada.   ☐ Cierto   ☑ Falso
4. Don Tomás es divertido y joven de espíritu.   ☑ Cierto   ☐ Falso

Antonio es un joven español que estudia en Estados Unidos. Está comprometido con María, su novia. Son dos chicos muy responsables. En este momento habla con ella por el celular.

María es una joven universitaria ecuatoriana. Está muy enamorada de Antonio y pronto van a casarse. La boda es en el mes de abril, y ahora planean los últimos detalles. Son una pareja encantadora[1].

[1]charming

GRAMÁTICA

¡Manos a la obra!

Describing people, places, and things: A summary of **ser** *and* **estar**

4

You have used both **ser** and **estar** (*to be*) in a number of different situations. Here is a synopsis of their uses thus far.

Ser is used to express:	Examples:	Estar is used to express:	Examples:
1. **Where** the subject* is **from** (*ser + de*)	Víctor **es de** San Juan, Puerto Rico.	1. **Where** the subject is **located**	Hoy Linda **está** en Nueva York. Su casa **está** en Nueva Jersey.
2. **What** the subject is **like** (physical characteristics and basic personality traits)	Mi amigo Ángel **es** alto, delgado y muy simpático. Su motocicleta **es** nueva; **es** roja y negra.	2. **How** the subject is **feeling** or what **condition** the subject is in at a given time (physical, emotional, and mental states that may change)	Carla **está** triste, pero su perro **está** contento. Su carro **está** viejo, pero su computadora **está** nueva.
3. **Who** or **what** the subject is (including nationality, political and religious affiliations, occupation)	Celia **es** estadounidense, conservadora y católica. **Es** directora de una compañía.		
4. **Day, date,** and **time**	Hoy **es** martes, el 6 de mayo. **Es** el cumpleaños de Linda. **Son** las tres y media de la tarde.		
5. **Possession**	El suéter **es** de Gloria. **Es** mi cuaderno.		

*Subject refers to the person, animal, place, or thing that is described or performs the action.

For additional practice on this grammar point, see PowerPoint slides at www.wiley.com/college/lucasmurillo or visit www.wileyplus.com

Have students identify each of the **ser/estar** concepts illustrated in the *¡Oye!* activity that follows this grammar presentation.

Let students know that many adjectives can be used with both **ser** and **estar,** conveying different meanings. For example: **Él es aburrido** (*is boring*)./ **Él está aburrido** (*is bored*). **Ella es bonita** (*is pretty*)./ **Ella está bonita** (*looks good*) **hoy. Ella es lista** (*is smart*)./ **Ella está lista** (*is ready*). **Él es muy rico** (*is very rich*)./ **El pastel está rico** (*is delicious*).

Ask students to determine the difference in meaning between **Camila es/está delgada** and **Paco es/está nervioso.**

Fabio llega al centro estudiantil. Allí, su amigo Mario le presenta a Ernesto.

Guión para ¡Oye!
Víctor es enfermero y estudia en la universidad. Es joven, guapo y muy trabajador. Es de República Dominicana, pero ahora su familia está en Nueva York. Hoy Víctor está muy preocupado y no está contento porque tiene problemas en el trabajo, y mañana tiene un examen muy difícil en la clase de biología.

¡En acción!

¡Oye! Víctor, un estudiante universitario

Listen to the description of Víctor. Then answer the questions, selecting the correct response.

3-24 Mensajes de amigos y familiares

3-24 Answers on page 99.

Paso 1. Read the text messages that several people have left on Lucía's cell phone. Then organize the information according to the categories indicated in the chart below.

1. Soy Amelia, tu prima extrovertida y un poco loca de Miami. Hoy estoy en casa porque estoy enferma. Llámame.

2. Somos Paco y Pepe, ¿recuerdas? Los meseros morenos y guapos de tu café favorito de Boston. Ahora estamos muy contentos y de vacaciones en Nueva York. Llámanos.

3. ¿Quién soy? Adán, tu novio, el hombre más inteligente y divertido de California. Estoy aquí, muy ocupado, en la biblioteca de San Diego. Tengo dos exámenes finales. Llámame.

4. Hola, soy tu tía Julia, de Guadalajara. Estoy un poco nerviosa. Estoy en mi carro en el centro y hay mucho tráfico. Ya sabes que soy impaciente. ¿Estás bien? Llámame. Estoy preocupada por ti.

Comprensión para ¡Oye!
1. ¿Es Víctor profesor o enfermero?
2. ¿Es joven o viejo?, ¿guapo o feo?, ¿trabajador o perezoso?
3. ¿Es de República Dominicana o de Nueva York?
4. ¿Está su familia en República Dominicana o en Nueva York?
5. ¿Está preocupado o contento?
6. ¿Tiene problemas en el trabajo o con la familia?
7. ¿Tiene uno o dos exámenes mañana?

Personas que llaman	¿Quién es/ Quiénes son?	¿De dónde es/son?	¿Dónde está/n?	¿Cómo es/son?	¿Cómo está/n?
1. Amelia	Es su prima.	Es de…			
2. Paco y Pepe	Son…	Son de…			
3. Adán					
4. Julia					

Paso 2. According to the information you have gathered, tell your classmates what you found out about Lucía's friends and relatives.

3-25 Un día con una mujer extraordinaria

Your friend has arranged for you to attend a party organized by an outstanding woman. To learn about the person, and to ultimately find out whose party you are attending, ask questions with **ser** and **estar**. One of you (**E1**) asks questions following the model to cover categories 1-7. The other (**E2**) uses chart **A** to provide the information in complete sentences. Then switch roles, and do the same with chart **B**.

A.
1. España
2. morena, bonita y delgada
3. soltera
4. ocupada y contenta
5. en Madrid y en EE.UU.
6. actriz
7. Penélope Cruz

Mira su foto en la pág. 55.

MODELO

E1: ¿De dónde es?

E2: Es de…

1. Origen
2. Descripción
3. Estado civil[1]
4. Cómo está probablemente
5. Dónde está frecuentemente
6. Su profesión u ocupación
7. Identificación de la persona (¿Es…? ¿Quién es?)

B.
1. EE.UU.
2. morena, alta y atractiva
3. casada
4. muy ocupada y contenta
5. en Chicago y en Washington D.C.
6. Primera Dama[2], abogada
7. Michelle Obama

Mira su foto en la pág. 276.

[1]**Estado…** marital status, [2]First Lady

3-26 ¿Cómo es normalmente? ¿Cómo está hoy?

Paso 1. Today, at your workplace, some of your coworkers are not their usual selves, but rather the opposite. *Three* of you talk about the situation:

Employee 1 describes what the coworker is *usually* like (first column). **Employee 2** indicates a *change* in the person's disposition (choosing from the adjectives in the second column). **Employee 3** asks *why*. **Employee 1 or 2** provides an answer (third column). Be creative!

MODELO

E1: *Normalmente, Marta es muy enérgica, ¿verdad?*

E2: *Sí, pero hoy está un poco cansada.*

E3: *¿Por qué?*

E1 o E2: *Porque tiene mucho trabajo, tres clases y un hijo enfermo.*

Normalmente...	hoy...	porque...
1. Marta *es* muy enérgica.	aburrido/a	
2. Enrique *es* muy tranquilo.	cansado/a	
3. Elena *es* optimista y no tiene preocupaciones.	contento/a nervioso/a	
4. Ricardo *es* muy animado y curioso.	preocupado/a	
5. Pepa *es* una persona muy alegre (*cheerful*).	triste	
6. Raimundo *es* una persona triste.		

Paso 2. Following the same pattern, tell each other something about yourselves: *Normalmente, soy... , pero hoy estoy... porque...*

3-27 Tu pariente/a favorito/a

Paso 1. Interview your partner to find out who his/her favorite relative is and what the relative is like. Ask the following questions and take notes. Then switch roles.

1. ¿Cómo se llama?
2. ¿Qué relación tienes con él/ella?
3. ¿De dónde es? (o) ¿Cuál es su nacionalidad*?
4. ¿Dónde está ahora?
5. ¿Cuál es su estado civil?
6. ¿Qué profesión u ocupación tiene?
7. ¿Cómo es?
8. ¿Cómo está probablemente?

Paso 2. *Four* students volunteer to report on their classmate's favorite relative: *El/La pariente/a favorito/a de... se llama...* The class then votes on the four, to determine who in the class has the most interesting family member.

---

* For a listing of the nationalities of the world, see the inside back cover of your textbook.

3-24 To check answers, first, ask who the caller is: **¿Quién es Amelia?** Then ask the subsequent questions in the chart: **¿De dónde es Amelia?** ... *Paso 2* may also be completed by students in pairs.

3-24 ANSWERS:
(from p. 98)
Amelia es su prima. Es de Miami. Está en casa. Es extrovertida y un poco loca. Está enferma. **Paco y Pepe** son meseros. Son de Boston. Están en Nueva York. Son morenos y guapos. Están contentos. **Adán** es su novio. Es de California. Está en la biblioteca de San Diego. Es inteligente y divertido. Está muy ocupado. **Julia** es su tía. Es de Guadalajara. Está en su carro en el centro. Es impaciente. Está nerviosa y preocupada.

3-27 *Option:* Each student brings to class a photo of his/her family or favorite relative/s.

¡Exprésate!, a chapter wrap-up focusing on conversation and writing (the latter with *Writing Strategies*) is included in *Apéndice 3*.

Prewriting Strategy

Thinking about your audience

For more information about this Strategy go to p. A-17.

🎵 Tu mundo cultural

Momentos importantes de la vida

El matrimonio

Los novios[1] o recién casados bailan al ritmo de la música de los mariachis para celebrar el día de su matrimonio.

Tell students that in some Latin American countries **el matrimonio** (in addition to **la boda**) is used for *wedding*. **Matrimonio** can also mean *marriage, matrimony,* and *young married couple.*

Rodrigo Marín Vivar
Mª Nieves Alba González

Pedro Enrique Altuna Gómez
Dolores Simón Camino

Participan el próximo enlace matrimonial de sus hijos

Olivia y Alejandro

y tienen el gusto de invitarle(s) a la ceremonia religiosa que se celebrará el sábado 15 de julio, a las 7 de la tarde, en la iglesia de Santa Lucía, y al banquete que se servirá a continuación en La Hacienda del Valle.

Calle Las Palomas nº 17
Sotogrande
Bogotá
Tel. 534 20 96

Se ruega confirmación

Una invitación de matrimonio

El nacimiento[2] y el bautizo

El bautizo de un niño en una iglesia católica. La madrina[3] tiene al niño mientras el padrino y los padres observan atentamente.

Pablo Santamaría Ruiz y Carolina Vega Prados
tienen la alegría de comunicarle
el nacimiento de su hijo

Nicolás

en Nueva York, el jueves, 9 de agosto de 2007

Una participación de nacimiento[4], costumbre que los hispanos residentes en EE.UU. están adoptando para comunicar a sus familiares y amigos el feliz evento.

[1]bride and groom, [2]birth, [3]godmother, [4]**participación...** birth announcement

La fiesta de quinceañera

Un padre y su hija en México, el día de la fiesta. Se llama quinceañera a la fiesta de los quince años, un ritual que celebran las jóvenes hispanoamericanas para decir adiós a la niñez. Se celebra con una misa[1], una recepción y un baile[2]. En EE.UU. se venden vestidos[3] de quinceañera porque las jóvenes hispanas residentes allí también la celebran. Algunas chicas prefieren hacer un viaje[4] en lugar de celebrar la fiesta.

DE NIÑA A MUJER.
UN AÑO MUY IMPORTANTE
EN TU VIDA

FELICES

15

¡ ES TU QUINCEAÑERA !

Una tarjeta[5] de quinceañera

¿Qué aprendiste?

1. ¿Cómo se llaman los novios de la invitación? ¿Dónde y en qué fecha se celebra la boda? ¿Qué hay después de la ceremonia?

2. En los países hispanos, ¿quiénes participan en la ceremonia del bautizo?

3. ¿Cómo se celebra la quinceañera? ¿Se celebra sólo en Latinoamérica?

Actividad cultural

You have just received an invitation (see page 100) to attend the wedding of your friend Alejandro, a former Colombian exchange student. Write an e-mail to your significant other to give him/her details of the wedding so that he/she can attend with you.

To:

Subject: ¡La boda de Alejandro!

Querido/a... :

¿Sabes que Alejandro y Olivia van a casarse? La boda es...
¡Reserva la fecha!

Tu amigo/a,...

¿SABES QUE...?

In the Hispanic world, when a baby is born it is given the last names of both parents, the father's followed by the mother's. In most Hispanic countries, when a woman marries, she keeps her first last name and adds **de** followed by her husband's last name, as in Ana Ruiz de Martín. In Spain, a married woman does not add her husband's last name.

Contraste cultural

In English, indicate which of the celebrations you have just read about are similar to ones in your family or culture and which are new to you. Have you attended a **quinceañera** in the United States, or a Hispanic wedding or christening?

[1]mass, [2]dance, [3]dresses, [4]trip, [5]card

Tu mundo en vivo

¡Video en acción!

3.1 La familia hispana

1. **Antes de ver el video**
   In the Carvajal family, what do
   you think the main responsibilities of the grandmother might be?

2. **Mientras ves el video** Marca **C** (Cierto) o **F** (Falso).

   a. ____F____ En la familia Carvajal hay seis personas.

   b. ____C____ La abuela cocina[1] y cuida a los niños.

   c. ____C____ Para los hispanos de EE. UU., la cena es una ocasión para comunicarse.

   d. ____C____ La foto que se observa en el video es de la familia de Francisco.

3. **Comenta con la clase**
   Are there differences between the Carvajal family and your family? Explain.

3.2 Momentos importantes de la vida

1. **Antes de ver el video**

   a. What special celebrations take place in your home?
   Who attends?

   b. Mark the special occasions you think the family of
   Rocío and Rogelio might celebrate. Confirm your
   predictions after seeing the video.

____ Bautizos	____ Día de Acción de Gracias
____ Bodas	____ Navidad
____ Primeras comuniones	____ Año Nuevo

2. **Mientras ves el video** Combina las palabras de la primera[2] columna con las de la segunda columna para formar una oración.

a. Los suegros se ven[3] ____	1. de Guadalajara
b. Mis tíos son ____	2. dos años.
c. Lucero está ____	3. nerviosos.
d. Ana Paula va a cumplir ____	4. comprometidos.
e. Paulino y Alicia se ven ____	5. casada con César.
f. Juan y su novia están ____	6. muy contentos.

   3.2.2 ANSWERS
   a. 3, b. 1, c. 5, d. 2,
   e. 6, f. 4

3. **Comenta con la clase**

   Is Rocío's wedding similar to those in the United States? Explain.

[1]cooks, [2]first, [3]**se...** look

¡Lectura en acción!
La jerga[1] y los adolescentes

The following news article from *Los Andes,* an Argentine newspaper, describes some of the reasons why generational language differences exist, as well as some common words and phrases used among young people in Argentina today.

Paso 1. Read the article one time to get a general sense of the information it contains. Note the bolded words which are likely to be unfamiliar to you. Resist the urge to look up any words! Just read through it to get the overall idea of the article.

Los términos que marcan esta época
Por Alejandro Ortega

Desde siempre, los adolescentes se han diferenciado por la manera de **vestirse,** por los gustos musicales y también por su lenguaje. Muchas palabras inventadas o **impuestas** por los medios de comunicación (especialmente la televisión) llegan a formar parte de la vida de los jóvenes y de su lengua común.

Según Marcelo Pablo, psicólogo y profesor de filosofía, "el adolescente, al definir su personalidad, también pone en juego su identidad **grupal**. Es por eso que adquiere características colectivas que lo hacen sentir igual al resto de su grupo. Para un adolescente, la personalidad individual está muy relacionada con la identidad grupal."

Palabras y expresiones nuevas que se escuchan entre los jóvenes crean un idioma que deja **desubicados** a los adultos. Lo cierto es que para los adultos es muy importante **conocer** esas palabras y estar informados. Si no, se transformarán en "viejos bodrios" o los papás se encontrarán en un "bardo" con sus hijos.

Algunos ejemplos de la jerga argentina

Bardo: *un lío, algo sucio[2] y desorganizado*

Bodrios o bajón: *aburrido*

Grasa: *algo o alguien sin estilo*

Manso: *adjetivo que indica muy grande*

Patético: *más que horrible y aburrido*

¿Te cabe?: *¿Te gusta?*

Zarpado: *estar en un lugar equivocado o incorrecto*

Remind students of the previous Reading Strategies, already presented on pages 29 and 67: *Skimming a text for cognates and other familar words or information* and *Utilizing your Background knowledge.* Encourage them to utilize and practice previous reading strategies while adding new ones to their repertoire. To help with this, you may wish to ask a few pre-reading questions to find out what words in English your students can think of that belong to their generation(s), but not to their parents'. Also help students focus on all the familiar words and cognates that should help them interpret the text.

Reading Strategy

Guessing meaning from context

When you come across an unfamiliar word or phrase that is key to a passage, analyze the context closely to see if you can guess its meaning.

Paso 2. Next, looking at the bolded words, which ones can you figure out from the context? Even if you can't determine a word's exact meaning, by answering the following questions, you can probably get close enough to understand the general idea.

· Does the word appear to be generally positive, negative or neutral?
· Does it look like it may be a verb, a noun, or an adjective?
· What words around the bolded word do you think provide synonyms or clues to its meaning?

Indicate to students that each of the twenty one Spanish-speaking countries has their own slang and that this is a sampling only from Argentina.

Paso 3. Now, read the passage one more time and check your comprehension with the questions below.

1. Según el artículo, ¿en qué se diferencian los adolescentes de los adultos?
2. ¿Qué influye en la jerga de los adolescentes?
3. ¿Qué es fundamental para que los adolescentes definan su identidad?
4. ¿Por qué es importante que los adultos se familiaricen con el lenguaje de los adolescentes?
5. ¿Cuál de las palabras o frases de la lista es tu favorita? ¿Por qué?

[1]slang, [2]dirty

Vocabulario: Capítulo 3

Escena 1

La familia y sus mascotas *The family and their pets*

la abuela/ el abuelo *grandmother/ grandfather*
la bebé/ el bebé *baby (f./m.)*
la cuñada/ el cuñado *sister-in-law/ brother-in-law*
la esposa/ el esposo *wife/ husband*
el gato *cat*
la hermana/ el hermano *sister/ brother*
la hija/ el hijo *daughter/ son*
la madre/ el padre *mother/ father*
la mamá/ el papá *mother/ father*
la nieta/ el nieto *granddaughter/ grandson*
la niñera *nanny*
los padres *parents*
los parientes *relatives*
el perro *dog*
la prima/ el primo *cousin (f./m.)*
la sobrina/ el sobrino *niece/ nephew*
la suegra/ el suegro *mother-in-law/ father-in-law*
la tía/ el tío *aunt/ uncle*
mayor/ menor *older/ younger*

Los números del 60 al 100 *Numbers 60 to 100*

sesenta *sixty*
setenta *seventy*
ochenta *eighty*
noventa *ninety*
cien *one hundred*

Adverbios *Adverbs*

a tiempo *on time*
tarde *late*
temprano *early*

Verbos *Verbs*

cenar *to have dinner*
comprar *to buy*
desayunar *to have breakfast*
estudiar *to study*
hablar *to speak*
llegar *to arrive*
regresar *to return*
tener *to have*

trabajar *to work*
usar *to use*

¿Con qué frecuencia? *How often?*

a veces *sometimes*
una vez/ dos veces por semana *once/ twice per week*
(casi) nunca *(almost) never*
(casi) siempre *(almost) always*
con frecuencia *frequently*
los fines de semana *on weekends*
todas las mañanas *every morning*
todas las noches *every night*
todas las tardes *every afternoon*
todo el día *all day*
todos los días *every day*

Escena 2

Descripciones *Descriptions*

aburrido/a *boring*
alto/a *tall*
antipático/a *disagreeable, unpleasant*
bajo/a *short*
bonito/a *pretty*
bueno/a *good*
calvo/a *bald*
cariñoso/a (muy) *affectionate (very)*
delgado/a *thin, slender*
desordenado/a *disorganized, messy*
difícil *difficult*
divertido/a *funny, fun*
fácil *easy*
feo/a (un poco) *ugly (a little bit)*
fuerte *strong*
gordo/a (un poco) *fat (a little bit)*
grande *large, big*
guapo/a *good looking*
joven *young*
listo/a *smart*
malo/a *bad*
moreno/a *dark-haired/ dark-skinned*
nuevo/a *new*
pelirrojo/a *red-headed*
pequeño/a *small*
perezoso/a *lazy*
pobre *poor*
rico/a *rich*
rubio/a *blond*

simpático/a *nice, likeable*
tonto/a *silly, dumb*
trabajador/a *hard-working*
viejo/a *old*

el mejor amigo/ la mejor amiga *best friend (m./f.)*

Verbos *Verbs*

abrazar *to hug*
amar *to love*
ayudar *to help*
besar *to kiss*
charlar *to chat*
cuidar *to take care of*
limpiar *to clean*
llamar *to call*
llorar *to cry*
necesitar *to need*
visitar *to visit*

Escena 3

Las personas *People*

los adultos *adults*
los ancianos *elderly (noun)*
los jóvenes *young people*
la niña/ la chica *child (f.), girl*
el niño/ el chico *child (m.), boy*

Los estados civiles y emocionales *Marital status and emotional ties*

estar casado/a/os/as *to be married*
estar comprometido/a/os/as *to be engaged*
estar divorciado/a/os/as *to be divorced*
estar enamorado/a/os/as *to be in love*
estar separado/a/os/as *to be separated*
estar soltero/a/os/as *to be single*
estar viudo/a/os/as *to be a widow/ widower*

mi media naranja *my soul mate*
la novia/ el novio *girlfriend/ boyfriend*
la pareja *couple*
mi pareja *my significant other*
los recién casados *newlyweds*

la amistad *friendship*
el amor *love*
la boda *wedding*

Autoprueba y repaso: Capítulo 3

Escena 1
La familia

A. Complete each sentence with the appropriate family member.
1. El otro (*other*) hijo de mis padres es mi _____.
2. La madre de mi madre es mi _____.
3. El hermano de mi padre es mi _____.
4. Los hijos de mi tío son mis _____.
5. La madre de mi esposa es mi _____.
6. La esposa de mi hermano es mi _____.
7. La hija de mi hermano es mi _____.
8. La hija de la hija de la abuela es la _____.

I. Possessive Adjectives

B. Indicate with whom each person is attending the family reunion. Use the possessive adjective that corresponds to the subject of the sentence.
1. Yo voy con __*mi*__ madre.
2. Yo voy con _____ primos.
3. Tú vas con _____ hermanos ¿no?
4. Uds. van con _____ abuelo, ¿no?
5. Elena va con _____ tíos.
6. Nosotros vamos con _____ padres y con _____ abuela.

II. The present indicative of regular -ar verbs

C. Select the verb from the list that corresponds to each sentence and fill in the blanks with the correct forms of that verb.

> **desayunar estudiar hablar llegar trabajar regresar**

1. Después de clase, Fiona siempre _*habla*_ con la profesora; Daniel y Sara _*hablan*_ con sus compañeros/as de clase.
2. Yo _____ en casa; Francisco _____ en la cafetería.
3. Miguel y yo _____ en la biblioteca; Daniel y Sara _____ en casa.
4. Esta semana tú _____ en la librería por la tarde; yo _____ por la noche.
5. Tú siempre _____ al trabajo temprano; Daniel y Sara _____ un poco tarde.
6. Miguel _____ a casa a las cinco; nosotros _____ a las seis.

En resumen

Answer the questions in complete sentences.
1. ¿Cuántos años tienes?
2. ¿Tienes abuela? ¿Cuántos años tiene ella?

3. ¿Quiénes son tus parientes favoritos?
4. ¿Cenas en casa con tu familia todos los días?
5. ¿Dónde trabajan las personas de tu familia?
6. ¿Trabajas tú los fines de semana?

Escena 2
Los mejores amigos

D. Circle the two adjectives that are most closely associated.
1. pelirroja   cariñosa   morena
2. fuerte   alta   baja
3. joven   viejo   divertido
4. guapa   desordenada   bonita
5. pequeño   calvo   grande
6. delgada   alta   simpática

E. Circle the two verbs that are most closely associated with the following persons or object:
1. la niñera: desayunar   cuidar   ayudar
2. los novios   regresar   besar   abrazar
3. el bebé: cenar   llorar   cuidar
4. los abuelos: visitar   amar   limpiar
5. el teléfono: llamar   llorar   charlar

III. Ser + descriptive adjectives

F. Complete each second sentence with an adjective that means the opposite of the one in the first sentence.
1. Nuestra tía no es pobre; ¡es _____!
2. Nuestra niñera no es perezosa; ¡es _____!
3. El hermanito de Juan no es tonto; ¡es _____!
4. Los amigos de Juan no son antipáticos; ¡son _____!
5. El carro de la familia no es nuevo; ¡es _____!
6. El trabajo no es fácil; ¡es _____!

En resumen

Answer the questions in complete sentences.
1. ¿Llamas a tus padres, hermanos o abuelos con frecuencia?
2. ¿A veces visitas a tus padres, abuelos o hijos los fines de semana?
3. Por lo general, ¿son las personas de tu familia ordenadas o desordenadas? ¿Perezosas o trabajadoras? ¿Aburridas o divertidas?
4. ¿Quién es la persona más excéntrica de tu familia? Descríbela.

Escena 3
Las relaciones humanas

G. Match each stage of life with the corresponding people.

1. la infancia
2. la niñez
3. la adolescencia
4. la madurez
5. la vejez

___ a. los niños o chicos
___ b. los jóvenes
___ c. los ancianos
___ d. los bebés
___ e. los adultos

H. Match the term in the first column with the one in the second that is most closely associated with it. Study the options carefully, as there are no duplicate answers.

___ 1. el amor
___ 2. la amistad
___ 3. la boda
___ 4. anillo (*ring*) de diamante
___ 5. mi esposo/a y yo
___ 6. la muerte

a. los amigos
b. estar casados
c. estar enamorados
d. los recién casados
e. estar comprometidos
f. la viuda

IV. A summary of *ser and estar*

I. Describe Amalia by completing each sentence with the correct forms of **ser** or **estar.**

1. Amalia _____ de Chile.
2. _____ casada y _____ mujer de negocios.
3. Sus padres _____ en Santiago, la capital, y ella ahora _____ en Los Ángeles con su esposo.
4. Amalia _____ muy simpática. _____ alta, morena y delgada.
5. Ella también _____ muy trabajadora.
6. Hoy _____ un poco cansada y preocupada, porque tiene mucho trabajo.

En resumen

Answer the questions in complete sentences.

1. ¿Estás soltero/a? ¿Estás enamorado/a?
2. ¿Estás comprometido/a? ¿Casado/a?
3. ¿Dónde está tu familia ahora?
4. Por lo general, ¿son las personas de tu familia cariñosas? ¿Generosas?
5. ¿Están todos (*all of them*) muy ocupados? Explica.
6. Y tú, ¿estás muy ocupado/a? Explica.

Answers to the *Autoprueba y repaso* are found in **Apéndice 2**.

Additional **Autopruebas** online

El tiempo libre

Additional activities and **Autopruebas** for each **Escena** available online.

For *Writing Strategies* see *Apéndice 3.*

Actividades al aire libre*

1. las montañas
2. esquiar
3. ganar
4. el lago
5. patinar
6. acampar
7. el bosque
8. caminar
9. el valle
10. la granja
11. el campo
12. montar a caballo
13. montar en bicicleta
14. manejar
15. el río
16. pescar
17. el pez

COMPETENCIA INTERNACIONAL

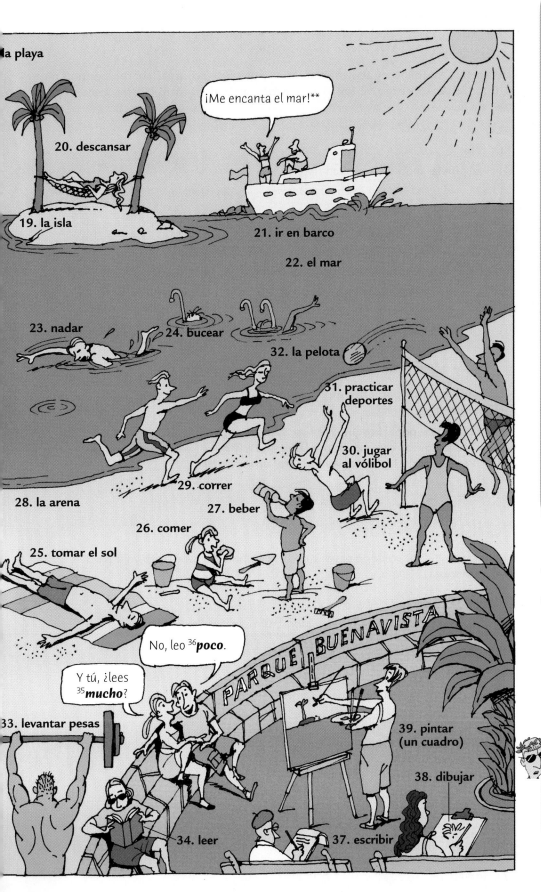

la playa

20. descansar

¡Me encanta el mar!**

19. la isla

21. ir en barco

22. el mar

23. nadar

24. bucear

32. la pelota

31. practicar deportes

30. jugar al vólibol

29. correr

28. la arena

27. beber

26. comer

25. tomar el sol

No, leo ³⁶poco.

Y tú, ¿lees ³⁵mucho?

PARQUE BUENAVISTA

33. levantar pesas

39. pintar (un cuadro)

38. dibujar

34. leer

37. escribir

1. mountains
2. to ski
3. to win
4. lake
5. to skate
6. to camp
7. forest
8. to walk
9. valley
10. farm
11. field, countryside
12. to ride horseback/go horseback riding
13. to ride a bicycle
14. to drive
15. river
16. to fish
17. fish (living); **los peces** (pl.)
18. beach
19. island
20. to rest
21. to go by boat/ ship
22. sea
23. to swim
24. to snorkel
25. to sunbathe
26. to eat
27. to drink
28. sand
29. to run
30. to play volleyball
31. to play, go out for sports
32. ball
33. to lift weights
34. to read
35. much, a lot
36. little, not much
37. to write
38. to draw
39. to paint (a painting)

*Actividades al aire libre
Outdoor activities
**¡Me encanta el mar! I love the sea!

¡La pronunciación!

Pay attention to the correct pronunciation of the Spanish que and qui combinations (see P-4).

bosque   esquiar

¡En acción!

4-1 Students may complete the activity individually or in pairs, with answers reviewed by the instructor. As students provide responses, you may use the PowerPoint slide of the opener scene to point out each activity mentioned.

4-1 ¿Se puede o no?

Indicate whether the following activities can or cannot take place in each of the locations mentioned. If the response is negative, say what activities can be done there. Use the scene on pages 108–109 as a guide.

MODELO

Sí	No	
☐	☑	En las montañas se puede bucear.

No, no se puede bucear. Se puede esquiar y acampar.

Sí	No	
☐	☐	**1.** En el bosque, se puede caminar.
☐	☐	**2.** En el río, se puede montar en bicicleta.
☐	☐	**3.** En el mar, se puede jugar al vólibol.
☐	☐	**4.** En la playa, se puede patinar.
☐	☐	**5.** En la isla, se puede manejar.
☐	☐	**6.** En el parque, se puede pescar.

Palabras útiles

Se puede... *You can/ One can...*
No se puede... *You cannot/ One cannot...*

For additional practice on this grammar point, see PowerPoint slides at www.wiley.com/college/lucasmurillo or visit www.wileyplus.com

. . . y algo más

The preposition **por,** when expressing spatial relationships, means *across, through, along, around.*

El río pasa **por** el bosque. *The river passes **through** the forest.*
Todos los días caminamos **por** la playa. *Every day we walk **along** the beach.*
Patinan **por** el lago. *They skate **around/ across** the lake.*

4-2 After students complete *Actividad 4-2*, you may want to project the PowerPoint slide of the opener scene and ask the class to describe it, one section at a time.

For additional vocabulary practice, see PowerPoint slides at www.wiley.com/college/lucasmurillo or visit www.wileyplus.com

4-2 PERSONALIZED QUESTIONS: ¿Qué haces cuando vas a las montañas? ¿Y cuando estás en la playa?

4-2 Actividades al aire libre

What is happening in the scene on pages 108–109? To find out, work with your partner to answer the questions.

En las montañas

1. ¿Quién gana la competencia, la esquiadora[1] número 9 o el esquiador número 3?

2. ¿Qué se puede hacer[2] en el lago?

3. ¿Dónde acampan unas personas?

4. ¿Cuántas personas caminan por el bosque?

5. ¿Quién monta a caballo, un hombre o una mujer?

6. ¿Pasa el río por el bosque o por la granja? ¿Quién pesca en el río? ¿Hay muchos peces?

7. ¿Cuántas chicas montan en bicicleta?

8. ¿Maneja bien el joven? ¿De qué color es su carro?

[1]skier *(f)*, [2]to do

En la playa

9. ¿Cuántas islas hay en el mar? ¿Quién descansa en la hamaca?

10. Según el dibujo, ¿qué se puede hacer en el mar? ¿Qué dice la persona del barco?

11. ¿Qué deporte practican los jóvenes en la playa? ¿Qué usan para jugar?

12. ¿Qué más se puede hacer en la playa? ¿Y qué se puede hacer en el Parque Buenavista?

. . . y algo más

Note how **jugar** changes **u** to **ue** in all persons except **nosotros/as** and **vosotros/as**.

ju**e**go, ju**e**gas, ju**e**ga, jugamos, jugáis, ju**e**gan

¿**Juegan** Uds. al tenis? No, **jugamos** al béisbol.

Use **jugar** with these common sports: **jugar al... básquetbol, béisbol, fútbol** (*soccer*), **fútbol americano, golf, tenis, ping pong.**

In many Latin American countries, **jugar** is used without the **a: Juego fútbol**.

Introduce **jugar** by asking students if they play a particular sport: ¿Juegas al tenis?

Jugar and other stem-changing verbs are formally introduced on p. 164.

At this time you may want to mention to your students that **jugar** is one of many stem-changing verbs, and as such, changes the **u** to **ue** in its stem (**jug-**) in the persons indicated.

For additional practice on this grammar point, see PowerPoint slides at www.wiley.com/college/lucasmurillo or visit www.wileyplus.com

4-3 ¿Mucho, poco o nunca?

Paso 1. How often do you take part in the activities presented in the scene on pages 108–109? Write down a minimum of *three* in each category.

Mucho	Poco	Nunca
manejar		

Paso 2. Which activities are the most popular? Share yours with the class and a student secretary will keep a tally on the board.

4-3 As students volunteer their activities from the **Mucho** column, a student secretary jots them on the board, keeping track of those that are repeated. The class then determines the most popular activities. If time allows, do the same with the **Nunca** column to discover the least popular activities.

¡A escuchar! Las vacaciones de tres compañeros de trabajo   CD 3 Track 48

Palabras útiles
relajantes *relaxing*
suerte *luck*

Paso 1. Listen to three teachers talking about their vacations.

Paso 2. Listen to the dialogue again, then answer the questions by checking the correct box.

1. ¿Por qué va Amanda a la península de Yucatán de vacaciones?
   ☐ porque ella es de México   ☑ porque su novio es de México

2. ¿Cómo pasa Miguel parte de sus vacaciones?
   ☑ cuida a sus hijos   ☐ se va a la playa

3. ¿Qué deportes practican los hijos de Miguel?
   ☑ montan en bicicleta y a caballo, y nadan   ☐ levantan pesas y caminan

4. ¿Quién dibuja y pinta cuadros?
   ☐ El esposo de Elisa   ☑ Elisa

5. ¿Cuál de los tres maestros tiene menos (*less*) libertad?
   ☐ Elisa   ☑ Miguel   ☐ Amanda

The scripts for the *¡A escuchar!* sections are included in the Book Companion Site (BCS) for instructors and in WileyPLUS under "Prepare and Present". The recordings are on the student CDs and in WileyPLUS under "Read, Study, and Practice".

For additional practice on this grammar point, see PowerPoint slides at www.wiley.com/college/lucasmurillo or visit www.wileyplus.com

To introduce **gustar**, write **Me gusta...** on the board. Tell students one activity that you like to do, for example **Me gusta jugar al tenis.** (Act it out.) Follow up by asking several students if they like to do the same: **¿Te gusta jugar al tenis?** Continue with three or four additional activities.

After everyone has said what they like to do, test your students' memory by asking them to come to the board one by one to write what persons in the class (and the instructor) like to do: **A Rosa le gusta jugar al tenis; a Luis le...**, etc.

Another option: Invite three students to the front. Give one a sheet of paper with **No** written on it. Give sheets of paper to the other two students—one with **Nos gusta** written on it, and one with **Nos gustan** written on it, both in large bold letters. As you call out item/s (**la clase de español, el/la profesor/a, la tarea, los fines de semana, las fiestas, el trabajo, los exámenes, los restaurantes mexicanos/ chinos/ italianos/ vietnamitas/...**, **ir a la playa, jugar al vólibol, escribir composiciones**), students indicate which sheets of paper are to be raised by calling out **Nos gusta/n** or **No nos gusta/n**.

GRAMÁTICA

¡Manos a la obra!

Expressing likes and dislikes: The verb *gustar*

The verb **gustar** does not function like other **-ar** verbs, and it also functions differently from the English *to like.* **Gustar** means *to be pleasing (to someone).* The thing that is pleasing or displeasing (liked or disliked), which follows **gustar,** is the subject of the sentence, and so the verb agrees with it.

> **Me gusta** la playa. *I like the beach.* (Literally, *The beach is pleasing to me.*)
> **No me gusta** el desierto. *I do not like the desert.* (*The desert is not pleasing to me.*)

If the subject (the thing that is pleasing or displeasing) is plural—for instance, **las montañas**—the plural form of **gustar (gustan)** is used.

> Me gusta**n** la**s** montaña**s**. *I like the mountains.* (*The mountains are pleasing to me.*)

Person to whom something is pleasing	*gusta* or *gustan*	thing/s liked
me *to me*		
te *to you (fam.)*	**+ gusta**	**+ el** o **la** + *singular noun*
le *to you (form.) him, her*	**+ gustan**	**+ los** o **las** + *plural noun*
nos *to us*		
os *to you (fam.)*		
les *to you (form.), them*		

- To say one likes or does not like *to do something*, the singular form of **gustar (gusta) + one or more infinitives** is used:

Me **gusta esquiar**.	*I like to ski.*
Nos **gusta nadar** y **tomar** el sol.	*We like to swim and sunbathe.*
No les **gusta patinar**.	*They do not like to skate.*

  (Note that **no** is used before **me, te, le,** etc.)

- As **le** and **les** have several meanings, the preposition **a + *person*** is often used to clarify:

A mis amigos les gusta acampar.	*My friends like to camp.*
A él le gusta el vólibol.	*He likes volleyball.*
A Ana le gustan las islas tropicales.	*Ana likes tropical islands.*

- Note how Spanish speakers express varying degrees of liking something:

Me gusta.	*I like it.*
¡Me gusta mucho!	*I like it a lot!*
¡No me gusta nada!	*I do not like it at all!*

- Similar to **gustar mucho,** the verb **encantar** means *to love* or *like a lot.*

A Luis **le encanta** ir en barco.	*Luis loves to go by boat.*
Nos encantan las islas Galápagos.	*We love the Galapagos Islands.*
Me encanta mi* novio.	*I love (like a lot) my boyfriend.*

*After **gustar** and **encantar, el/la/los/las** may be replaced by a possessive adjective.

. . . y algo más

To emphasize the person who likes or does not like to do something, **a mí, a ti, a él, a ella, a Ud., a nosotros/as, a vosotros/as, a ellos, a ellas, a Uds.** is used.

A mí no me gusta levantar pesas.	*I do not like to lift weights.*
A ella sí le gusta.	*She does (like to lift weights).*

¡En acción!

¡Oye! Los lugares[1] que me gustan o me encantan

Listen as your instructor tells you about some of the geographical places he/she likes and what he/she likes to do there. Then respond **sí** or **no** to the options that follow.

4-4 ¿A quiénes les gusta?

Paso 1. In order to know who likes what, first, complete each bubble with **me, te, le, nos,** or **les** as appropriate. Then match each bubble to the person/s saying it or thinking it (illustrations a-d).

1. A mi esposa _le_ encanta el mar.

2. ¡A mí _me_ encanta montar en bicicleta! ¿Y a ti _te_ gusta?

3. A nosotras siempre _nos_ gusta acampar aquí, ¿verdad?

4. A los jóvenes _les_ gusta charlar.

3. **a.**   4. **b.**   2. **c.**   1. **d.**

Paso 2. Work together to create the content of an imaginative thinking bubble for Elsa. Include at least *four* sentences focusing on her likes or dislikes. Then read your bubble to the class. Who wrote the most creative one?

Elsa

4-5 ¿Te gusta o no?

Paso 1. What are your partner's preferences? Look at the drawing on pages 108–109 and tell him/her at least *six* things you like or love to do and *two* that you do not like to do. Take turns asking and responding.

MODELO

E1: *Me gusta* esquiar. ¿Y a ti?

E2: A mí *me gusta* esquiar también. Y además, *me encanta* patinar.

o: *No me gusta* esquiar, pero *me gusta* patinar.

Paso 2. Now share with the class at least one thing you both like to do and one that you do not: *A... y a mí **nos gusta** correr. / **No nos gusta**...*

[1]places

Write on the board: **aventurero/a** *adventurous;* **canoa** (*draw a canoe on a lake*). Feel free to change some of the locations. Act out as many of the activities as possible!

Guión para ¡Oye!
1. Soy una persona muy aventurera. **Me encantan** las playas de Hawái porque me gusta nadar, bucear, hacer surf y tomar el sol.
2. **Me gustan** los bosques y lagos de Minnesota porque me encanta acampar, pescar e ir en canoa.
3. También **me gustan** las montañas de Utah y Colorado porque me encanta esquiar y hacer *snowboard*.

Comprensión para ¡Oye! ¿Sí o no?
1. **En las playas de Hawái...**
me gusta nadar y bucear. ¿Sí o no? ¡Sí!
me gusta esquiar y hacer *snowboard*. ¡No!
me gusta hacer surf y tomar el sol. ¡Sí!
2. **En los bosques y lagos de Minnesota...**
me encanta bucear y tomar el sol. ¡No!
me encanta acampar y pescar. ¡Sí!
me encanta ir en canoa. ¡Sí!
3. **En las montañas de Utah y Colorado...**
me gusta hacer surf. ¡No!
me gusta esquiar y hacer *snowboard*. ¡Sí!
me gusta tomar el sol. ¡No!

> **Palabras útiles**
> además *in addition*

¡Oye! (cont.) Add a brief follow-up by asking who in the class likes to do several of the activities mentioned: **¿A quién le gusta acampar?** Students indicate their preference with a show of hands and a verbal reply: **¡A mí! ¡A mí, no!** Tally the totals and write them on the board: **A X estudiantes les gusta/ no les gusta acampar,** etc.

4-6 Las vacaciones de los ricos y famosos

Paso 1. A talk–show host interviews you, a rich and famous person, to find out about your vacation preferences. **(a)** The talk-show host asks the questions in the first column, **(b)** the famous person responds following the cues in the second column, and **(c)** the host writes down the information in the third column. Play both roles.

(*Before beginning, identify which celebrity you are : Soy Steven Spielberg.*)

Palabras útiles

hacer *to do*

durante *during*

Preguntas	Respuestas	Información escrita
1. Steven, ¿adónde te gusta ir de vacaciones para escaparte de los paparazzi?	*Me gusta* ir a…	A Steven Spielberg **le gusta** ir de vacaciones a…
2. ¿Con quién te gusta ir?	*Me gusta* ir con…	*Le gusta* ir con…
3. ¿Qué les gusta hacer a Uds. durante las vacaciones?	*Nos gusta*…	A él y a su/s… **les gusta**…

4-6 If you wish to personalize the above activity, have students working in pairs ask each other the questions in the chart.

For additional practice on grammar point 2, see Power-Point slides at www.wiley.com/college/lucasmurillo or visit www.wileyplus.com

Paso 2. Each talk-show host shares **(a)** the identity of the person interviewed and **(b)** what he/she learned. The audience (the class) then determines what the most popular vacation spots and activities of the rich and famous might be.

See Grammar Handbook found in WileyPLUS.

Present **-er** and **-ir** verbs by writing model verbs on the board with endings highlighted.

Have the class stand in a circle. State a model sentence (**Leo novelas románticas.**), then call out a subject pronoun (**ellos,…**) and tap a student on the shoulder. He/She restates the sentence (**Leen novelas románticas.**), provides a different subject pronoun (**tú,…**), and taps another student on the shoulder. After five or six rounds, provide another model sentence. Encourage students to keep a fast pace!

GRAMÁTICA

¡Manos a la obra!

Talking about the present: Regular -er and -ir verbs

2

All verbs in Spanish fall into three categories: verbs ending in **-ar,** verbs ending in **-er,** and those ending in **-ir.** You have already learned the present tense of **-ar** ending verbs. Those ending in **-er** and **-ir** follow the same pattern, i.e., they drop the infinitive ending and add the endings shown below.

leer *to read*		**escribir** *to write*	
leer → le + *endings*		**escribir → escrib + *endings***	
(yo)	le**o**	escrib**o**	
(tú)	le**es**	escrib**es**	
(Ud., él, ella)	le**e**	escrib**e**	
(nosotros/as)	le**emos**	escrib**imos**	
(vosotros/as)	le**éis**	escrib**ís**	
(Uds., ellos/as)	le**en**	escrib**en**	

—¿**Lees** novelas de ciencia ficción?
—No, pero **leo** novelas románticas.

—¿**Escriben** Uds. las respuestas en sus cuadernos?
—Sí, **escribimos** todas las respuestas.

Note that the endings are the same for both **-er** and **-ir** verbs, except for the **nosotros** and the **vosotros** forms.

MÁS VERBOS EN -ER, -IR

You learned five **-er** and **-ir** verbs in the first scene of this chapter: **beber, comer, correr, escribir,** and **leer.** Here are some others:

aprender	*to learn*
aprender + a + *infinitive*	*to learn how to do something*
creer (que)	*to believe/ think (that)*
deber (+ *infinitive*)	*should/ must/ ought to (do something)*
compartir	*to share*
vivir	*to live*

. . . y algo más

The verbs **creer, deber,** and **aprender** are useful to . . .

- express an opinion: **creer que...**

   Reportero: ¿**Crees que** el fútbol es un deporte divertido?
   Aficionado: Yo **creo que** sí, pero mis amigos **creen que** no.

- express duty and obligation: **deber +** *infinitive*

   Madre: Hijo, **debes** estudiar más. Tu maestro dice que eres un poco
   perezoso.
   Hijo: Sí, es verdad, mamá. **Debo** estudiar todos los días.

- indicate how one learns to do something: **aprender a +** *infinitive*

   Profesor: ¿Qué **aprendes** en la clase de la profesora Navarro?
   Estudiante: **Aprendo a hablar** y **a escribir** español.

 See Grammar Handbook found in WileyPLUS.

For additional practice on this grammar point, see PowerPoint slides at www.wiley.com/college/lucasmurillo or visit www.wileyplus.com

Fabio, Ernesto y Mario están jugando al básquetbol.

¿Descansamos un poco?

Bueno. Oye, además del básquetbol, ¿qué otro deporte te gusta?

Me gusta jugar al béisbol. Vivo cerca de un campo de béisbol.

A mí me gusta jugar al fútbol, y también corro con una amiga todas las mañanas.

¿Por dónde corren?

Por las calles. Y luego comemos algo en un café.

¡Ah! ¿Por qué no vamos nosotros ahora a un café?

¡En acción!

¡Oye! Un día en la playa

How artistic are you? On a sheet of paper, draw the beach scene that your instructor describes.

4-7 En la playa   RECYCLES -ar verbs.

When you go to the beach with your family or friends, do you do the following? If you do, check **Sí** and jot down with whom you do it. If not, check **No.** Then tell the class what you do at the beach and with whom. Use the **nosotros** form of the verb.

MODELO

Persona/s	Sí	No	
Mi primo y yo…	☑	☐	bucear en el mar.

*Sí, mi primo y yo **buceamos** en el mar.*

Persona/s	Sí	No	
_____ y yo…	☐	☐	**1.** nadar en el mar
_____ y yo…	☐	☐	**2.** leer novelas
_____ y yo…	☐	☐	**3.** comer sándwiches
_____ y yo…	☐	☐	**4.** beber Coca-Cola
_____ y yo…	☐	☐	**5.** jugar al vólibol
_____ y yo…	☐	☐	**6.** correr por la playa
_____ y yo…	☐	☐	**7.** tomar el sol
_____ y yo…	☐	☐	**8.** escribir poemas
_____ y yo…	☐	☐	**9.** compartir el protector solar
_____ y yo…	☐	☐	**10.** aprender a hacer surf

4-8 Actividades del fin de semana

Paso 1.   In groups of *four*, find out how popular the following activities are among your classmates. When everyone has answered all the questions, a secretary, with the help of the group, records the names of the persons and what they answered. Follow the model.

MODELO

E1: *Los fines de semana, ¿**corres** por el parque?*

E2: *Sí, (No, no) **corro** por el parque. ¿Y tú?* (**E2** asks **E3,** and so on).

(The secretary, with the help of the group, records what has been said.)
*John **corre**… ; Liz, no **corre**…; …*

Los fines de semana, …	
1. ¿**corres** por el parque?	4. ¿**lees** un libro?
2. ¿**escribes** mensajes en Facebook?	5. ¿**vas** al cine o al centro comercial?
3. ¿**comes** en un restaurante?	6. ¿**charlas** con amigos mientras **bebes** café?

Write on the board: **dibujen** *draw;* **tiburón** *shark (or draw a shark).* Read each statement slowly, followed by a pause to allow time for drawing.

Guión para ¡Oye!
1. Dibujen el mar y mucha arena.
2. Una señora corre por la arena.
3. Otra señora toma el sol y lee una novela.
4. Un niño come una banana.
5. Dos niñas comparten un sándwich.
6. Un joven bebe una limonada.
7. Dos niños juegan al vólibol.
8. Dos personas nadan en el mar.
9. Un grupo de amigos va en barco.
10.¡Qué horror! ¡Creo que hay un tiburón en el mar! Dibujen un tiburón grande.

Finalmente, escriban su nombre en el cuadro.

At the conclusion of the *¡Oye!* activity, divide the class into groups of four and have students take turns describing activities in their drawings.

4-7   First, review with the class the **nosotros** form of each verb, contrasting the endings of **-ar, -er,** and **-ir** verbs. Student then complete the activity individually, prior to sharing information with a partner or the class.

Paso 2. Now your instructor would like your feedback regarding students' weekend activities. Each group takes turns answering his/her questions. Follow the model.

Palabras útiles
nadie *no one, nobody*

MODELO

Profesor/a: *¿Corren los estudiantes por el parque los fines de semana?*

Grupo 1: **Creemos que sí.** *En nuestro grupo tres estudiantes **corren** por el parque.*

o: **Creemos que no.** *En nuestro grupo nadie/ casi nadie **corre** por el parque.*

According to the feedback, the class determines the two most popular weekend activities.

4-9 Anuncios para estudiantes   RECYCLES **ser** and **-ar** verbs.

Paso 1. Native speakers of Spanish at *Con Brío University* often introduce themselves by posting ads on the bulletin board. Complete the following personal ads as if you were the person/s in the ads. Use the verbs given.

compartir, gustar, leer, practicar, ser

Federico y Ricardo

<u>Somos</u> salvadoreños. <u>Somos</u> muy responsables y estudiosos. <u>Leemos</u> muchos libros y no <u>practicamos</u> deportes. A Federico le <u>gustan</u> sus catorce perros y a mí, mis veinte gatos. Nosotros dos <u>compartimos</u> el amor por los animales.

correr, creer, estar, gustar, nadar, practicar, ser, tener, vivir

Miranda

<u>Soy</u> dominicana. <u>Tengo</u> veintitrés años. Mi familia <u>vive</u> en el Caribe. Cuando yo <u>estoy</u> allí, <u>practico</u> toda clase de deportes. <u>Corro</u> cinco kilómetros por la playa todos los días y <u>nado</u> en el mar. Me <u>gusta</u> ir a la playa y tomar el sol. Yo <u>creo</u> que soy muy afortunada.

4-9 Students may complete the ads individually or in pairs, with answers reviewed by the instructor. To review responses, ask three students to read the ads for the class.

4-9 When students have finished, ask the class to determine whether Ángela or Miranda would be the more compatible friend to Federico and Ricardo. Students defend their opinions: A Miranda/ Ángela (no) le gusta...

encantar, hablar, leer, pasar, pintar, ser (*use it twice*)

Ángela

<u>Soy</u> venezolana. <u>Hablo</u> inglés muy bien y <u>soy</u> un poco introvertida. <u>Leo</u> muchas novelas, especialmente las románticas. También <u>pinto</u> cuadros. <u>Paso</u> mucho tiempo con mi familia y con mis amigos. Y me <u>encantan</u> los animales.

4-9 ANOTHER STEP: In groups of six, have students read their ads to one another and try to identify which group members might be compatible and why. Students then share their findings with the class: ...y... **son compatibles. A los dos les gusta...**

Paso 2. You want to post a personal ad on the bulletin board. Using the above ads as a guide, write *five* sentences to describe yourself and the things you do or do not do. Feel free to exaggerate or invent information.

🎬 Tu mundo cultural

Dos deportes nacionales

En tu país, ¿cuál es el deporte más popular? Sin duda alguna, el fútbol es el deporte más popular en todo el mundo hispano, excepto en el área del Caribe, donde hay más afición al béisbol. Los dos se pueden practicar durante todo el año y en casi todos los climas de los países hispanos.

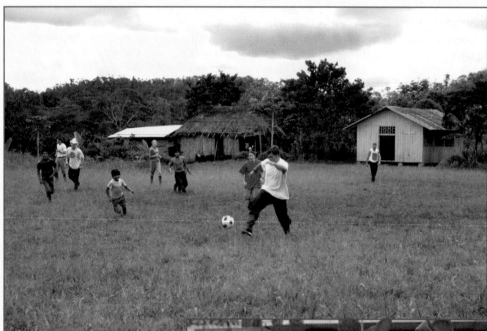

En los países hispanos es habitual observar a los niños y jóvenes jugando al fútbol en las calles o en espacios abiertos. En la foto, se observa a niños ecuatorianos jugando contra estudiantes universitarios estadounidenses en un pueblo de la selva[1] del Ecuador. Curiosamente, los niños dominan la situación; ¡son muy buenos jugadores!

Hinchas o aficionados del equipo Boca Juniors en Buenos Aires, Argentina. Cada[2] cuatro años se celebra la Copa Mundial de fútbol, donde muchos equipos[3] hispanos compiten para ganar. Cuando hay partidos importantes, la vida en los países hispanos se paraliza, y en la calle, en las casas y en los bares se escuchan los gritos[4] de ¡¡gol!! Después del partido, los hinchas salen[5] a las calles para celebrar con entusiasmo la victoria de su equipo.

[1]jungle, [2]Every, [3]teams, [4]shouts, [5]go out

Niños panameños aficionados al béisbol. En los países hispanos del Caribe, el béisbol es más popular que el fútbol. Allí, el sueño[1] de muchos niños es ser jugadores de un equipo estadounidense.

¿Qué aprendiste?

1. ¿Cuáles son los deportes más populares entre los hispanos?

2. ¿Qué evento futbolístico importante ocurre cada cuatro años?

3. ¿Cuál es el sueño de muchos niños hispanos que juegan al béisbol?

Actividad cultural

In groups of *three*, find the Hispanic players (10 in total) listed in the sports magazine *Street and Smith's Baseball*. State their country of origin and the team for which they play.

Contraste cultural

If you were to introduce a Hispanic to the sports culture of the USA, which sports would you focus on, and to which sports events would you take him/her? In groups of *three*, discuss this topic in English.

Observa la lista de *pitchers* de la revista[2] estadounidense *Street and Smith's Baseball*. Con frecuencia, los mejores jugadores de béisbol hispanos son contratados por los equipos estadounidenses.

#	PITCHERS	B	T	HT	WT	DOB	PLACE OF BIRTH	2005 TEAM
27	Scott Atchison	R	R	6-2	195	03/29/76	Denton, TX	AZL Mariners (R)
								San Antonio (AA)
								Tacoma (AAA)
								Seattle
49	Yorman Bazardo	R	R	6-2	202	07/11/84	Maracay, Venezuela	Carolina (AA)
								Florida
								San Antonio (AA)
48	Travis Blackley	L	L	6-3	200	11/04/82	Melbourne, Australia	Did Not Play
62	Marcos Carvajal	R	R	6-4	175	08/19/84	Bolivar, Venezuela	Colorado
	Renee Cortez	R	R	6-4	178	12/09/82	Valencia, Venezuela	San Antonio (AA)
34	Jesse Foppert	R	R	6-6	220	07/10/80	Reading, PA	San Jose (A)
								Fresno (AAA)
								San Francisco
								Tacoma (AAA)
	Emiliano Fruto	R	R	6-3	170	06/06/84	Bolivar, Colombia	San Antonio (AA)
								Tacoma (AAA)
76	Luis E. Gonzalez	L	L	6-2	185	02/27/83	Santurce, Puerto Rico	Las Vegas (AAA)
								Jacksonville (AA)
18	Eddie Guardado	R	L	6-0	205	10/02/70	Stockton, CA	Seattle
59	Felix Hernandez	R	R	6-3	225	04/08/86	Valencia, Venezuela	Tacoma (AAA)
								Seattle
	Cesar Jimenez	L	L	5-11	180	11/12/84	Cunana, Venezuela	Tacoma (AAA)
								San Antonio (AA)
	Bobby Livingston	L	L	6-3	193	09/03/82	St. Louis, MO	San Antonio (AA)
								Tacoma (AAA)
40	Julio Mateo	R	R	6-0	222	08/02/77	Bani, Dominican Republic	Seattle
55	Gil Meche	R	R	6-3	215	09/08/78	Lafayette, LA	Seattle
50	Jamie Moyer	L	L	6-0	182	11/18/62	Sellersville, PA	Seattle
37	Clint Nageotte	R	R	6-3	225	10/25/80	Parma, OH	AZL Mariners (R)
								Tacoma (AAA)
								Seattle
38	Joel Pineiro	R	R	6-1	200	09/25/78	Rio Padres, Puerto Rico	Tacoma (AAA)
								Seattle
20	J.J. Putz	R	R	6-5	245	02/22/77	Trenton, MI	Seattle
52	George Sherrill	L	L	6-0	220	04/19/77	Memphis, TN	AZL Mariners (R)
								Tacoma (AAA)
								Seattle
39	Rafael Soriano	R	R	6-1	218	12/19/79	San Jose, DR	Inland Empire (A)
								San Antonio (AA)
								Everett (A)
								Tacoma (AAA)
								Seattle
53	Matt Thornton	L	L	6-6	228	09/15/76	Three Rivers, MI	Seattle
56	Jarrod Washburn	L	L	6-1	195	08/13/74	La Crosse, WI	Los Angeles (AL)
34	Jake Woods	L	L	6-1	190	09/03/81	Fresno, CA	Salt Lake (AAA)
								Los Angeles

ROSTER

[1]dream, [2]magazine

Diversiones con la familia y amigos

Guadalupe, Carmen y Pachá

Dolores Toledo, Ángel y sus amigos

Ángel y Guadalupe

Don Claudio y Doña Rosa con los nietos

Lino, su equipo de fútbol, y su familia

Fátima y Mª Luisa

Álvaro y su novia

Carmen Roldán

Los Roldán

1. to take a walk/ stroll 2. to listen to (music) 3. to dance 4. to give/ throw parties 5. to sing 6. to play (the guitar) 7. to exercise 8. to watch TV 9. to spend time (with the family) 10. the team 11. the soccer game 12. to look at, watch 13. to go shopping 14. to attend 15. to send and receive e-mail messages 16. to surf the Web 17. to travel 18. to take a trip (to the country/ to the city) 19. to enjoy (the vacation)

¡En acción!

 4-10 Distintas aficiones

People enjoy their free time in different ways. Observe the scenes on page 120. Then read the situation in the first column to your partner, who will choose the statement in the second that corresponds to it. Take turns.

4-10 *Option:* Students complete the activity individually, then check their answers in pairs.

Students may be interested in knowing that the term *e-mail* is now used in most Spanish-speaking countries, and that it already appears in many dictionaries. It's also known as *correo electrónico* or *mensaje electrónico*.

1. Guadalupe, Carmen y Pachá salen de paseo. h.

2. Dolores Toledo, Ángel y sus amigos dan una fiesta. e.

3. Guadalupe hace ejercicio. a.

4. Ángel canta y toca la guitarra. c.

5. Don Claudio y Doña Rosa pasan el tiempo con sus nietos. b.

6. Lino y su familia miran un partido de fútbol. d.

7. Carmen Roldán navega por la Red y manda y recibe *e-mails*. g.

8. Los Roldán hacen un viaje en carro. f.

a. Le gusta estar delgada y en buena forma.

b. Les encanta estar con la familia.

c. Tiene afición a la música.

d. Observan a dos grupos de jugadores que corren detrás de una pelota.

e. Escuchan música y bailan.

f. Disfrutan de las vacaciones.

g. Está informándose y comunicándose gracias a la computadora.

h. Les gusta caminar por el parque.

4-11 Diversiones con la familia y amigos

How do the Roldán family and their friends spend their free time? Find out by observing the scenes on page 120. Work with your partner to answer the questions.

1. ¿Quiénes salen de paseo? ¿Qué escuchan Guadalupe y Carmen?

2. ¿A quién le gusta dar fiestas? ¿Quiénes bailan?

3. ¿Cuál es una diversión favorita de Ángel? ¿Y de Guadalupe?

4. ¿A quiénes les gusta pasar el tiempo con los nietos y ver la televisión?

5. ¿Quiénes juegan al fútbol? ¿Hay muchos aficionados que miran el partido?

6. ¿Adónde van de compras Fátima y Mª Luisa en su tiempo libre?

7. ¿Con quién está Álvaro? ¿A qué asisten?

8. ¿Cuáles son las diversiones favoritas de Carmen cuando está en casa?

9. ¿A quiénes les gusta viajar? ¿Hacen un viaje al campo o a la ciudad?

4-11 After students complete the activity, you may want to project the PowerPoint slide of the scenes and have students describe each one.

For additional vocabulary practice, see PowerPoint slides at www.wiley.com/college/lucasmurillo or visit www.wileyplus.com

4-11 **PERSONALIZED QUESTIONS:** ¿Qué te gusta más, escuchar música o bailar? ¿Hacer ejercicio o ir de compras? ¿Ver la televisión o navegar por la Red? ¿Viajar o estar en casa? Ask several students each question and add other combinations.

4-11 **ANOTHER STEP:** Have students take turns describing each scene and what the people are doing in it. **E1** gives the information (**dónde están; cuántos hay; cómo son; qué hacen**), and then **E2** guesses who is being described (**Es/ Son...**).

4-12 Mis pasatiempos favoritos   RECYCLES gustar.

Paso 1. How do you spend your free time? Jot down your *five* favorite pastimes, in order of importance. Use the vocabulary from the scenes on page 120 and the *Palabras útiles* as needed.

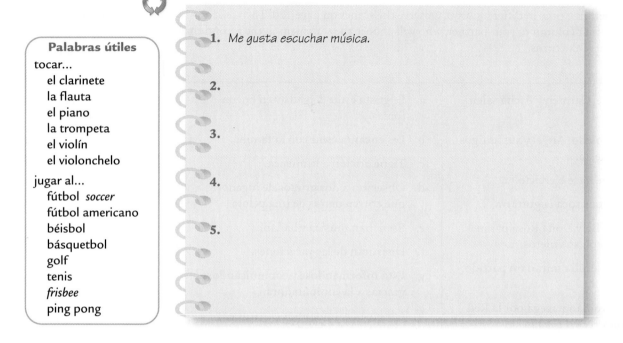

Palabras útiles

tocar...
   el clarinete
   la flauta
   el piano
   la trompeta
   el violín
   el violonchelo

jugar al...
   fútbol *soccer*
   fútbol americano
   béisbol
   básquetbol
   golf
   tenis
   frisbee
   ping pong

1. Me gusta escuchar música.

2.

3.

4.

5.

Paso 2. Walk around the classroom interviewing at least *five* classmates to find out if any of them share your interests: *¿Te gusta...?* Then report common interests to the class: *A... y a mí nos gusta escuchar música.*

¡A escuchar! Las diversiones: una encuesta   CD 3 Track 49

Paso 1. Listen to Pelayo's survey for his sociology class. His assignment is to uncover the favorite pastimes of three different age groups.

Paso 2. Listen again, then answer the questions by checking the correct box.

1. ¿Qué grupo pasa más tiempo con la computadora y la televisión?
   ☐ los estudiantes universitarios   ☑ los jóvenes

2. ¿Cuáles son los pasatiempos favoritos de la estudiante universitaria?
   ☑ ir de compras y hacer ejercicio   ☐ cantar y tocar la guitarra

3. ¿A qué grupo le gusta viajar en su tiempo libre?
   ☐ a los mayores   ☑ a los universitarios

4. ¿Quiénes prefieren pasar el tiempo libre con su familia?
   ☑ los mayores   ☐ los jóvenes

5. ¿Cuáles son las preferencias del señor mayor?
   ☐ dar un paseo con los amigos   ☑ mirar los partidos de su equipo favorito

GRAMÁTICA

For additional practice on this grammar point, see PowerPoint slides at www.wiley.com/college/lucasmurillo or visit www.wileyplus.com

¡Manos a la obra!

3

Talking about activities in the present: Verbs with an irregular *yo* form

You have learned the present tense of *regular* verbs—those that follow a consistent pattern. The following six verbs are *irregular* in the first-person **(yo)** form.

hacer *to do, make*		**poner** *to put, place*		**salir** *to leave, go out*	
hago	hacemos	**pongo**	ponemos	**salgo**	salimos
haces	hacéis	pones	ponéis	sales	salís
hace	hacen	pone	ponen	sale	salen

traer *to bring*		**oír** *to hear*		**decir** *to say, tell*	
traigo	traemos	**oigo**	oímos	**digo**	decimos
traes	traéis	oyes	oís	dices	decís
trae	traen	oye	oyen	dice	dicen

venir *to come*		**dar** *to give*		**ver** *to see*	
vengo	venimos	**doy**	damos	**veo**	vemos
vienes	venís	das	dais *(no accent)*	ves	veis *(no accent)*
viene	vienen	da	dan	ve	ven

- Observe the uses of salir:

  salir de... *to exit/ leave a certain place*
  Voy a **salir de** casa a las ocho de la noche.

  salir con... *to go out with...*
  Salgo con mi novio.

- There are seven verbs with **yo** forms that end in **–go** (often called "yo-go" verbs).
- Note that **oír** changes **i** to **y** in three persons; **decir** changes **e** to **i** in four persons.
- **Dar (doy, das, ...)** is similar to **ir (voy, vas, ...)**.
- **Venir (vengo, vienes, ...)** is similar to **tener (tengo, tienes, ...)**.

Using the irregular **yo** verbs, tell a student one activity you usually do, and ask if he/she does it as well: *Salgo* con mi familia los fines de semana. ¿Y tú? If the student answers affirmatively, tell the class ...y yo <u>salimos</u> con nuestras familias los fines de semana. You may ask a second student the same question, and if both respond in the same way, say ...y... <u>salen</u> con sus familias los fines de semana. *More examples:* **Hago** ejercicio todos los días. Siempre traigo mis libros a clase. Doy fiestas con frecuencia. Veo unos DVD todos los fines de semana.

VER

VO

Fabio llama a Ernesto para preguntar si quiere ir al cine con Mario y con él.

¿Hola, qué haces?
No hago nada. No tengo planes para esta noche.

¿Vienes al cine con nosotros? La película comienza en 45 minutos.
¡Sí, estupendo! Salgo ahora de casa.

¿Qué traes ahí?
Traigo chocolate. ¿Ves si hay tres asientos libres[1]?

¡Ah, sí! Ahí veo a Ernesto.
Tenemos tiempo suficiente. Pongo mi chaqueta allí en el asiento y compro refrescos para todos ¿eh?

[1]**asientos...** free seats

¡En acción!

¡Oye! ¿Es introvertido/a o extrovertido/a?

You are looking for a roommate whose personality matches yours. Listen to what the following people say about themselves, and then determine whether each one is an *introvert* or an *extrovert*. Later you will have the opportunity to choose your roommate.

4-13 Para ti, ¿es la amistad una prioridad?

RECYCLES possessive adjectives.

Paso 1. Read the following statements and check **Sí** or **No** according to what you do.

Sí	No	
☐	☐	**1. Salgo** con mis amigos/as con mucha frecuencia.
☐	☐	**2.** Cuando los **oigo**[1] hablar de sus problemas, escucho con interés.
☐	☐	**3.** Cuando hablo con ellos/ ellas, siempre **digo** la verdad[2].
☐	☐	**4.** Muchas veces, **veo** las películas que a ellos les gustan.
☐	☐	**5. Pongo** sus fotos en Facebook.
☐	☐	**6.** A veces, mientras[3] **vengo** a clase en mi carro, los llamo por el celular.
☐	☐	**7. Traigo** mi celular a la universidad o *college* para mandarles mensajes.
☐	☐	**8.** Cuando están enfermos/as, **hago** cosas por ellos/ ellas.

Paso 2. Your partner asks you if you do each activity, and after hearing all of your answers, determines if friendship is a priority for you. Then change roles.

MODELO

E1: *¿**Sales** con tus amigos/as con frecuencia?*

E2: *Sí, (No, no) **salgo** con mis amigos/as con frecuencia.*

Conclusión: *Creo que para ti la amistad…*   ☐ es una prioridad   ☐ no es una prioridad.

4-14 Por la mañana

Paso 1. Your instructor plays the role of Paco and describes a series of activities that he does each morning before going to work. Identify the number of the illustration that corresponds to the activity.

Las noticias de hoy…

[1]**los...** I hear them, [2]truth, [3]while

Paso 2. Now take turns describing Paco's routine in sequential order, using the following verbs: **ver, hacer, poner¹ música, dar, desayunar, salir**. After you describe each scene, tell each other if you do or don't do those activities in the morning.

MODELO

E1: *Por la mañana, Paco ve las noticias en la tele. Yo también veo las noticias.*

o: *Yo no veo las noticias.*

4-15 Lo que hacemos todas las semanas

RECYCLES regular verbs in the present tense.

Paso 1. What do your classmates do on a weekly basis? Find out by walking around the classroom and asking them questions. In each category, jot down the names of students who answer affirmatively. Work efficiently. You have *six* minutes.

4-15 Suggested instructor-led questions for *Paso 2*: **¿Quién hace yoga todas las semanas?** Various students provide answers. If no one engages in a particular activity, introduce **Nadie...**

MODELO

hacer ejercicio

E1: *¿Haces yoga todas las semanas?*

E2: *Sí, hago yoga todas las semanas.* **o:** *No, no hago yoga todas las semanas.*

Nombre	Actividad
	hacer yoga
	ir de compras
	salir con tus amigos/as
	asistir a un concierto
	ver un DVD en casa o una película en el cine
	dar fiestas
	tocar un instrumento (piano, guitarra,...)
	practicar un deporte ¿cuál?
	limpiar tu casa o apartamento
	oír las noticias en la radio o ver las noticias en la televisión

Paso 2. Your instructor now wants to know about your classmates' weekly activities. Answer his/her questions according to the information you have gathered.

4-16 ¿Qué haces los sábados?

Write down all of the activities that you typically do on Saturdays. Your instructor will set a time limit. Then read your responses to a classmate, and count your activities. The student with the most activities wins and reads his/her list to the class.

4-16 Remind students that, as in English, when **hacer** is used in a question, it is only rarely used in the answer as well: ¿Qué **haces** los lunes por la noche? → **Hago** ejercicio y **hago** la tarea. In most cases, as in English, a different verb is used: ¿Qué **haces** los sábados? → **Trabajo, voy** de compras,...

MODELO

Profesor/a: *¿Qué haces los sábados?*

Estudiante: *Por la mañana, trabajo,...*

---

¹**Poner**, in addition to meaning *to put, place*, means *to turn on* (music, iPods, computers, lights, etc.)

🎞 Tu mundo cultural

Un sábado entre[1] hispanos

En donde tú vives, ¿cuáles son las diversiones favoritas de la gente los fines de semana? ¿Sabes cuáles son las de muchos hispanos?

En general, los hispanos son gente[2] muy sociable y sus diversiones favoritas con frecuencia incluyen a la familia y a los amigos. La mayoría vive en países con climas no demasiado extremos, en consecuencia, muchas de sus actividades tienen lugar[3] en la calle.

Es la hora de salir de paseo

Paseo de Pereda, Santander, España. El paseo es una de las actividades preferidas de los españoles. A diversas horas del día, y en especial, los fines de semana, en las calles principales de los pueblos y ciudades de España se observa a niños, jóvenes y mayores que salen de paseo. En muchas partes de Latinoamérica a la gente también le gusta salir a la calle y pasear, incluso por la noche.

Es la hora de tomar un café

Tomar un café es siempre una buena excusa para charlar con familiares y amigos a cualquier hora del día. Los cafés al aire libre tienen una larga tradición en los países hispanos. El café de los países hispanos es fuerte, por eso normalmente uno es suficiente y no se repite. También, al contrario de lo que ocurre en EE.UU., no es frecuente ver a la gente bebiendo café por los pasillos, por la calle o en el carro.

Los jóvenes frecuentan los cibercafés o cafés Internet para conectarse a la Red y tomarse un café o un refresco[4]. Allí pasan horas «chateando» con amigos y familiares.

[1]among, [2]people, [3]**tienen...** take place, [4]soft drink

Es la hora de ir al baile

El baile tiene una larga tradición en el mundo hispano. Los fines de semana, por la noche, las discotecas y salas de baile se llenan de jóvenes y mayores. Los ritmos del Caribe, como la salsa, la cumbia o el merengue, son los favoritos. Los bailes latinos son cada vez más populares entre los estadounidenses.

Estampilla que representa **el merengue,** el baile nacional de República Dominicana. La emite[1] la Oficina de Correos[2] de EE.UU. junto a otras tres que representan **la salsa** (ritmo introducido por los puertorriqueños en Nueva York) y **el mambo** y **el chachachá** (derivados del danzón cubano). En el reverso de las estampillas (no se muestra) hay información en español con los pasos y la historia de los cuatro bailes.

¿Qué aprendiste?

1. ¿Con quiénes prefieren pasar los hispanos su tiempo libre?

2. ¿Cuáles son algunas de las costumbres y diversiones favoritas de los hispanos? Descríbelas.

3. ¿Qué bailes latinos son populares en EE.UU.?

Actividad cultural

Look at the map of the Hispanic world on the inside front cover of your book, and choose one city that both of you would like to visit. Imagine that you have just arrived there on a business trip, you have a Saturday free, and you would like to meet and chat with some Spanish-speaking people. Use the chart below to jot down at least *two* activities that you might like to do during each of the time periods listed.

Destino: _____

Por la mañana	*Nos gustaría... y también...*
Por la tarde	
Por la noche	

Share the information with two other classmates and/or with the class.

Contraste cultural

In groups of *three*, discuss in English ways in which the leisure activities you have just read about are similar to or different from those of your culture.

[1]issues, [2]**Oficina...** Postal Service

El clima y ¹las estaciones

²¿Qué tal el clima? o ¿Qué tiempo hace?

3. la nieve.

4. Nieva.

¿Te gusta hacer snowboard?

5. Hace (mucho) frío.

6. el invierno

7. Está nublado.

9. la lluvia

8. la nube

10. Llueve.

12. el pájaro

11. las flores

13. Hace buen/mal tiempo.

14. la primavera

20. la luna — 21. las estrellas

15. Hace sol.

16. el cielo

Hacer surf aquí es fantástico.

17. la ola

18. Hace (mucho) calor.

19. el verano

22. Hace viento.

23. las hojas

24. el árbol

25. Hace fresco.

26. el otoño

---

1. seasons 2. What is the weather like? 3. snow 4. It is snowing/ It snows. **nevar (ie)** to snow 5. It is (very) cold. 6. winter 7. It is cloudy. 8. cloud 9. the rain 10. It is raining/ It rains. **llover (ue)** to rain 11. flowers 12. bird 13. The weather is nice/ bad. 14. spring 15. It is sunny; **sol** sun 16. sky 17. wave 18. It is (very) hot. 19. summer 20. moon 21. stars 22. It is windy; **viento** wind 23. leaves 24. tree 25. It is cool. 26. fall, autumn

¡En acción!

4-17 Las estaciones

Paso 1. Identify the season that corresponds to each description.

el invierno   la primavera   el verano   el otoño

1. Se puede esquiar y hacer *snowboard*.

2. Se juega al fútbol americano.

3. Se juega al béisbol.

4. Hace sol y se puede nadar en el mar.

5. Hace mucho frío y hay nieve.

6. Hace calor y los pájaros cantan.

7. Hace fresco y viento, y las hojas cambian[1] de color.

8. Llueve y hay muchas flores.

Paso 2. Ask your partner which season is his/her favorite (*¿Cuál es tu estación favorita?*) and why. Then participate in a class poll to determine your classmates' preferences.

4-18 El clima y las estaciones

What is the weather like? To find out, observe the scenes on page 128 and work with your partner to answer the questions.

El invierno

1. ¿Qué tal el clima? ¿Te gusta la nieve?

2. ¿Cuáles son algunas diversiones o actividades típicas del invierno?

La primavera

3. ¿Qué tal el clima? ¿Hay nubes en el cielo? ¿Te gusta la lluvia?

4. ¿De qué color son las flores? ¿Cuántos pájaros hay? ¿De qué color son?

5. En EE.UU., ¿qué se asocia con la primavera, el béisbol o el fútbol americano?

El verano

6. ¿Es un buen día para ir a la playa? ¿Por qué?

7. ¿Cuáles son algunas diversiones o actividades típicas del verano?

8. Cuando no está nublado, ¿qué observamos por la noche en el cielo?

El otoño

9. ¿Qué tiempo hace?

10. Dónde tú vives, ¿se caen[2] la hojas de los árboles en otoño?

11. ¿Qué hacen las dos chicas? Y tú, ¿escuchas música cuando corres o haces *jogging*?

12. En EE.UU., ¿qué se asocia con el otoño, el béisbol o el fútbol americano?

[1]change, [2]**se**... fall

4-17 Students may complete the activity individually or in pairs, with answers reviewed by the instructor. ANSWERS: 1. el invierno 2. el otoño 3. la primavera (o) el verano 4. el verano 5. el invierno 6. el verano 7. el otoño 8. la primavera.

4-18 After students complete the activity, you may want to project the PowerPoint slide of the scenes. Have students describe the weather conditions and the activities, preferably with books closed.

For additional vocabulary practice, see PowerPoint slides at www.wiley.com/college/lucasmurillo or visit www.wileyplus.com

4-18 PERSONALIZED QUESTIONS: A prospective Spanish-speaking exchange student asks you, **¿Qué tal el clima en verano (invierno, primavera, otoño) donde Uds. viven?** Have several students respond, each adding something, season by season.

4-19 El clima el 15 de julio

Paso 1. You and a classmate are about to go on separate trips to multiple destinations in Latin America. You are both looking at the same website (see map below), helping each other find out how the weather is in each location. Follow the model and take turns initiating each inquiry.

MODELO

Cliente: *Voy a La Habana, en Cuba. ¿Qué tal el clima?*

Servicio: *Hace sol. La temperatura máxima es de 32 grados centígrados (Celsius) y la mínima es de 24.*

¿SABES QUE...?

When it is winter in the northern hemisphere (Canada, U.S.A., Mexico, Central America...), it is summer in the southern hemisphere (that is, all countries south of the equator).

4-19 Encourage students to examine the thermometer in the art that includes the conversion from Fahrenheit to Celsius degrees.

4-19 At the end of *Paso 1*, you may want to project the PowerPoint slide of the map and have pairs of students role-play for the class. For *Paso 2*, pairs going to the same location add up their lists. The pairs with the highest number of activities in each of the three categories are the winners. They each read their list of activities to the class.

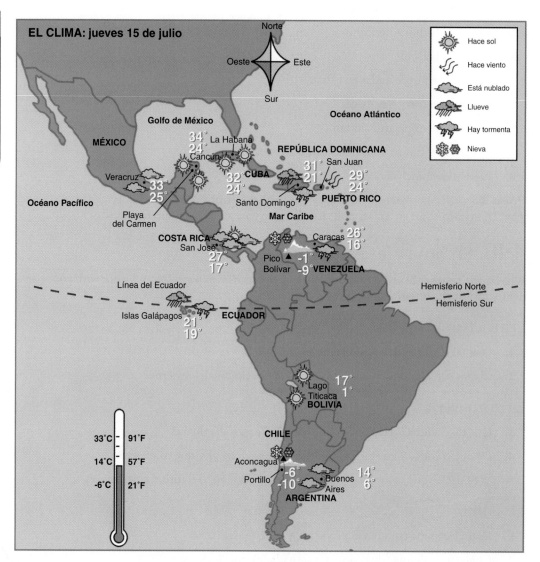

Paso 2. You and a friend are planning a vacation to one of the destinations given below. (Your instructor will assign you one of the three.) Jot down outdoor and indoor activities appropriate to your location, taking into consideration the weather on July 15. How many activities can you think of in *four* minutes?

Playa del Carmen (México)	Portillo (Chile)	Buenos Aires (Argentina)

¡A escuchar! Hemisferios opuestos   CD 3 Track 50

Paso 1.   Listen to the dialogue between Tere, in the United States, and her mother in Uruguay.

Paso 2.   Listen again, then check the correct statements.

☑ Cierto ☐ Falso	**1.**	Tere tiene buenas noticias.
☐ Cierto ☑ Falso	**2.**	La madre de Tere está muy triste.
☑ Cierto ☐ Falso	**3.**	En diciembre, Tere y su familia van a ir a la playa en Uruguay.
☑ Cierto ☐ Falso	**4.**	La madre dice que en julio hace mucho frío en Montevideo.
☐ Cierto ☑ Falso	**5.**	La hermana de Tere está en la playa.
☑ Cierto ☐ Falso	**6.**	Tere dice que ahora hay flores y árboles con hojas en San Diego.
☐ Cierto ☑ Falso	**7.**	La madre de Tere prefiere no ir a California.

> **Palabras útiles**
> noticias *news*
> abrazos *hugs*

¿**Sabes** jugar al golf?

No, pero **sé** jugar al tenis.

¿**Conoces** a Rafa Nadal?

¡Sí, lo **conozco**! ¡Él **sabe** jugar estupendamente!

 See Grammar Handbook found in WileyPLUS.

GRAMÁTICA

¡Manos a la obra!

Knowing facts, skills, people, and places: *Saber* and *conocer*

4

Just as Spanish has two verbs (**ser** and **estar**) that express *to be*, it also has two verbs that express *to know*. These verbs are **saber** and **conocer.**

- **Saber** means *to know facts or information*.

    — ¿**Sabes** cuántos habitantes tiene la Ciudad de México?
    — Sí, lo **sé**. Allí viven más de veinte millones de personas.

- **Saber** + *infinitive* means *to know how to do something*.
    Alicia **sabe** patinar, pero no **sabe** esquiar.

- **Conocer** means *to know or to be acquainted with a person, place, or thing*. It also means to meet a person for the first time.

    Conozco a* la esposa de Mario.   *I know Mario's wife.*
    Quiero **conocer** al* presidente.   *I want to meet the president.*
    ¿**Conoces** Chicago?   *Do you know/ Are you acquainted with Chicago?*

- Both verbs are irregular in the **yo** form only:

saber		conocer	
sé	sabemos	**conozco**	conocemos
sabes	sabéis	conoces	conocéis
sabe	saben	conoce	conocen

*Remember to include the personal **a** after **conocer** when the object of the verb is a person.

> **¿SABES QUE...?**
>
> By now you have read many *¿Sabes que...?* notes. Do you know why the question at the head of these notes use **saber** and not **conocer**? To confirm your answer, read the upside down explanation.
>
> Because it asks if you know certain facts or information.

⬛ For additional practice on this grammar point, see PowerPoint slides at www.wiley.com/ college/lucasmurillo or visit www.wileyplus. com

To introduce the uses of **saber** and **conocer**, ask questions to illustrate each concept: ¿Sabes cuáles son los mejores equipos de básquetbol de EE.UU.? ¿Sabes jugar al vólibol, al tenis o al golf? ¿Conoces las montañas de Colorado? ¿Sabes esquiar o hacer *snowboard*? ¿Conoces a un/a jugador/a de básquetbol, de fútbol americano o de tenis famoso/a? ¿Quién es?

¡En acción!

¡Oye! ¿Es verdad o mentira?[1]

Your instructor will make personal statements using **saber** and **conocer.** You cannot, however, believe everything he/she says! Using your best judgment, say «**¡Es verdad!**» or «**¡Es mentira!**» after each declaration.

4-20 ¿Conoces bien a tu profesor/a?

Paso 1.   Do you know the following about your instructor? Mark the appropriate column.

¿Sabes...	Sí, lo sé	No, no lo sé
1. ... de dónde es?	☐	☐
2. ... dónde vive?	☐	☐
3. ... cuántos hijos tiene?	☐	☐
4. ... adónde va en verano?	☐	☐
5. ... qué países hispanos conoce?	☐	☐
6. ... si toca un instrumento de música?	☐	☐
7. ... qué música le gusta?	☐	☐
8. ... si juega a algún deporte?	☐	☐

Paso 2.   With a partner, take turns asking each other the questions and compare answers. After completing the activity, where you both responded **No, no lo sé**, ask your instructor for the information.

MODELO

E1:   ¿*Sabes* de dónde es el/la profesor/a? No lo *sé.*

E2:   Yo tampoco.

(Al final.)

E1:   Profesor/a, ¿de dónde es Ud.?

4-21 Capitales

Paso 1.   With what capital cities are you acquainted? List those in the United States and/or abroad that you have visited. The person with the longest list reads it to the class: *Conozco Sacramento, ...* Others add cities not mentioned: *Y yo **conozco...***

Paso 2.   Do you know the capitals of the Spanish-speaking countries? Look at the map of the Spanish-speaking world on the inside front cover of your textbook and ask your partner if he/she knows what the capital of a particular country is. Your partner answers without looking at the map. After *six* questions, switch roles. Keep score to determine the winner.

MODELO

E1:   ¿*Sabes* cuál es la capital de Uruguay?

E2:   Sí, es Montevideo. (scores one point)

o: No *sé.* Un momento, por favor. (looks for answer on map) Ah, es Montevideo.

[1]Is it true or a lie?

4-22 ¿Sabes quién es? ¿Quieres conocerlo/la?

Can you identify the famous Hispanic people below? Ask your partner if he/she knows who each one is, and if he/she would like to meet that person. Take turns.

MODELO

Eva Longoria   (If you answer no, see answers below.)

E1: *¿Sabes quién es?*   **E1:** *¿Quieres conocerla?*

E2: *Sí, sé quién es.*   **E2:** *Sí, quiero conocerla.*

o: *No, no sé quién es.*   **o:** *No, no quiero conocerla.*

1. Penélope Cruz
2. Sandra Cisneros
3. Michelle Bachelet
4. Alex Rodríguez
5. Antonio Villaraigosa
6. Rafael Nadal
7. … (escoge tú)
8. … (escoge tú)
9. … (escoge tú)

> (Modelo) Eva Longoria, actriz, de padres mexicanos (Texas)
> 1. Penélope Cruz, actriz (España)
> 2. Sandra Cisneros, escritora, de padres mexicanos (Chicago)
> 3. Michelle Bachelet, presidenta de Chile
> 4. Alex Rodríguez, jugador de béisbol, de padres dominicanos (Nueva York)
> 5. Antonio Villaraigosa, alcalde (*mayor*) de Los Ángeles, de padres mexicanos
> 6. Rafael Nadal, jugador de tenis (España)

Palabras útiles

¿Quieres conocerlo/la? *Do you want to meet him/her?*

Quiero conocerlo/la. *I want to meet him/her.*

¿SABES QUE...?

Rafael Nadal (1986 –), commonly know as *Rafa*, has come off the tennis courts of his native Mallorca, Spain, to take the tennis world by storm. His string of successes, including winning the gold medal in men's singles at the Beijing Olympics (2008) and his win over Roger Federer for the championship of the 2009 Australian Open, has positioned him among the top male tennis players in the world.

4-23 ¿Lo sabes hacer?   RECYCLES vocabulary from chapter-opener scene and aprender a.

Paso 1. List *four* sports/ outdoor activities that you know how to do, *four* that you do not know how to do, and *four* that you want to learn how to do.

Sé...	No sé...	Quiero aprender a...
1.		
2.		
3.		
4.		

Palabras útiles

hacer *snowboard/ surf/ parasail/ balsismo (rafting)*

saltar en paracaídas *(sky dive)*

dar un salto bungee *(bungee jump)*

pilotar un helicóptero/ avión *(airplane)*

Paso 2. In groups of *four*, take turns asking and answering questions about your lists. Take notes on what people say in order to share information with the class and your instructor.

MODELO

E1: *Ana, ¿qué sabes hacer?*

E2: *Sé esquiar, nadar,…*

E1: *¿Qué no sabes hacer?*

E2: *No sé patinar, no sé montar a caballo,…*

E1: *¿Qué quieres aprender a hacer?*

E2: *Quiero aprender a hacer snowboard, a pilotar un helicóptero, …*

4-23 Ask students first to share information about the special talents of people in their group, then have them mention things that people want to learn to do. On the basis of the information provided for the latter, the class decides the following: If they could have a group instructor for only one activity, what would it be?

4-24 Have each group select a secretary to write down the information. At the conclusion of the activity, students tally their items in each category and inform the instructor. Once the three winning groups have been determined, they each read their lists to the class.

4-24 En la clase de español: ¿Qué sabes y a quién conoces ahora?

Paso 1. Since starting your Spanish class, you have learned a number of things and become acquainted with new people and places. In groups of *four*, jot down what you now know using the chart below. For each category, the group with the most items wins.

Cosas que sé ahora	Cosas que sé hacer ahora	Personas y lugares que conozco ahora
Sé el vocabulario de… *Sé el verbo…* *Sé que hay muchos hispanos…*	*Sé hablar…*	*Conozco a…* *Conozco…*

Paso 2. The winning group in each category reports the information to the class: *Sabemos…*

For additional practice on this grammar point, see PowerPoint slides at www.wiley.com/college/lucasmurillo or visit www.wileyplus.com

To present **ir** + **a** + *infinitive,* ask students what they are going to do this weekend. As they respond (**Voy a salir con mis amigos.**), write the information on the board. After several items, as a memory test and to recycle the construction, ask students to identify who is going to do each thing: **¿Quién va a salir con sus amigos este fin de semana?**

See Grammar Handbook found in WileyPLUS.

GRAMÁTICA

¡Manos a la obra!

Talking about the future: *Ir* + *a* + **infinitive**

5

To talk about actions that are going to happen, English uses *going to + infinitive* and Spanish uses **ir** + **a** + *infinitive*.

—¿Qué **vas a hacer** esta tarde?	*What are you going to do this afternoon?*
—**Voy a hacer** yoga con mi amiga.	*I'm going to do yoga with my friend.*
—¿Qué **van a hacer** Uds. el sábado?	*What are you going to do on Saturday?*
—**Vamos a ir** de compras.	*We're going shopping.*

For review, here are the present-tense forms of the verb **ir** *to go*.

(yo)	**voy**	(nosotros/as)	**vamos**
(tú)	**vas**	(vosotros/as)	**váis**
(Ud., él, ella)	**va**	(Uds., ellos/as)	**van**

Después del cine, Mario, Fabio y Ernesto van a cenar a un restaurante cubano.

¡En acción!

¡Oye! Raimundo habla de sus planes

Raimundo has some plans that are feasible, and others that are crazy. As you hear each one, react by saying «**¡Es un buen plan!**» or «**¡Está loco!**»

4-25 El clima   RECYCLES weather expressions.

Paso 1.   Imagine that you and your classmates live in Chicago, near Lake Michigan, and have the week off. Before planning your activities, you decide to check out the weather on *Yahoo! en español*. Divide into *five* groups, with each deciding what the group is going to do on a particular day. Fill in the chart with the weather forecast and *five* appropriate activities.

Yahoo! El tiempo - Chicago

El tiempo > Estados Unidos de América > Illinois > Chicago

weather.com/espanol

- Fútbol
- Fórmula 1
- Salud y Belleza
- Enciclopedia de Tormentas
- Esquí y Montaña
- Tenis
- Viajes
- Índice UV

Hoy

83° 16:53 CDT vie

Parcialmente nublado

máx. 85°
mín. 71°

<10 10 20 30 40 50 60 70 80 90 100+

Humedad:	63%
Viento:	Suroeste/8 millas por hora
Visibilidad:	16.09 millas
Punto de condensación:	69°
Presión atmosférica:	29.92 en pulgadas
Salida del sol:	6:12
Puesta del sol	19:32

| sáb | dom | lun | mar |
| Tormentas máx. 74 mín. 58 | Parcialmente despejado máx. 69 mín. 54 | Nubes matinales/soleado por la tarde máx. 76 mín. 58 | Soleado máx. 76 mín. 57 |

Día	Pronóstico	Actividades
1. hoy (viernes)	*Parcialmente nublado. Buen tiempo. Temperatura máxima, 85 grados.*	Vamos a…
2. sábado		
3. domingo		
4. lunes		
5. martes		

Paso 2.   One spokesperson from each group now shares the forecast and plans for the day with the class.

Write on the board:
agua *water*

Guión para ¡Oye!
¿Es un buen plan, o está loco?
1. Es invierno y está nublado (*draw a cloud*). Raimundo dice que va a tomar el sol.
2. Es verano. Hay olas grandes (*draw a wave*) en el mar y Raimundo dice que va a hacer surf.
3. Es primavera. Llueve mucho (*draw rain*) y hace mucho viento. Raimundo dice que va a hacer *parasail*.
4. Es otoño y hace buen tiempo. Raimundo dice que va a patinar en el lago.
5. Es primavera y hay mucha agua en los ríos. Raimundo dice que va a hacer balsismo.

4-25 As a warm up, ask students the following questions relevant to the Yahoo weather screen:
1. ¿Qué tal el clima hoy? ¿Hace calor o frío?
2. ¿Cuál es la temperatura máxima hoy? ¿Y la mínima?
3. ¿Hay mucha humedad hoy?
4. ¿A qué hora sale el sol? ¿Y a qué hora es la puesta del sol?

4-25 Assign each group one day. *Option:* Students in groups of three plan what they are going to do on each of the days indicated.

4-26 ¿Qué van a hacer?

 Paso 1. What are your classmates going to do in each of the time periods below? In groups of *four*, ask each other questions to find out. Take notes, jotting down the names and the information.

MODELO

E1: *¿Qué **van a hacer** Uds. esta noche?*

E2: *Yo **voy a estudiar**. Tengo un examen.*

E3: *Yo también.*

E4: *Y yo **voy a salir** con mis amigos.* (**E4** asks **E1**) *Julio, ¿qué **vas a hacer** tú?*

¿Qué van a hacer?	1. *Silvia*	2. _____	3. _____
esta noche	*Va a estudiar.*		
mañana por la mañana			
el próximo sábado			
el verano que viene			
el año que viene			
algún día			

 Paso 2. Your instructor will ask for feedback, one time period at a time. Share what you learned, being sure to report unusual plans to the class: *El verano que viene José **va a trabajar** en Nueva York.*

4-27 La adivina[1]   RECYCLES tener, ser, estar, and regular verbs in the present.

Paso 1.   The fortune-teller (your classmate in disguise) asks you questions about your current life. You respond, and then he/she predicts your future, indicating the time frame. Write the information in the third column. Then switch roles.

MODELO

E1: *¿Dónde vives ahora?*

E2: *Vivo en un apartamento en la ciudad.*

E1: *En dos años, vas a vivir en una casa roja en el campo, en Uruguay.*

E2: (Reacts using the expressions provided)
¡Qué bien!

> **Palabras útiles**
> ¡Qué bien!
> ¡Qué terrible!
> ¡Qué extraño!
>   *How strange!*
> ¡Qué suerte!
>   *What luck!*

Preguntas de la adivina	Yo, ahora	Pronóstico de la adivina
1. ¿Dónde vives?	Vivo en…	En dos años, voy a vivir en…
2. ¿Dónde trabajas?		
3. ¿Qué estudias?		
4. ¿Tienes pareja?		
5. ¿Cuáles son tus diversiones favoritas?		
6. ¿Eres ambicioso/a?		
7. ¿Cómo estás en este momento?		

¡Exprésate!, a chapter wrap-up focusing on conversation and writing (the latter with *Writing Strategies*), is included in *Apéndice 3*.

> **Prewriting Strategy**
>
> *Gathering information*
>
> For more information about this Strategy go to p. A-17.

Paso 2.   Join another pair of students, and take turns reading some of the predictions to each other. Then share unusual information with the class.

[1]The fortune-teller

Tu mundo cultural

Lugares fascinantes para conocer

Aquí tienes varios ejemplos de lugares fascinantes que puedes visitar si viajas a América Latina.

Before students begin this selection, preview reading large numbers. Write on the board: 7.266 **siete mil doscientos sesenta y seis**. Then add the following numbers and dates from the reading and help students figure out how to say them: 7.266, 22.835, 3.281, 979, 970, 600, 1935. The numbers from 100 on are presented in the first scene of *Capítulo 5*.

1.

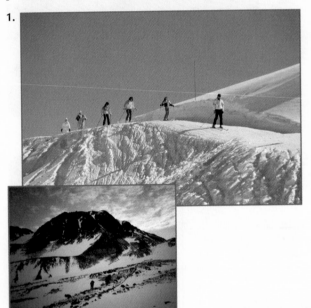

Portillo es una de las primeras estaciones[1] de esquí chilenas. Está situada en Los Andes, en la base del Aconcagua, el pico más alto del hemisferio occidental (a 7.266 metros/ 22.835 pies sobre el nivel del mar[2]). Tiene vistas sobre la bella Laguna del Inca. Los mejores meses del año para esquiar y hacer *snowboard* allí son agosto y septiembre.

2.

El Salto[3] Ángel, situado en el parque nacional Canaima de Venezuela, es el salto de agua más alto del mundo (3.281 pies/ 979 metros). Es cuatro veces más alto que las cataratas del Niágara. Se puede ver desde el aire, en helicóptero, o haciendo una excursión que consiste en navegar primero en canoa por dos ríos, y después caminar por la selva[4].

3.

La playa del Carmen, situada en la península de Yucatán en el mar Caribe mexicano, está a 60 kilómetros de Cancún. Cerca de la playa están la isla de Cozumel y los templos mayas de Chichén Itzá y Tulúm. En los parques naturales de Xelhá y Xcaret se puede bucear y nadar con los delfines.

[1]resorts, [2]**sobre...** above sea level, [3]fall, [4]jungle

4.

Las islas Galápagos, situadas en el océano Pacífico a 970 km/ 600 millas de la costa ecuatoriana, son un tesoro[1] ecológico. El 90%* de su territorio es un parque nacional. En 1935 Charles Darwin se inspira allí para su Teoría de la Evolución de las Especies. Entre su fauna observamos una increíble variedad de pájaros y aves, como los piqueros azules[2], los pelícanos y los pingüinos. Allí, también se pueden ver tortugas[3] gigantes, iguanas marinas, y en muchas de las playas, lobos marinos[4] tomando el sol.

¿Qué aprendiste?

1. ¿Dónde están Portillo y el Salto Ángel? ¿Qué son y qué se puede hacer allí?

2. ¿Dónde podemos visitar ruinas mayas? ¿Qué otras actividades se pueden hacer allí?

3. ¿Dónde están las islas Galápagos? ¿Qué animales hay en las islas? ¿Con qué científico famoso se relacionan?

Actividad cultural

Paso 1. Select one of the four vacation spots on pages 138–139, and complete the following chart.

Nombre del lugar	Situación geográfica	Actividades o deportes para hacer o practicar allí	¿Otras atracciones?

Paso 2. Compare your information with that of two other classmates. Were your choices the same or different?

Contraste cultural

Your Chilean pen pal is planning a trip to your country. He/She asks you to send him/her information about *three* or *four* very different places that it would be worthwhile to visit. In English, discuss what places you would choose and why.

[1]treasure, [2]**piqueros...** blue-footed boobies, [3]turtles, [4]**lobos...** sea lions.

*% **por ciento**

🎬 Tu mundo en vivo

¡Video en acción!

4.1 El fútbol: pasión hispana

1. **Antes de ver el video**

   a. Do you play any sport or participate in an organized activity?

   b. What do you like about your sport or activity?

2. **Mientras ves el video** Relaciona las fotos con lo que dice cada persona.

A   B   C   D   E

   __D__ «A mí, personalmente, me gusta mucho... he hecho más amigos...»

   __E__ «Es... para salir del estrés que tenemos; ...es salud[1]...»

   __A__ «Yo creo que es parte de nuestras raíces[2].»

   __B__ «Porque es un deporte que practicamos en nuestro país.»

   __C__ «Al latino le apasiona porque es parte de la cultura, ...es la actividad que uno hace todos los días.»

3. **Comenta con la clase**

   a. Why is soccer so popular among Hispanics?

   b. In your opinion, what is the most popular sport in the U.S.A.?

4.2 Fines de semana entre hispanos

1. **Antes de ver el video**

   Look at the chart below and check off the activities you typically do on weekends.

2. **Mientras ves el video** Marca las actividades de las personas entrevistadas[3].

Yo	ellos		Yo	ellos	
___	___	ir al cine	___	___	ir a fiestas o a discotecas
___	___	salir con los amigos	___	___	ir a misa los domingos
___	___	ir a bailar	___	___	visitar a los abuelos
___	___	jugar a juegos de mesa	___	___	ir a un restaurante a comer
___	___	ver películas en la televisión	___	___	ir de compras
___	___	practicar deportes	___	___	estar con la familia

3. **Comenta con la clase** Are there differences between what you do on weekends and what the persons interviewed do? Explain.

[1]health, [2]roots, [3]interviewed

¡Lectura en acción!

Una alpinista[1] de excepción

The following news story from the Spanish newspaper *El diario montañés* from Santander, tells about the incredible feats of Edurne Pasabán, a female mountain climber from the Basque region of Spain.

Paso 1. Skim the following passage, looking specifically for the following information:
- **a.** her main accomplishment
- **b.** the height of the summit
- **c.** where the mountain is located
- **d.** her next challenge

As students search for the information requested in *Paso 1*, remind them that they do not need to understand the unfamiliar words included in the passage to find the requested information.

Reading Strategy

Scanning for specific information

Often when reading, we only seek specific information and are able to skim or scan the passage while skipping those details that don't pertain to our search.

Edurne Pasabán, la primera mujer que conquista doce "ocho miles"*

La alpinista vasca Edurne Pasabán (Tolosa, 1973) ha conquistado la tercera[2] cumbre[3] más alta del planeta, el Kangchenjunga, uno de los tres "ocho miles" que le quedaban[4]. Ayer, a las 13,00, horas española, la alpinista vasca llegó a la cumbre de esta montaña de 8.598 metros situada en la cordillera del Himalaya, entre Nepal y la India.

De esta forma, Pasabán ha cumplido con el reto[5] de conquistar 12 de las 14 cumbres "ocho mil". Ahora solamente le quedan el Annapurna -8.091 metros- y el Shisha Pangma -8.030- para convertirse en la primera mujer de la historia que suba las catorce montañas que superan los ocho mil metros de altura. Después de una difícil ascensión de más de 14 horas, Pasabán y sus compañeros se encuentran «cansados» pero en «buenas condiciones de salud» para realizar el descenso al campo 4, a 7.700 metros de altura, donde van a descansar, para continuar el regreso al campo base en cuanto les sea posible.

(Edurne Pasabán es licenciada en ingeniería industrial)

*El término "ocho miles" se refiere a las cumbres de las montañas del planeta que tienen más de ocho mil metros (*26,246 feet*) de altura.

Paso 2. Based solely on your responses in **Paso 1,** determine if the following statements are true or false. Mark **Cierto** or **Falso**.

If your students' interest is high, you may wish to encourage them to search online for more information about Edurne Pasabán and to bring back their findings to class.

Cierto	Falso	
☐	☐	Es una alpinista que sube a las cumbres más altas del mundo.
☐	☐	Edurne Pasabán ha conquistado ocho mil cumbres.
☐	☐	Su objetivo es ser la primera mujer de la historia que suba los catorce "ocho miles".

[1]mountain climber, [2]third, [3]summit, [4]le... she had left (to climb), [5]challenge

♪ Vocabulario: Capítulo 4

Escena 1

Los lugares al aire libre
Outdoor places
la arena *sand*
el bosque *forest*
el campo *field, countryside*
la granja *farm*
la isla *island*
el lago *lake*
el mar *sea*
la montaña *mountain*
la playa *beach*
el río *river*
el valle *valley*

Las actividades al aire libre
Outdoor activities
acampar *to camp*
bucear *to snorkel*
caminar *to walk*
correr *to run*
esquiar *to ski*
ir en barco *to go by boat/ ship*
jugar (ue) al vólibol *to play volleyball*
manejar *to drive*
montar a caballo *to ride horseback/
   go horseback riding*
montar en bicicleta *to ride a bicycle*
nadar *to swim*
patinar *to skate*
pescar *to fish*
practicar deportes *to play, go out for sports*
tomar el sol *to sunbathe*
la pelota *ball*
el pez/ los peces *fish (living) (s./pl.)*

Otros verbos y expresiones
verbales *Other verbs and verbal*
expressions
aprender (a) *to learn (to)*
beber *to drink*
comer *to eat*
compartir *to share*
creer (que) *to believe/ think (that)*
deber (+ *infinitive*) *should/ must/ ought to (do
   something)*
descansar *to rest*
dibujar *to draw*
encantar *to love, like a lot*

escribir *to write*
ganar *to win*
gustar *to like*
levantar pesas *to lift weights*
leer *to read*
pintar (un cuadro) *to paint (a painting)*
vivir *to live*

Adverbios *Adverbs*
mucho/ poco *much, a lot/ little, not much*

Escena 2

Los deportes *Sports*
el equipo *the team*
el partido de fútbol *the soccer game*

Las actividades *Activities*
asistir a... *to attend . . .*
bailar *to dance*
cantar *to sing*
dar fiestas *to give/ throw parties*
escuchar (música) *to listen to (music)*
hacer ejercicio *to exercise*
hacer un viaje (al campo/ a la ciudad) *to
   take a trip (to the country/ to the city)*
ir de compras *to go shopping*
mandar y recibir
   mensajes electrónicos/ e-mails
   to send and receive e-mail messages/e-mails
mirar *to look at, watch*
navegar por la Red *to surf the Web*
pasar el tiempo (con la familia) *to spend
   time (with the family)*
salir de paseo/dar un paseo *to take
   a walk/ stroll*
tocar (la guitarra) *to play (the guitar)*
ver la televisión *to watch TV*
viajar *to travel*

Más verbos *More verbs*
dar *to give*
decir *to say, tell*
disfrutar de... *to enjoy...*
hacer *to make, do*
oír *to hear*
poner *to put*
salir *to leave, go out*
traer *to bring*
venir *to come*
ver *to see*

Escena 3

La naturaleza *Nature*
el árbol *tree*
el cielo *sky*
la estrella *star*
la flor *flower*
la hoja *leaf*
la lluvia *rain*
la luna *moon*
la nieve *snow*
la nube *cloud*
la ola *wave*
el pájaro *bird*
el sol *sun*
el viento *wind*

Las estaciones *Seasons*
el invierno *winter*
el otoño *fall, autumn*
la primavera *spring*
el verano *summer*

El clima *Weather*
Está nublado. *It is cloudy.*
Hace buen/ mal tiempo. *The weather is nice/
   bad.*
Hace (mucho) calor. *It is (very) hot.*
Hace fresco. *It is cool.*
Hace (mucho) frío. *It is (very) cold.*
Hace sol. *It is sunny.*
Hace viento. *It is windy.*
llover (ue) *to rain*
Llueve. *It is raining/ It rains.*
nevar (ie) *to snow*
Nieva. *It is snowing/ It snows.*

¿Qué tal el clima?/
¿Qué tiempo hace? *What is the weather like?*

El futuro *The future*
algún día *someday, some time*
mañana por la mañana/ tarde/ noche
   tomorrow morning/ afternoon/ night
pasado mañana *day after tomorrow*
la semana que viene *next week*
el mes/ año/ verano que viene *next month/
   year/ summer*
la próxima semana *next week*
el próximo mes/ año/ verano *next month/
   year/ summer*

Más verbos *More verbs*
conocer *to know, be acquainted with*
saber *to know (facts, information), to know
   how (skills)*

Autoprueba y repaso: Capítulo 4

Escena 1
Actividades al aire libre

A. Circle the two activities that are most closely associated with each location.

1. el lago: pescar beber patinar
2. el bosque: bucear montar a caballo caminar
3. el mar: nadar comer bucear
4. las montañas: acampar esquiar escribir
5. la calle: manejar montar en bicicleta dibujar
6. la playa: jugar al vólibol levantar pesas tomar el sol

I. The verb *gustar*

B. Complete the following sentences with the singular or the plural form of **gustar.**

1. A mí me ___gustan___ los lagos de Minnesota.
2. A María le _____ las montañas de Utah.
3. A mis amigos les _____ la arena blanca de las playas de Carolina del Sur.
4. Te _____ las bonitas granjas de Wisconsin, ¿no?

C. Complete the following sentences with **me, te, le, nos,** or **les** as appropriate.

1. A Carlos _le_ encanta acampar en las montañas.
2. A mí ___ gusta patinar en el lago.
3. A ella ___ gusta nadar en el mar.
4. A nosotros ___ gusta pescar en el río.
5. A ti ___ gusta levantar pesas en el gimnasio, ¿no?
6. A Ud. ___ gusta tomar el sol en la playa, ¿no?
7. A Fátima y a mí ___ encanta bucear en el mar.
8. A ellos ___ gusta comer en la cafetería.

II. Regular *-er* and *-ir* verbs

D. Select the verb or verbs from the list that correspond to each sentence and fill in the blanks with the correct forms of the verb/s.

beber	comer	compartir	deber
tomar	vivir	correr	leer

1. Yo ___vivo___ cerca de la playa; Ricky _____ lejos.
2. En la playa, yo _____ Coca-Cola; tú _____ Pepsi, ¿no?
3. Nosotros _____ sándwiches; Uds. _____ tacos.

4. Somos amigos. Nosotros _____ la fruta; Uds. _____ los chocolates.
5. Yo _____ por la playa todos los días; tú _____ a veces, ¿no?
6. Silvia y Susana _____ el sol y _____ novelas románticas; Pedro _____ el sol y _____ una novela de ciencia ficción.
7. Ellos tres no _____ tomar más el sol. ¡Están rojos como tomates!

En resumen

Answer the questions in complete sentences.

1. ¿Qué te gusta hacer (*to do*) cuando estás en la playa? ¿Y cuando estás en las montañas?
2. ¿Montas en bicicleta? ¿Juegas al tenis? ¿Esquías?
3. ¿Escribes poemas? ¿Dibujas bien? ¿Te gusta pintar cuadros?
4. ¿Crees que es fácil o difícil aprender a esquiar? ¿Y a bucear?

Escena 2
Diversiones con la familia y amigos

E. Circle the two activities that are most closely related.

1. viajar | tocar la guitarra | cantar
2. ir de compras | bailar | escuchar música
3. navegar por la Red | mandar *e-mails* | practicar deportes
4. ver la televisión | salir de paseo | hacer un viaje
5. asistir a conciertos | hacer ejercicio | escuchar música
6. hacer ejercicio | mirar un partido de fútbol | cantar
7. ver la televisión | dar fiestas | navegar por la Red

III. Verbs with an irregular yo form

F. Indicate what you do on weekends and in Spanish class. Use the **yo** form of the appropriate verb from the list.

dar	decir	hacer	poner	traer
venir	ver	ir	salir	

Los fines de semana:
1. _Hago_ ejercicio.
2. _Voy_ de compras al centro comercial.

3. _____ la televisión.
4. _____ con mis amigos.
5. A veces, _____ fiestas.

En la clase de español:
6. *Vengo* a clase temprano.
7. Siempre *Traigo* mi tarea terminada.
8. *digo* pocas cosas en inglés.
9. Luego, *pongo* mis libros en la mochila, y me voy a casa.

En resumen

Answer the questions in complete sentences.
1. ¿Disfrutas de los fines de semana? ¿Qué haces?
2. ¿Te gusta pasar el tiempo con la familia? ¿Qué hacen Uds.?
3. ¿Sales los sábados por la noche? ¿Adónde vas?
4. ¿Haces viajes con frecuencia? ¿Adónde? ¿Con quién?

Escena 3
El clima y las estaciones

G. Match the term in the first column with the one most closely associated with it in the second. Study the options carefully, as there are no duplicate answers.

___ 1. la ola   a. el árbol
___ 2. hojas y tronco   b. la luna
___ 3. la nube   c. el mar
___ 4. la nieve   d. el cielo
___ 5. las flores y los pájaros   e. el otoño
___ 6. las estrellas   f. el invierno
___ 7. sol y calor   g. la primavera
___ 8. las hojas rojas y amarillas   h. el verano

H. Indicate what the weather is like in the following places, according to the season. More than one answer is possible.

MODELO

verano: *Miami*
Hace mucho calor. Hace sol.

1. otoño: Vermont
2. invierno: Alaska
3. primavera: Washington D.C.
4. agosto: Texas

Additional **Autopruebas** online

IV. *Saber* and *conocer*

I. Complete the conversation using the proper form of **saber** or **conocer**, as appropriate.

Mónica: Raúl, ¿_____ hacer surf?
Raúl: No _____ hacerlo, pero quiero aprender.
Mónica: Pues yo _____ que hoy las olas están muy altas en la playa del Sur. ¿Vamos?
Raúl: ¡Buena idea! Ah... ¿_____ a Ricardo? A él también le gusta hacer surf.
Mónica: Sí, es mi amigo. ¿_____ su número de teléfono?
Raúl: Sí, lo llamo ahora por el celular, pero no _____ si (*if*) está en casa.
Mónica: Él _____ bien la playa del Sur, y nos puede encontrar (*can find us*) allí.

V. *Ir + a + infinitive*

J. Say what everyone is going to do tomorrow, selecting appropriate activities from the list.

chatear con mis amigos	ir de compras
esquiar	leer una buena novela
estudiar	ver un partido en la tele

1. Francisco y José tienen mucha tarea. *Van a estudiar.*
2. Nosotros somos muy aficionados al béisbol.
3. Lisa quiere descansar en casa.
4. Tú vas a las montañas.
5. Yo soy adicto al Facebook.
6. Uds. necesitan suéteres y jeans nuevos.

En resumen

Answer the questions in complete sentences.
1. ¿Qué tal el clima hoy?
2. ¿Qué te gusta hacer cuando hace calor? ¿Y cuando nieva?
3. ¿Sabes hacer surf? ¿Conoces playas con olas grandes? ¿Dónde están?
4. ¿Qué vas a hacer este fin de semana? ¿Y este verano?

Answers to the *Autoprueba y repaso* are found in **Apéndice 2.**

La comida

WILEY PLUS

Additional activities and **Autopruebas** for each **Escena** available online.

For *Writing Strategies* see *Apéndice 3.*

Escena 1
En el mercado
- Referring to people, places, and things: Direct object pronouns

TU MUNDO CULTURAL
Los productos hispanos y su historia

Escena 2
En el restaurante
- Talking about actions, desires, and preferences in the present: Stem-changing verbs

TU MUNDO CULTURAL
Platos típicos de algunos países hispanos

Escena 3
Preparativos para una fiesta
- Saying that an action is in progress: The present progressive

TU MUNDO CULTURAL
Dos recetas típicamente hispanas

TU MUNDO EN VIVO

¡Video en acción!

¡Lectura en acción! (with *Reading Strategies*)

En el mercado

1. **MERCADO CENTRAL**

2. las frutas

FRUTERÍA

3. la sandía

195 pesos el kilo.

4. las naranjas

7. las manzanas

5. los limones

9. las cerezas

8. las peras

11. los duraznos

13. las piñas

10. las uvas

12. las fresas

¡Me encanta el maíz!

19. desear

14. las bananas

18. el maíz

21. las zanahorias

23. el brócoli

17. las papas

16. el ajo

20. las arvejas, los chícharos

22. los pimientos

LEGUMBRES - VERDURAS

15.

24. la lechuga

25. los tomates

27. los frijoles

28. ARROZ

26. las cebollas

36. las carnes

CARNICERÍA

37. las salchichas

39. el bistec

40. la carne de res

38. el jamón

41. las chuletas de cerdo

42. el pollo

43. el pavo

¿Cuánto ⁶cuestan las naranjas?

NURIA

³³Busco las flores.

PANADERÍA

¡Allí están!

32. el pan

¡Qué rico!*

CARMEN

ROBERTITO

44. el pescado

45. los mariscos

47. la langosta

46. los camarones

Los vendedores aquí son muy [31]*amables*.

34. SE VENDE
35. QUESO

29. el dinero

30. contar (ue)

1. market
2. fruit
3. watermelon
4. oranges
5. lemons; **el limón** (s.)
6. cost; **costar (ue)** to cost
7. apples
8. pears
9. cherries
10. grapes
11. peaches
12. strawberries
13. pineapples
14. bananas
15. vegetables
16. garlic
17. potatoes
18. corn
19. to want, to wish, to desire
20. peas
21. carrots
22. green/red peppers
23. broccoli
24. lettuce
25. tomatoes
26. onions
27. beans
28. rice
29. money
30. to count
31. kind, pleasant
32. bread
33. I'm looking for . . . ; **buscar** to look for
34. for sale; **vender** to sell
35. cheese
36. meats
37. sausages
38. ham
39. steak
40. beef
41. pork chops
42. chicken
43. turkey
44. fish
45. seafood, shellfish
46. shrimp; **el camarón** (s.)
47. lobster

¡Qué rico! *How delicious / tasty!*

¡La pronunciación!

Pay attention to the correct pronunciation of the Spanish **r** and **rr** (see P-4).

pe**r**a   a**r**veja
a**rr**oz   **r**ico

5-1 As this is the first chapter with activity instructions in Spanish, encourage students to work together to understand them, guessing the meaning of words by their context. Highlight commands such as **Escribe/ Escriban** and **Observa/ Observen** to see if students can distinguish between singular and plural forms. Review the classroom directions on the pages that immediately follow the inside front cover of your book, as some of them will be applicable at this time.

5-1 Write the three categories on the board. As students suggest items to be bought for each one, a student writes them on the board.

The class then determines whether there are any unusual ingredients in the mixed salad, and which main-dish items are the most popular.

5-2 You may use the PowerPoint slide of the opener scene to spot-check answers. Also have students describe the scene without the help of vocabulary labels.

For additional vocabulary practice, see PowerPoint slides at www.wiley.com/college/lucasmurillo or visit www.wileyplus.com

5-2 PERSONALIZED QUESTIONS: ¿Qué frutas comen Uds. con más frecuencia? ¿Y verduras? ¿A quiénes les gustan los mariscos? ¿Qué mariscos? ¿Quiénes son vegetarianos? ¿Qué comidas con proteínas comen Uds.?

¡En acción!

5-1 Los ingredientes para la cena

Paso 1. Esta noche tienes invitados. Vas a preparar una ensalada mixta, un plato principal y una ensalada de frutas. En cada columna, escribe por lo menos *cinco* ingredientes que vas a comprar para la cena.

Para la ensalada mixta voy a comprar...	Para el plato principal voy a comprar...	Para la ensalada de frutas voy a comprar...

Paso 2. Háganse preguntas[1] para saber lo que[2] van a comprar.

MODELO

E1: *¿Qué vas a comprar para la ensalada mixta?*

E2: *Voy a comprar lechuga,... ,... ,... y...*

5-2 En el mercado

¿Qué se vende en el Mercado Central? Observen la escena de las páginas 146–147 y contesten las preguntas.

1. ¿Qué frutas se venden en la frutería?
2. ¿Cuánto cuestan las naranjas?
3. ¿Qué legumbre desea la niña que está con su madre? ¿Qué otras verduras se venden allí?
4. ¿Se venden arroz y frijoles en el mercado? ¿A ti te gustan los frijoles?
5. ¿Quiénes están en la panadería? ¿Le gusta el pan a Robertito? ¿Qué dice?
6. ¿Qué se vende al lado de la panadería?
7. ¿Qué busca Nuria? ¿Qué hace la vendedora de flores?
8. ¿Qué clase de carne se vende en la carnicería?
9. ¿Qué se vende en la pescadería-marisquería? ¿Qué mira la señora?
10. ¿Cuántas personas salen del mercado? Según las señoras que charlan, ¿cómo son los vendedores del mercado?

. . . y algo más

mirar *to look at, watch*   **buscar** *to look for, search for*

Whereas English includes a preposition in the expressions *to look **at*** and *to look (search) **for**,* Spanish does not use a preposition after **mirar** and **buscar**.

Miran las frutas. *They are **looking at** the fruit.*
Buscan las uvas. *They are **looking for** the grapes.*

Can you find where **buscar** and **mirar** are used in *Actividad 5-2*?

[1]**Háganse...** Ask each other questions, [2]**lo...** what

. . . y algo más

To explain what one does or is done without reference to the person performing the action, Spanish uses **se** + *verb* (*third person*).

> **Se vende** queso. *Cheese for sale. (or) Cheese is sold here.*
> En México **se come** bien. *One eats well in Mexico.*

If the noun that follows the verb is plural, the plural form of the verb is commonly used.

> **Se venden** flores en el mercado. *Flowers are sold at the market.*

Can you find where **se** + **vende/n** is used in the *Actividad 5-2* questions?

For additional practice on this grammar point, see PowerPoint slides at www.wiley.com/college/lucasmurillo or visit www.wileyplus.com

La inscripción **Viva la vida**[1] en la sandía es muy significativa porque Frida Kahlo pintó este cuadro solamente ocho días antes de su muerte.

¿SABES QUE...?

The names of fruits, vegetables, and other foods can vary from one Spanish-speaking country to another. The terms used in one country or region, however, are usually understood in others. Some examples:

peas
arvejas (Colombia, Ecuador, Chile, Argentina, Uruguay)
chícharos (Mexico, Honduras, Cuba)
guisantes (Venezuela, Spain)
pitipuas (Dominican Republic, Puerto Rico, Cuba)

bananas
guineos (Central America, Dominican Republic, Puerto Rico, Colombia, Ecuador, Peru)
bananas (most Spanish-American countries)
plátanos (Spain and some Spanish-American countries)
cambures (Venezuela)

corn
elote (Mexico and Central America)
jojoto (Venezuela)
choclo (Ecuador, Argentina)
maíz (Spain, Colombia, and some Spanish-American countries)

green beans
judías verdes (Spain)
ejotes (Mexico)
habichuelas (Colombia, Cuba)
chauchas (Chile, Argentina)
vainitas (Ecuador)

potatoes
papas (Spanish-America)
patatas (Spain)

¿SABES QUE...?

In some Latin American countries, such as Venezuela, Peru, and Mexico, *limes* are called **limones** and *lemons* are called **limones amarillos**.

[1]**Viva...** Long live life!

LOS NÚMEROS DEL 100 AL...

cien	100	ochocientos/as	800
ciento uno/a	101	novecientos/as	900
doscientos/as	200	mil	1.000
trescientos/as	300	dos mil	2.000
cuatrocientos/as	400	cien mil	100.000
quinientos/as	500	doscientos mil	200.000
seiscientos/as	600	un millón (de + *noun*)	1.000.000
setecientos/as	700	dos millones (de + *noun*)	2.000.000

 See Grammar Handbook found in WileyPLUS.

. . . y algo más

- Numbers between 200–999 agree with the nouns that follow them:

    trescient**os** alumn**os**   ochocient**as** person**as**

- Although *and* can be used in English between hundreds and smaller number, **y** is not used in Spanish.

    450/ *four hundred (and) fifty* = **cuatrocientos cincuenta**

- The years above 1000 are not broken into two-digit groups as they are in English.

    1998/ *nineteen ninety-eight* = **mil novecientos noventa y ocho**

- In writing numbers, Spanish commonly uses a comma where English uses a period, and vice versa.

    English: 9.75 meters; 150,000 inhabitants   Spanish: **9,75** metros; **150.000** habitantes

- When **millón/ millones** is immediately followed by a noun, the preposition **de** is used.

    un millón *de* **pesos**   **dos millones** *de* **euros**.

- A billion dollars = **mil millones** de dólares.

 5-3 ¿En qué año?   RECYCLES: Numbers up to 100.

Primero, escucha los años de fundación de los restaurantes que lee tu profesor/a y escríbelos en la tercera columna. Luego, pon los restaurantes con sus años en orden cronológico y léeselos a la clase.

Nombre del restaurante	Lugar[1]	Año
③ a. Delmonico's	Nueva York, EE.UU.	
⑥ b. Restaurante El Faro	Nueva York, EE.UU.	
① c. Restaurante la Diligencia	Tarragona, España	
④ d. Venta de Aires	Toledo, España	
⑤ e. Restaurante Richmond	Buenos Aires, Argentina	
② f. Casa Botín	Madrid, España	
⑦ g. Restaurante El Quijote	Nueva York, EE.UU.	

[1]place

5-4 En un supermercado de Santiago de Chile

5-4 Before the class does *Actividad 5-4,* practice the numbers by having students read the price of each item aloud.

Paso 1. Tu amigo está enfermo y tú vas al supermercado por él. En su casa, él mira las ofertas especiales que se anuncian en la Red y te dice por teléfono *cinco* cosas que necesita, y la cantidad[1]. Tú escribes la información.

MODELO

Amigo: *Quiero un kilo de manzanas, dos kilos de zanahorias, tres pimientos rojos, dos pizzas con mozzarella y un pollo entero.*

Tú: *Bueno.* (Apuntas la información.)

> *Note:*
> 1 U.S. dollar = approx. 540 Chilean pesos. (07-09)
> Kg = kilo(gram) (1 kilo = 2.2 lbs.)

manzanas, 1kg 299 pesos

peras, 1 kg 549 pesos

bananas, 1 kg 329 pesos

zanahorias, 1 kg 180 pesos

pimientos rojos, 1 unidad 199 pesos

cebollas, 1 kg 468 pesos

lechuga, 1 unidad 352 pesos

pizza con *mozzarella*, 980 pesos

un pollo entero, aprox. 2 kg 2.750 pesos

carne molida, 7%, 1 kg 1.599 pesos

bistec, 1kg 3.052 pesos

panecitos frescos para hamburguesas, una docena 839 pesos

5-4 If time allows, have students switch roles. As a follow-up to *Paso 2,* have some students call out their totals while others write them on the board, with the class making any necessary corrections.

Paso 2. Después, llevas[2] las compras a la casa de tu amigo. Él te da las gracias y te pregunta cuánto es. Le dices los precios de cada cosa[3] y el total.

MODELO

Amigo: *¡Muchas gracias! ¿Cuánto es?*

Tú: *A ver, un kilo de manzanas, 299 pesos,... Y el precio total es...*

[1]quantity, [2]take, [3]**cada...** each item

5-5 Preparativos para una boda

 Paso 1. Linda va a casarse en seis meses en Miami. Hoy va a ver el menú del chef Adolfo para escoger la comida para el banquete. Léelo para familiarizarte con lo que hay.

EL MENÚ DEL CHEF ADOLFO

sopa de mariscos
$8.25

sopa de pollo
$7.50

aperitivos variados
$5 por persona

ensalada
de la casa
$7.00

ensalada
de frutas
tropicales
$7.00

pollo al vino con
arroz y zanahorias
$20.00

salmón con puré
de papas y espárragos
$25.75

bistec con papas fritas y brócoli
$27.00

plato vegetariano: arroz,
frijoles y verduras variadas
$15.00

pasta con camarones
al limón
$18.50

pastel de bodas
(de fresa, limón o vainilla) $700

pan (blanco o integral[1])
$1.50 por persona

 Paso 2. Ahora, Linda y su madre hablan con el chef Adolfo y escogen la comida. Hagan los *tres* papeles[2] según el modelo.

- El chef saluda[3] a Linda y a su madre.

- El chef les pregunta el número total de invitados y lo apunta.

- La madre y la hija miran el menú del chef y hacen la selección para cada categoría.

- El chef lo apunta, y les da el precio total de cada categoría; madre o hija reaccionan al oír los precios.

- Al final, la madre y la hija preguntan cuál es la suma total, y el chef responde.

- La madre y la hija deciden si aceptan o no. Todos se despiden[4].

[1]whole wheat, [2]**Hagan...** Play the three roles, [3]greets, [4]**se...** say good-bye

MODELO

Chef: *Buenas tardes, ¿en qué puedo servirles?*

Madre: *Buenas tardes. Mi hija va a casarse y venimos a escoger[1] la comida para la recepción.*

Chef: *A ver[2]... ¿Cuántos invitados van a tener?*

Hija: *Cincuenta.*

Chef: *(Apunta el número.) Bien. ¿Desean aperitivos?*

Hija: *Sí, aperitivos variados.*

Chef: *Los aperitivos son 5.00 dólares por persona. El total es 250 dólares.*

Madre: *¡Caramba! ¡Qué caro! (o) Muy bien.*

Palabras útiles
dólar *dollar*
Un dólar con veinti-cinco centavos $1.25
¡Qué caro! *How expensive!*
¡Qué barato! *How inexpensive!*
¡Perfecto!
¡Caramba! *Oh, my!*

NÚMERO DE INVITADOS: *50*

Comida	Descripción	Precio por persona	Total
aperitivos	variados	$5.00	$250
sopa			
ensalada			
tres platos principales			
pan			
pastel de bodas			
			SUMA TOTAL: _____

5-5 You may project the PowerPoint slide of chef Adolfo's menu and ask students in groups of three to role-play their parts for the class. One group makes selections for soup and salad, another for the main dish, and so on, as time permits.

¡A escuchar! La lista de compras[3] CD 3 Track 51

Paso 1. Gabriel le dice a su esposa que va a ir al supermercado y que necesita su ayuda para completar la lista de compras. Escucha la conversación.

Paso 2. Escucha otra vez, y luego contesta las preguntas. Marca las respuestas correctas.

1. ¿Qué hacen Gabriel y Paloma?
   - ☐ la cena
   - ☑ la lista de compras

2. ¿Qué van a hacer Carolina y Rodrigo?
   - ☑ Van a cenar con Gabriel y Paloma.
   - ☐ Van a ir al supermercado.

3. ¿Gabriel y Paloma tienen en casa los ingredientes para una ensalada?
   - ☐ Sí
   - ☑ No

4. ¿Va Gabriel a comprar pavo para los sándwiches?
   - ☐ Sí
   - ☑ No

5. ¿Qué fruta refrescante les gusta a sus amigos?
   - ☑ la sandía
   - ☐ las naranjas

6. ¿Qué va a comprar Gabriel para la cena?
   - ☐ jamón
   - ☑ pescado y camarones

7. ¿Qué desea Paloma del mercado?
   - ☑ flores
   - ☐ dinero

Palabras útiles
refrescante *refreshing*

The scripts for the *¡A escuchar!* sections are included in the Book Companion Site (BCS) for instructors and in WileyPLUS under "Prepare and Present". The recordings are on the student CDs and in WileyPLUS under "Read, Study, and Practice".

[1]choose, [2]**A...** Let's see..., [3]**lista...** grocery list

See Grammar Handbook found in WileyPLUS.

For additional practice on this grammar point, see PowerPoint slides at www.wiley.com/college/lucasmurillo or visit www.wileyplus.com

Write the direct object pronouns on the board or on a transparency. Present a few sample questions and answers (use student names): ¿Conoces a Marta? Sí, la conozco. ¿Conoces a Pedro? No, no lo conozco. ¿Conoces a Ana y a Linda? Sí, las conozco. ¿Conoces a Martín y a Tomás? No, no los conozco.

To demonstrate placement of direct object pronouns, write: **no, te, llamo, quiero,** and **llamar** on separate sheets of paper and give them to five students. Have the three students holding **llamo, te** and **no** (out of sequence) step forward, and have the class help place the words in the correct order. Replace the student holding **llamo** with the two students holding **quiero** and **llamar**. Again have the class help arrange the students (and words) in the correct order: **No te quiero llamar,** (or) **No quiero llamarte.**

¡Manos a la obra!

Referring to people, places, and things: Direct object pronouns

Direct object nouns or pronouns answer the questions *what?* or *who?/whom?* in relation to the verb.

—¿Vende doña Elena **flores** en el mercado?   —Sí, **las** vende los sábados.
—¿Ves a **don Ramón** en la marisquería?   —Sí, **lo** veo.

You use direct object pronouns to refer to persons, places and things without mentioning their names. Direct object pronouns agree in gender and number with the nouns they replace or refer to.

—¿Tienes **el dinero**?   *Do you have the money?*
—Sí, **lo** tengo.   *Yes, I have it.*
—¿Y tienes **la lista de compras**?   *Do you have the shopping list?*
— Sí, **la** tengo.   *Yes, I have it.*

The direct object pronouns are:

me	*me*	**nos**	*us*
te	*you (fam.)*	**os**	*you (fam.)*
lo	*you (m., form.), him, it (m.)*	**los**	*you (m., form.), them (m.)*
la	*you (f., form.), her, it (f.)*	**las**	*you (f., form.), them (f.)*

Placement:

- Direct object pronouns are placed immediately *before* a conjugated verb.

     Compro **los** tomates.   **Los** compro.

- If a conjugated verb is followed by an infinitive, the direct object pronoun is placed either *before the conjugated* verb or *attached to the infinitive.*

     Voy a comprar **los tomates.** → **Los** voy a comprar. (o) Voy a comprar**los.**

- When the direct object pronoun is placed before the conjugated verb, **no** precedes the pronoun to make a question or statement negative.

     —¿**No lo** ves?   *Don't you see it?*
     —**No, no lo** veo.   *No, I don't see it.*

Jennifer e Ysenia están en el supermercado. Van a hacer las compras para la cena en la casa de Jennifer.

¡En acción!

¡Oye! ¿Lo compran o no?

Escucha la información acerca de Luis, Ana y Jaime, y di qué compra o no compra cada uno. Responde con: «**Sí, lo/ la/ los/ las compra.**» (o) «**No, no lo/ la/ los/ las compra.**»

5-6 Un compañero muy distraído[1]   RECYCLES prepositions of location.

Pepe está preparando tacos. Como es muy distraído, no encuentra[2] los ingredientes, y le pregunta a su compañero Ricardo dónde están. Hagan los dos papeles, completando la conversación con la información apropiada. Presten atención a los pronombres (**me, te, lo,...**).

huevos

tortillas

carne

cebollas

Pepe:	Ricardo, **te** estoy hablando, ¿no **me** oyes?
Ricardo:	Sí, **te** oigo.
Pepe:	¿Dónde están los tomates? No **los** encuentro.
Ricardo:	En el refrigerador, al lado de ___la lechuga___. ¿No **los** ves?
Pepe:	Ah, sí, ahora **los** veo. ¿Y la carne?
Ricardo:	Está debajo de ___la lechuga___ y al lado de ___las zanahorias___.
Pepe:	Ahora **la** veo. ¿Y el queso?
Ricardo:	Pepe, ¡qué distraído eres! No buscas bien. ¿No **lo** ves?
Pepe:	¡Ah sí! Aquí está, ___al lado___ de ___los huevos___. ¿Y la salsa? Ah, también **la** veo. Está ___al lado___ de ___la leche___.
Ricardo:	Bueno, ya no **me** necesitas más, ¿verdad?
Pepe:	Pues, sólo una pregunta más. ¿Dónde están las tortillas y las cebollas? No **las** veo en el refrigerador.
Ricardo:	¡Están en ___la mesa___! ¿Para qué **las** quieres?
Pepe:	Es obvio, ¿no? ¡Para preparar los ___tacos___!
Ricardo:	Ah, ¡estupendo! ¡Qué hambre tengo![3]
Pepe:	David y Tomás **nos** van a llamar a las siete. ¿Quieres invitar**los** a ___cenar___?
Ricardo:	___... (Last answer will vary.)___ .

[1]absentminded, [2]find, [3]**Qué...** How hungry I am!

Encourage students to jot down their yes/no answers rather than call them out. After most have done so, elicit responses in full sentences. This encourages participation by all students rather than by only a few.

Guión para ¡Oye!
1. Luis es un **vegetariano** muy estricto. Para el almuerzo, ¿compra o no lo siguiente?
· camarones
· uvas
· brócoli
· chuletas de cerdo
· ajo y cebollas
· frijoles
· huevos

2. El plato favorito de Ana es la **sopa de pollo con verduras**. Para prepararla, ¿compra o no lo siguiente?
· pollo
· zanahorias
· arvejas
· pescado
· manzanas
· cebolla
· mariscos

3. A Jaime le gusta **la ensalada mixta**. Para prepararla, ¿compra o no lo siguiente?
· pimientos rojos y verdes
· papas
· lechuga
· tomates
· arroz
· cerezas
· carne

5-6   You may use the PowerPoint slide of the illustration to confirm answers. Then have two students read the dialogue in front of the class. Encourage them to be expressive!

5-6   ANOTHER STEP:
Ask the following questions: Según la conversación, ¿oye Pepe a Ricardo? *Sí, lo oye.* ¿Encuentra Pepe los tomates? *Sí, los encuentra.* ¿Busca Pepe la leche? *No, no la busca.* ¿Y las zanahorias? *No, no las busca.* ¿Y la carne? *Sí, la busca.* ¿Encuentra Pepe todos los ingredientes que busca? *Sí, los encuentra.* ¿Va Pepe a preparar tacos? *Sí, va a prepararlos. (o) Sí, los va a preparar.*

5-7 ¿En qué clase de tienda?

Este mes trabajas de voluntario/a en un pueblo hispano. Allí, hay muchas tiendas que se especializan en un solo producto. Pregúntale a una persona del pueblo dónde compra los productos de la lista. Él/Ella contesta usando **lo, la, los** o **las**. Hagan los dos papeles.

5-7 This activity may be completed by students working in pairs, or as an instructor-led activity, with the instructor asking the questions.

5-7 ANOTHER STEP: Ask students to name and give some information about shops in their city or town that specialize in a particular food: **Donde yo vivo hay una quesería que vende quesos muy buenos.**

Carnicería Tomás	**Marisquería Marina**	**Quesería Sol**
Floristería Rosa	**Panadería Luz**	**Taquería Lupe**
Frutería Pérez	**Pescadería Cruz**	**Tortillería López**

MODELO

E1: *¿Dónde compras el pescado?*

E2: ***Lo** compro en la Pescadería Cruz.*

1. el pescado
2. los camarones
3. la carne
4. el queso
5. las piñas y fresas
6. el pan
7. los tacos
8. las tortillas
9. las flores

5-8 Compras para la cena RECYCLES gustar.

 Paso 1. Uds. dos van al Mercado Central (págs. 146–147) para comprar los ingredientes para la cena. Pasen por las secciones en el orden que se indica abajo, y escojan lo que necesitan. Compren sólo los ingredientes que les gustan a los dos. Usen **lo, la, los, las** según el modelo. Después de cada sección cambien de papel[1]. Tienen *cinco* minutos.

5-8 Have two students perform for the class. You can also set up a "market" in the classroom, with food items either drawn by students (provide markers and paper) or cut from magazines. Students move from stand to stand purchasing items.

LEGUMBRES-VERDURAS → FRUTERÍA → CARNICERÍA → PESCADERÍA- MARISQUERÍA → PANADERÍA

MODELO

E1: *(legumbres-verduras) A mí me gusta el brócoli, ¿y a ti?*

E2: *Sí, me gusta.*   **o:**   *No, no me gusta.*

E1: *Bueno, **lo** compramos.*   **o:**   *Bueno, no **lo** compramos.*

 Paso 2. Díganle a otra pareja o a la clase los ingredientes que compraron y compartan su menú.

 See Grammar Handbook found in WileyPLUS.

For additional practice on this grammar point, see PowerPoint slides at www.wiley.com/college/lucasmurillo or visit www.wileyplus.com

> **. . . y algo más**
>
> The suffix **-ísimo** can be added to many adjectives to intensify their meaning. In *Actividad 5-9*, note the following:
>
> | | | |
> |---|---|---|
> | **mucho** *a lot* | → | **muchísimo** *very much* |
> | **rico** *delicious* | → | **riquísimo** *very delicious* (Note spelling change.) |
>
> Can you intensify the adjectives **alto** and **divertido**?

[1]**cambien...** change roles

5-9 Celebraciones a la luz de la luna

Paso 1.   En la terraza de un restaurante del Caribe, varias parejas celebran el Día de los Enamorados (San Valentín). Primero, completen los espacios en blanco con el verbo indicado y los pronombres **me** o **te** correspondientes. Luego, lean las conversaciones con expresión, e identifiquen a cada una de las parejas (a, b, c, o d) según la información que está en el margen.

5-9 Students may do this activity orally or in writing. Have two pairs perform their dialogues in front of the class. Encourage them to read with great theatrical expression! (Applause is always in order!)

a. Es un matrimonio mayor que celebra sus bodas de oro (50 años de casados).

b. Es una pareja joven que celebra su primer día de San Valentín.

c. Es una pareja de recién casados.

d. Es un matrimonio que celebra sus bodas de plata (25 años de casados)

¡A tu salud![1]   **¡Salud!**

1. RAMÓN: *querer*

Felisa, amor mío, _te quiero_ muchísimo. Eres perfecta para mí. … ¡Y ahora, un poco de champán para celebrar nuestro aniversario de bodas! ¡Son ya muchos años!, ¿no?

FELISA: *querer, necesitar*

Yo también _te_ _quiero_, Ramón, y _te_ _necesito_ aún más ahora que nuestros hijos están ya en la universidad. ¡Oye! ¡El champán está buenísimo! ¿Me sirves un poco más?

2. ANTONIA: *amar*

¡Uhmmmm! Esta sopa de mariscos está deliciosa! César, ¡estoy tan enamorada de ti! ¿Qué pasa? ¿Por qué no reaccionas? ¿Ya no _me_ _amas_?

CÉSAR: *amar, comprender*[2]

Antonia, cariño, sabes que _te_ _amo_ con todo mi corazón♥, pero es que esta sopa de mariscos no me gusta nada. ¿ _Me_ _comprendes_ ahora?

3. TOMÁS: *oír*

¡Ay! El pescado al limón está riquísimo. ¡Feliz aniversario, querida! ¡¡¡Pepita!!! ¿¿¿ _Me_ _oyes_ ???

PEPITA: *oír, adorar*

¿¿¿¿Qué???? No _te_ _oigo_ bien, Tomás. ¿Dices que _me_ _adoras_ ? ¡Aquí hay muchísimo ruido[3]! Y yo ya soy muy mayor para estas cenas.

4. FELIPE: *invitar*

¡Uhmmm! ¡Qué helado de chocolate! Oye, Casilda, en un día tan especial, y por ser nuestro primer día de los enamorados, _te_ _invito_ a un paseo en mi Harley-Davidson.

CASILDA: *invitar, querer*

¿ _Me_ _invitas_ ? ¡Qué bien! ¡Felipe, no sabes cuánto _te_ _quiero_ !

5-9   Review the answers for *Paso 1* before students read the conversations dramatically. Ask a few pairs to read for the class.

5-9   ANSWERS for matching speech bubbles to couples listed: 1. d, 2. c, 3. a, 4. b.

5-9   ANOTHER STEP: After students complete *Paso 2*, have them read their Valentine's Day cards to each other in groups of five. Students then nominate individuals with unique or clever messages, who in turn read their messages to the class.

5-9   Students will further practice direct object pronouns in the third scene of this chapter, along with the present progressive.

Paso 2.   El Día de los Enamorados decides escribir un mensaje especial para el amor de tu vida (real o imaginario/a). En *cuatro* oraciones, expresa tus sentimientos por esa persona. Usa los verbos del *Paso 1. Mi amor, …*

[1] Cheers!, [2] to understand, [3] noise

Tu mundo cultural

Los productos hispanos y su historia

El impacto del intercambio de productos entre Europa y América

Some students may find it interesting to know that many products brought from Europe to America originally came to Spain from Asia and Africa and that a number of them had been introduced in Spain as a result of the Moorish invasion.

¿Sabes el origen de muchas de tus comidas favoritas y de sus ingredientes?

A raíz del[1] encuentro entre[2] el Viejo y el Nuevo Mundo (1492), comienza el intercambio de productos entre Europa y América. Su impacto es enorme en los dos continentes.

América → Europa

Flora: papa, batata *sweet potato*, tomate, pimiento, aguacate *avocado*, cacao, yuca, maní *peanut*, chile, calabaza *pumpkin*, frijol, maíz, piña, papaya, fresa, vainilla, tabaco

Fauna: pavo, bacalao *cod*, alpaca, llama

Europa → América

Flora: trigo *wheat*, café, caña de azúcar *sugar cane*, lechuga, ajo, cebolla, zanahoria, espinaca, arveja, banana, uva, naranja, limón, manzana, pera, melón, mango, almendra, aceituna/oliva, pimienta *pepper*, canela *cinnamon*, mostaza *mustard*

Fauna: vaca *cow*, cerdo, gallina *chicken*

El impacto del intercambio en la dieta americana y europea

En América, algunos de los productos procedentes de Europa se cultivan con tal éxito[3], que constituyen ahora la base de las economías de muchos de sus países. Por ejemplo: **Honduras** (bananas), **Cuba** (caña de azúcar, primer productor mundial), **Colombia** (café, segundo productor mundial), **Argentina** (trigo, uno de los primeros productores del mundo) y **Chile** (uvas, vino). Lo mismo[4] ocurre con los animales procedentes de Europa. Entre los primeros países del mundo en producción ganadera[5] están Argentina, Uruguay y Paraguay. Los tres exportan carne de gran calidad. ¿De qué continente son originarias las uvas, las manzanas y las naranjas que se ven en este mercado de Chile?

En Europa, los productos originarios de América, como por ejemplo la papa y el bacalao, se convierten en alimentos[6] básicos. Otros, como el tomate, el cacao, el pimiento y la vainilla, son ahora ingredientes indispensables en la dieta europea.

¿SABES QUE...?

Guatemala is the world's leading producer of chewing gum (**chicle**). The revenue from gum exports totals more than $2 million a year. Until 1973, Guatemala exported gum solely to the United States.

---

[1]**A...** As a result of, [2]between, [3]**tal...** such success, [4]**Lo...** The same thing, [5]cattle, [6]foods

¿Qué productos de América reconoces de los que están delante de la mujer? ¿Y qué productos de Europa están cerca del hombre?

Beginning with this chapter, *Contraste cultural* sections are in Spanish, giving students the opportunity to talk in the target language. You may prefer to allow English for a few minutes, however, for a more in-depth discussion.

To more fully respond to the first item in the *Contraste cultural*, remind students that they can find the Spanish names of the countries in the inside back cover of their textbooks.

Los supermercados en EE.UU. y su selección de productos hispanos

La influencia hispana es evidente en numerosos aspectos de la vida estadounidense, y en los supermercados no es una excepción. Observa las etiquetas[1] de los productos en tu supermercado. Te va a sorprender la cantidad de productos originarios de países hispanos que se importan en EE.UU.

> ### ¿SABES QUE...?
> The olive tree dates back to 4000 B.C. Spain is the world's leading supplier of olive oil, producing two million tons a year with a value of US$1.7 billion.

¿Qué aprendiste?

1. ¿A partir de qué año se inicia el intercambio de productos entre Europa y América?

2. ¿Cuáles son algunos de los productos procedentes de Europa que constituyen ahora la base de la economía de algunos países de América?

3. ¿Qué productos originarios de América son parte indispensable de la dieta o de la cocina europea?

chiles de México
espárragos blancos de Perú
papayas y **mangos** de México
uvas de Chile
bananas de Honduras
pescado de Chile
camarones de Ecuador
aceitunas y **aceite de oliva** de España
café de Colombia
vino de Chile y de España

Actividad cultural

Escribe una lista de: **(a)** *tres* productos originarios de América que te gustan; **(b)** *tres* productos procedentes de Europa que te gustan; **(c)** *tres* productos hispanos importados que compras en tu supermercado. Luego, compártela con un compañero/a de clase.

Contraste cultural

En grupos de *cuatro*, hablen de:

- las comidas o productos de otros países o continentes que Uds. comen o compran (China, Japón, Tailandia, Vietnam, la India, el Oriente Medio[2], África, ...)

- las comidas o productos de su país o región que son populares en otros países

> ### ¿SABES QUE...?
> Chocolate is made by crushing the beans of the cacao fruit into cocoa powder and mixing it with other ingredients such as milk, vanilla and cinnamon. The word **cacao** is Mayan, and the Aztecs used cacao beans as currency. An officer of Hernán Cortez, the Spanish conquistador, observed Moctezuma the Aztec leader, drinking 50 flagons (more than a gallon) of chocolate a day.
>
>
>
> The Cacao God of the Classic Maya (engraved on a bowl).

[1]labels, [2]**Oriente...** Middle East

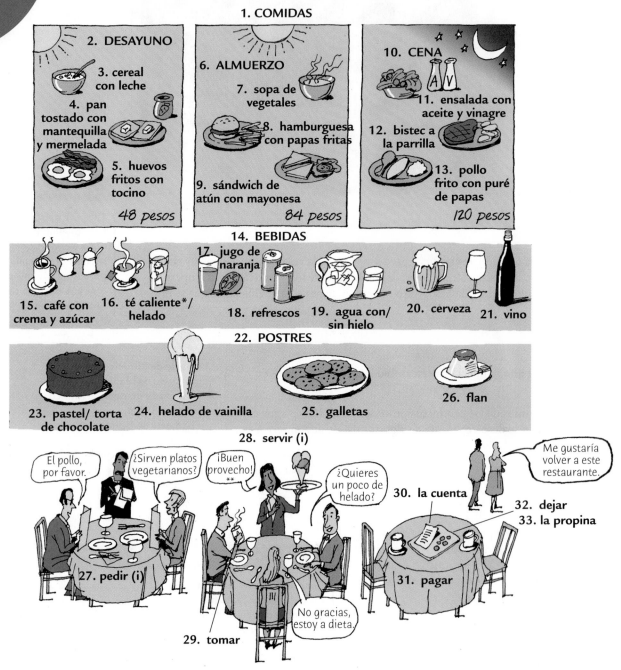

1. COMIDAS

2. DESAYUNO
3. cereal con leche
4. pan tostado con mantequilla y mermelada
5. huevos fritos con tocino
48 pesos

6. ALMUERZO
7. sopa de vegetales
8. hamburguesa con papas fritas
9. sándwich de atún con mayonesa
84 pesos

10. CENA
11. ensalada con aceite y vinagre
12. bistec a la parrilla
13. pollo frito con puré de papas
120 pesos

14. BEBIDAS
15. café con crema y azúcar
16. té caliente*/ helado
17. jugo de naranja
18. refrescos
19. agua con/ sin hielo
20. cerveza
21. vino

22. POSTRES
23. pastel/ torta de chocolate
24. helado de vainilla
25. galletas
26. flan

28. servir (i)

El pollo, por favor.
¿Sirven platos vegetarianos?
¡Buen provecho!**
¿Quieres un poco de helado?
Me gustaría volver a este restaurante.

30. la cuenta
32. dejar
33. la propina

27. pedir (i)
31. pagar
No gracias, estoy a dieta.
29. tomar

1. meals, food 2. breakfast (*m.*) 3. cereal (*m.*) with milk 4. toast with butter and jam 5. fried eggs with bacon 6. lunch (*m.*) 7. vegetable soup 8. hamburger with French fries 9. tuna salad sandwich (*m.*) 10. dinner (*f.*) 11. salad with oil and vinegar 12. grilled steak 13. fried chicken with mashed potatoes 14. drinks, beverages 15. coffee (*m.*) with cream and sugar 16. hot tea (*m.*)/ iced tea 17. orange juice 18. soft drinks, sodas 19. water with/ without ice 20. beer 21. wine 22. desserts 23. chocolate cake; **pastel** (*m.*) 24. vanilla ice cream 25. cookies 26. caramel custard (*m.*) 27. to order, ask for 28. to serve 29. to drink, take 30. the bill 31. to pay (for) 32. to leave (behind) 33. tip

***caliente** *hot (temperature)*; **picante** *hot (spicy)* ** **¡Buen provecho!** *Enjoy your meal!*

¡En acción!

5-10 El menú

Paso 1. De los menús de la página 160, ¿qué va a pedir tu compañero/a? Hazle las preguntas de la primera columna. Él/Ella responde según el modelo de la segunda columna, y tu escribes la información en la tercera. Luego, cambien de papel.

Preguntas	Respuestas	Información escrita
1. ¿Qué vas a pedir en el desayuno? ¿Y para beber?	*Voy a pedir cereal con leche...*	*Samuel va a pedir cereal con leche...*
2. ¿Qué vas a pedir en el almuerzo? ¿Y para beber? ¿Y de postre?		
3. ¿Qué vas a pedir en la cena? ¿Y para beber? ¿Y de postre?		

Paso 2. Ahora, comparte la información de la tercera columna con la clase, para saber cuáles son las comidas más populares del desayuno, del almuerzo y de la cena.

. . . y algo más

- You have noticed how Spanish speakers say *orange juice* (**jugo de naranja**), *chocolate cake* (**torta de chocolate**), and *vanilla ice cream* (**helado de vainilla**). How many types of juice, cakes/ pies, and ice cream can you identify?

    dish + **de** + *flavor*

- You have also learned how to talk about sandwiches (and other foods) with multiple ingredients: **sándwich** *de* **atún** *con* **mayonesa**. What other combinations of sandwiches can you think of?

    sandwich + **de** + *main ingredient* + **con** + *other ingredients*

See Grammar Handbook found in WileyPLUS.

For additional practice on this grammar point, see PowerPoint slides at www.wiley.com/college/lucasmurillo or visit www.wileyplus.com

5-11 Tema de conversación: las comidas

Observen la escena de la página 160, y háganse las siguientes preguntas para saber las preferencias de cada uno/a.

1. De las tres comidas del día, ¿cuál es tu favorita?
2. ¿A qué hora desayunas, almuerzas y cenas?
3. ¿Qué desayunas[1] ? ¿Y qué jugo o bebida caliente tomas?
4. ¿Cuál es tu sopa favorita? ¿Y tu sándwich favorito?
5. ¿Qué bebida te gusta más con el almuerzo? ¿Y con la cena?

(continúa)

[1]**Qué...** What do you have for breakfast?

5-11 You may review responses using the PowerPoint slide of the menu/ restaurant scene.

For additional vocabulary practice, see PowerPoint slides at www.wiley.com/college/lucasmurillo or visit www.wileyplus.com

5-11 PERSONALIZED QUESTIONS: Una persona de un país hispano les pregunta lo siguiente: ¿Qué se come normalmente en el desayuno? ¿En el almuerzo? ¿Y en la cena? ¿A qué hora se come cada comida?

6. Cuando cenas en un restaurante, normalmente, ¿pides sopa? ¿Ensalada? ¿Postre?

7. ¿Qué postres se sirven en el restaurante de la página 160? ¿Cuál es tu postre favorito?

8. En el restaurante, ¿qué pide el señor? ¿Es vegetariana la señora?

9. ¿Qué sirve la mesera? ¿Qué dice? ¿Quién no desea tomar helado? ¿Por qué?

10. ¿Qué pagamos en un restaurante después de comer o cenar? ¿Dejas una buena propina en los restaurantes?

11. ¿Qué dice la señora que sale del restaurante con su esposo?

5-12 Los restaurantes favoritos

¿SABES QUE...?

People in most Hispanic countries eat the main meal of the day with their families, usually between 1:00 and 2:00 PM. Breakfast is normally quite light, and dinner is generally later than in the United States, typically between 8:00 and 9:00 PM. Spain is known for its late lunches and dinners, particularly on weekends.

En EE.UU. la comida mexicana es muy popular y los restaurantes mexicanos forman ya parte de las opciones culinarias preferidas por los estadounidenses.

 Paso 1. ¿Cuál es el restaurante favorito de tu compañero/a de clase? ¿Qué se sirve allí? Pregúntale lo siguiente y apunta la información. Luego, cambien de papel.

Incluyan:

5-12 At the conclusion of *Paso 1,* poll the class to determine their favorite restaurants. For *Paso 2,* have students correct each other's descriptions. Ask two or three students to read their descriptions to the class.

- nombre y ubicación[1] del restaurante (¿Cómo se llama? ¿Dónde está?)

- clase de comidas que se sirven allí (¿Mexicana? ¿Italiana? ¿Tailandesa?...)

- platos y bebidas que le gustan de allí (ensalada, plato principal, verduras, postre)

- precio de los platos principales (cuestan... dólares)

- frecuencia con la que come allí (todas las semanas, una vez al mes,...)

 Paso 2. Ahora, con la información obtenida, escribe *cinco* oraciones acerca del restaurante favorito de tu compañero/a. Da toda clase de detalles.

[1]location

♪ ¡A escuchar! Una cena especial   CD 3 Track 52

Paso 1. Los señores Alvar están en su restaurante favorito para celebrar el aniversario de los veintitrés años de su matrimonio. Escucha la conversación entre ellos y el mesero.

Paso 2. Escucha otra vez, y luego completa la lista y los espacios en blanco que siguen con la información apropiada.

¿Qué piden?	El Sr. Alvar	La Sra. Alvar
bebidas:	vino tinto,... champán	agua mineral sin gas champán
primer plato:	sopa de mariscos	ensalada de la casa
segundo plato:	bistec con puré de papas y brócoli	pollo al vino con arroz
postre:	helado de chocolate	flan
café:	café sin azúcar	café descafeinado

Al final, el señor Alvar desea pagar y pide la ___cuenta___. Probablemente deja una buena ___propina___ para el mesero.

Comidas de los restaurantes del mundo hispano.

Desayuno de México: quesadillas, frijoles y papaya con jugo de naranja y café con leche.

Almuerzo de Costa Rica: pescado a la parrilla con limón y ensalada de tomate, pepino y cebolla.

Merienda[1] de España: choco-late con churros.

Cena típica de Venezuela: carne de res, arroz, frijoles negros y plátanos fritos, con pan y jugo de frutas naturales.

Postre típico de España: frutas y queso.

[1]Afternoon snack

For additional practice on this grammar point, see PowerPoint slides at www.wiley.com/college/lucasmurillo or visit www.wileyplus.com

GRAMÁTICA

¡Manos a la obra!

Talking about actions, desires, and preferences in the present: Stem-changing verbs

2

You know how to form the present tense of regular verbs: you drop the infinitive ending (**-ar, -er** or **-ir**) and add the present tense endings, according to the person. (See pages 80 and 114.)

Some verbs also change the *stem*—the portion left after you drop the infinitive ending. The last vowel before the ending changes in all persons except **nosotros** and **vosotros**.

e → ie		o → ue		e → i	
querer (ie) *to want, love*		**dormir (ue)** *to sleep*		**pedir (i)** *to ask for, order*	
qu**ie**ro	queremos	d**ue**rmo	dormimos	p**i**do	pedimos
qu**ie**res	queréis	d**ue**rmes	dormís	p**i**des	pedís
qu**ie**re	qu**ie**ren	d**ue**rme	d**ue**rmen	p**i**de	p**i**den

Additional stem-changing verbs used in this chapter include:

e → ie

entender (ie) *to understand*   ¿Ent**ie**nden el menú?
pensar (ie) *to think*   ¿P**ie**nsas que aquí sirven arroz con pollo?
preferir (ie) *to prefer*   Pref**ie**ro cenar más tarde.

o → ue

almorzar (ue) *to have lunch*   ¿A qué hora alm**ue**rzas?
contar (ue) *to count*   C**ue**nto los refrescos para ver si hay suficientes.
costar (ue) *to cost*   ¿Cuánto c**ue**stan los sándwiches?
poder (ue) *to be able*   ¿P**ue**den Uds. cenar a las siete?
volver (ue) *to return*   El mesero v**ue**lve en un momento.
jugar* (ue) *to play sports/games*   ¿Siempre j**ue**gas al tenis antes del almuerzo?

e → i

repetir (i) *to repeat*   Los domingos, rep**i**ten el menú del sábado.
servir (i) *to serve*   ¿Qué días s**i**rven mariscos?

*The verb **jugar** changes the **u** to **ue**.

Show students the "shoe" patterns of stem changes, visible with the three singular forms on the left, the three plural on the right, and a line enclosing all verb forms with a stem change.

Name one activity you usually do, and ask several students if they do it too: *Almuerzo en la cafetería. ¿Y tú?* Try to find a student who does, so you can say *...y yo almorzamos en la cafetería.* If two students respond in the same way, say *...y ...almuerzan en la cafetería, ¿verdad? More examples:* **Prefiero cenar en casa. Pido camarones cuando ceno en un restaurante. Juego al... Duermo ocho horas todas las noches.**

Fabio y sus amigos compran las bebidas para la cena con los padres de Jennifer.

¿Qué piensan de este supermercado?

Pienso que es estupendo. Aquí podemos comprar todas las bebidas.

¿Quieren refrescos o jugo?

Yo prefiero jugo de piña, ¿y ustedes?

Podemos llevar varios jugos y también, una botella de vino.

¡Qué buena idea!

Y ahora,... volvemos al carro... ¡y a cenar!

¡En acción!

¡Oye! ¿Es así o no?

Escucha lo que dice tu profesor/a y di si piensas que es cierto o no lo siguiente.

5-13 ¿Es así en nuestra universidad?

Paso 1. En grupos de *cuatro,* un/a estudiante lee la siguiente[1] información en voz alta y cada persona del grupo marca **Sí** o **No** según su opinión.

Sí	No	
☐	☐	**1.** Los estudiantes **pueden** estacionar sin dificultad.
☐	☐	**2.** La cafetería **sirve** comida muy nutritiva.
☐	☐	**3.** Los estudiantes **piensan** que casi todas las clases son buenas.
☐	☐	**4.** Los profesores **entienden** los problemas de los estudiantes.
☐	☐	**5.** Los estudiantes **prefieren** estudiar en la biblioteca.
☐	☐	**6.** Muchos estudiantes **vuelven** tarde a casa porque trabajan.

Paso 2. Comparen sus respuestas. En los casos en que todos coincidan en su respuesta, díganselo a su profesor/a, que quiere saber sus opiniones:

E1: *En nuestra opinión, los estudiantes (no)* ***pueden*** *estacionar sin dificultad.*

5-14 Mensajes instantáneos

Un estudiante de Quito, capital de Ecuador, va a estudiar en la universidad el próximo semestre y les escribe a Uds. mensajes instantáneos con sus preguntas. Escriban sus respuestas, y luego, compártanlas con la clase.

1. ¿Son difíciles las clases? ¿**Entienden** bien la materia en todas? Send

2. ¿Qué clases **prefieren**? ¿Cuánto **cuesta** cada clase? Send

3. ¿Dónde **almuerzan** Uds.? ¿Qué clase de comida **se sirve**? Send

4. ¿A qué deportes **juegan**? Send

. . . y algo más

Note three uses of **pensar**.

- **pensar de:** to ask for an opinion. ¿Qué **piensas de...**? *What do you think about...?*
- **pensar que:** to state an opinion. **Pienso que...** *I think (that)...*
- **pensar +** *infinitive:* to plan/ intend to do something. **Pienso ir.** *I plan/ intend to go.*

See Grammar Handbook found in WileyPLUS.

For additional practice on this grammar point, see PowerPoint slides at www.wiley.com/college/lucasmurillo or visit www.wileyplus.com

Guión para ¡Oye!
1. **Quiero** estudiar chino. ¿Sí o no?
2. **Entiendo** francés.
3. **Juego** muy bien al ping-pong.
4. **Prefiero** vivir en el campo.
5. Durante la semana, **vuelvo** a casa a las diez de la noche.
6. **Duermo** cinco horas todas las noches.
7. **Almuerzo** en mi oficina.
8. En los restaurantes, **pido** cerveza.
9. **Pienso** en mis estudiantes día y noche.

After students guess whether each of your statements is true, set the record straight by providing the correct information.

---

[1]following

5-15 ¡Hablemos de comida!

Paso 1. ¿Quieres conocer los hábitos de comer de tus compañeros/as? Camina por la clase y hazles cada pregunta a *tres* estudiantes diferentes. Apunta las respuestas. Tienes *ocho* minutos.

5-15 If time is at a premium, ask students to get feedback from *two* rather than *three* classmates for each question. *Option:* Students may complete the activity in groups of four.

5-15 ANOTHER STEP: Ask each student to share one item that they had in common with a classmate they interviewed (thus practicing the **nosotros** form): ...y yo pedimos mariscos cuando vamos a un buen restaurante a cenar.

SONDEO

1. ¿Dónde **almuerzas** durante la semana? ¿A qué hora?

   dónde   a. _____   b. _____   c. _____

   a qué hora   a. _____   b. _____   c. _____

2. ¿Qué **prefieres** comer y beber en el desayuno?

   comer   a. _____   b. _____   c. _____

   beber   a. _____   b. _____   c. _____

3. Cuando vas a un buen restaurante a cenar, ¿qué **pides**?

                  a. _____   b. _____   c. _____

4. En general, ¿qué **piensas** de la «comida rápida»?

   Pienso que...   a. _____   b. _____   c. _____

5. ¿Qué comida **puedes** preparar tú solo/a?

                  a. _____   b. _____   c. _____

6. ¿Qué platos **quieres** aprender a preparar?

                  a. _____   b. _____   c. _____

7. ¿Los fines de semana, **duermes** la siesta después del almuerzo?

                  a._____   b. _____   c. _____

Paso 2. En grupos de *seis*, comparen las respuestas a cada pregunta y apunten las que tienen en común varios estudiantes. Luego, una persona de cada grupo informa al resto de la clase: *En nuestro grupo, la mayoría de los estudiantes* **almuerzan** *en la cafetería al mediodía.*

5-16 En el Café Ibérico de Chicago

Paso 1. Estás con dos amigos en el **Café Ibérico,** un restaurante de Chicago que sirve comida española y se especializa en tapas. Antes de llamar[1] al mesero, Uds. leen el menú y hablan de los platos que prefieren o piensan pedir. Usen los verbos que siguen.

querer   preferir   pedir   pensar

MODELO

E1: *¿Qué* ***quieren*** *pedir Uds.?*

E2: *Yo* ***pienso*** *pedir dos o tres tapas; unas calientes y otras frías.*

E3: *Pues, yo aquí siempre* ***pido*** *ensalada, pero hoy* ***prefiero*** *la sopa.*

[1]**Antes...** Before calling

Café Ibérico TAPAS BAR

ENSALADAS

Ensalada de la casa $ 4.50
House salad with sherry vinaigrette and olive oil.

Ensalada mixta $ 5.50
Spanish style mixed salad with asparagus, beets, hearts of palm, endive, dressed with our vinaigrette and wine dressing.

Ensalada de legumbres $ 4.50
A combination of seasonal grilled vegetables marinated with sherry vinaigrette.

TAPAS FRÍAS

Aceitunas aliñadas $ 5.50
Marinated Spanish olives.

Canelón de atún $ 5.95
Tuna cannelloni served with a creamy whitewine sauce.

Pimientos asados $ 4.50
Fire roasted three color peppers with olive oil.

Patatas ali-oli $ 5.50
Red potatoes with garlic mayonnaise sauce.

Jamón ibérico $ 7.95
Spanish style cured ham with manchego cheese and tomato bread.

Tortilla española $ 5.50
Spanish omelet.

SOPAS

Caldo gallego $ 3.95
Galician style soup with white beans and rappini.

Sopa de fideos $ 3.95
Chicken noodle soup.

TAPAS CALIENTES

Patatas bravas $ 5.50
Spicy potataoes with special tomato sauce.

Pincho de pollo $ 5.50
Chicken brochette with caramelized onions and rice.

Pincho de solomillo $ 7.50
Beef tenderloin skewer with fries and caramelized onions.

Calamares a la plancha $ 6.50
Grilled squid with olive oil, garlic and lemon juice.

Pulpo a la plancha $ 8.50
Grilled octopus with potatoes and olive oil.

Chorizo y morcilla $ 4.50
A combination platter of grilled Spanish style sausages.

Queso de cabra $ 7.50
Baked goat cheese with fresh tomato basil sauce.

POSTRES

Flan de caramelo $ 3.95
Caramel custard.

Arroz con leche $ 3.95
Baked rice pudding with milk and cinnamon.

CAFÉS

Café solo $ 2.00
Espresso.

Café cortado $ 2.00
Espresso with a touch of milk.

Café con leche $ 2.00
Espresso with lots of steamed milk.

Carajillo $ 3.00
Espresso coffee with Spanish brandy or anisette.

El bar llamado **Tapas Barcelona** en Evanston, Illinois. **Las tapas** son pequeñas porciones de diferentes especialidades de comida española. En España se sirven en todos los bares. Ahora son también populares en EE.UU.

 Paso 2. Ahora, Uds. ya están listos[1] para pedir su comida. Hagan los papeles de mesero/a y de tres clientes. Incluyan lo siguiente en sus diálogos:

- saludos
- preguntas acerca de las ensaladas, sopas y tapas que sirven
- lo que piden para comer
- lo que piden de postre y la clase de café que prefieren
- pedir la cuenta y pagar (con tarjeta de crédito)
- las despedidas

[1]ready

5-16 ANOTHER STEP: In groups of three, students play chefs writing their menu for the "dinner special" of their restaurant, to include soup, salad, a main course, and dessert, listing ingredients where appropriate. Menus are then shared with the class, with votes taken to determine the best one/s.

Tu mundo cultural

Platos típicos de algunos países hispanos

Dónde tú vives, ¿hay restaurantes que se especializan en comidas de países hispanos? ¿Cuáles has comido?

La gastronomía del mundo hispano es un reflejo de su diversidad. Los países hispanohablantes, que están en continentes y hemisferios distintos, tienen climas y geografía muy variados, un rico pasado y una gran diversidad cultural. En consecuencia, sus platos típicos incluyen todos los productos, colores, sabores[1] y métodos culinarios imaginables.

Lo interesante es que la mayoría de esos platos se pueden encontrar ahora en los restaurantes de todas las grandes ciudades de EE.UU. Esto es el resultado de la presencia cada vez mayor en este país de inmigrantes procedentes de diversos países hispanos. ¿Cuáles de estos platos te gustaría comer?

Los tamales (del azteca *tamal-i*) son típicos de Guatemala, Puerto Rico, México y otros países hispanoamericanos. En su masa[2] de maíz se pone carne (de res, puerco, pavo o pollo), cebolla, ajo, tomate, especias, y a veces, papas, garbanzos, pasas[3] o aceitunas[4]. Los tamales se cuecen al vapor[5], en hojas de maíz o plátano. Se sirven en Navidad y en ocasiones especiales.

El ajiaco o sancocho criollo es uno de los platos preferidos de países del Caribe como República Dominicana, Puerto Rico y Cuba. Esta sopa tropical tiene maíz, plátanos verdes, jugo de limón, yuca, batata, ñame (variedad de batata) y calabaza[6].

El mole poblano, original de la ciudad de Puebla, en México, es una salsa de chocolate, chiles y especias que se sirve con pavo o pollo. Se come en días especiales.

[1]flavors, [2]dough, [3]raisins, [4]olives, [5]**se...** are steamed, [6]squash

Ropa vieja es una especialidad de países del Caribe, como Cuba. Sus ingredientes son carne de res preparada con cebolla, ají (chile) rojo y verde, ajo, orégano, pimentón, tomate frito, aceite de oliva y un poco de vino blanco. Se sirve con arroz y plátanos fritos.

El cebiche (o ceviche) es típico de Perú y del sur de Ecuador, y es popular en otros países hispanos de la costa. Se prepara con pescado o marisco crudo[1], marinado en jugo de limón o de naranja; lleva también cebolla, tomates, aceite de oliva, ají, sal, pimienta y cilantro. Se sirve de aperitivo o como plato ligero[2].

La paella es un plato típico español de la región mediterránea de Valencia, aunque se prepara en toda España. Sus ingredientes varían de una región a otra. Tradicionalmente, se prepara al aire libre con arroz, carne o mariscos, pimientos rojos y verdes, tomates, aceitunas, ajo, cebolla, limón, azafrán[3], sal y aceite de oliva.

Las empanadas son una especialidad de Argentina; también se preparan en España, Chile, Bolivia, Colombia, Paraguay, Cuba y otros países. Consisten en una masa de harina rellena de carne, papas, cebolla, arvejas, aceitunas, pasas, huevos y especias.

 ## ¿Qué aprendiste?

1. ¿Por qué es tan variada la gastronomía hispana?
2. ¿Por qué se sirven muchos platos hispanos en restaurantes estadounidenses?
3. ¿Cuáles son las especialidades de México, el Caribe, Perú, Ecuador, Argentina y España?

 ## Actividad cultural

Uds. quieren preparar dos platos típicamente hispanos. Decidan cuáles van a hacer y por qué. Luego, escriban una lista de lo que van a comprar en el supermercado, según los ingredientes de cada plato.

 ## Contraste cultural

Habla con tu compañero/a de dos o tres platos representativos de la región donde vives. Dile los ingredientes que tienen, las ocasiones cuando se preparan, cuál es tu favorito y por qué. Túrnense.

[1]raw, [2]light, [3]saffron

1. la cocina

³¿**Otro***regalo?

¡Qué rica!

Necesita ⁶**más** ⁷**sal** y ⁸**pimienta**

Me encanta ⁹**cocinar**.

GUADALUPE

2. los regalos

4. probar (ue)

DªROSA

5. preparar

10. cortar

AZÚCAR

HARINA

11.

CALISTO

DAMIÁN

ÁNGEL

NURIA

¡Feliz cumpleaños, Robertito!

24. las copas

23. los vasos

22. las tazas

21. los platos

20. las cucharas

18. las servilletas

19. los cuchillos

17. los tenedores

Mª LUISA

¹²**¡Tengo hambre!**

PACHA

RAFAEL

16. la merienda

15. las aceitunas

¹³**¡Tengo sed!** Quiero limonada.

14. el mantel

ROBERTITO

CARMEN

DON CLAUDIO

1. kitchen 2. gifts 3. another 4. to taste, to try 5. to prepare 6. more; **menos** *less* 7. salt (*f.*) 8. pepper 9. to cook 10. to cut 11. flour
12. I'm hungry! **tener hambre** to be hungry 13. I'm thirsty! **tener sed** to be thirsty 14. tablecloth 15. olives 16. afternoon snack 17. forks (*m.*)
18. napkins 19. knives 20. spoons 21. plates, dishes 22. cups 23. glasses 24. wine glasses, goblets

*****Otro regalo/ otra galleta** *Another gift/ another cookie.* Note that **otro/a** does *not* include **un/una** before it.

¡En acción!

5-17 ¿Cierto o falso?

Lee las oraciones e indica si son ciertas o falsas. Si son falsas, corrígelas.

MODELO

C	F	
☐	☑	Para tomar sopa se usa un cuchillo.
		Falso. Se usa una cuchara.

C	F	
☐	☐	**1.** La comida se sirve en platos.
☐	☐	**2.** El vino se sirve en una taza.
☐	☐	**3.** Para beber té helado, se usan copas.
☐	☐	**4.** Para comer un huevo frito, se necesita una cuchara.
☐	☐	**5.** Para cortar el bistec, se usa un tenedor.
☐	☐	**6.** Cuando se comen espaguetis, se necesita una servilleta.
☐	☐	**7.** Cuando se tiene mucha hambre, se come una ensalada de lechuga.
☐	☐	**8.** Cuando se tiene mucha sed y hace calor, se bebe agua o un refresco.

5-18 Preparativos para una fiesta

Los Roldán están muy ocupados en la cocina. ¿Qué pasa? Observen la escena de la página 170 y contesten las preguntas.

1. ¿Qué fiesta celebran? ¿Cuántos años cumple Robertito?

2. ¿Qué hace Guadalupe? ¿Qué dice?

3. ¿Qué ingredientes necesita Ángel para preparar la ensalada?

4. ¿Qué ingredientes usa Nuria para preparar los pasteles? ¿Qué hace? ¿Le gusta cocinar a ella?

5. ¿Dónde está Calisto, el gato? ¿Qué hace? ¿Y Pachá, el perro?

6. ¿Para quién son los regalos que están en la mesa? ¿Qué dice la abuela?

7. ¿Qué va a poner Mª Luisa en la mesa? ¿De qué color es el mantel?

8. ¿Qué comidas van a servir en la merienda? ¿Qué prueba Carmen?

9. ¿Quién tiene hambre? ¿Qué quiere probar? ¿Quién tiene sed? ¿Qué quiere beber?

10. En la otra mesa hay utensilios y otras cosas. ¿Cuáles se usan para beber? ¿Y para comer?

Cocina mexicana con paredes de cerámica o azulejos, decoración tradicional de muchas cocinas hispanas. En ella se ve a una cocinera preparando tortillas de maíz.

5-17 *Option:* Students may do *Actividad 5-17* in pairs. Remind them of the "impersonal se," using the model as an example: **...se usa una cuchara** *one uses a spoon/ a spoon is used.* Pause after each sentence to allow students to decide whether it is true or false.
ANSWERS: *Cierto:* 1, 6, 8; *Falso:* 2. Se sirve en una copa 3. Se usan vasos 4. Se necesita un tenedor 5. Se usa un cuchillo 7. ... (Answers will vary.)

5-18 After students complete the activity, you may project the Power-Point slide of the scene. The class then describes the scene, or, ask several students to go to the front and take turns describing it.

For additional vocabulary practice, see PowerPoint slides at www.wiley.com/college/lucasmurillo or visit www.wileyplus.com

5-18 PERSONALIZED QUESTIONS: Ask several students each question. ¿Te gusta cocinar? ¿Qué platos te gusta preparar? Cuando tienes mucha hambre, ¿qué comes? Y cuando tienes mucha sed, ¿qué bebes?

¿SABES QUE...?

The term **salario** (*salary*) derives from the word **sal.** Before refrigerators, salt was used to preserve meats and other foods. A valuable commodity, salt served as a currency of trade.

5-19 ¡La abuela cumple 100 años!

 Paso 1. ¿Qué se va a servir en la celebración del cumpleaños de tu abuela? Escribe una lista que incluya dos platos, dos postres y tres bebidas.

 Paso 2. Una amiga te ayuda a poner[1] la mesa. Tú le dices lo que se va a servir, y ella te indica lo que se necesita para la mesa. Hagan los dos papeles, y al final, cambien de papel.

MODELO

Tú: *Para beber, vamos a servir agua y vino.*

Tu amigo/a: *Necesitamos vasos de agua y copas de vino.*

> **Palabras útiles**
> el plato sopero *soup bowl*

5-19 Ask if anyone in the class has a birthday today, this week, or this month. Have the class sing ¡Cumpleaños feliz! to that person.

¡Cumpleaños feliz!

¡Cumple - a - ños fel - iz, cumple - a - ños fel - iz, Te de - sea - mos a - bue - la, cumple - a - ños fel - iz!

¡A escuchar! Preparativos para un picnic CD 3 Track 53

Paso 1. La familia Martínez está haciendo los preparativos para un picnic en el campo. Escucha la conversación.

Paso 2. Escucha otra vez, y luego marca **sí** o **no** para indicar si lo que se dice es cierto o no.

> **Palabras útiles**
> la cesta *basket*

1. El padre prefiere merendar en casa. □ Sí ☑ No
2. Los niños quieren ayudar. ☑ Sí □ No
3. En la cesta van a poner:

   platos y tenedores ☑ Sí □ No

   cuchillos y cucharas ☑ Sí □ No

   el mantel amarillo □ Sí ☑ No

   vasos y bebidas ☑ Sí □ No

   copas y tazas □ Sí ☑ No
4. Van a merendar:

   arroz con pollo □ Sí ☑ No

   sándwiches ☑ Sí □ No

[1]set

GRAMÁTICA

¡Manos a la obra!

For additional practice on this grammar point, see PowerPoint slides at www. wiley.com/college/ lucasmurillo or visit www.wileyplus.com

3

Saying that an action is in progress: The present progressive

When you want to stress that something is happening right at the moment, you use the present progressive:

> En este momento, **estamos trabajando** en casa.
> *We're working at home right now.*

The present progressive consists of:

> the present tense of **estar** + *the present participle* (the *-ing* form) of a verb.

The *regular* present participle is formed by dropping the infinitive ending and adding:

-ando (**-ar** verbs) or **-iendo** (**-er** and **-ir** verbs):

	habl**ar**	com**er**	escrib**ir**
estoy estás está estamos estáis están	habl**ando**	com**iendo**	escrib**iendo**

- Unlike English speakers, Spanish speakers use the present tense (**hablo, como, escribo**) to describe an ongoing action in the present—*I am speaking, I am eating, I am writing*—rather than the present progressive. They use the present progressive only to emphasize that something is happening *right now*.
- Direct object pronouns are placed *before* **estar** or *attached to the present participle*.

  > Le gustan las galletas. **Las** está probando. (o) Está probándo**las**.*

- Spanish also has *irregular* present participles. Here are five verbs you know whose present participles are irregular. The first four have stem changes.

decir (i)	d**i**ciendo	dormir (u)	d**u**rmiendo
pedir (i)	p**i**diendo	leer	le**y**endo
servir (i)	s**i**rviendo		

* When a pronoun is attached to a present participle, a written accent is added to the third vowel from the end of the word.

To present the present progressive, mime several actions while telling the class what you are doing: **Estoy cantando/ hablando/ bailando/ comiendo/ escribiendo...** Contrast the present and the present progressive: **Ceno en casa./ Estoy cenando ahora.**

La madre de Jennifer está preparando la cena. Jennifer entra a la cocina para ayudarla.

Mamá, ¿Qué estás preparando?

Estoy cortando las verduras para hacer ropa vieja.

¿Cómo estás preparándola?

La estoy cocinando con papas, carne y salsa verde.

¿Puedo ayudarte a cortar las verduras?

Sí, ayúdame a cortarlas, por favor.

¿Qué estás haciendo? ¿Por qué no estás ayudando a mamá?

Estoy jugando. Tengo hambre, mami.

¡En acción!

¡Oye! ¡Qué desastre en la cocina!

Los señores Gutiérrez no están en casa, y sus hijos están con unos amigos en la cocina. Escuchen lo que está pasando. Luego, ocho estudiantes representan lo que ocurre haciendo los papeles de los seis niños, el gato y el perro.

5-20 encasadekristina.com

En casa de Kristina es un programa de televisión. Hoy Kristina está preparando sopa de calabaza para una ocasión festiva. Primero, escuchen los pasos de preparación que lee su profesor/a e identifiquen la foto que le corresponde a cada uno. Luego, completen los pasos con la ayuda de las fotos. Usen la forma **yo** del presente progresivo. Túrnense.

1. ¡Muy buenos días! En estos momentos (*empezar*) <u>estoy</u> <u>empezando</u> a preparar una sopa muy rica: crema de calabaza.

2. Primero, como Uds. ven, (*lavar*) <u>estoy</u> <u>lavando</u> muy bien la calabaza.

3. Ahora, con un bol y un lápiz (*hacer*) <u>estoy</u> <u>haciendo</u> un círculo en la parte superior de la calabaza.

4. En este momento, (*cortar*) <u>estoy</u> <u>cortando</u> la calabaza con un cuchillo, siguiendo la marca del círculo.

5. A continuación, ven Uds. que (*sacar*) <u>estoy</u> <u>sacando</u> la pulpa de la calabaza.

6. Ahora, (*poner*) <u>estoy</u> <u>poniendo</u> en la estufa la sartén con la pulpa, un poquito de aceite, ajo y sal.

7. Y finalmente, (*servir*) <u>estoy</u> <u>sirviendo</u> la sopa.

2

3

4

5

6

7

5-21 ¿Dónde están? RECYCLES estar + location.

Un/a estudiante les dice a las otras tres personas de su grupo lo que está ocurriendo en uno de los siguientes lugares[1], pero sin dar el nombre del lugar. Las tres personas tienen que adivinarlo[2]. Túrnense.

MODELO

E1: *Una persona **está usando** la computadora, otra **está hablando** por teléfono,...*

Los otros: *¡Están en la oficina!*

E1: *¡Correcto!*

1. en la clase
2. en la oficina
3. en la cocina
4. en la biblioteca
5. en la playa
6. en las montañas

Palabras útiles

correcto *right*
incorrecto *wrong*

5-22 La fiesta de Robertito

Un/a estudiante pregunta quién está haciendo cierta cosa y el/la otro/a dice quién es según la escena de la página 170. Túrnense. Usen los verbos de la lista en sus preguntas y los pronombres **lo, la, los, las** en sus respuestas.

comer cortar dormir observar poner preparar probar

MODELO

E1: *¿Quién **está observando** a los niños?*

E2: *Don Claudio **los** está observando.* **o:** *Don Claudio está observándo**los**.*

E1: *¡Exacto!* **o:** *No, inténtalo otra vez.*

5-23 ¿Por qué lo están haciendo?

Digan lo que están haciendo las siguientes personas y expliquen por qué.

MODELO

E1: *Las dos chicas **están decorando** un pastel de cumpleaños. ¿Por qué?*

E2: ***Lo están decorando** porque es el cumpleaños de su amiga Ana. (o)*
*Están decorándo**lo** porque es el cumpleaños de su amiga Ana.*

decorar

preparar

beber

comer

comprar

leer

decir

5-23 After students complete *Actividad 5-23*, you may project the PowerPoint slide of the illustrations. Have students take turns describing each scene.

Follow-up option: In pairs or individually, have students mime each of the scenes while the class guesses what they are doing and why.

¡Exprésate!, a chapter wrap-up focusing on conversation and writing (the latter with *Writing Strategies*), is included in *Apéndice 3*.

Writing Strategy

✎ *Let the first draft flow*

For more information about this Strategy go to p. A-18.

¹places, ²**tienen...** have to guess it

Tu mundo cultural

Dos recetas típicamente hispanas

¿Te gusta cocinar? ¿Quieres aprender a hacer algo rico y fácil? A continuación vas a ver dos recetas de dos especialidades hispanas que puedes probar en numerosos restaurantes de EE.UU.

ARROZ CON POLLO
(receta para seis personas)

Tiempo de preparación: 20 minutos
Tiempo de cocción: 50 minutos
Grado de dificultad: fácil
Costo: razonable

El arroz con pollo, el plato del Caribe por excelencia.

Glosario:

una olla

machacar

picar

Achiote u onoto[7]: especia de color rojo extraída de una flor de la América tropical

Ingredientes:

4 pechugas[1] de pollo sin hueso[2], cortadas
¼ taza de aceite de oliva
2 dientes de ajo machacados
media cebolla picada
½ pimiento verde picado
1 tomate picado
2 tazas de caldo[3] de pollo
¼ de una cucharadita de achiote disuelto en caldo

½ cucharadita de sal (o más, al gusto)
pimienta al gusto
1½ tazas de arroz blanco
½ lata[4] de garbanzos
½ taza de chícharos
½ lata de cerveza
unos cinco espárragos cocidos al vapor y un huevo duro para decorar

Preparación:

En una olla se fríe el pollo con aceite de oliva y se le añade un poco de sal.
Se saca[5] el pollo de la olla.
En la olla se fríen el ajo, la cebolla, el pimiento verde y el tomate.
Se añade[6] el caldo de pollo caliente, el achiote, la sal y la pimienta.
Se añade el arroz.
Se añaden el pollo, los garbanzos, los chícharos y los pimientos.
Se añade la cerveza.
Se cocina a fuego moderado durante unos 30 minutos hasta que el arroz absorba el líquido.
Luego se deja reposar unos minutos antes de servirlo y decorarlo.

Se sirve adornado con los espárragos y el huevo.

[1]breasts, [2]bone, [3]broth, [4]can, [5]**Se...** Take out, [6]**Se...** Add, [7]annatto

FLAN
(receta española para seis personas)

Tiempo de preparación: 10-15 minutos
Tiempo de cocción: 45 minutos
Grado de dificultad: fácil
Costo: muy económico

El flan, postre típico de los países hispanos. Dependiendo del país, varían los ingredientes. Por ejemplo, en el Caribe a veces se añade coco o piña.

Recipientes necesarios:

flanera

fuente para el baño María

Ingredientes:

Para el caramelo:
dos cucharas grandes de agua y tres de azúcar

Para el flan:
4 ó 5 huevos
1 lata de leche condensada (con azúcar) de 396 gr./ 14 oz.
1½ tazas de leche
½ cucharadita de extracto de vainilla

Preparación:

1. *El caramelo:*
Se pone el agua y el azúcar en el molde a fuego lento[1].
Cuando el agua y el azúcar adquieren un color dorado[2], se extiende bien por el molde.
Se aparta el molde durante unos cinco minutos hasta que se enfríe.

2. *El flan:*
Se baten[3] los huevos.
Se añade la leche condensada y la leche, y se mezclan[4].
Se añade la vainilla y se mezcla todo.
Se pone en el molde caramelizado.
Se pone en el horno[5] *al baño María* durante 45 minutos a una temperatura de 375° (Fahrenheit).

Se saca del horno y se deja enfriar. Si no se va a comer durante unos días, se puede dejar en el refrigerador.
Antes de servir el flan se vuelca[6] el molde en un plato.

El caramelo es un almíbar que se forma cuando se calienta el agua con el azúcar.

¿Qué aprendiste?

1. ¿De dónde es típico el arroz con pollo? ¿Qué verduras tiene?

2. ¿De dónde es típico el flan? ¿Qué ingredientes le ponen a veces en el Caribe?

3. ¿Qué se prepara primero, el caramelo o el flan? ¿Se sirve frío o caliente?

El baño María consiste en poner el molde con el flan dentro de otro recipiente que contiene agua.

Actividad cultural

Sigan las recetas y preparen los dos platos.

Contraste cultural

¿Cuáles son las recetas favoritas de su familia? ¿Son típicas de la región donde Uds. viven? ¿Son típicas de EE.UU.?

Cuando el flan está frío, se separa sin dificultad de los bordes del molde con un cuchillo, y se vuelca en el plato de servir.

[1]**fuego...** low heat, [2]golden, [3]**Se...** Beat, [4]**se...** mix them, [5]oven, [6]**se...** turn it out onto

Tu mundo en vivo

¡Video en acción!

5.1 En el supermercado

1. Antes de ver el video
   a. ¿Conoces un supermercado hispano? ¿Cuál?
   b. ¿Qué platos y comidas típicas de países hispanos te gusta comer?

2. Mientras ves el video   Marca el país de dónde se importan los siguientes productos.

	Colombia	Guatemala	Perú
1. Las brevas y la chontadura	X		
2. La quinua, el maíz mote, la papa seca			X
3. El chipilín, la pacaya		X	

3. Después de ver el video   Completa los espacios en blanco.
   a. Dos de los ingredientes principales del ceviche peruano son: __pescado__ y _limones_.
   b. En este supermercado venden gran variedad de __quesos__.

4. Comenta con la clase
   a. ¿Qué comidas del video conoces?
   b. ¿Se venden productos hispanos en tu supermercado? Da ejemplos.

5.2 En el restaurante

1. Antes de ver el video
   a. ¿Conoces un restaurante hispano que no sea mexicano?
   b. ¿Qué platos pides cuando vas?

2. Mientras ves el video   Marca las respuestas correctas.
   a. ¿Qué trabajo tiene Isabela en el restaurante? ☑ es administradora ☐ es cliente
   b. ¿Dónde está Macita's Restaurante? ☐ en Colombia ☑ en Miami
   c. ¿Qué comidas se sirven allí? ☐ almuerzo y cena ☑ desayuno, almuerzo y cena
   d. ¿Qué ingredientes tiene un desayuno típico de ese restaurante? ☑ frijoles ☑ arroz ☑ huevos revueltos con tomate y cebolla ☐ jamón
   e. ¿Qué es la "bandeja paisa"? ☐ una carne de corte argentino ☑ un plato de arroz con huevo frito, carne asada, frijoles,...
   f. ¿Qué ves preparar en la cocina del restaurante? ☑ salsa criolla ☐ empanadas

3. Comenta con la clase
   ¿Te gusta este restaurante? ¿Qué plato te gustaría probar?

¡Lectura en acción!

¡Prueba este restaurante!

La siguiente reseña[1] es de una guía de restaurantes de Madrid que ofrece información y detalles de restaurantes que se recomiendan en la capital de España.

Paso 1. Lee el texto, concentrándote en los detalles que te parezcan importantes.

Encourage students to focus on what they do understand in the text and to think about how they would summarize the passage. Remind them that they do not need to understand every word to complete this task.

Restaurante Maruzzella (Madrid)

Raimundo Fernández Villaverde, 28003 Madrid. Barrio de Chamberí. Metro Cuatro Caminos. Zona: entre Cuatro Caminos y Castellana
Tlf. 91 534 7732

Clase: cocina casera italiana.

Desde pizzas a pastas pasando por carpaccios y antipastos. Vamos, lo clásico. Lo que no es tan clásico es la calidad de las pizzas y de la pasta que sirven, como los espaguetis a la putanesca.

Tiene horno de carbón al estilo antiguo, pero es el mejor italiano que he probado en Madrid, y con diferencia. Además, los precios son medios, tirando a bajos.

Raciones suficientes, no excesivas. Trato exquisito. Frecuentado por italianos. Tiene una terraza en un lugar privilegiado de Madrid. Si no fuera porque se ve el rescoldo[2] del edificio Windsor (Winston, como, lo llaman los taxistas madrileños) podrías decir que estás en Italia, rodeado de italianos, comiendo comida casera italiana.

Reading Strategy

Summarizing

Summarizing the main points of a text can help you focus on the important details and help you determine what you did and did not understand.

Paso 2. Marca o escribe lo que corresponde para ver si entendiste la información más importante de la reseña.

1. Este restaurante sirve comida... ☐ italiana   ☐ francesa   ☐ china

2. Es un restaurante... ☐ poco auténtico   ☐ genuino

3. La comida en este restaurante... ☐ cuesta mucho dinero   ☐ cuesta poco dinero

4. Algunos platos del menú son: _____ , _____ , _____

5. La parada de metro más cercana es: ☐ Castellana   ☐ Cuatro Caminos   ☐ Chamberí

6. Las raciones son... ☐ muy pequeñas   ☐ muy grandes   ☐ adecuadas

Paso 3. Ahora, con tus propias palabras, resume la reseña, concentrándote en la información más importante.

---

[1]review, [2]embers

〰 Vocabulario: Capítulo 5

Escena 1

Las carnes y los mariscos *Meats and seafood/ shellfish*
el bistec *steak*
el camarón *shrimp*
la carne de res *beef*
la chuleta de cerdo *pork chop*
el jamón *ham*
la langosta *lobster*
el pavo *turkey*
el pescado *fish*
el pollo *chicken*
la salchicha *sausage*

Las frutas *Fruit*
la banana *banana*
la cereza *cherry*
el durazno *peach*
la fresa *strawberry*
el limón *lemon*
la manzana *apple*
la naranja *orange*
la pera *pear*
la piña *pineapple*
la sandía *watermelon*
la uva *grape*

Las legumbres/ las verduras *Vegetables*
la arveja, el chícharo *pea*
el brócoli *broccoli*
la cebolla *onion*
el frijol *bean*
la lechuga *lettuce*
el maíz *corn*
la papa *potato*
el pimiento verde/ rojo *green/red pepper*
el tomate *tomato*
la zanahoria *carrot*

Más comidas y otras palabras *More foods and other words*
el ajo *garlic*
el arroz *rice*
el pan *bread*
el queso *cheese*

el dinero *money*
el mercado *market*

Los números del 100 al... *Numbers from 100 to...*
cien *one hundred*
ciento uno/a *one hundred and one*
doscientos/as *two hundred*
trescientos/as *three hundred*
cuatrocientos/as *four hundred*
quinientos/as *five hundred*
seiscientos/as *six hundred*
setecientos/as *seven hundred*
ochocientos/as *eight hundred*

novecientos/as *nine hundred*
mil *one thousand*
dos mil *two thousand*
cien mil *one hundred thousand*
doscientos mil *two hundred thousand*
un millón *one million*
dos millones *two million*

Adjetivo *Adjective*
amable *kind, pleasant*

Verbos *Verbs*
buscar *to look for*
contar (ue) *to count*
costar (ue) *to cost*
desear *to want, wish, desire*
vender *to sell*
se vende *for sale*

Escena 2

Las comidas del día *Meals of the day*
el desayuno *breakfast*
el almuerzo *lunch*
la cena *dinner*

Las comidas *Foods*
el atún *tuna*
el cereal *cereal*
la ensalada *salad*
la hamburguesa *hamburger*
el huevo (frito) *(fried) egg*
el pan tostado *toast*
las papas fritas *French fries*
el puré de papas *mashed potatoes*
el sándwich *sandwich*
la sopa *soup*
el tocino *bacon*

Las bebidas *Drinks*
el agua *water*
el café *coffee*
la cerveza *beer*
el jugo (de naranja) *(orange) juice*
la leche *milk*
el refresco *soft drink, soda*
el té (caliente/ helado) *(hot/ iced) tea*
el vino *wine*

Los postres *Desserts*
el flan *caramel custard*
la galleta *cookie*
el helado (de vainilla) *(vanilla) ice cream*
el pastel/ la torta (de chocolate) *(chocolate) cake*

Más comidas y otras palabras *More foods and other words*
el aceite *oil*
el azúcar *sugar*
la crema *cream*
el hielo *ice*
la mantequilla *butter*

la mayonesa *mayonnaise*
la mermelada *jam*
el vinagre *vinegar*
frito/a *fried*
a la parrilla *grilled*

la cuenta *bill*
la propina *tip*

Preposiciones *Prepositions*
con/ sin *with/ without*

Verbos *Verbs*
almorzar (ue) *to have lunch*
dejar *to leave (behind)*
dormir (ue) *to sleep*
entender (ie) *to understand*
pagar *to pay (for)*
pedir (i) *to ask for, order*
pensar (ie) (+ infinitivo) *to think, plan/ intend (to do something)*
poder (ue) *to be able*
preferir (ie) *to prefer*
querer (ie) *to want, love*
repetir (i) *to repeat*
servir (i) *to serve*
tomar *to drink, take*
volver (ue) *to return*

Escena 3

Para poner la mesa *To set the table*
la copa *wine glass, goblet*
la cuchara *spoon*
el cuchillo *knife*
el mantel *tablecloth*
el plato *plate, dish*
la servilleta *napkin*
la taza *cup*
el tenedor *fork*
el vaso *glass*

Más comidas y otras palabras *More foods and other words*
la aceituna *olive*
la cocina *kitchen*
la harina *flour*
la merienda *afternoon snack*
la pimienta *pepper*
el regalo *gift*
la sal *salt*

más/ menos *more/ less*
otro/a *another*
otros/as *other*

Verbos y expresiones verbales *Verbs and verbal expressions*
cocinar *to cook*
cortar *to cut*
preparar *to prepare*
probar (ue) *to taste, try*
tener hambre/ sed *to be hungry/ thirsty*

Autoprueba y repaso: Capítulo 5

Escena 1
En el mercado

A. Identifica la fruta que corresponde a la descripción.

1. Es anaranjada; se cultiva en Florida. _la_ _____
2. Es roja y pequeña; se cultiva en California. ____ _____
3. Es amarillo; se hace limonada con esta fruta. ____ _____
4. Es morada o verde; se cultiva en Napa Valley, California. ____ _____
5. Es grande, verde en el exterior y roja en el interior. ____ _____

B. Haz (*Make*) un círculo alrededor de (*around*) los dos productos que tienen más en común.

1. el brócoli   las papas   el arroz
2. la lechuga   el tomate   el pan
3. el ajo   el frijol   la cebolla
4. la salchicha   el jamón   el bistec
5. el pollo   las chuletas de cerdo   el pavo
6. el pescado   la manzana   el camarón

C. Imagínate que eres el contador de un restaurante de Quito y hoy escribes cheques para pagar los productos que compraste este mes.

1. Frutería: $1.420 _mil cuatrocientos veinte dólares_
2. Carnicería: $8.715
   _____.
3. Pescadería: $6.530
   _____.
4. Panadería: $980
   _____.
5. Floristería: $195
   _____.

I. Direct object pronouns

D. Completa la conversación. Usa los pronombres **me, te, lo, la, nos, los** y **las.**

Madre: Hija, ¿dónde está la vendedora de flores? No _la_ encuentro.

Hija: Allí está, mamá, al lado de la panadería. ¿____ ves ahora?

Madre: ¡Ah, sí, Ya ____ veo! Hoy vende rosas.

Hija: Mamá, ¡me encantan esas rosas! ¿Podemos comprar____?

Madre: Bueno, hija. ¿Tienes el dinero?

Hija: Sí, _____ tengo aquí.

Madre: Entonces, yo voy a comprar camarones. ____ compro en la marisquería de don Ramón. Él _____ conoce bien a mí, y a tu padre también. _____ conoce a papá y a mí porque compramos allí todas las semanas.

Hija: ¡Claro! Bueno, mamá, ahora compro las flores y luego, _____ voy a buscar a la marisquería.

E. Contesta las preguntas. Usa los pronombres **lo, la, los** y **las** en tus respuestas.

MODELO

¿Quién va a organizar la fiesta? (Eva)

Eva va a organizarla. (o) Eva la va a organizar.

1. ¿Quién va a comprar la carne? (nosotros)
2. ¿Quién va a traer el pan? (yo)
3. ¿Quiénes van a decorar el apartamento? (Juan y Eva)
4. ¿Quiénes van a buscar las bebidas? (tú)
5. ¿Quién va a llamar a los invitados? (Sofía)

En resumen

Contesta las preguntas con oraciones completas.

1. ¿Cuál es tu fruta favorita?
2. ¿Qué legumbres comes con frecuencia?
3. ¿Comes carne? ¿Cuál es tu carne favorita?
4. ¿Comes pescado con frecuencia? ¿Dónde lo compras?
5. ¿Te gusta comer en restaurantes? ¿Cuál te gusta más (*most*)?

Escena 2
En el restaurante

F. Combina las palabras de la primera columna con las palabras que mejor les corresponden de la segunda.

____ 1. el aceite y el vinagre   **a.** el agua
____ 2. la leche y el azúcar   **b.** el tocino
____ 3. la mantequilla y la mermelada   **c.** el café
____ 4. los huevos fritos   **d.** la leche
____ 5. el hielo   **e.** el helado de vainilla
____ 6. la hamburguesa   **f.** la ensalada
____ 7. el cereal   **g.** las papas fritas
____ 8. el pastel de manzana   **h.** el pan tostado

II. Stem-changing verbs

G. Completa cada pregunta usando uno de los verbos que siguen. Luego, contesta la pregunta con el mismo (*same*) verbo.

almorzar	dormir	pedir	pensar	querer	volver

1. ¿ _Piensan_ Uds. desayunar antes de ir al trabajo?

   Sí, _pensamos_ desayunar ahora.

2. ¿_____ Uds. a casa para almorzar?

   No, normalmente no _____ a casa.

3. ¿_____ Uds. en la cafetería de la universidad?

   Sí, _____ allí casi todos los días.

4. ¿_____ Uds. la siesta después de almorzar?

   Sí, con frecuencia _____ la siesta.

5. Cuando Uds. van a la heladería, ¿qué helado _____?

   Siempre _____ helado de chocolate.

6. ¿_____ Uds. salir a cenar esta noche, o preparar la comida en casa?

   ¡_____ salir a cenar!

En resumen

Contesta las preguntas con oraciones completas.
1. ¿Qué desayunas? (comidas y bebidas)
2. ¿Tomas café todas las mañanas?
3. ¿Qué prefieres comer en el almuerzo?
4. Cuando cenas en un restaurante, ¿pides postre normalmente? ¿Cuál?

Escena 3
Preparativos para una fiesta

H. Combina cada objeto de la primera columna con la palabra que mejor le corresponda de la segunda.

1. la cuchara	____	a. la leche
2. el cuchillo	____	b. el vino
3. la taza	____	c. el arroz
4. el vaso	____	d. el café
5. el tenedor	____	e. la carne
6. la copa	____	f. la sopa

Additional **Autopruebas** online

I. Haz un círculo alrededor del verbo que más se asocia con la palabra.

1. la propina: dejar   preparar   pagar
2. la cuenta: tomar   pagar   dejar
3. el cuchillo: cocinar   cortar   correr
4. la comida: volver   caminar   probar
5. la ensalada: preparar   cortar   vender
6. la cocina: creer   cocinar   aprender

III. The present progressive

J. Indica lo que está pasando en este momento en la cocina. Completa las oraciones con los verbos apropiados de la lista.

comer	cortar	dormir	leer
probar	servir	hacer	poner

1. Ana _está_ _leyendo_ la receta de su mamá para preparar un pastel.

2. Ahora Ana _____ _____ el pastel de chocolate, siguiendo la receta.

3. Julia _____ _____ la ensalada para ver si necesita más sal.

4. Nosotros _____ _____ platos y vasos en la mesa.

5. Todos tienen sed. José y Ronaldo _____ _____ las bebidas.

6. Es hora de servir el pastel. Ana lo _____ _____ con un cuchillo.

7. El perro de Ana tiene hambre. _____ _____.

8. Su gato está cansado. _____ _____.

En resumen

Contesta las preguntas con oraciones completas.
1. Si (*If*) son las diez de la noche y tienes hambre, ¿qué comes?
2. Si son las tres de la tarde y tienes sed, ¿qué bebes?
3. ¿Te gusta cocinar? ¿Qué comidas sabes hacer? ¿Las preparas con frecuencia?
4. En este momento, ¿estás pensando en tus comidas favoritas?
5. ¿Qué más (*What else*) estás haciendo?

Answers to the *Autoprueba y repaso* are found in **Apéndice 2.**

Capítulo 6

En casa

Additional activities and Autopruebas for each **Escena** available online.

For **Writing Strategies** see **Apéndice 3.**

Escena 1
Cuartos, muebles y otras cosas

- Expressing relationships in space and time: More about prepositions
- Pointing out things and people: Demonstrative adjectives and pronouns

TU MUNDO CULTURAL
Las casas de estilo tradicional español

Escena 2
La vida diaria

- Talking about daily routines: Reflexive verbs

TU MUNDO CULTURAL
La vida diaria: costumbres y horarios

Escena 3
Los quehaceres domésticos

- Giving orders and advice: Informal commands (*tú* affirmative and negative)

TU MUNDO CULTURAL
Los quehaceres y el servicio doméstico

TU MUNDO EN VIVO
¡Video en acción!

¡Lectura en acción! (with *Reading Strategies*)

¹Cuartos, ²muebles y otras ³cosas

4. el techo

7. el ropero

5. la cómoda

6. la cama

DAMIÁN

8. el dormitorio/el cuarto

10. subir

CALISTO

9. el segundo piso

ROBERTITO

el dormitorio de Robertito

Hogar, dulce hogar

17. el estante

18. la chimenea

22. la lámpara

DON CLAUDIO

23. el sillón

Dª ROSA

19. la alfombra

20. el suelo, el piso

21. el sofá

24. la sala

25. la escalera

26. bajar

PACHÁ

27. el primer piso

28. las cortinas

GUADALUPE

29. el comedor

1. rooms
2. furniture (*m.*)
3. things
4. roof, ceiling
5. dresser
6. bed
7. closet
8. bedroom, room
9. second floor
10. to go up
11. bathtub
12. shower
13. mirror
14. sink (bathroom)
15. toilet
16. bathroom
17. bookcase, shelf
18. fireplace, chimney
19. rug, carpet
20. floor
21. sofa
22. lamp
23. easy chair
24. living room
25. stairs
26. to go down
27. first floor
28. curtains
29. dining room
30. refrigerator
31. microwave
32. stove
33. kitchen sink
34. dishwasher
35. to ring (phone), go off
    (alarm clock)
36. to answer
37. kitchen
38. basement
39. light, electricity
40. for rent; **alquilar**
    to rent
41. garage
42. garbage can
43. garden

12. la ducha
13. el espejo
39. la luz
11. la bañera
40. SE ALQUILA CUARTO PARA ESTUDIANTE
14. el lavabo
CARMEN
15. el inodoro
41. el garaje
. el (cuarto de) baño
30. el refrigerador
31. el microondas
¡Rin!
¡Rin!
NURIA
5. sonar (ue)
32. la estufa
6. contestar
33. el fregadero
43. el jardín
M.ª LUISA
34. el lavaplatos
42. el cubo de la basura
. la cocina
38. el sótano

*Hogar, dulce hogar →
Home sweet home

¡La pronunciación!

Pay attention to the correct pronunciation of the Spanish je and ge combinations (see P-3).

gara**je**   refri**ge**rador

¡En acción!

 6-1 ¿Qué es?

6-1 Present alternatives to vocabulary items at your discretion: **el dormitorio/ el cuarto/ la recámara/ la alcoba; el ropero/ el clóset/ el armario** (the latter may also mean armoire). Have students note that **la cómoda** (a noun) means *dresser* and that **cómodo/a** (an adjective) means *comfortable*.

6-2 You may want to project the PowerPoint slide of the opener scene, and have the class describe both each room in the house and the corresponding activities.

For additional vocabulary practice, see PowerPoint slides at www.wiley. com/college/lucasmurillo or visit www.wileyplus.com

6-2 PERSONALIZED QUESTIONS: En tu casa, o en la casa de tu familia, ¿cuál es tu cuarto favorito? ¿Por qué? Ask several students the questions, then poll the class to find out which rooms are their favorites.

6-2 ANOTHER STEP: Write on the board: **el dormitorio, el baño, la cocina, el comedor, la sala.** Project the Power-Point slide of the opener scene. Call out the names of pieces of furniture, appliances, and so on, and have students identify the room in which they each belong: **la cama → el dormitorio.** As they do so, point to the particular room.

For additional practice on this grammar point, see PowerPoint slides at www.wiley.com/college/lucasmurillo or visit www.wileyplus.com

Con la ayuda de la escena de las páginas 184–185, indica a qué corresponde cada descripción.

1. _la... cama_ Está en el dormitorio; es para dormir.
2. _la alfombra_ Se pone sobre el piso; algunas son muy caras.
3. _el estante_ Sirve para poner los libros.
4. _el refrigerador_ Dentro se conserva la comida; está en la cocina.
5. _las escaleras_ Conectan el primer piso con el segundo.
6. _la chimenea_ Está en la sala; se usa para calentar[1] la casa.
7. _la bañera_ Está en el baño; allí, en el agua caliente, nos relajamos.
8. _la estufa_ Es esencial para cocinar; está en la cocina.

6-2 La casa de los Roldán

¿Cómo es la casa de los Roldán, y cómo es la vida en ella? Observen la escena de las páginas 184–185 y contesten las preguntas.

1. ¿De qué color es el techo de la casa de los Roldán? ¿Tiene ático y sótano?
2. ¿Qué hay en el dormitorio principal? ¿Quién está allí? ¿Qué está haciendo?
3. ¿Qué hace Robertito en su dormitorio? ¿Qué muebles hay en su cuarto?
4. ¿Quién está en el cuarto de baño? ¿Qué cosas hay allí?
5. ¿Quién está subiendo por las escaleras al segundo piso? ¿Y quién está bajando al primer piso?
6. ¿Qué hay en la sala? ¿Qué están haciendo don Claudio y doña Rosa?
7. ¿Qué muebles y otras cosas hay en el comedor? ¿Qué hace Guadalupe?
8. ¿Qué pasa en la cocina? ¿Qué electrodomésticos[2] hay allí?
9. ¿Qué hay en el garaje? ¿Y en el jardín?
10. ¿Qué se alquila?

 See Grammar Handbook found in WileyPLUS.

. . . y algo más

You have already used some affirmative and negative words in Spanish: **siempre/a veces** *always/ sometimes* → **nunca** *never;* **también** *also* → **tampoco** *neither, not either.*

Here are four more:

alguien	*someone*	—¿Hay **alguien** en la cocina?
nadie	*no one, not anyone, nobody*	—No, **no** hay **nadie.**
algo	*something*	—¿Hay **algo** en la mesa?
nada	*nothing*	—No, **no** hay **nada.**

Negative words such as **nadie, nada, nunca,** and **tampoco** may be placed either before the verb (**Nadie contesta.**) or after the verb, with **no** preceding it, in a "double negative" construction (**No contesta nadie.**).

---

[1]warm up, [2]appliances

6-3 ¿Hay alguien o algo allí?

¿Tienen buena memoria visual? Observen la escena de las páginas 184–185. Luego, lean las preguntas y respondan según el modelo. Usen **algo/ nada/ alguien/ nadie** en sus respuestas. Túrnense.

MODELO

E1: *¿Está durmiendo **alguien** en el dormitorio principal?*

E2: *No, **nadie** está durmiendo allí, pero **alguien** está haciendo ejercicio.*

E1: *Cierto. (Si la respuesta es incorrecta, **E1** la corrige.)*

E2: *¿Hay **algo** en la pared del dormitorio principal?*

E1: *Sí, hay **algo**. Hay dos cuadros.*

1. ¿Hay **algo** en la cómoda del dormitorio principal?
2. ¿Hay **alguien** en la computadora del dormitorio de los niños?
3. ¿Hay **alguien** en el baño?
4. ¿Hay **algo** en el piso del baño?
5. ¿Hay **algo** en el piso de la sala?
6. ¿Está durmiendo **alguien** en el sofá de la sala?
7. ¿Está cocinando **alguien** en la cocina?
8. ¿Hay **algo** en el fregadero?

Explain that whereas in English "double negatives" are ungrammatical, in Spanish they are commonly used: **No** hay **nadie** aquí.

6-3 You may want to review answers using the PowerPoint slide of the opener scene. **ANSWERS:** 1. Sí, hay algo. Hay una lámpara y un reloj. 2. No, no hay nadie en la computadora, pero hay alguien en la cama. 3. Sí, hay alguien en el baño. Carmen está allí. 4. No, no hay nada en el piso del baño, pero hay algo en la bañera. 5. Sí, hay algo. Hay dos alfombras. 6. No, nadie está durmiendo en el sofá, pero alguien está leyendo. 7. Sí, alguien está cocinando. Es Nuria. 8. No, no hay nada en el fregadero, pero hay algo en la estufa.

¡A escuchar! Buscando casa   CD 1 Track 54

Paso 1. Un matrimonio tiene una cita con la agente de una agencia de bienes raíces[1] para ver una casa. Escucha la conversación.

Paso 2. Escucha de nuevo y marca las respuestas correctas.

- ☑ **1.** El matrimonio busca una casa con cinco dormitorios.
- ☐ El matrimonio busca una casa con cuatro dormitorios.
- ☐ **2.** Hay estantes en el comedor.
- ☑ Hay estantes en la sala.
- ☐ **3.** La cocina tiene electrodomésticos viejos y poca luz.
- ☑ La cocina tiene electrodomésticos nuevos y mucha luz.
- ☑ **4.** La hija llama porque quiere saber cuántos roperos hay.
- ☐ La hija llama porque quiere saber cuántos baños hay.
- ☐ **5.** La casa tiene un piso y un sótano.
- ☑ La casa tiene dos pisos y un sótano.

The scripts for the ¡A escuchar! sections are included in the Book Companion Site (BCS) for instructors and in WileyPLUS under "Prepare and Present". The recordings are on the student CDs and in WileyPLUS under "Read, Study, and Practice".

EN LA CASA DEL FUTURO, ¿QUÉ TE INTERESA MÁS?

En la casa del futuro, **la llave** es algo obsoleto; un escáner reconoce la palma de la mano para abrir la puerta.

El espejo del futuro sabe qué hay en el ropero, y lo que va bien con la ropa que llevas[2].

- **Las paredes** proyectan información: el clima, la hora, el tráfico, …
- **Los electrodomésticos** dan recetas según los ingredientes disponibles, hacen la lista de compras, …
- **El tablón de anuncios** busca *babysitters*, pide pizzas por Internet, …
- **La pantalla plasma** incluye televisión, música, cine, juegos, fotos digitales, …

[1]**agencia...** real estate agency, [2]you are wearing

6-4 ¿Buscan casa o apartamento para alquilar?

 Paso 1. Lean los anuncios de dos casas y de un apartamento de Miami. Comenten qué les gusta de cada uno. Luego, digan cuál quieren alquilar y por qué.

MODELO

E1: *Me gusta esta casa porque tiene...*

E2: *Me gusta esta casa porque...*

E1: *Quiero alquilar esta casa/ este apartamento porque...*

Palabras útiles

esta casa *this house*

este apartamento *this apartment*

6-4 For *Paso 1*, have several students indicate which house or apartment they plan to rent and why. For *Paso 2*, ask two students to role-play their telephone conversation for the class.

Dormitorios:	5
Baños:	3
Pisos:	2
Garaje:	3 carros
Aire acondicionado central	

Casa espaciosa; completamente amueblada; tres plazas de garaje; próxima a escuelas buenas y al centro comercial; zona tranquila y elegante.

Dormitorios:	3
Baños:	2
Pisos:	1
Garaje:	2 carros
Sótano:	en muy buenas condiciones
Aire acondicionado central	

Bonita casa con piscina[1] y jardín. Ideal para pareja joven; muy cerca del hospital y de la autopista I-75.

¿SABES QUE...?

When answering the phone, one says **¿Aló?** (in most Spanish-speaking countries), **¿Bueno?** (in Mexico), **¿Diga?** (in Spain), and **¿Hola?** (in Argentina). To ask who is calling, one says **¿Quién llama/ es?** or **¿De parte de quién?**

Dormitorios:	2
Baños:	1
Pisos:	1
Garaje:	1 carro
Aire acondicionado central	

Apartamento elegante con patio para barbacoa y jardín; piscina comunitaria, cancha de tenis y gimnasio; muy próximo a la universidad.

 Paso 2. Un agente de bienes raíces habla por teléfono con una clienta que busca casa o apartamento. Hagan los dos papeles.

MODELO

Agente: *¿Aló?*

Clienta: *Buenas tardes, señor/ señora/ señorita... Busco... Me gustaría ver...*

[1]swimming pool

GRAMÁTICA

¡Manos a la obra!

1

Expressing relationships in space and time:
More about prepositions

Prepositions are connectors; they describe relationships between things. Many of these you have learned already:

Prepositions of place

cerca de/ lejos de	*close, near (to)/ far from*
debajo de/ encima de	*beneath, below, under/ on top of, above*
dentro de/ fuera de	*within, inside (of)/ outside (of)*
detrás de/ delante de	*behind/ in front of*
enfrente de	*opposite, facing, in front of*
al lado de	*beside, next to*
entre	*between*
sobre, en	*above, on*
por	*by, through, around, alongside*

Other prepositions

sobre, acerca de	*about (a topic)*
antes de/ después de	*before/ after*
durante	*during*
en vez de	*in place of, instead of*
para	*for*
para + *infinitivo*	*in order to (do something)*
al + *infinitivo*	*upon (doing something)*

- In Spanish, a verb following a preposition is always in the infinitive (**-ar, -er, -ir**) form. English uses the *-ing* form.

    En vez de **ver** la televisión, vamos al cine.
    *Instead of **watching** TV, we are going to the movies.*

- Prepositions often used with infinitives: **antes de, después de, en vez de, al, sin.**

    Al salir de casa, llámame.   ***Upon leaving** home, call me.*
    Después de volver, llámame.   ***After returning**, call me.*

- Use **para** + *infinitive* to express *in order to* (purpose, goal).

    Vamos a la cocina **para preparar** la cena.
    *We are going to the kitchen **to (in order to) prepare** dinner.*

Object-of-preposition pronouns

- In Spanish, the pronouns that serve as objects of prepositions are identical in form to the subject pronouns, except for **mí** and **ti**.

> **mí, ti, Ud., él, ella, nosotros/as, vosotros/as, Uds., ellos, ellas**

    Mi amiga vive al lado de **mí**. ¿Quién vive al lado de **Uds.**?

- **Con + mí = conmigo** (*with me*) and **con + ti = contigo** (*with you*).

    —¿Quién vive **contigo**? —¿**Conmigo**? Mis dos gatos.

For additional practice on this grammar point, see PowerPoint slides at www.wiley.com/college/lucasmurillo or visit www.wileyplus.com

Additional uses of **por** and **para** are presented in *Capítulo 8* and *Capítulo 11*. Use the *¡Oye!* listening activity to review the prepositions of location.

To familiarize students with the prepositions, send them to the board to write original sentences using the prepositions of place to describe locations on campus. Assign two prepositions per pair of students. Other students could write example sentences using prepositions from the "Other prepositions" list, related to what takes place in Spanish class.

¡En acción!

¡Oye! ¿Dónde está la araña?

Tu profesor/a tiene una araña muy activa. Escucha las preguntas y contesta para indicar dónde está en cada momento.

6-5 La invasión de los gatos

En grupos de *tres*, identifiquen dónde están los gatos, usando las preposiciones de la página 189. Apunten la información. ¿Qué grupo puede decir dónde está el mayor número de gatos? Tienen *cinco* minutos.

MODELO

*Un gato está **encima del** sofá. Otro está...*

Ofelia　Sofía　Maya

6-6 Hogar, dulce hogar: en casa de los Roldán

Observa el dibujo de las páginas 184–185 y di lo que hacen los Roldán en casa. Completa las oraciones con la preposición apropiada. En algunos casos se puede usar más de una.

al	antes de	después de	durante	en vez de	para	acerca de

1. Probablemente, Damián va a ducharse ___después de___ hacer ejercicio.

2. Robertito, ___en vez de___ estar con el resto de la familia, duerme la siesta.

3. ___Al / Después de___ entrar al baño, Carmen siempre se mira al espejo.

4. En la sala, la abuela Rosa lee un libro ___acerca de___ los incas.

5. Don Claudio lee el periódico ___para___ saber lo que pasa en el mundo.

6. ___Antes de___ cenar, Guadalupe sirve agua en los vasos.

7. ___Durante___ la cena, no antes ni después, todos van a hablar de las vacaciones.

6-7 Un juego: ¡Busca la llave!

RECYCLES prepositions of location and vocabulary from the chapter-opener scene.

Paso 1. Tu compañero/a esconde[1] la llave de tu carro en un lugar de la casa (págs. 184–185) y tú preguntas para saber en qué cuarto está, y exactamente dónde. Usa las preposiciones de lugar. Túrnense. Tienen *cinco* minutos para esconder y encontrar la llave varias veces.

MODELO

Tú:	¿Está en el dormitorio?
Tu compañero/a:	Sí, está allí. (o) No, no está allí.
Tú:	¿Está **debajo de** la cama?
Tu compañero/a:	Sí, está allí. (o) No, no está allí.

Paso 2. Al terminar, díganle a la clase en qué lugares encontraron la llave: La encontré[2] en la sala, ¡**debajo del** sillón!

See Grammar Handbook found in WileyPLUS.

6-7 Have students jot down the hiding place, to later show it to their partner. Advise students doing the guessing to first find out the floor or room where the key is located, then to proceed to find out its exact location.

For additional practice on this grammar point, see PowerPoint slides at www.wiley.com/college/lucasmurillo or visit www.wileyplus.com

GRAMÁTICA

¡Manos a la obra!

Pointing out things and people: Demonstrative adjectives and pronouns

2

Demonstrative adjectives

Demonstrative adjectives are used to point out specific objects or people. Like all adjectives, demonstrative adjectives agree in gender and number with the word they describe. The demonstrative adjective you use depends upon how close you are to the item you are pointing out.

aquí *here* (close to speaker)		**ahí** *there* (at a short distance from speaker)		**allí** or **allá** *over there* (far from speaker)	
this	(m.) **este** sillón	*that*	**ese** sillón	*that*	**aquel** sillón
	(f.) **esta** silla		**esa** silla		**aquella** silla
these	(m.) **estos** cuadros	*those*	**esos** cuadros	*those*	**aquellos** cuadros
	(f.) **estas** cortinas		**esas** cortinas		**aquellas** cortinas

Hint: This and these have Ts!

Me gusta **este** espejo y **esa** lámpara.	*I like **this** mirror and **that** lamp.*
Esta mesa y **aquellas** sillas son antiguas.	***This** table and **those** chairs are old.*
¿Cuánto cuesta **ese** sofá y **aquel** sillón?	*How much does **that** sofa and **that** easy chair cost?*

Demonstrative pronouns

- While demonstrative adjectives are used *with a noun*, demonstrative pronouns are used *instead of a noun*, to avoid repetition and redundancy. Demonstrative pronouns look exactly like demonstrative adjectives, but with a written accent on the stressed vowel.

Voy a comprar **esta** lámpara y **ésa**.	*I am going to buy **this** lamp and **that one**.*
Ese espejo es bonito, y **aquéllos,** también.	***That** mirror is pretty, and **those**, too.*

- The demonstratives **esto** (*this*) and **eso** (*that*) are neuter and are used to refer to an idea, a situation, or a statement, or to an object that has not as yet been identified.

¿Qué es **esto**? *What is this?*	¡**Eso** es ridículo! *That's ridiculous!*

Place three books in three different locations—near you, farther away, and very far away. Do the same with three backpacks, three baseball caps, and three pairs of tennis shoes. Illustrate the demonstratives by describing each: **Este libro es azul. Ése de ahí es…, y aquél (que está allí, lejos) es…**

To practice neuter demonstratives, write on the board: **¡Esto es un desastre! ¡Esto/ Eso es el colmo!** (*This/ That is the limit/ the last straw!*) **¡Eso es genial! ¿Qué es esto?** Students use the expressions to respond to each of the following: **1. Entras en el cuarto de tu hermano y está todo desordenado. 2. Llegas a tu apartamento y descubres que no hay agua ni en la cocina, ni en el baño. 3. Una amiga te dice que va a comprar un apartamento con vistas maravillosas al mar Caribe. 4. Ves algo en el cubo de la basura y no sabes lo que es.**

[1]hides, [2]**La…** I found it

Fabio y Mario hablan con Ernesto, su nuevo compañero de apartamento. En este momento le están mostrando[1] su cuarto.

Ernesto, éste es tu cuarto.

¿Y dónde está el cuarto de baño?

Es aquella puerta al lado de la cocina, entre el dormitorio y el comedor.

¿Vienes esta noche con nosotros a cenar a casa de Jennifer?

¿Dónde está la casa de Jennifer?

Está enfrente del estadio de deportes, al lado de la biblioteca.

Voy con ustedes.

Draw on the board: (1) Three houses, the first in the foreground—new, large, and two stories; the second farther away—smaller and two stories, with a two-car garage; the third farthest away—one story with large trees and lots of flowers around it.
(2) Three cars, the first in the foreground (write the year 2000 next to it); the second farther away (year 2006); the third farthest away (year 2010).

Guión para ¡Oye!, primera parte
Write down prices throughout, as you say them.
1. **Esta** casa (*point to largest house*) es nueva, y es de dos pisos. Tiene cuatro habitaciones y cuatro baños. Cuesta 250.000 dólares.
2. **Esa** casa (*point to it*) también es de dos pisos, y es muy bonita. Tiene tres habitaciones, tres baños, y un garaje para dos carros. Cuesta 175.000 dólares.
3. **Aquella** casa (*point to it*) es de un piso; tiene dos habitaciones, dos baños y un jardín muy bonito, con árboles grandes y muchas flores. Cuesta 140.000 dólares. (continúa en la pág. 193)

6-8 ANSWERS *Luis:*
1. (modelo) 2. ...esa... pequeña 3. ...esos...feos
4. ...esas... viejas
5. ...ese...desordenado
6. ...esos... viejos
7. ...esas...bajas
8. ...esos...pequeños.

¡En acción!

¡Oye! Buscando casa y carro

Escucha con atención la descripción de tres casas, y decide cuál prefieres. Luego, haz lo mismo después de escuchar la descripción de los tres carros.

6-8 Dos casas completamente opuestas

RECYCLES adjectives of opposite meaning.

Ana y Luis buscan casa. Con los planos en la mano, Ana comenta acerca de la casa que les gusta, y Luis, acerca de la otra, que es todo lo opuesto. Hagan de pareja. Ana usa **este/ esta/ estos/ estas** según la información del 1 al 8, y Luis responde con **ese/ esa/ esos/ esas,** y lo opuesto de la palabra en cursiva. Sigan el modelo de las burbujas[2].

Esta casa está *cerca del* trabajo.

En cambio[3], **esa** casa está *lejos* del trabajo.

Ana habla de la casa que les gusta...

1. _Esta_. casa está *cerca* del trabajo.
2. _Esta_. cocina es *grande.*
3. _Estos_. dormitorios son *bonitos.*
4. _Estas_. alfombras son *nuevas.*

5. _Este_. garaje está *ordenado.*
6. _Estos_. baños son *nuevos.*
7. _Estas_. paredes son *altas.*
8. _Estos_. roperos son *grandes.*

[1]showing, [2]bubble, [3]**En...** On the other hand

6-9 La mudanza[1] RECYCLES rooms of the house.

Un/a estudiante ayuda a otro con la mudanza y le pregunta dónde debe poner los muebles y cosas de la casa. El/la otro/a contesta, indicando el lugar apropiado. Usen los demostrativos. Después de completar del 1 al 6, cambien de papel.

MODELO

el sofá

E1: *¿Dónde pongo **este** sofá?*

E2: ***Ése**, en la sala.*

1. las sillas
2. los platos
3. la cómoda
4. el estante
5. el espejo
6. la lámpara
7. el televisor
8. la computadora
9. la alfombra

6-10 En la tienda[2] de muebles

Uno/a de Uds. necesita muebles para la sala y el comedor de su apartamento. Hagan de cliente (Ⓐ en el dibujo) y de dependienta (Ⓑ en el dibujo). Combinen muebles clásicos y modernos, si lo desean.

Necesitas: sofá, sillón, cuadros, mesita, alfombra, lámparas, mesa y sillas de comedor

MODELO

Cliente:	*Busco un sofá para mi apartamento.*
Dependienta:	*Tenemos **éste** de flores o **éste** rojo.*
Cliente:	*Prefiero **ése**. Me gustan las flores y el estilo. ¿Cuánto cuesta?*
Dependienta:	*2.500 dólares.*
Cliente:	*¡Qué caro[3]! ¿Y cuánto cuesta **ése**?*
Dependienta:	***¿Éste?** 1.500 dólares.*
Cliente:	*Pues, **ése**.*

mesita clásica

mesita moderna

mesa de madera[4]

mesa de vidrio[5]

Ⓑ Dependienta

Ⓐ Cliente

[1]The move, [2]store, [3]expensive, [4]wood, [5]glass

(from p. 192) **Comprensión para ¡Oye!**
¿Cuál prefieres, ésta, ésa o aquélla? ¿Por qué?

Guión para ¡Oye!, segunda parte
Ahora vas a comprar un carro.
1. **Este** carro azul es un Ford del año 2000, y está en buenas condiciones. Cuesta 2.000 dólares.
2. **Ese** carro rojo es un Honda del año 2006, y también está en muy buenas condiciones. Cuesta 8.400 dólares.
3. **Aquel** carro negro es un Mercedes Benz del año 2010. ¡Es fabuloso! Cuesta 50.000 dólares.

Comprensión para ¡Oye!
¿Cuál prefieres, éste, ése o aquél? ¿Por qué?

6-9 Because demonstratives are tricky for beginning students, spot-check answers by asking a few students to provide the responses for several of the items.
ANSWERS: 1. ...estas sillas/ Ésas,... 2. ...estos platos/ Ésos,... 3. ...esta cómoda/ Ésa,... 4. ...este estante/ Ése,... 5. ...este espejo/ Ése,... 6. ...esta lámpara/ Ésa,... 7. ...este televisor/ Ése,... 8. ...esta computadora/ Ésa,... 9. ...esta alfombra/ Ésa,...

6-10 Make sure students understand that they are to point to items from their particular perspective (where they are standing). Person A (customer) is near the dining room sets, and person B (salesperson) is near the living room furniture.

6-10 You may want to project the PowerPoint slide of the illustration and have two students come to the front of the room to role-play their furniture-buying "experiences." To practice **aquel, aquella, ...** play the role of the salesperson and have students indicate from their seats which piece/s of furniture they prefer.

Tu mundo cultural

Las casas de estilo tradicional español

¿Sabes cómo son las casas de estilo tradicional español? ¿Hay alguna en tu pueblo o ciudad?

Hay casas de estilo tradicional español, que aunque estén situadas en países, continentes, hemisferios y climas diferentes, tienen rasgos[1] comunes en su arquitectura y decoración. Estos rasgos, resultado de la influencia romana y árabe en España, se introducen en el Nuevo Mundo con la llegada de los españoles.

Elementos característicos: cuartos alrededor de[2] un patio interior; jardín o patio exterior; techos de teja[3]; pisos de madera[4] o cerámica; cocinas y baños decorados con mosaicos; balcones y ventanas exteriores con rejas[5]. En muchos casos, una valla[6] de rejas rodea la casa y el jardín.

Arquitectura de estilo tradicional español en Estados Unidos

La influencia hispana también se observa en el diseño de las casas de EE.UU., no sólo en el sudoeste, cerca de la frontera mexicana, sino en muchas otras partes del país.

Casa de estilo tradicional español en Fort Myers, Florida. En muchas partes de EE.UU. se encuentran casas de ese estilo, muestra de la presencia hispana en la historia de este país.

El típico patio central de las casas de estilo tradicional español se encuentra también en muchas casas de EE.UU.

Baño de una casa de Colorado. La cerámica de Talavera, original de España, se produce también en México y de allí se exporta a EE.UU.

[1]features, [2]**alrededor...** surrounding, [3]tile, [4]wood, [5]metal railings, [6]fence

Los apartamentos de las ciudades hispanas modernas

Con la expansión urbana, tanto[1] en España como en Latinoamérica, la mayoría de la gente[2] que vive en las ciudades y pueblos grandes reside en edificios de apartamentos (departamentos). Estos apartamentos conservan algunos elementos de las casas tradicionales como los techos de teja, los balcones, el patio interior o la decoración de baños, cocina y pisos con cerámica.

Edificio de apartamentos de Buenos Aires, en Argentina. Como se puede observar, el balcón es un elemento que tienen en común las casas y edificios de todos los países hispanos.

¿Qué aprendiste?

1. ¿Cuáles son las características del interior y exterior de las casas de estilo tradicional español?

2. ¿Dónde se encuentran casas de estilo tradicional español en EE.UU.?

3. En las ciudades o pueblos grandes del mundo hispano, ¿dónde reside la mayoría de la gente? ¿Qué características conservan esos edificios de las casas tradicionales?

Actividad cultural

Paso 1. Eres arquitecto/a y alguien que desea construir una casa de estilo tradicional español te consulta sobre los rasgos más característicos de esa clase de casas. Escribe la información para tu cliente en el espacio provisto:

Techo:
Ubicación[3] de los cuartos:
Piso y decoración de la cocina y los baños:
Elementos en el exterior del edificio:
Otros rasgos típicos:

Paso 2. Ahora llama por teléfono a tu cliente/a para darle tus ideas. Luego, cambien de papel.

Santillana del Mar, en España. Edificio de apartamentos en un pueblo del norte de España. El techo es de teja y los balcones están decorados con geranios.

Contraste cultural

Descríbele a tu compañero/a algunas características de tu casa o apartamento con la ayuda de la siguiente lista. Menciona también las diferencias que observas con las casas o apartamentos hispanos. Luego, cambien de papel.

CARACTERÍSTICAS:

· techo de (teja, metal, tablilla[4])	· piso de (madera, cerámica o alfombra)
· número de pisos, dormitorios y baños	· patio interior o exterior o terraza[5]
· exterior de (madera, cemento, estuco, ladrillo[6]).	· ventanas con o sin rejas, garaje, jardín, valla, vistas...

[1]as much, [2]people, [3]location, [4]shingle, [5]deck, [6]brick

La vida diaria

¹La vida diaria de Lola, una enfermera

5:00
2. despertarse (ie)
3. el despertador

5:15
4. levantarse

5:20
5. cepillarse (los dientes)
6. el cepillo de dientes
7. la pasta de dientes
8. el jabón

5:25
9. ducharse
10. lavarse (el pelo)
11. el champú

5:35
12. afeitarse

5:45
13. secarse
14. la toalla
15. el secador

6:00
16. peinarse
17. el peine
18. maquillarse

6:15
19. vestirse (i)
20. ponerse (los zapatos)

7:00
21. quitarse (la ropa)

11:00
22. sentarse (ie)
23. sentirse (ie) mal

3:05
HOSPITAL SAN LUCAS
24. despedirse (ie) (de)
25. irse

7:45
Café Colon
26. divertirse (ie)
27. reírse (i)

10:00
28. tener sueño
29. acostarse (ue)
30. dormirse (ue)

1. daily life 2. to wake up 3. alarm clock 4. to get up 5. to brush (one's teeth) 6. toothbrush 7. toothpaste 8. soap 9. to take a shower; **bañarse** to take a bath 10. to wash (one's hair) 11. shampoo 12. to shave 13. to dry oneself 14. towel 15. hairdryer 16. to comb one's hair 17. comb 18. to put on makeup 19. to get dressed 20. to put on (one's shoes, etc.) 21. to take off (one's clothes, etc.) 22. to sit down 23. to feel bad/ sick; **sentirse bien** to feel well 24. to say good-bye (to) 25. to go away 26. to have fun/ a good time 27. to laugh 28. to be sleepy 29. to go to bed 30. to fall asleep

¡En acción!

6-11 Mi lista de compras

Paso 1. Es el primer día en tu nueva casa y ves que no tienes lo que necesitas para tu rutina diaria. Escribe en un papel lo que tienes que comprar.

Mi rutina:

1. para despertarme a tiempo
2. para bañarme o ducharme
3. para lavarme el pelo
4. para secarme el pelo
5. para cepillarme los dientes
6. para secarme las manos[1]
7. para peinarme

Mi lista de compras
1. un despertador
2.
3.
4.
5.
6.
7.

Paso 2. Ahora, compara tu lista de compras con la de un/a compañero/a.

6-12 Lola y su rutina   RECYCLES **estar** + *location.*

Según las situaciones de la página 196, pongan las actividades de Lola en orden cronológico. Luego, indiquen/dónde está en cada momento.

6-12 Students may complete the activity individually or in pairs, with answers reviewed by the instructor.

__5__ Habla con los pacientes que se sienten mal. *Está en el hospital/ en el trabajo.*

__1__ Se levanta a las cinco y cuarto de la mañana. *Está en el dormitorio/ cuarto.*

__8__ Se quita la ropa y se acuesta. *Está en el dormitorio/ cuarto*

__7__ Sale con sus amigos a cenar y se divierte. *Está en un restaurante.*

__2__ Se ducha y se lava el pelo. *Está en el (cuarto de) baño.*

__6__ Se despide de sus compañeros. *Está fuera del hospital.*

__4__ Se viste y se pone los zapatos. *Está en el dormitorio/ cuarto.*

__3__ Se seca el pelo y se peina. *Está en el (cuarto de) baño.*

¿SABES QUE...?

In Spanish, as in English, names are frequently shortened. For example:
Lola (Dolores); **Paco** (Francisco); **Pepe** (José); **Lupe** (Guadalupe); **Toño** (Antonio); **Quique** (Enrique); **Charo** (Rosario).

---

[1]hands

6-13 La vida diaria de Lola

¿Es una vida de locos o normal? Para saberlo, observen las escenas de la página 196 y contesten las preguntas.

1. ¿A qué hora se despierta Lola? *Se despierta a las...* ¿Se levanta inmediatamente cuando suena el despertador?

2. ¿Con qué se cepilla los dientes? ¿Qué otra cosa hay en el lavabo?

3. ¿Lola se ducha o se baña? ¿Qué usa para lavarse el pelo? ¿Se afeita las piernas[1]?

4. Después de ducharse, ¿con qué se seca? ¿Qué usa para secarse el pelo?

5. ¿Con qué se peina Lola? ¿Se maquilla Lola?

6. ¿A qué hora se viste y se pone los zapatos?

7. ¿Dónde trabaja Lola? Cuando llega allí, ¿qué hace antes de ponerse el uniforme de enfermera?

8. Cuando Lola se sienta y habla con el paciente, ¿qué dice él? ¿Y cómo se siente?

9. ¿A qué hora se despide y se va Lola del hospital?

10. Por la noche, ¿con quién se divierte Lola? ¿Quién se ríe?

11. Finalmente, ¿tiene sueño Lola? ¿A qué hora se acuesta? ¿Se duerme rápidamente?

. . . y algo más

In Spanish, many adverbs are formed by adding **-mente** (equivalent to the English *-ly*) to an adjective. Can you identify the adverbs in *Actividad 6-13*?

- Add **-mente** to adjectives ending in **-e** or a consonant.
  posible → posible**mente**   personal → personal**mente**

- Add **-mente** to the feminine singular form of adjectives ending in **-o.**
  inmediato → inmediat**amente**   rápido → rápid**amente**

 See Grammar Handbook found in WileyPLUS.

¡A escuchar! ¡Esto sí que es vida! CD 1 Track 55

Paso 1. Dos amigos están pasando juntos unos días de vacaciones y comentan la experiencia. Escucha la conversación.

Paso 2. Escucha de nuevo e indica si es cierto o no lo que se dice acerca de las vacaciones de Cristóbal y Lino.

	Sí	No
1. Lino se despierta y tiene que levantarse inmediatamente.	☐	☑
2. Lino se afeita y va al trabajo.	☐	☑
3. Lino se sienta a leer y va a la playa.	☑	☐
4. Si Cristóbal no quiere vestirse, pasa toda la mañana en pijama.	☑	☐
5. Cristóbal juega al tenis y nada en la piscina.	☑	☐
6. Lino y Cristóbal van a regresar muy pronto al trabajo.	☑	☐
7. Cristóbal se siente mal cuando está de vacaciones.	☐	☑
8. El lunes, Lino va a dormirse en la oficina.	☐	☑

[1]legs

GRAMÁTICA

¡Manos a la obra!

Talking about daily routines: Reflexive verbs

3

Uses of reflexive verbs

Some verbs use the reflexive pronouns (**me, te, se, nos, os, se**) to show that the person is doing the action to himself/herself. This *pronoun + verb* construction often describes daily routines or personal care. Note the change in meaning when the reflexive pronoun is used.

Carlos **se baña.**	*Carlos is bathing (himself).*
Carlos **baña** a su hermanito.	*Carlos is bathing his little brother.*
Debemos **levantarnos.**	*We ought to get up (get ourselves up).*
Debemos **levantar** a los niños.	*We ought to get the children up.*

Other verbs use the reflexive pronouns to describe changes in emotional, psychological, or physical status—for example, **sentirse bien/ mal.**

The formation of reflexive verbs

Note that the reflexive pronoun and the subject of the verb refer to the same person.

(yo)	**me** visto	(nosotros/as)	**nos** vestimos
(tú)	**te** vistes	(vosotros/as)	**os** vestís
(Ud., él, ella)	**se** viste	(Uds., ellos, ellas)	**se** visten

- As with direct and indirect object pronouns, reflexive pronouns are either placed immediately before the conjugated verb or attached to the infinitive and the present participle.

    Me tengo que peinar. (o) Tengo que peinar**me.**
    Linda no **se** está lavando el pelo. (o) Linda no está lavándo**se** el pelo.

- In the reflexive construction, use the definite article, not the possessive (**mi, tu, su,...**) to refer to parts of the person's body or to articles of clothing.

¿Te lavas **el** pelo todos los días?	*Do you wash your hair every day?*
Voy a cepillarme **los** dientes.	*I'm going to brush my teeth.*

- The pronouns **nos, os,** and **se** are also used to express reciprocal or mutual actions.

Tina y Tom **se** conocen bien.	*Tina and Tom know each other well.*
Ana y yo **nos** queremos mucho.	*Ana and I love each other very much.*

For additional practice on this grammar point, see PowerPoint slides at www.wiley.com/college/lucasmurillo or visit www.wileyplus.com

(First, see last annotation on p. 198.) To illustrate the position of reflexive pronouns, write **debo, bañar, me, estoy, bañando,** and **baño** on separate sheets of paper. Give the papers with **baño** and **me** to a pair of students and ask them to place themselves in the correct order. Then use sets of three students for the infinitive and -**ando** constructions, giving them both options for the placement of pronouns: **Debo bañarme/ Me debo bañar** and **Estoy bañándome/ Me estoy bañando.** (Write in the accent mark on **bañándome.**)

After students learn the reflexive verbs, they may have the tendency to make *all* verbs reflexive (**Me desayuno...**). Warn students not to catch the disease called "reflexivitis"!

The reciprocal construction is used passively in *¡Con brío!*

En el carro, camino a casa de Jennifer, Fabio y sus amigos hablan de su rutina diaria.

¿A qué hora te duchas por la mañana?
Me ducho a las 7.

Y tú Mario, ¿a qué hora te levantas?
A las 6. Soy muy rápido. Me ducho, me afeito y me visto en 30 minutos.

Yo me despierto a las 6:30 para ducharme después de Mario.

¡Qué organizados!

You may want to project the PowerPoint slide of the *Escena 2* scenes. Point to the appropriate scene as you describe it.

Guión para ¡Oye!
Por la mañana...
1. Lola se despierta a las seis de la mañana. *No. ...a las cinco...*
2. Se cepilla los dientes después de ducharse. *No. ...antes de...*
3. Se lava el pelo en la ducha. *Sí*
4. Se afeita las piernas (*act out*) en la ducha. *Sí*
5. Lola se seca el pelo con una toalla. *No. ...con secador.*
6. Lola se maquilla antes de peinarse. *No. ...después de...*
7. Lola se viste antes de ponerse los zapatos. *Sí*

En el hospital...
8. El paciente se siente bien. *No. Se siente mal.*
9. A las dos y cinco de la tarde, Lola se despide de un compañero y se va. *No. ...a las tres y cinco...*

Por la noche...
10. Lola se ríe y se divierte con sus amigos. *Sí*
11. Se acuesta a medianoche porque no tiene sueño. *No. ...a las 10:00 porque...*

6-14 To practice the **nosotros** form, ask students to report to the class answers they both had in common: **...y yo no nos despertamos temprano.**

6-15 To assist students, write on the board: **E1: acción; E2: cuándo; E3: dónde; E4: con qué.** At the end of each series, ask students from several groups to repeat their extended sentence for the class.

6-15 **ANOTHER STEP:** Six volunteers each mime one of the actions provided, and the other students describe what each is doing: **Joe está duchándose.** (o) **Joe se está duchando.**

¡En acción!

¡Oye! La rutina de Lola

Observa las escenas de la página 196. Escucha la rutina de Lola, y para indicar si lo que oyes es cierto o falso, responde «**¡Sí!**» o «**¡No!**». Si es falso, corrígelo.

6-14 ¿Es así tu rutina diaria?

Paso 1. Primero, completa los espacios en blanco con la forma **yo** de cada verbo. Luego, marca **Sí** o **No** para indicar si es así o no, según tu rutina.

Sí	No	Normalmente...
☐	☐	**1.** (*despertarse*) __Me__ __despierto__ muy temprano.
☐	☐	**2.** (*ducharse*) __Me__ __ducho__ por la mañana.
☐	☐	**3.** (*lavarse*) __Me__ __lavo__ el pelo todos los días.
☐	☐	**4.** (*afeitarse*) __Me__ __afeito__ todas las mañanas.
☐	☐	**5.** (*cepillarse*) __Me__ __cepillo__ los dientes tres veces al día.
☐	☐	**6.** (*peinarse*) __Me__ __peino__ varias veces al día.
☐	☐	**7.** (*ponerse*) __Me__ __pongo__ ropa limpia una vez por semana.
☐	☐	**8.** (*divertirse*) __Me__ __divierto__ con mi familia los fines de semana.
☐	☐	**9.** (*acostarse*) __Me__ __acuesto__ entre las diez y las once de la noche.

Paso 2. Ahora, compara las respuestas con las de tu compañero/a. En los casos donde contestaron **no,** den la información correcta.

MODELO

E1: *Yo **no me despierto** muy temprano. **Me despierto** a las diez. ¿Y tú?*

E2: *Yo sí **me despierto** muy temprano,. **Me despierto** a las siete de la mañana.*

6-15 Un juego

La clase se divide en grupos de *cuatro*. Su profesor/a dice un número del 1 al 6. **E1** observa el objeto que hay junto al número, y dice lo que hacen todos, según el modelo. **E2** lo repite, y añade[1] **cuándo** lo hacen; **E3** lo repite todo y añade **dónde**; y **E4** lo repite todo y añade **con qué**. Luego, otro/a estudiante del grupo es **E1** y el juego continúa, empezando con otro número.

MODELO

Profesor/a: *número 2*

E1: *Nos duchamos.*

E3: *Nos duchamos por la mañana **en la ducha**.*

E2: *Nos duchamos **por la mañana**.*

E4: *Nos duchamos por la mañana en la ducha **con jabón**.*

1.   2.   3.   4.   5.   6.

[1]adds

6-16 La rutina de mis compañeros/as de clase

Paso 1. Camina por la clase y pregúntales a tus compañeros/as si hacen lo siguiente. Apunta el nombre de cada estudiante que responde *afirmativamente*. A ver cuántas respuestas afirmativas puedes obtener en *cinco* minutos.

MODELO

E1: *¿Te despiertas sin despertador?*

E2: *Sí, me despierto sin despertador. (Apuntas el nombre.)*

o: *No, no me despierto sin despertador. (Buscas a otro/a estudiante.)*

1	¿Te levantas inmediatamente al sonar el despertador?	1. *Mario*
2.	¿Te secas el pelo con secador?	2.
3.	¿Te afeitas todos los días?	3.
4.	¿Te bañas o duchas por la noche?	4.
5.	¿Te lavas el pelo con jabón?	5.
6.	¿Te cepillas los dientes antes del desayuno?	6.
7.	¿Te acuestas después de medianoche?	7.
8.	Después de acostarte, ¿te duermes rápidamente?	8.

6-16 Instructor's questions (for *Paso 2* follow up): **¿Quién se levanta inmediatamente al sonar el despertador?** Several students respond. After the feedback for each question, ask the class to summarize the degree of participation for each activity: **Muchas personas/ Pocas personas/ Nadie...**

Paso 2. Ahora, el/la profesor/a quiere saber algo de la rutina de los estudiantes. Contesten sus preguntas según la información que tienen.

MODELO

Profesor/a: *¿Quién **se levanta** inmediatamente al sonar el despertador?*

E1: *Mario **se levanta** inmediatamente.*

6-17 Mi rutina semanal

Paso 1. Describe tu rutina semanal en *seis* oraciones. Incluye expresiones como **por la mañana, primero, luego, normalmente, después, más tarde** y **finalmente.**

Por la mañana, me despierto a...

Paso 2. Al terminar, **(a)** compara tu rutina con la de otro/a compañero/a de clase y **(b)** dile en qué se diferencia de la rutina del fin de semana.

6-18 ¿Qué está haciendo Lola?

Paso 1. Observen las escenas de la página 196. Un/a estudiante dice lo que hace Lola en un momento determinado del día (no en orden cronológico). El/La otro/a encuentra la escena que corresponde y dice *la hora* y *el lugar*. Después de *seis* acciones, cambien de papel.

MODELO

E1: *Lola **se divierte**.*

E2: *¡Ah! La veo. Son las 7:45 de la noche y **se divierte** en un café con sus amigos.*

6-18 You may want to project the Power-Point slide of the scenes, and elicit feedback on *Paso 2.* **¿En qué se diferencia su rutina diaria de la de Lola?**

Paso 2. Ahora, den *cuatro* ejemplos de cómo se diferencia su rutina de la de Lola: *A las cinco y cuarto de la mañana yo estoy en la cama. No **me levanto** hasta las nueve.*

Tu mundo cultural

La vida diaria: costumbres y horarios[1]

¿Almuerzas o cenas diariamente en casa con tu familia o tu pareja? En tu familia, ¿son el desayuno, el almuerzo o la cena ocasiones para reunirse y charlar?

Niños hispanos y jóvenes universitarios salen de clase para ir a casa a almorzar. Regresan a la escuela después del almuerzo.

Familia de San Miguel de Allende, México. A la hora del almuerzo, tres generaciones de una familia mexicana hacen una pausa en la jornada escolar y laboral[2] para comer juntos[3].

La hora del almuerzo marca la jornada laboral

A los hispanos les gusta comer en familia; por esa razón, los horarios se organizan de acuerdo con las comidas. El almuerzo es la comida principal, cuando los miembros de la familia se reúnen para estar juntos y comentar los eventos del día. Para el almuerzo se pone la mesa y se sirve comida casera[4] que requiere tiempo para su preparación. La hora exacta varía de país a país, pero en general, el almuerzo es entre la una y las dos de la tarde.

Durante el almuerzo se cierran las tiendas[5] y casi todos los trabajos, y los hispanos van a casa. Los domingos y días festivos son también para la familia; no se trabaja y no se abren las tiendas. En algunas capitales y grandes ciudades se están empezando a abrir tiendas los domingos, pero es todavía más la excepción que la regla.

Los restaurantes son los pocos lugares abiertos a la hora del almuerzo. Durante la semana son frecuentes en ellos los almuerzos de negocios. Cuando los clientes terminan de almorzar, los restaurantes se cierran y no se abren hasta la hora de la cena, tal como se observa en el horario de la fotografía.

[1]schedules, [2]**jornada...** school and work day, [3]together, [4]homemade, [5]stores

Consejo para los que no son hispanos

Cuando se trata con hispanos, es fundamental conocer sus horarios y cómo influye en ellos la familia. Saber esto es esencial para evitar[1] graves problemas de comunicación. Los hombres y mujeres estadounidenses que hacen negocios con países hispanos tienen que conocer estos dos aspectos tan característicos de la cultura hispana; desconocerlos puede tener repercusiones en el éxito[2] de sus negocios.

¿Qué aprendiste?

1. ¿Dónde almuerzan la mayoría de las familias hispanas diariamente?¿Qué hacen y qué comen durante el almuerzo? ¿Qué es costumbre hacer después del almuerzo?

2. Por lo general, ¿se abren las tiendas los domingos y días festivos en los países hispanos? ¿Por qué?

3. ¿Cuáles son algunos aspectos de la cultura hispana que deben conocer los hombres y las mujeres de negocios estadounidenses? ¿Por qué?

Actividad cultural

Paso 1. Completa los espacios en el recuadro para comparar los horarios típicos de una ciudad hispana y los de tu pueblo o ciudad.

	Ciudad hispana	Tu pueblo o ciudad
1. Horario del almuerzo en las casas, a diario		
2. Horario de las tiendas, a diario		
3. Horario de los restaurantes, a diario		
4. Horario de las tiendas, los domingos y días festivos		

Paso 2. Comparen y comenten los resultados.

Contraste cultural

En grupos de *tres*, hablen acerca de las ventajas[3] y desventajas de la costumbre hispana de no abrir las tiendas durante el almuerzo, ni los domingos ni días festivos. Mencionen los beneficios que tiene en las relaciones con la familia y amigos, y cómo afecta a la salud y al bienestar[4].

---

[1]avoid, [2]success, [3]advantages, [4]**la...** health and well-being

³

¹Los quehaceres domésticos

²¿Qué tienen que hacer?

3. hacer la cama
4. guardar (la ropa)

DAMIÁN   Mª LUISA

5. limpiar el polvo
6. ordenar (el cuarto)
7. pasar la aspiradora

GUADALUPE   CARMEN   ÁNGEL

8. poner la mesa
9. quitar la mesa

DOÑA ROSA   DON CLAUDIO

10. lavar (los platos)
11. secar (los platos)

DAMIÁN   CARMEN   NURIA

14. doblar la ropa
12. la lavadora   13. la secadora   15. planchar

NURIA   Mª LUISA

17. hacer las compras
16. barrer

NURIA   Mª LUISA

18. sacar la basura   19. reciclar

CARMEN   GUADALUPE

20. cortar el césped
21. regar (ie) (las plantas)

ÁNGEL   DOÑA ROSA

1. household chores 2. What do they have to do? **tener que** + *infinitivo* = to have to do something 3. to make the bed 4. to put away (clothes)
5. to dust 6. to straighten up (the room) 7. to vacuum 8. to set the table 9. to clear the table 10. to wash (the dishes) 11. to dry (the dishes)
12. washing machine 13. dryer 14. to fold the clothes 15. to iron 16. to sweep 17. to buy groceries, run errands 18. to take out the trash
19. to recycle 20. to mow the lawn 21. to water (the plants)

¡En acción!

6-19 ¿Qué haces antes y después?

RECYCLES the preposition + *infinitive* construction.

Completa cada acción con la que le corresponde.

1. Después de levantarme,... e.	a. ...quito la mesa.
2. Después de quitarme el suéter,... d.	b. ...paso la aspiradora y limpio el polvo.
3. Antes de llegar los invitados,... b. (o) g.	c. ...los seco.
4. Antes de preparar la cena,... f.	d. ...lo guardo en el ropero.
5. Antes de comer,... g.	e. ...hago la cama.
6. Después de comer,... a.	f. ...compro los ingredientes.
7. Después de lavar los platos,... c.	g. ...pongo la mesa.
8. Después de lavar la ropa,... h.	h. ...la doblo y, a veces, la plancho.

6-20 Los quehaceres domésticos

¿Quién los hace en casa de los Roldán? Observen los dibujos de la página 204 y contesten las preguntas.

1. ¿Dónde están Damián y Mª Luisa? ¿Qué están haciendo?

2. ¿Qué hacen Guadalupe y Carmen en la sala? ¿Y Ángel?

3. ¿Quiénes están poniendo y quitando la mesa en el comedor?

4. ¿Qué están haciendo Damián y Carmen en la cocina? ¿Quién prepara la comida?

5. ¿Qué hacen Nuria y Mª Luisa? ¿Qué electrodomésticos usan para lavar y secar la ropa?

6. ¿Quién barre la entrada de la casa? ¿Y quién hace las compras?

7. ¿Qué hace Carmen en el garaje? ¿Y qué hace Guadalupe con los periódicos?

8. ¿Qué están haciendo Ángel y Doña Rosa en el jardín?

6-21 ¿Quién tiene que hacerlo?

Paso 1. Digan quién tiene que hacer en su casa los quehaceres representados en los dibujos de la página 204.

MODELO

E1: *En mi casa, yo tengo que poner la mesa y mi pareja tiene que quitarla.*

E2: *En mi casa, mis hijos tienen que poner la mesa, y...*

Paso 2. Ahora comenten acerca de la división de quehaceres en su casa. ¿Participan los hombres igual que las mujeres? ¿Y los jóvenes igual que los mayores?

6-19 Students may complete the activity in pairs, with answers reviewed by the instructor.

6-19 ANOTHER STEP: Write on the board: **el dormitorio, la sala, el comedor, la cocina, el lavadero** (*laundry room*), **el garaje, el jardín.** Students in pairs have five minutes to list as many chores as possible appropriate to each location: **el dormitorio → hacer la cama, guardar la ropa,...**

6-20 After students answer the questions, you may want to project the PowerPoint slide of the scenes. Have various students describe the scenes to the class.

For additional vocabulary practice, see PowerPoint slides at www.wiley.com/college/lucasmurillo or visit www.wileyplus.com

6-20 PERSONALIZED QUESTIONS: ¿Qué quehaceres les gusta hacer a Uds.? ¿Y cuáles no les gustan o detestan?

¡A escuchar! Los quehaceres de la casa nunca se terminan

Paso 1. Dos amas de casa, Ana y Sara, se encuentran[1] a la entrada del edificio de apartamentos donde viven, y hablan de sus quehaceres domésticos. Escucha la conversación.

Palabras útiles
¡Gracias a Dios!
Thank God!

Paso 2. Escucha de nuevo y completa los espacios en blanco con las palabras que corresponden.

1. Sara y Ana hablan de los ___quehaceres___ de la casa.

2. Ana dice: «Todos los días (yo) ___paso___ la aspiradora, ___limpio___ el polvo, ___lavo___ el piso...»

3. Sara responde: «Gracias a Dios que existen las ___lavadoras___ y las ___secadoras___».

4. El esposo de Sara corta el ___césped___ y ___riega___ las plantas y flores del ___jardín___.

5. Ana responde: «Mis hijas mayores son muy responsables. ___Hacen___ las camas, ___ordenan___ sus cuartos y ___ponen___ y quitan siempre la mesa».

6. Al final, Sara dice que tiene que ___irse___. Y Ana responde que ella ya tiene la ___cena___ lista.

See Grammar Handbook found in WileyPLUS.

For additional practice on this grammar point, see PowerPoint slides at www.wiley.com/college/lucasmurillo or visit www.wileyplus.com

After presenting the affirmative **tú** commands, ask students to open their books to the opener scene (page 204). Call out a household chore such as **hacer la cama**. Have students identify the place where the command would be given: **En el dormitorio**. Then have them turn the expression into a command—**¡Haz la cama!**—followed by the more emphatic **¡Hazla!**

GRAMÁTICA

¡Manos a la obra!

4

Giving orders and advice: Informal commands (tú affirmative)

To give orders or advice to people you address as **tú** (friends, children, etc.), informal **(tú)** commands are used.

Affirmative *tú* commands

- The regular affirmative **tú** command forms are identical to the third-person singular **(él, ella, usted)** form of the present tense.

Present Tense	*Affirmative **tú** Command*
Ella **limpia** la casa.	**Limpia** la casa hoy, por favor.
Él **riega** las plantas.	**Riega** las flores esta tarde, por favor.
Ella **barre** el patio.	**Barre** el patio ahora mismo.
Él **sirve** la comida.	**Sirve** la comida, por favor.
Luz **comparte** su cuarto con Ana.	**Comparte** tu cuarto, por favor.

- Some affirmative **tú** commands are irregular:

decir	**di**	**Di**me lo que quieres para la cena.
hacer	**haz**	**Haz** la cama.
ir	**ve**	**Ve** de compras al supermercado.
poner	**pon**	**Pon** la mesa.
salir	**sal**	**Sal** para el centro a las cinco.
ser	**sé**	**Sé** bueno; saca la basura.
tener	**ten**	**Ten** paciencia.
venir	**ven**	**Ven** a la cocina inmediatamente.

- In affirmative **tú** commands, object and reflexive pronouns are attached to the command form.

Compra**lo**.*	*Buy it.*	¡Levánta**te**!	*Get up!*
Haz**lo**.	*Do it.*	¡Diviérte**te**!	*Have fun!*

*There is a written accent when the stress falls on the third-to-last syllable.

[1]meet

¡En acción!

¡Oye! ¡Qué obediente!

Tu profesor/a le ordena diez cosas a un/a estudiante de la clase. Éste/a las hace con mímica[1]. Si él/ella sigue bien las órdenes, la clase dice «¡Así es!». En caso contrario, dice «¡Así no es!» y le indica cómo se hace. Luego, tu profesor/a les da órdenes a otros estudiantes.

6-22 Quehaceres y más quehaceres

Paso 1. Un sábado, los padres tienen que ir a trabajar y le dejan a su hija mayor la lista de las cosas que tiene que hacer. Como ella no quiere hacerlas, le dice a su hermano menor que las haga él (mandatos de **tú**). Túrnense entre los estudiantes haciendo de hermana mayor que da órdenes, y de hermano menor que las representa mediante mímica para toda la clase.

MODELO

Hermana mayor: *Saca la basura, por favor.* **Hermano menor:** (Lo hace mediante mímica.)

1. sacar la basura	4. regar las plantas	7. escribir la lista de compras
2. pasar la aspiradora	5. poner la mesa	8. barrer la cocina
3. hacer las camas	6. doblar la ropa limpia	9. lavar y secar los platos

Paso 2. Ahora, hagan lo mismo, pero en parejas. Lo que pasa es que como el hermano menor está ya cansado, no quiere hacer nada. En sus respuestas usa **lo, la, los, las**:

Hermana mayor: *Saca la basura, por favor.* **Hermano menor:** *No quiero. Sácala tú.*

6-23 ¡Que llegan los tíos!

Paso 1. ¡Los tíos llaman para decir que en una hora llegan para cenar y pasar la noche! Paco y Nacho rápidamente se ponen en acción para ordenar la casa, hacer la cena y prepararse. Paco le da órdenes a Nacho, y viceversa. Hagan los dos papeles. Usen los mandatos de **tú**.

> ¡**Dime** qué ingredientes necesitamos! ¡Los tíos llegan en una hora!

> ¡**Ten** la lista, y **sal** ya de la casa! No tenemos mucho tiempo.

Paco → Nacho	Nacho → Paco
1. *decirme* qué ingredientes necesitamos	1. *tener* la lista, y *salir* ya de la casa
2. *preparar* la comida	2. *ir* a la panadería
3. *ir* al comedor y *poner* la mesa	3. *venir* a casa con todo lo necesario
4. *cortar* el pan y *servir* el agua	4. *hacer* las camas y *ordenar* la sala
5. *ser* eficiente	5. *limpiar* el baño
6. *ducharse* y *afeitarse*	6. *vestirse* y *peinarse*

Paso 2. ¿Cómo está hoy tu casa o apartamento? Imagina que tus padres llegan esta noche. Tu compañero/a se ofrece para ayudarte. Dile *cinco* cosas que tiene que hacer: *Por favor, …* Luego cambien de papel.

[1]mime

Guión para ¡Oye!
1. Pasa la aspiradora.
2. Limpia el polvo.
3. Haz la cama.
4. Pon la mesa.
5. Lava los platos.
6. Corta el césped.
7. Riega las plantas.
8. Plancha la ropa.
9. Come la pizza y bebe el refresco.
10. Sal de casa. (*The student leaves the class for a second—open the door for him/her—then invite the student back by saying* **Entra, por favor.**)

Comprensión para ¡Oye!
Say ¡**Levántense!** and have the class stand up. Move quickly through the classroom calling out the commands to individual students, who then act them out on the spot.

6-22 In *Paso 1*, seated students take turns giving the commands, and then either one or several students can play the role of the younger brother who acts out the commands in front of the class. ANSWERS for both *Paso 1* and *Paso 2*: 1. (provided) 2. Pasa… / Pásala tú. 3. Haz… / Hazlas tú. 4. Riega… / Riégalas tú. 5. Pon… / Ponla tú. 6. Dobla… / Dóblala tú. 7. Escribe… / Escríbela tú. 8. Barre… / Bárrela tú. 9. Lava y seca… / Lávalos y sécalos tú.

6-23 Have pairs call out answers. ANSWERS: *Paco* 1. (provided) 2. Prepara… 3. Ve… y pon… 4. Corta… y sirve… 5. Sé… 6. Dúchate y aféitate *Nacho:* 2. Ve… 3. Ven… 4. Haz… y ordena… 5. Limpia 6. Vístete y péinate

To demonstrate the placement of object pronouns in commands, write **lo**, **no**, **hagas**, and **haz** on separate sheets of paper and give them to four students. First, the two students holding **haz** and **lo** position themselves and the class confirms ¡Sí! or ¡No!, according to their placement. The student holding **no** enters and the other students reposition or replace each other (**hagas** for **haz**). Repeat the same procedure with a reflexive verb: **te**, **no**, **acuestes**, **acuesta**. Be sure to add the accent to **acuéstate**.

GRAMÁTICA

¡Manos a la obra!

Giving orders and advice: Informal commands (tú negative)

Negative *tú* commands

5

Affirmative and negative **tú** command forms differ from each other. The negative **tú** commands are formed by dropping the **-o** from the **yo** form of the present tense and adding **-es** (to **-ar** verbs) or **-as** (to **-er** and **-ir** verbs).

hablar → habl**o** → habl**es**		¡No **hables**!	
volver → vuelv**o** → vuelv**as**		¡No **vuelvas** tarde!	
salir → salg**o** → salg**as**		¡No **salgas** esta noche!	

- In some verbs the negative **tú** command form is irregular. Here are two:

ir	¡No **vayas**!	*Don't go!*
ser	No **seas** ridículo.	*Don't be ridiculous.*

- In negative commands, object and reflexive pronouns are placed immediately *before the verb*. Contrast the placement of the pronouns in the following negative and affirmative commands.

Negative	*Affirmative*
¡No **la** limpies!	¡Límpia**la**!
¡No **lo** hagas!	¡Haz**lo**!
¡No **te** levantes!	¡Levánta**te**!

. . . y algo más

Some verbs undergo a spelling change in the negative **tú** command form:

c → qu:		**g → gu:**		**z → c:**	
buscar	No lo bus**qu**es.	jugar	No jue**gu**es ahora.	abrazar	No me abra**c**es.
pescar	No pes**qu**es en el río.	llegar	No lle**gu**es tarde.	almorzar	No almuer**c**es allí.
sacar	No sa**qu**es la basura.	pagar	No lo pa**gu**es.		
tocar	No to**qu**es la guitarra.	regar	No rie**gu**es las plantas.		

In the case of **c → qu** and **g → gu**, the change in spelling occurs to preserve the sound of the consonant in the infinitive.

Jennifer y su madre Dolores están preparando la casa para la cena. Las dos les dicen a todos lo que tienen que hacer.

Yolanda, haz la cama y ordena tu cuarto. No juegues ahora, por favor.

¡Ay papi, por favor, no mires ahora la televisión! ¡Ve a la cocina con mamá!

Jennifer, pon la mesa, por favor.

Levántate, vamos a ayudar a la familia.

¡En acción!

¡Oye! ¿Quién lo dice?

Escucha los mandatos y di quién los dice: **1.** una madre a su hijo, **2.** un profesor a un estudiante o **3.** un novio celoso¹ a su novia.

6-24 Los consejos de Carmela Casas

Lee los consejos de Carmela, una experta ama de casa. Primero, marca **sí** o **no** para indicar si tú haces cada cosa. Luego, completa los espacios en blanco con el mandato negativo (**tú**).

Sí	No	
☐	✔	**1.** (*barrer*) No barras el garaje cuando hace viento.
☐	☐	**2.** (*ver*) No veas la televisión cuando hay tormenta.
☐	☐	**3.** (*limpiar*) No limpies los muebles de madera² con agua.
☐	☐	**4.** (*regar*) No riegues las plantas por la noche.
☐	☐	**5.** (*hacer*) No hagas las compras cuando tienes hambre.
☐	☐	**6.** (*poner*) No pongas la pasta en agua fría cuando la cocinas.
☐	☐	**7.** (*servir*) No sirvas el vino tinto con hielo.

6-25 No te preocupes

Manuel no es ni un estudiante, ni un empleado modelo. Hoy su novia le da el ultimátum, diciéndole lo que no debe hacer (**tú** negativo). Hagan los dos papeles. Cambien después del n°4.

MODELO

Novia: *Manuel, ¡**no comas** enchiladas en clase!*

Manuel: ***No te preocupes,** no voy a comer enchiladas en clase nunca más.*

Problemas en la universidad:

1. Come enchiladas en clase.
2. Se sienta en el escritorio del profesor.
3. Se duerme en las clases.
4. Saca malas notas.

Problemas en el trabajo:

1. Llega tarde.
2. Llama a sus amigos en vez de trabajar.
3. Sale de la oficina para tomar café.
4. Se va del trabajo antes de la hora.

6-26 El cuarto de Humberto

Cuatro amigos de Humberto entran en su cuarto. Los dos súper-ordenados (**E1** y **E2**) le dicen lo que debe hacer para ordenar su cuarto y tener un aspecto presentable (**tú** afirm.). Los dos que son un desastre como él (**E3** y **E4**), le dicen lo contrario (**tú** neg.), usando **lo, la, los** y **las.**

MODELO

E1 o E2:   *Riega la planta. ¡Necesita agua!*

E3 o E4:   *No la riegues hoy. Riégala mañana.*

¹jealous, ²wood

Guión para ¡Oye!
1. Después de clase, **no hables** con tu ex-novio. 3
2. **No comas** galletas antes de la cena. 1
3. **No salgas** con otros chicos; eres mi novia. 3
4. **No vengas** a clase sin la tarea terminada. 2
5. **No dejes** tu ropa en el suelo. 1
6. **No vayas** al cine con tus amigas; ven conmigo. 3
7. **No traigas** comida a clase. 2
8. **No llegues** tarde a clase. 2

6-24   Have seven students each present one of Carmela's recommendations. Then have the class indicate which ones they consider important.

6-25 ANSWERS: *Problemas en la universidad:*
1. (Modelo) 2. ¡No te sientes...! 3. ¡No te duermas...! 4. ¡No saques...!
Problemas en el trabajo:
1. ¡No llegues...! 2. ¡No los llames...! 3. ¡No salgas...! 4. ¡No te vayas...!

 6-26   You may want to project the Power-Point slide of Humberto's messy room and have students volunteer commands.

¡Exprésate!, a chapter wrap-up focusing on conversation and writing, (the latter with *Writing Strategies*) is included in *Apéndice 3.*

Writing Strategy

✎   ***Developing a good topic sentence***

For more information about this Strategy go to p. A-18.

🎞 Tu mundo cultural

Los quehaceres y el servicio doméstico

En las relaciones de pareja de tu sociedad, ¿están muy definidos los papeles? ¿O están cambiando[1]?

Como se observa en la fotografía, el hombre hispano moderno ayuda cada vez más en las tareas domésticas.

Cada vez son más las mujeres hispanas que se incorporan a la vida profesional.

Hasta[2] la presente generación, en la sociedad hispana los papeles de los esposos estaban muy definidos. El hombre tenía las responsabilidades de su trabajo o profesión, y la mujer, las de madre y ama de casa. Con la reciente incorporación de un alto porcentaje de mujeres hispanas al trabajo, la familia hispana contemporánea ha experimentado grandes cambios[3]. Ahora, cada vez más parejas se dividen las tareas domésticas, y en la generación más joven, los hombres ayudan con los hijos, cocinan, hacen las camas y limpian. También comienza a verse a más mujeres hispanas en viajes de negocios y en otras actividades profesionales. Los datos que siguen sirven para ilustrarlo:

- Actualmente, las mujeres hispanas representan el 4.9% de toda la fuerza laboral[4] de Estados Unidos, y muchas trabajan ya en puestos de gerencia[5].

- En 1990, el 37.9% de las mujeres latinoamericanas trabajaban de forma remunerada, y en 1998, el 53%. Esta tendencia sigue en aumento.

¿SABES QUE...?

Nicaragua and Panama have had women presidents. Violeta Chamorro was president of Nicaragua (1990–1997), and Mireya Moscoso was president of Panama (1999–2004). In Chile, Michelle Bachelet was elected president in 2006, and in Argentina, Cristina Fernández de Kirchner in 2008. The current vice-president of Spain, María Teresa Fernández de la Vega Sanz, was elected in 2004.

---

[1]changing, [2]Until, [3]changes, [4]**la fuerza...** the work force, [5]**puestos...** managerial positions

Es cierto que en el mundo hispano se están experimentando grandes cambios hacia la igualdad, pero queda[1] mucho por hacer. A muchas mujeres hispanas todavía[2] no se les permite trabajar fuera del hogar, y el cambio de papeles crea tensiones.

En la clase media y alta de los países hispanos es común el servicio doméstico, y como allí no es muy costoso, cuentan con[3] mucha ayuda en casa. Las empleadas domésticas cuidan a los niños, preparan las comidas caseras, lavan la ropa y limpian la casa.

En EE.UU., algunas familias, sean hispanas o no, tienen también servicio doméstico. En algunos casos, las personas que hacen las labores de sirvientas, cocineras, niñeras o jardineros son hispanas.

Una empleada doméstica ayuda en la cocina.

¿Qué aprendiste?

1. ¿Cuáles son los papeles tradicionales del hombre y de la mujer hispanos? ¿Qué factor está contribuyendo a su cambio?

2. ¿Qué nuevas responsabilidades domésticas tienen ahora muchos hombres hispanos?

3. ¿Dónde y en qué familias es común el servicio doméstico?

Actividad cultural

Completen la tabla para indicar las obligaciones que tienen, en general, los hombres y las mujeres en la familia tradicional y en la contemporánea.

Familia tradicional: hispana o estadounidense		Familia contemporánea: hispana o estadounidense	
Quehaceres	Persona/s responsable/s	Quehaceres	Persona/s responsable/s

Contraste cultural

En grupos de *tres*, hablen de los siguientes aspectos de sus familias. Después, establezcan dos o tres contrastes entre sus familias y una familia hispana típica.

- Mujeres de sus familias que son profesionales o empleadas. Incluyan más de una generación.

- Quehaceres domésticos que hacen los hombres de sus familias.

- Responsabilidades con respecto a los hijos en sus familias.

[1]remains, [2]still, [3]cuentan... count on

Tu mundo en vivo

¡Video en acción!

6.1 Mi vida aburrida

1. Antes de ver el video

   ¿Es tu vida aburrida? ¿Por qué?

2. Mientras ves el video

   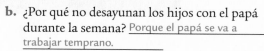

   a. ¿Por qué dice Aaron que su vida es aburrida?
   <u>Porque hace la misma rutina cada día.</u>

   b. ¿Por qué no desayunan los hijos con el papá durante la semana? <u>Porque el papá se va a trabajar temprano.</u>

   c. ¿Quién los lleva a la escuela? <u>Su mamá los lleva a la escuela.</u>

   d. ¿Qué hace Aaron el fin de semana?
   <u>se levanta tarde, queda con sus amigos, va a bailar con sus amigos, etc.</u>

3. Comenta con la clase

   ¿Qué pasa en la foto de arriba?

Have the students read the questions before watching the video.

6.2 Los quehaceres

1. Antes de ver el video

   ¿Qué quehaceres haces en tu casa?

2. Mientras ves el video   Marca los quehaceres que hace cada miembro de la familia Hernández.

Have the students read the chart before watching the video.

Quehaceres	La mamá	El papá	Aaron	Alexa
regar las plantas		X		
planchar	X			
barrer	X			
lavar los platos	X			
hacer la cama			X	X
doblar la ropa			X	X
poner la mesa				X
sacar la basura			X	
secar los platos				X

3. Comenta con la clase

   En tu opinión, ¿hacen Aaron y Alexa suficientes quehaceres? Explica.

¡Lectura en acción!

La casa de vacaciones de tus sueños

En este anuncio de un periódico chileno se hace publicidad de casas de vacaciones construidas en una zona muy atractiva de la costa, a sólo dos horas de Santiago de Chile.

Paso 1. Antes de leer el texto, escribe una lista de los aspectos que piensas que se van a mencionar en el anuncio.

Papudo
EMBÁRCATE AHORA
Estas tasas no volverán
Desde UF 2.190-Entrega inmediata

CASAS SOL DE PUYAI

Embárcate ahora en el único condominio de casas de la zona y aprovecha esta gran oportunidad. Casas Sol de Puyai en un exclusivo condominio a un paso de la playa. Ubicado en el corazón de la costa esmeralda y al lado de Papudo, Casas Sol de Puyai cuenta con accesos controlados, piscinas y gimnasios, máxima seguridad y un gran jardín central. Casas aisladas desde los 84,12 m2 útiles, con 3 y 4 dormitorios. Todas ampliables a 5 dormitorios. Alfombradas, cocina amoblada, canalización de telefonía y TV cable. Su maravilloso entorno le ofrece hermosos lugares para ir de excursión, pasear a caballo y disfrutar de un paisaje único. Embárcate ahora y invierte de la manera más inteligente en tu casa soñada en la playa y disfruta para siempre de hermosas vacaciones junto a tu familia.

Vende
COMOSA
Gestión Inmobiliaria
Huérfanos 669 • Oficina 603
F: (02) 345 4132
www.comosa.cl

Encourage students to draw on the house-related vocabulary they've learned in this chapter to describe the amenities they would expect to see in the houses being sold in the ad. It may be helpful to have your students look at the pictures at the bottom of the ad to help them get started.

Reading Strategy

Making lists as you read

Making lists while you read can help you to keep all the information organized, so that you can better understand what you're reading.

The price expressed in this ad is given in U.F. (*Unidad de Fomento*), which is not available in any physical coins or notes; it is only a value used mainly in business and formal financial transactions that involve large sums. As of Nov., 2006, 1 U.F. = approximately US$35.

Paso 2. Ahora, lee el anuncio y escribe una lista de las características que se mencionan incluyendo información sobre las casas y la comunidad donde están situadas.

Paso 3. Responde a las siguientes preguntas para ver si entendiste la información más importante del anuncio.

1. Compara tus dos listas. ¿Hay algo que te sorprende[1] ver en la publicidad de estas casas?

2. ¿Cuántos dormitorios tienen las casas?

3. A quiénes se dirige[2] este anuncio, ¿a personas solteras, jubiladas, o a familias?

4. ¿Te gustaría comprar una casa en *Casas Sol de Puyai*? ¿Por qué?

[1]surprises, [2]**se...** is targeted, directed

Vocabulario: Capítulo 6

Escena 1

La casa y sus cuartos *The house and its rooms*

el (cuarto de) baño *bathroom*
la cocina *kitchen*
el comedor *dining room*
el dormitorio *bedroom*
la sala *living room*
la chimenea *fireplace, chimney*
la escalera *stairs*
el garaje *garage*
el jardín *garden*
el primer piso *first floor*
el segundo piso *second floor*
el sótano *basement*
el suelo, el piso *floor*
el techo *roof, ceiling*

Los muebles y otras cosas *Furniture and other things*

la alfombra *rug, carpet*
la bañera *bathtub*
la cama *bed*
la cómoda *dresser*
las cortinas *curtains*
el cubo de la basura *garbage can*
la ducha *shower*
el espejo *mirror*
el estante *bookcase, shelf*
la estufa *stove*
el fregadero *kitchen sink*
el inodoro *toilet*
la lámpara *lamp*
el lavabo *sink (bathroom)*
el lavaplatos *dishwasher*
la luz *light, electricity*
el microondas *microwave*
el refrigerador *refrigerator*
el ropero *closet*
el sillón *easy chair*
el sofá *sofa*

Palabras afirmativas y negativas *Affirmative and negative words*

algo *something*
alguien *someone*
nada *nothing*
nadie *no one, not anyone, nobody*

Preposiciones *Prepositions*

acerca de *about (a topic)*
al + *infinitivo* *upon (doing something)*
antes de *before*
debajo de *beneath, below, under*
dentro de *within, inside (of)*
después de *after*
durante *during*
encima de *on top of, above*
en vez de *in place of, instead of*
fuera de *outside (of)*
para *for*
para + *infinitivo* *in order to (do something)*
por *by, through, around, alongside*
sobre *on, above; about (a topic)*

Verbos y expresiones verbales *Verbs and verbal expressions*

alquilar *to rent*
bajar *to go down*
contestar *to answer*
sonar (ue) *to ring (phone), go off (alarm clock)*
subir *to go up*
se alquila *for rent*

Escena 2

Los artículos de uso personal *Personal items*

el cepillo de dientes *toothbrush*
el champú *shampoo*
el despertador *alarm clock*
el jabón *soap*
la pasta de dientes *toothpaste*
el peine *comb*
el secador *hairdryer*
la toalla *towel*

La vida diaria *Daily life*

acostarse (ue) *to go to bed*
afeitarse *to shave*
bañarse *to take a bath*
cepillarse (los dientes) *to brush (one's teeth)*
despedirse (i) (de) *to say good-bye (to)*
despertarse (ie) *to wake up*
divertirse (ie) *to have fun/ a good time*
dormirse (ue) *to fall asleep*
ducharse *to take a shower*
irse *to go away*

lavarse (el pelo) *to wash (one's hair)*
levantarse *to get up*
maquillarse *to put on makeup*
peinarse *to comb one's hair*
ponerse (los zapatos) *to put on (one's shoes, etc.)*
quitarse (la ropa) *to take off (one's clothes, etc.)*
reírse (i) *to laugh*
secarse *to dry oneself*
sentarse (ie) *to sit down*
sentirse (ie) mal/ bien *to feel bad, sick/ well*
tener sueño *to be sleepy*
vestirse (i) *to get dressed*

Escena 3

Los quehaceres domésticos *Household chores*

barrer *to sweep*
cortar el césped *to mow the lawn*
doblar la ropa *to fold the clothes*
guardar (la ropa) *to put away (clothes)*
hacer la cama *to make the bed*
hacer las compras *to buy groceries, run errands*
lavar (los platos) *to wash (the dishes)*
limpiar el polvo *to dust*
ordenar (el cuarto) *to straighten up (the room)*
pasar la aspiradora *to vacuum*
planchar *to iron*
poner la mesa *to set the table*
quitar la mesa *to clear the table*
reciclar *to recycle*
regar (ie) (las plantas) *to water (the plants)*
sacar la basura *to take out the trash*
secar (los platos) *to dry (the dishes)*
tener que + *infinitivo* *to have to do something*

Los electrodomésticos *Appliances*

la lavadora *washer*
la secadora *dryer*

Autoprueba y repaso: Capítulo 6

Escena 1
Cuartos, muebles y otras cosas

A. Identifica el cuarto o lugar de la casa que corresponde a la descripción.

1. Es donde están el inodoro y el lavabo. ____ _____
2. Es donde dormimos. ____ _____
3. Es donde charlamos con amigos o vemos la televisión. ____ _____
4. Es el cuarto donde preparamos la comida. ____ _____
5. Es lo que usamos para subir y bajar de un piso a otro. ____ _____
6. Es el lugar fuera de la casa donde hay árboles y flores. ____ _____

B. Haz un círculo alrededor de las dos palabras que más se asocian.

1. la alfombra — la ducha — la bañera
2. la cama — la cómoda — el inodoro
3. el lavabo — el estante — el fregadero
4. el espejo — la estufa — el refrigerador
5. la luz — el ropero — la lámpara
6. el sofá — el sillón — las cortinas

I. More about prepositions

C. Completa la segunda oración usando la preposición de significado contrario.

1. El perro no debe estar *dentro de* la casa.
   Debe estar ___fuera___ ___de___ la casa.
2. El gato no está *debajo del* sofá.
   Está _____ ____ sofá.
3. ¡No quiero poner la lámpara *delante del* sillón.
   Quiero ponerla _____ ____ sillón.
4. No quiero plantar el árbol *lejos de* la casa.
   Quiero plantarlo _____ ____ la casa.
5. No voy a plantar el árbol *antes del* almuerzo.
   Lo voy a plantar _____ ____ almuerzo.

D. Completa cada (*each*) oración con la preposición apropiada. Usa todas las preposiciones que siguen.

antes de	después de	acerca de
en vez de	durante	para

1. _____ almorzar en la cafetería de la compañía, vamos a un restaurante.

2. _____ pedir la comida, vamos a ver cuáles son los «platos del día».
3. No vamos a hablar de negocios _____ el almuerzo; queremos disfrutar de la comida.
4. La conversación va a ser muy personal; vamos a hablar _____ tu familia.
5. _____ pagar la cuenta, vamos a la oficina. _____ hablar de los contratos.

II. Demonstrative adjectives and pronouns

E. Completa las oraciones con el adjetivo o pronombre demostrativo apropiado.

1. ¿Te gusta ___esta___ lámpara? (muy cerca)
   Creo que prefiero ___ésa___. (a poca distancia)
2. ¿Vas a comprar _____ sillas? (muy cerca)
   No, voy a comprar _____. (a poca distancia)
3. ¿Te gusta _____ sillón? (muy cerca)
   No, prefiero _____. (a poca distancia)
4. ¿Prefieres _____ lámpara o _____? (muy cerca / a poca distancia)
   En realidad, me gusta _____. (lejos)
5. _____ muebles son de México. (muy cerca)
   _____ son de China. (lejos) ¿Cuáles prefieres?

En resumen

Contesta las preguntas con oraciones completas.
1. ¿Vive alguien contigo? ¿Quién es?
2. ¿Estás preparando algo para la cena en este momento? ¿Qué es?
3. En tu casa, ¿cuál es tu cuarto favorito? ¿Por qué?
4. ¿Qué muebles y otras cosas hay en tu dormitorio?

Escena 2
La vida diaria

F. Indica el objeto que asocias con cada acción. A veces hay más de una posibilidad.
1. lavarse o bañarse → *el jabón*
2. despertarse
3. cepillarse los dientes
4. secarse el pelo
5. peinarse
6. ponerse o quitarse

III. Reflexive verbs

G. Indica lo que hace cada persona según el objeto o la ropa que tiene.

MODELO

el champú / (yo) → Me lavo el pelo.

1. la pasta de dientes / (Linda)
2. el secador / (tú)
3. el despertador / (Marco y Juan)
4. la ropa / (nosotros)
5. el peine / (yo)

H. ¿Cómo es la rutina de Celia por la mañana y por la noche? Completa las oraciones con la forma correcta del verbo que corresponde de la lista.

| acostarse cepillarse despertarse dormirse irse |
| lavarse levantarse ponerse quitarse vestirse |

Por la mañana, cuando suena el despertador, Celia no _se despierta_ inmediatamente; sigue durmiendo. Cinco minutos más tarde suena el despertador otra vez, y por fin, abre los ojos (*eyes*) y ___ _____. Luego, ___ _____ el pijama y ___ _____. Siempre lleva *jeans*. Desayuna rápido, y ___ _____ a la universidad.

Vuelve a casa a las once de la noche. Revisa sus mensajes electrónicos, y luego ___ _____ la cara (*face*), ___ _____ los dientes y ___ _____ el pijama. Finalmente, ___ _____. Normalmente ___ _____ muy tarde porque le gusta leer en la cama.

En resumen

Contesta las preguntas con oraciones completas.

1. ¿A qué hora te levantas normalmente?
2. ¿Qué haces por la mañana después de levantarte?
3. ¿A qué hora vas a acostarte esta noche?
4. ¿Tienes sueño ahora? ¿Te sientes bien o mal?
5. ¿Vas a divertirte este fin de semana? ¿Qué vas a hacer?

Escena 3
Los quehaceres domésticos

I. Combina las palabras de la primera columna con las palabras que mejor les corresponden de la segunda. Escribe las respuestas. A veces hay dos posibilidades.

MODELO

guardar → *guardar la ropa, guardar los platos*

1. ordenar   la mesa
2. hacer   los platos
3. doblar   las compras
4. pasar   la cama
5. poner o quitar el cuarto
6. planchar   la basura
7. lavar y secar la ropa
8. sacar   la aspiradora

IV. Informal commands (*tú affirmative*)

J. Una persona muy mandona (*bossy*) le da órdenes constantemente a sus compañeros de apartamento. Completa cada orden con el mandato de **tú** del verbo apropiado de la lista.

| barrer hacer limpiar pasar peinarte poner regar |

1. Marta, ___ _pasa_ ___ la aspiradora, por favor.
2. Miguel, _____ el baño, por favor.
3. Linda, _____ el patio.
4. Beatriz, _____ las camas.
5. Rita, _____ la mesa.
6. Juan, _____ las plantas.
7. Tina, _____. Es la hora de ir a la escuela.

V. Informal commands (*tú negative*)

K. Imagínate que eres una hermana mayor que le da órdenes a su hermano menor. Escribe el mandato de **tú** negativo del verbo entre paréntesis, y luego completa la orden con la información que corresponde.

...a casa tarde.   ...con tus amigos cuando
...mi refresco.   tienes tarea.
...todas las galletas.   ...en mi cama.
                          ...al Nintendo ahora.

1. (*beber*) _No bebas_ mi refresco.
2. (*comer*) _____ ...
3. (*jugar*) _____ ...
4. (*sentarte*) _____ ...
5. (*llegar*) _____ ...
6. (*salir*) _____ ...

En resumen

Contesta las preguntas con oraciones completas.

1. ¿Qué haces para mantener (*keep*) limpia tu casa o limpio tu apartamento?
2. ¿Qué órdenes le das a veces a la persona que vive contigo? *Lava*...
3. ¿Qué tienes que hacer hoy o mañana?

Answers to the *Autoprueba y repaso* are found in **Apéndice 2**.

Additional **Autopruebas** online.

La ciudad

Additional activities and **Autopruebas**
for each **Escena** available online.

For **Writing
Strategies** see
Apéndice 3.

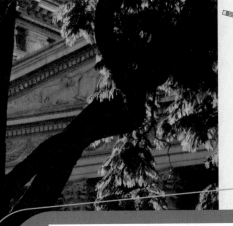

Escena 1
En la ciudad

- Giving orders and instructions: Formal commands (**Ud.** and **Uds.**)
- Talking about what happened: The preterit tense of regular -**ar** verbs

TU MUNDO CULTURAL
La plaza: el corazón de la ciudad

Escena 2
La vida urbana

- Talking about what happened: The preterit tense of regular -**er** and -**ir** verbs
- The preterit of four irregular verbs: **dar**, **ser**, **ir**, and **hacer**

TU MUNDO CULTURAL
Un viaje a Machu Picchu

Escena 3
En la carretera

- To whom? For whom?: Indirect object pronouns

TU MUNDO CULTURAL
El transporte público

TU MUNDO EN VIVO

¡Video en acción!

¡Lectura en acción! (with *Reading Strategies*)

En la ciudad

1. el rascacielos
2. Banco Hispano
3. la tienda por departamentos
4. Museo Botero
5. Oficina de Correos
6. el buzón
7. Pastelería González
8. el peatón
9. cruzar
11. el parque
18. la fuente
19. el banco
20. Cine Amenábar
21. Salida
22. la película
23.
24. entrar (a/en)
25. ¡Que lo pases bien!
26. Parada de autobús
27. esperar

Avenida Emiliano Zapata

Calle Simón Bolívar

Plaza de la Hispanidad

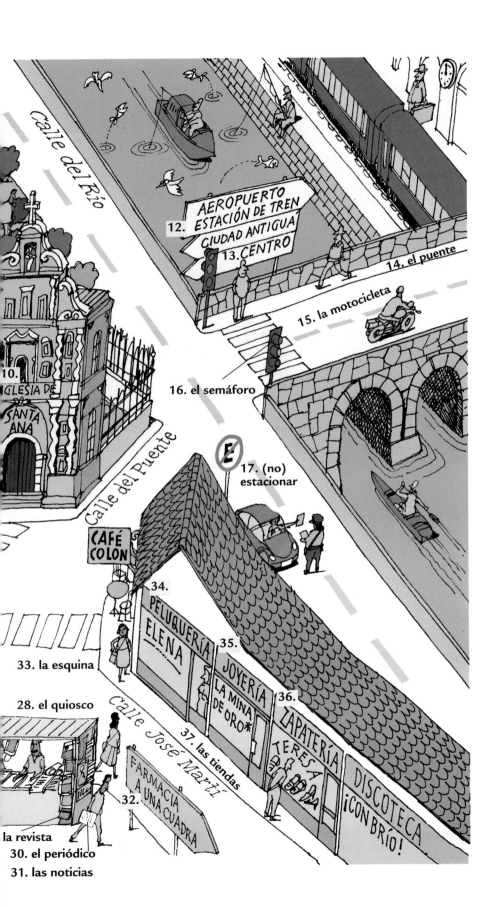

1. skyscraper
2. bank
3. department store
4. museum
5. post office
6. mailbox
7. pastry shop
8. pedestrian
9. to cross
10. church
11. park
12. train station
13. downtown
14. bridge
15. motorcycle
16. traffic light
17. (no) parking
18. fountain
19. bench
20. movie theater
21. exit
22. film
23. entrance
24. to enter
25. Have a good time!
    pasarlo bien to have a good time
26. bus stop
27. to wait (for)
28. newsstand
29. magazine
30. newspaper
31. news
32. a block away
33. corner
34. hair salon
35. jewelry store
36. shoe store
37. stores

*La Mina de Oro The Gold Mine

12. AEROPUERTO ESTACIÓN DE TREN CIUDAD ANTIGUA 13. CENTRO

14. el puente

15. la motocicleta

16. el semáforo

17. (no) estacionar

CAFÉ COLON

34.

PELUQUERÍA ELENA

33. la esquina

35.

JOYERÍA LA MINA DE ORO*

36.

ZAPATERÍA TERESA

28. el quiosco

Calle José Martí

37. las tiendas

DISCOTECA ¡CON BRÍO!

FARMACIA A UNA CUADRA

32.

la revista

30. el periódico

31. las noticias

Calle del Río

IGLESIA DE SANTA ANA

10.

Calle del Puente

¡La pronunciación!

Pay attention to the correct pronunciation of Spanish words with a written accent (see P-5).

estación   joyería
película   semáforo

¡En acción!

7-1 Present alternatives to vocabulary items at your discretion: **autobús/camión** (Mexico)/**guagua** (Puerto Rico, Cuba)/**bus** (Colombia).

7-1 ¿Adónde van?

Uds. tienen un profesor nuevo que no conoce bien la ciudad donde está su *college* o universidad. Por eso, él quiere saber adónde van Uds. para hacer lo siguiente.

MODELO

depositar dinero

Profesor: *¿Adónde van Uds. para depositar dinero?*

E1: *Yo voy al Banco Central.*

E2: *Y yo, al Banco…*

1. cortarse el pelo
2. ver películas
3. ver obras de teatro
4. comprar ropa o zapatos
5. comprar revistas y periódicos
6. comprar pasteles
7. comer bien
8. pasarlo bien o descansar

7-2 You may want to project the Power-Point slide of the opener scene and have the class describe it.

For additional vocabulary practice, see PowerPoint slides at www.wiley.com/college/lucasmurillo or visit www.wileyplus.com

¿SABES QUE…?

As is the custom in Spanish-speaking countries, the streets in the opener city scene are named after famous historical and literary figures. **Simón Bolívar** (1783–1830) was a Venezuelan revolutionary leader who fought for the independence of Spanish America from Spain. **José Martí** (1853–1895) was a Cuban poet, writer, and lawyer who fought and died for Cuba's independence from Spain. **Emiliano Zapata** (around 1879–1919) was a Mexican revolutionary who fought for the rights of the farmers.

7-2 PERSONALIZED QUESTIONS: ¿Qué ciudades les gusta visitar a Uds.? ¿Qué medios de transporte usan cuando están en ciudades grandes? ¿Y qué les gusta hacer allí?

7-2 En la ciudad

¿Qué hay en el centro y qué pasa allí? Observen la escena de las páginas 218–219 y contesten las preguntas.

7-2 ANOTHER STEP: Students walk around the classroom inviting classmates to accompany them to various places in the city (recycles **conmigo**, **contigo**, and **tener que**). E1: **Voy al parque esta tarde. ¿Quieres ir conmigo?** E2: **Sí, ¡gracias! Voy contigo.** (o) **Lo siento, pero no puedo ir contigo. Tengo que limpiar mi casa.**

1. ¿Cómo se llaman los edificios muy altos de la avenida Emiliano Zapata? ¿Y el banco que está en uno de ellos?
2. ¿Quién cruza la avenida en dirección a la oficina de correos? ¿Cuántos buzones hay allí?
3. ¿Qué película se puede ver en el cine Amenábar? ¿Llega tarde o temprano la pareja que se ve a la entrada? ¿Por dónde salen las personas del cine?
4. ¿Dónde espera la mujer el autobús? ¿Qué le dice a su amigo el señor que está cerca de la entrada del metro?
5. ¿Qué se vende en el quiosco?
6. ¿Qué conecta el centro de la ciudad con la estación de tren? ¿Qué se ve y qué pasa por allí?
7. ¿Se puede estacionar en la esquina de la calle del Río y la calle del Puente?
8. ¿Qué tiendas hay en la calle José Martí? ¿A qué distancia está la farmacia?
9. ¿Qué centros culturales y religiosos hay en la ciudad?

7-3 ¿Con qué frecuencia lo haces?

RECYCLES expressions of frequency with the present tense.

Paso 1. Marca con qué frecuencia haces lo siguiente.

¿Con qué frecuencia lo haces?	Con (mucha) frecuencia	A veces	Nunca o casi nunca
1. ir de compras a tiendas por departamentos			
2. ir a museos de arte o de ciencias			
3. ir al cine			
4. ir a la oficina de correos			
5. esperar en la parada del autobús			
5. comprar revistas			
6. leer el periódico			
7. ir a un servicio religioso (a la iglesia, a la mezquita, al templo, o a la sinagoga)			

Paso 2. Ahora, compara tus respuestas con las de tu compañero/a.

MODELO

E1: *Yo voy de compras a tiendas por departamentos con mucha frecuencia. ¿Y tú?*

E2: *Yo casi nunca voy. (o) No voy casi nunca. Prefiero las tiendas pequeñas.*

¡A escuchar! Una mañana en el centro   CD 4 Track 1

Paso 1. María y su amiga Elvira pasan juntas una mañana en el centro. Escucha la conversación observando la escena de la ciudad (págs. 218–219).

Paso 2. Escucha de nuevo y contesta las preguntas.

1. ¿Adónde van María y Elvira? Escribe cuatro lugares: <u>al banco, a la tienda por departamentos,</u> <u>a las tiendas</u> y <u>a la zapatería</u>

2. ¿Qué compra María en el quiosco? <u>el periódico de hoy y unas revistas.</u>

3. ¿Dónde se toman un cafecito? En el <u>café</u> Colón

4. ¿Dónde van a verse a las 7:30 de la tarde? En el <u>cine</u> Amenábar

7-3 Remind students that when **nunca** follows the verb, **no** is still needed in front of the verb in order to make the sentence negative: **Nunca voy** but **No voy nunca.**

The scripts for the *¡A escuchar!* sections are included in the Book Companion Site (BCS) for instructors and in WileyPlus under "Prepare and Present". The recordings are on the student CDs and in WileyPlus under "Read, Study, and Practice."

For additional practice on this grammar point, see PowerPoint slides at www.wiley.com/college/lucasmurillo or visit www.wileyplus.com

Point out that formal commands, like **Ud./Uds.** as a form of address, are used with persons one is less familiar with (e.g., on a last-name basis) and to show respect and courtesy.

To illustrate the placement of object pronouns in commands, write the following words on sheets of paper, one word per sheet: **haga, lo, no, acueste, se.** Have two students come to the front and give them **lo** and **haga.** Then have them place themselves in the correct order for the affirmative **Ud.** command (you can add the accent). Give the **no** to a third student and have the students reposition themselves for the negative **Ud.** command, minus accent. Follow the same procedure for **se** and **acueste.**

GRAMÁTICA

1

¡Manos a la obra!

Giving orders and instructions: Formal commands (*Ud.* and *Uds.*)

In *Capítulo 6* you learned how to give *informal*, or **tú,** commands (**¡Saca la basura!**). *Formal* commands are the ones you give to people with whom you have a more formal relationship—people you would address as **usted.** In the plural **(ustedes),** commands can be formal or informal.

The **Ud./Uds.** commands are formed by dropping the **-o** from the **yo** form of the present tense and adding:

-**e** (Ud.) or -**en** (Uds.) to -**ar** verbs and
-**a** (Ud.) or -**an** (Uds.) to -**er** and -**ir** verbs.

infinitive	yo form	Ud.	Uds.
habl**ar**	habl**ø**	habl**e**	habl**en**
jug**ar**	jueg**ø**	juegu**e**	juegu**en**
com**er**	com**ø**	com**a**	com**an**
volv**er**	vuelv**ø**	vuelv**a**	vuelv**an**
escrib**ir**	escrib**ø**	escrib**a**	escrib**an**
ped**ir**	pid**ø**	pid**a**	pid**an**

Unlike **tú** commands, the formal commands are the same in both the affirmative and negative forms.

> **Coma** el pastel. **No** lo **coma.**
> **Compren** la revista. **No** la **compren.**

Formal commands + *pronouns*

The placement of object and reflexive pronouns is the same as for the **tú** commands.

* In affirmative commands, object and reflexive pronouns are *attached* to the command form.

¡Espére**me***!	*Wait for me!*
Siénten**se*** conmigo.	*Sit with me.*

* In negative commands, the pronoun is placed immediately *before* the verb.

No **lo** haga.	*Don't do it!*
No **se** levante.	*Don't get up.*

Some **Ud.** and **Uds.** commands undergo the same spelling changes as the negative **tú** commands (see page 208).

> **Busque** las llaves.   **Pague** la cuenta.   No **crucen** la calle.

*There is a written accent when the stress falls on the third-to-last syllable.

. . . y algo más

Some verbs have irregular **Ud./Uds.** command forms. Here are three of them.

ir → **vaya/n**	¡**Vaya** con Dios! *God be with you!*
ser → **sea/n**	No **sean** tímidos. *Don't be shy.*
estar → **esté/n**	**Estén** listos a las cinco. *Be ready at 5:00.*

¡En acción!

¡Oye! La rutina de una mañana

Escucha las instrucciones de tu profesor/a y representa cada acción con mímica.

7-4 Son órdenes del alcalde[1]

Paso 1. El alcalde de Villabonita tiene órdenes para sus ciudadanos. Léanlas en voz alta e indiquen con la inicial correspondiente el propósito de cada orden: **L** Limpieza; **T** Tráfico; **E** Embellecimiento[2] de la ciudad.

___L___ **1.** No **boten**[3] latas de aluminio, botellas y papeles en las calles o en las aceras. **Deposítenlos** en los cubos de basura o de reciclaje.

___T___ **2.** Los semáforos también son para los peatones. **Miren** antes de cruzar la calle.

___E___ **3.** **Planten** flores delante de su edificio. **Riéguenlas**, pero **háganlo** antes de las 8:00 de la mañana.

___T___ **4.** **Estén** atentos a las señales[4] de tráfico y **respétenlas** cuando manejen.

___L___ **5.** Si sus perros hacen sus necesidades en la calle, por favor, **pónganlas** inmediatamente en una bolsita de plástico.

___E___ **6.** Si tienen césped enfrente de su casa, **córtenlo** todas las semanas.

Paso 2. Ahora, Uds. son el alcalde y su asistente. Escriban *seis* órdenes para sus ciudadanos, *dos* en cada categoría. Usen los verbos de la lista u otros.

Limpieza	Tráfico	Embellecimiento
barrer, (no) poner, ... *Barran ...*	manejar, (no) estacionar, ...	pintar, decorar, ...

Y tú, ¿usas siempre el cinturón de seguridad?

[1]mayor, [2]beautification, [3]to throw, [4]signs

Write on the board: **a pie** *by foot*.
Before beginning, rehearse commands that include **a pie** through a demonstration, having students walk in their places when they hear **Vayan a la oficina a pie; Regresen a casa a pie.**

Guión para ¡Oye!
1. Levántense.
2. Lávense la cara.
3. Vístanse.
4. Desayunen.
5. Péinense.
6. Cepíllense los dientes.
7. Pónganse la chaqueta.
8. Vayan a la oficina a pie.
9. Saluden a sus compañeros/as de trabajo.
10. Siéntense y usen la computadora.
11. Hagan llamadas telefónicas.
12. Salgan de la oficina.
13. Regresen a casa a pie.
14. Siéntense a la mesa.
15. Almuercen.
16. Es la hora de la siesta. Duérmanse.

7-4 Students may complete the activity individually or in pairs. To review answers, ask six readers to each present one of the mayor's recommendations and the class identifies the category (**L**, **T**, or **E**). After students complete *Paso 2*, write the three categories on the board: **Limpieza / Tráfico / Embellecimiento de la ciudad.** Students call out the commands related to each.

7-5 La tradición de "Trick or treat"

7-5 *Option:* Students write the commands. Write the two categories on the board and as students provide answers for each, jot them down.

ANSWERS: *Adultos:*
1. (provided) Tengan... 3. Acompañen... 5. Dejen... 6. Compren... 8. Inspeccionen...
Niños: 2. No vayan... 4. Caminen... crucen... 7. No se pongan...

7-6 Have six students read each of the ads aloud. The other students volunteer the recommendations that apply to each.

Paso 1. Pronto es *Halloween*. Eres el jefe de policía y decides mandar información en español para los adultos y niños de tu distrito que no entienden inglés. Para organizarte, primero indica a cuál de los dos grupos se dirige cada consejo: **A** adultos, **N** niños.

> ### Recomendaciones para el día de *Halloween*
>
> _A_ **1.** Deben **tener** suficientes dulces[1] en casa para todos los niños.
>
> _N_ **2.** *No* deben **ir** a casas que no conocen.
>
> _A_ **3.** Deben **acompañar** a sus hijos menores.
>
> _N_ **4.** Deben **caminar** en grupos y **cruzar** las calles por los semáforos.
>
> _A_ **5.** Deben **dejar** sus perros y gatos dentro de casa.
>
> _A_ **6.** Deben **comprar** disfraces[2] reflectantes para sus hijos.
>
> _N_ **7.** *No* deben **ponerse** máscaras; es mejor maquillarse.
>
> _A_ **8.** Deben **inspeccionar** los dulces que reciben sus hijos.

Paso 2. Ahora, dales consejos a los adultos y a los niños de tu ciudad. Usa los mandatos de **Uds.**: (para los adultos) *Tengan* suficientes dulces...

7-6 Los consejos de la famosa periodista Celia Ciudad

Paso 1. Cada semana, Celia escribe una columna con consejos para quienes visitan su ciudad, pero hoy está enferma, y tienen que hacerlo Uds. Lean **(a)** lo que ella comenzó a escribir antes de enfermarse, y **(b)** los anuncios de periódico que tiene para preparar su columna semanal. Luego, según la información que tienen, escriban *seis* consejos con varios mandatos de **Ud.** en cada uno.

1.

Museo de Arte Moderno

Puede admirar las pinturas de Miró, Picasso, Dalí, Frida Kahlo y Botero.

Cerrado los lunes.

2.

Joyería *La Mina de Oro*

¡Precios irrepetibles! oro, diamantes, platino, perlas...

Todo lo que Ud. desea.

3.

Zoológico "Safari"

Horario de visitas: de 9:00 de la mañana hasta 5:00 de la tarde. ¡Semana única: se permite jugar con los animales!

Sábado, 4 de abril

Columna semanal
Visite mi ciudad
Por Celia Ciudad

¡Turista, venga hoy a mi ciudad! Le recomiendo que haga lo siguiente:

1. Visite el museo y admire las... y...
...
¡Que lo pase bien y vuelva pronto!

4.

Iglesia de Santa Ana

Misa solemne, acompañada por el órgano y el coro de niños cantores.

Los fines de semana

5.

Restau "La paella"

Especialidades en paellas y mariscos ¡Aquí se come como en el paraíso! Nuestro champán es famoso en toda la ciudad.

6.

Discoteca ¡Con brío!

¡Noche de bailes latinos! Para los aficionados a la salsa y al **merengue**

Paso 2. Ahora, compartan con la clase los consejos que escribieron.

[1]candy, [2]costumes

PARA DAR INSTRUCCIONES

doblar	*to turn*
...a la derecha	*to the right, on the right*
...a la izquierda	*to the left, on the left*
seguir (i)	*to continue, follow*
...recto/ derecho	*straight ahead*
...una cuadra/ media cuadra	*one block/ half a block*
pasar por	*to pass, go by*
hasta llegar a...	*until you arrive at...*

7-7 ¿Cómo se va?

Paso 1. Un turista está a la entrada de la zapatería Teresa (págs. 218–219) y te pregunta cómo se va a cierto lugar de la ciudad. Primero, completa las instrucciones que le das con los mandatos de **Ud.** Luego, léele las instrucciones a tu compañero/a y él/ella sigue la ruta por la escena.

(*Caminar*) __Camine__ **media cuadra** por la calle José Martí **hasta llegar a** la esquina. (*Doblar*) __Doble__ **a la derecha** y (*seguir*) __siga__ **derecho hasta llegar a** la calle del Puente. (*Cruzar*) __Cruce__ la calle y (*doblar*) __doble__ **a la izquierda**. (*Pasar*) __Pase__ por la iglesia y el teatro. (*Cruzar*) __Cruce__ la avenida Emiliano Zapata. Al ver los buzones, (*doblar*) __doble__ **a la derecha**. Allí está, al lado de la oficina de correos y cerca del banco Hispano.

¿Adónde llega el turista?

7-7 For *Paso 1*, allow students a minute or two to complete the directions individually, prior to beginning their work in pairs. You may want to project the Power-Point slide of the city scene, and as students call out the directions, trace the route to the final destination: **la pastelería González.**

To check answers for *Paso 2*, have students in pairs call out the directions from one place to another. Use the PowerPoint slide of the city scene to trace the route.

Paso 2. Ahora una turista quiere saber cómo se llega a ciertos lugares de la ciudad (págs. 218–219), y un peatón muy amable le da instrucciones (mandatos de **Ud.**). Hagan los papeles de turista y peatón y túrnense.

El peatón y la turista están en...	⟶	La turista quiere ir a...
1. la oficina de correos	⟶	el café Colón
2. la joyería La Mina de Oro	⟶	el puente
3. el cine Amenábar	⟶	el parque
4. la estación de tren	⟶	la Plaza de la Hispanidad

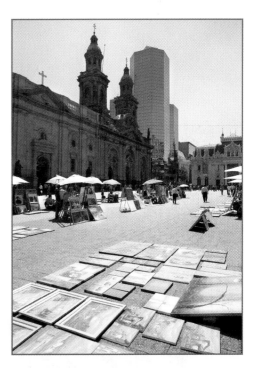

Vista parcial de la Plaza de Armas, en el centro histórico de Santiago de Chile. La Catedral Metropolitana del siglo dieciocho y los otros edificios antiguos de la plaza contrastan con los modernos rascacielos que se ven a lo lejos.

GRAMÁTICA

For additional practice on this grammar point, see PowerPoint slides at www.wiley.com/college/lucasmurillo or visit www.wileyplus.com

To introduce the preterit, write two model verbs on the board, with endings highlighted. Make statements about yourself, such as **La semana pasada, caminé al centro.** Ask several students **¿Y tú?** They each respond: **Sí, caminé al centro** (or) **No, no caminé al centro.** Recap student answers: ...**caminó al centro;** ...y... no **caminaron al centro;** ...y yo **caminamos al centro.** In later examples, allow students to provide the recap. *More examples:* **Compré zapatos en la zapatería. Visité un museo. Cené en un restaurante.**

¡Manos a la obra!

Talking about what happened: The preterit tense of regular *-ar* verbs

To talk about actions completed in the past, Spanish uses the *preterit* (simple past) tense.

Compré un periódico esta mañana.	I **bought** a newspaper this morning.
¿Tomaste un café?	**Did** you **have** a cup of coffee?
Mis amigos **regresaron** a la una.	My friends **returned** at 1:00.

The preterit tense of regular **-ar** verbs is formed by dropping the infinitive ending and adding the endings below.

caminar *to walk*		
(yo)	**-é**	camin**é**
(tú)	**-aste**	camin**aste**
(Ud., él, ella)	**-ó**	camin**ó**
(nosotros/as)	**-amos**	camin**amos**
(vosotros/as)	**-asteis**	camin**asteis**
(Uds., ellos, ellas)	**-aron**	camin**aron**

—¿**Caminaste** por la calle del Río ayer?
—Sí, y también **caminé** por la calle José Martí.

The **nosotros** forms in the present and in the preterit are the same. The context usually clarifies the meaning.

Visitamos el museo todos los días.	We **visit** the museum every day.
Visitamos el museo ayer.	We **visited** the museum yesterday.

. . . y algo más

In the preterit, some verbs change spelling in the **yo** form, just like the ones you learned with the **Ud./Uds.** and negative **tú** commands. These include verbs that end in **-car**, **-gar**, and **-zar**.

-car	**c → qu:**	buscar bus**qué**; pescar pes**qué**; sacar sa**qué**; secar se**qué**; tocar to**qué**
-gar	**g → gu:**	jugar ju**gué**; llegar lle**gué**; navegar nave**gué**; pagar pa**gué**
-zar	**z → c:**	abrazar abra**cé**; almorzar almor**cé**; cruzar cru**cé**

Fabio y sus amigos llegan a casa de Jennifer. En la mesa, el padre de Jennifer les da instrucciones.

¡Bienvenidos! ¿Cómo llegaron aquí?

Ernesto cruzó el parque y llegó a nuestra casa. Luego los tres nos montamos en mi carro. Manejé por el puente, doblé a la izquierda...

...y, por fin, estacionamos a una cuadra de tu casa.

En mi casa, por favor, no hablen mucho, no se levanten de la mesa sin permiso y lávense las manos antes de comer.

Papá, no digas esas cosas.

¡Es un chiste[1]! ¡Ja, ja, ja! Hablen, levántense, y hagan lo que quieran.

[1]joke

7-11
the a
from
other
askin
what
¿Qui
anoc

	Yo	Mi compañero/a
Anoche,...		
1. ¿...estudiaste? ¿Para qué clase?	☑ sí ☐ no	☑ sí ☐ no ... _estudió_ ...
2. ¿...navegaste por la Red?	☐ sí ☐ no	☐ sí ☐ no ..._____...
Ayer o anteayer,...		
3. ¿...jugaste a... (*deporte*)?	☐ sí ☐ no	☐ sí ☐ no ..._____...
4. ¿...charlaste con alguien de tu familia? ¿Con quién?	☐ sí ☐ no	☐ sí ☐ no ..._____...
La semana pasada,...		
5. ¿...compraste algo? ¿Qué?	☐ sí ☐ no	☐ sí ☐ no ..._____...
6. ¿...cenaste en un restaurante? ¿Cuál? ¿Con quién?	☐ sí ☐ no	☐ sí ☐ no ..._____...
El verano pasado,...		
7. ¿...viajaste a alguna ciudad de Latinoamérica? ¿A cuál?	☐ sí ☐ no	☐ sí ☐ no ..._____...
8. ¿...trabajaste? ¿Dónde?	☐ sí ☐ no	☐ sí ☐ no ..._____...

 Paso 2. Díganle a otra pareja o a la clase lo que Uds. tienen en común: *Anoche... y yo* **estudiamos** *para la clase de historia.*

Quito, la capital de Ecuador, tiene una zona antigua de gran belleza, con la catedral y otros edificios de arquitectura colonial. ¿Hay una zona antigua en tu ciudad?

Cartagena de Indias (1533), situada en la costa colombiana del Caribe, es una ciudad ideal para pasear por sus calles adornadas de balcones y admirar sus palacios, monasterios, plazas y casas antiguas. Su puerto es famoso por su enorme fortificación, construida para proteger allí los tesoros[1] de América antes de llevarlos a España. ¿Te gustaría conocer esta ciudad?

[1]treasures

🎞 Tu mundo cultural

La plaza: el corazón[1] de la ciudad

¿Conoces alguna plaza en E.E.UU.? ¿Y alguna del mundo hispano?

La plaza es el centro de las actividades más importantes de la vida de toda ciudad y todo pueblo hispano. Allí se va a la hora del café, los días de mercado, y para celebrar la fiesta del santo patrón o de la santa patrona del pueblo o de la ciudad. Los edificios más representativos de la vida civil y religiosa están allí: la iglesia o catedral y la casa presidencial o la alcaldía[2]. Generalmente, en la plaza hay también un teatro o cine, restaurantes, cafés y bares. Una característica típica de muchas plazas hispanas son sus portales que sirven para protegerse del sol y de la lluvia. En el centro de la plaza generalmente hay una estatua o una fuente.

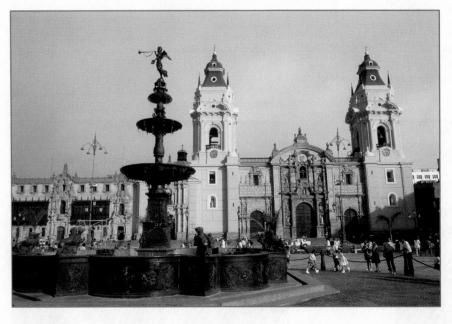

La Plaza Mayor de Lima, Perú (1535), con la fuente de bronce en el centro. La fuente es uno de los pocos elementos de la plaza original que no fue destruido por los terremotos[3] de Lima. En la plaza también están la catedral, el Palacio Presidencial, el Palacio del Arzobispo y otros edificios importantes. En el pasado, la plaza se usaba para corridas de toros[4].

La plaza de San José (1525), en San Juan de Puerto Rico, una de las favoritas de la juventud. Allí está la iglesia colonial de San José y en el centro, una estatua de bronce de Juan Ponce de León, el fundador de la ciudad. La plaza está situada en una zona muy popular, con vistas panorámicas, y bares y restaurantes donde se sirven hamburguesas deliciosas y comida criolla. Durante las fiestas, la plaza es el escenario de conciertos de rock, bailes de salsa y competiciones de boxeo y gimnasia.

[1]heart, [2]Mayor's office, [3]earthquakes, [4]**corridas...** bullfights

La Plaza Real de Santa Fe (1607) en Nuevo México. Santa Fe es la segunda* ciudad más antigua de EE.UU. y ejemplo del legado[1] hispano. El Palacio del Gobernador está en la plaza, y a su alrededor hay museos, galerías de arte y gran variedad de tiendas.

 ¿Qué aprendiste?

1. ¿Qué importancia tiene la plaza en las ciudades hispanas? ¿Qué actividades se hacen allí?

2. Por lo general, ¿qué edificios se encuentran en la plaza? ¿Y qué lugares hay para divertirse? ¿Qué hay a veces en el centro de la plaza? ¿Para qué sirven los portales de la plaza?

3. ¿Cuál de las tres plazas ha sido[2] destruida por terremotos? ¿Cuál tiene en el centro la estatua del fundador de la ciudad? ¿Y cuál representa el legado hispano en EE.UU.? ¿De qué año es?

 Actividad cultural

Decidan a cuál de las tres plazas van a ir, y hagan una lista de lo que van a encontrar y van a hacer cuando estén allí.

Contraste cultural

Háganse las siguientes preguntas: En tu pueblo o ciudad, ¿hay una plaza o un parque en el centro? Si no, ¿hay otros lugares comparables a la plaza? ¿Son puntos de encuentro para niños, jóvenes y mayores? ¿Qué se puede hacer en ellos? ¿Vas allí con frecuencia? ¿Con quién?

---

[1]legacy, [2]ha... has been

---

*The oldest city in the United States is St. Augustine, Florida (1565), also of Hispanic heritage.

La vida urbana

A la entrada del cine Amenábar

En el banco Hispano

En la oficina de correos

En la peluquería Elena

En el parque

En la calle del Río

1. to begin, start 2. to finish 3. people 4. ticket (movie/ theater/ bus/ plane/ train) 5. to wait in line 6. to open 7. to close 8. ATM 9. to take out
10. an account 11. check (*m.*) 12. to cash, charge 13. Sign them; **firmar** *to sign* 14. package 15. foreign countries 16. stamp 17. postcard
18. to mail/ send a letter 19. to have one's nails painted, paint one's nails 20. **teñirse (i)** to have one's hair colored, color one's hair 21. to get
a haircut, cut one's hair 22. to meet up (with) (by chance) 23. to lose 24. to find 25. to take, carry 26. driver's license 27. to fasten one's seatbelt
28. fine, ticket

*14:00 = 2:00 PM *on the 24-hour clock.*

¡En acción!

 7-12 Por la ciudad

Observen las escenas de la página 232. Luego, digan como mínimo *tres* actividades que se pueden hacer en los siguientes lugares.

el cine	el banco	la oficina de correos	la peluquería	el parque	la calle
comprar boletos ...					

7-13 La vida de la ciudad

¿Qué pasa en las distintas partes de la ciudad? Para saberlo, observen las escenas de la página 232 y contesten las preguntas.

1. ¿A qué hora empieza la primera película? ¿A qué hora termina?

2. ¿Qué hace la gente en la ventanilla? ¿Qué van a comprar?

3. ¿A qué hora se abre y se cierra el banco Hispano? ¿Qué hace o va a hacer cada una de las personas que está allí?

4. ¿Qué lleva el señor que entra a la oficina de correos? ¿Qué hacen las personas que están cerca de los buzones?

5. En la peluquería, ¿qué hace o va a hacer cada una de las clientas? ¿Qué otro servicio ofrece la peluquería?

6. ¿Quiénes se encuentran en el parque? ¿Qué más ocurre allí?

7. ¿Quién lleva a dos niños al parque? ¿Qué lleva el hombre al parque?

8. ¿Qué pasa en la calle del Río?

7-14 Conversaciones: En la ciudad

Hagan los siguientes papeles y conversen. Tienen 30 segundos para cada conversación. Túrnense.

1. **tú y el cajero del cine:**
   quieres saber las horas de las películas, cuánto cuestan los boletos,...

2. **tú y la empleada del banco:**
   quieres cobrar un cheque y abrir una cuenta

3. **tú y el empleado de la oficina de correos:**
   quieres mandar un paquete y comprar estampillas

4. **tú y la peluquera:**
   quieres cortarte y/o teñirte el pelo, quieres un masaje,...

5. **tú y un amigo con quien te encuentras en el parque:**
   lo/la saludas y hablan de sus planes para el fin de semana

¿SABES QUE...?

The streets and downtown areas of many Hispanic cities, founded centuries ago, were designed for pedestrians and not for cars, trucks, and buses. Streets are narrow, and therefore parking is a problem. In most Hispanic countries, citizens rely on public transportation.

Note: Tell your students that the verbs **cortarse** and **teñirse** are used in the reflexive form even when someone else cuts or dyes one's hair.

7-12 For each category, write items on the board as students volunteer them.

7-13 You may want to project the PowerPoint slide and have students in pairs describe each of the six vignettes. The class adds input as appropriate.

For additional vocabulary practice, see PowerPoint slides at www.wiley.com/college/lucasmurillo or visit www.wileyplus.com

7-13 PERSONALIZED QUESTIONS: Una persona de un país hispano va a pasar un año en su pueblo o ciudad y tiene preguntas para Uds. ¿Dónde se cortan Uds. el pelo? ¿Dónde se puede comprar estampillas y mandar paquetes? ¿Qué lugares de recreo hay en su pueblo o ciudad? ¿Van Uds. al cine con frecuencia o alquilan películas?

7-13 Present alternatives to vocabulary items at your discretion: **boleto / billete** (Spain); **estampilla / sello** (Spain); **hacer fila / hacer cola** (Spain and other Spanish-speaking countries); **estacionar / aparcar** (Spain) / **parquear** (U.S.A., Colombia).

7-14 When students have completed the activity, have five pairs each present one of the conversations.

🎧 ¡A escuchar! Una cita[1] en la ciudad   CD 4 Track 2

Paso 1. Sonia y Candela van a la peluquería mientras sus amigos Miguel y Toño se ocupan de los detalles para la cita que tienen los cuatro esta noche.

Paso 2. Escucha la conversación y marca las respuestas correctas.

1. Sonia y Candela están en la peluquería.   ☑ Sí ☐ No
2. Sonia se va a teñir el pelo.   ☐ Sí ☑ No
3. Candela quiere las uñas de color rosado.   ☐ Sí ☑ No
4. Sonia y Candela tienen una cita.   ☑ Sí ☐ No
5. Miguel recibe una multa.   ☑ Sí ☐ No
6. Toño y Miguel ya tienen los boletos para la ópera.   ☐ Sí ☑ No
7. Miguel tiene que ir al cajero automático.   ☑ Sí ☐ No

See Grammar Handbook found in WileyPLUS.

For additional practice on this grammar point, see PowerPoint slides at www.wiley.com/college/lucasmurillo or visit www.wileyplus.com

Write one model **-er** or **-ir** verb on the board, with endings highlighted. Then make statements about yourself, such as **Ayer, leí el periódico.** Ask several students **¿Y tú?** They each respond: **Sí, ayer leí el periódico.** (or) **No, ayer no leí el periódico.** Recap student answers: ...leyó el periódico; ...y... no leyeron el periódico; ...y yo leímos el periódico. In later examples, allow students to provide the recap. *More examples:* **Ayer, vi las noticias en la televisión. Recibí un paquete por correo. Asistí a un concierto. Corrí por el parque.**

GRAMÁTICA

¡Manos a la obra!

Talking about what happened:
The preterit tense of regular *-er* and *-ir* verbs

3

You have used **-ar** verbs to talk about actions completed in the past. Now you will learn to do the same with **-er** and **-ir** verbs.

—¿A qué hora **salieron** Uds. anoche?   *At what time **did** you **go out** last night?*
—**Salimos** a las ocho.   *We **went out** at eight.*
—¿Cuándo **volviste** a casa?   *When **did** you **return** home?*
—**Volví** a medianoche.   *I **returned** at midnight.*

The preterit tense of regular **-er** and **-ir** verbs is formed by dropping the infinitive endings and adding the endings below. The endings for **-er** and **-ir** verbs are identical.

	-ar endings	*-er/ -ir* endings	**volver** *to return*	**abrir** *to open*
(yo)	-é	**-í**	volví	abrí
(tú)	-aste	**-iste**	volviste	abriste
(Ud., él, ella)	-ó	**-ió**	volvió	abrió
(nosotros/as)	-amos	**-imos**	volvimos	abrimos
(vosotros/as)	-asteis	**-isteis**	volvisteis	abristeis
(Uds., ellos, ellas)	-aron	**-ieron**	volvieron	abrieron

—¿**Comieron** en Pizza Roma? ¿**Compartieron** una pizza grande?
—Sí, **comimos** allí, pero no la **compartimos**. **Pedimos** dos pizzas grandes.

• As with **-ar** verbs, the **nosotros** form of **-ir** verbs in the *present* and in the *preterit* is the same. The context usually clarifies the meaning.

    Abrimos la tienda a las 9:00 todos los días. *We **open** the store at 9:00 every day.*
    Abrimos los regalos anoche. *We **opened** the gifts last night.*

• The **yo** and **Ud./ él/ ella** forms of **ver** have no accents, since they are only one syllable: **vi,** viste, **vio,** vimos, visteis, vieron

[1]date

¡En acción!

¡Oye! Al volver a casa

Escucha y observa lo que tu profesor/a hizo una tarde. Luego, contesta las preguntas.

For additional practice on this grammar point, see PowerPoint slides at www.wiley.com/college/lucasmurillo or visit www.wileyplus.com

> **. . . y algo más**
>
> In the preterit, the verbs **leer** and **oír** change the **i** of the third-person singular and plural endings to **y**. They also add accents to the **tú, nosotros,** and **vosotros** forms.
>
> **leer:** leí, leíste, le**y**ó, leímos, leísteis, le**y**eron
> **oír:** oí, oíste, o**y**ó, oímos, oísteis, o**y**eron

7-15 La semana de Carlota   RECYCLES days of the week and scene vocabulary.

Paso 1. Lee el diario de Carlota, y a continuación, completa las columnas con la información que corresponde.

(1) El lunes pasado **estacioné** en un lugar prohibido de la calle del Río y claro, **recibí** una multa. (2) El martes, para no tener una multa, **decidí** no ir en carro; **salí** tarde de casa, y ya en la estación, **oí** el tren, **corrí**, pero no **llegué** a tiempo. (3) El miércoles, para no gastar todo mi dinero, **abrí** una cuenta en el banco Hispano. (4) El jueves, en mi casa, **leí** la sección de películas del periódico y le **escribí** un e-mail a mi novio para invitarle a ir al cine. (5) Anteayer, viernes, **me lavé** y **me corté** el pelo en la peluquería. (6) Ayer sábado, **vi** una película con mi novio en el cine Amenábar, y **volví** a casa tarde. (7) Hoy domingo, por la mañana, **desayuné** con mis amigos en el café Colón, mi favorito.

¿Cuándo?	¿Qué hizo o qué le pasó?	¿Dónde?
el lunes	1. *Estacionó* y *recibió* una multa.	en un lugar prohibido
el martes	2.	
el miércoles	3.	
el jueves	4.	
el viernes	5.	
el sábado	6.	
el domingo	7.	

Paso 2. Ahora, pregúntale a tu compañero/a qué hizo Carlota cada día y dónde. Túrnense.

MODELO

E1: *¿Qué hizo el lunes?*

E2: *Estacionó en un lugar prohibido y **recibió** una multa. ¿Y el martes?*

Write on the board: **fui** *I went;* **prendí** *I turned on (the TV, etc.).* Consider bringing a few props to class to reinforce the content of this activity. To reinforce meaning, mime each action immediately after verbalizing it (where you see ... in the script).

Guión para ¡Oye!
Volví a casa a las cuatro de la tarde, e inmediatamente **fui** a la cocina. ... **Abrí** el refrigerador ... y **saqué** una manzana. ... La **comí**. ... **Saqué** unas uvas, ... y las **comí**. ... Finalmente, saqué un refresco, ... y lo **bebí**. ... Me senté en el sofá. ... Primero **leí** una revista. ... Más tarde, **leí** el periódico. ... **Prendí** el televisor. ... Primero, **vi** las noticias, y luego, un programa sobre las playas del Pacífico. ... Un amigo me llamó, y hablé con él. ... A las 7:00 **salí** de casa ... para cenar con él en un restaurante. ...

Comprensión para ¡Oye!
Students do not need to produce the verbs in their responses.
1. ¿A qué hora volví a casa? *a las cuatro de la tarde*
2. ¿Qué comí? *una manzana, unas uvas*
3. ¿Qué bebí? *un refresco*
4. ¿Qué leí? *una revista y un periódico*
5. ¿Qué vi en la televisión? *las noticias y un programa sobre...*
6. ¿A qué hora salí de casa? *a las 7:00* ¿Para qué? *para cenar con un amigo*

7-15 ANSWERS:
1. (provided) 2. **Decidió** no ir en carro; **salió** tarde; **oyó** el tren, **corrió**, pero no **llegó** a tiempo. / en la estación de tren 3. **Abrió** una cuenta. / en el banco Hispano 4. **Leyó** la sección de películas y le **escribió** a su novio. / en su casa 5. **Se lavó** y **se cortó** el pelo. / en la peluquería 6. **Vio** una película y **volvió** a casa tarde. / en el cine Amenábar 7. **Desayunó** con unos amigos. / en el café Colón

7-16 El mes pasado

Paso 1. ¿Quieres saber lo que hizo tu compañero/a el mes pasado? Hazle las preguntas de la primera columna. Él/Ella responde según el modelo de la segunda, y tú escribes la información en la tercera. Túrnense.

Preguntas	Respuestas	Información escrita
1. ¿Recibiste un paquete? ¿De quién?	*Sí, recibí un paquete de mi tía. ¿Y tú?*	*..recibió...*
2. ¿Viste una película interesante? ¿Cuál?		
3. ¿Leíste una revista divertida? ¿Cuál?		
4. ¿Comiste en un restaurante? ¿Dónde?		
5. ¿Escribiste e-mails? ¿A quién?		
6. ¿Saliste con tus amigos? ¿Adónde?		
7. ¿Te encontraste con tus amigos en un café? ¿Cuándo?		
8. ¿Te cortaste el pelo? ¿Dónde?		

7-16 Instructor's question for *Paso 2*: **¿Quién recibió un paquete el mes pasado?** Elicit responses from several students, asking follow-up questions such as **¿De quién?** To keep students attentive, ask for confirmation: **¿De quién recibió Tomás un paquete?** and so on.

Paso 2. Ahora, su profesor/a quiere saber lo que hicieron Uds. el mes pasado. Contesten sus preguntas.

7-17 Hijo adolescente y padres preocupados

7-17 To review answers, have the class call out Nacho's activities one day at a time. Be sure to get feedback on *Paso 2*.

Paso 1. Últimamente[1], su hijo Nacho no pasa mucho tiempo con la familia, y el fin de semana pasado, nadie lo vio en casa. Un día, al vaciar[2] los bolsillos[3] para lavar su chaqueta, Uds., los padres, encuentran la "evidencia". Comenten lo que hizo Nacho *el viernes*, *el sábado* y *el domingo*. Usen todos los verbos que siguen (pág. 237).

[1]Lately, [2]empty, [3]pockets, [4]yours

| asistir a | bailar | beber | comer | comprar | escribir | pagar | sacar | ver |

MODELO

Madre: Bueno..., veo que el viernes **sacó** 500 pesos del banco Hispano.

Padre: ...y veo que...

Paso 2. Ahora, comenten lo que piensan que pasa con Nacho. ¿Creen Uds. que los padres de Nacho deben continuar preocupándose por su hijo? ¿Por qué?

See Grammar Handbook found in WileyPLUS.

For additional practice on this grammar point, see PowerPoint slides at www.wiley.com/college/lucasmurillo or visit www.wileyplus.com

GRAMÁTICA

¡Manos a la obra!

The preterit of four irregular verbs: *dar, ser, ir,* and *hacer*

4

The four verbs below, which have irregular forms in the present tense, also have irregular forms in the preterit.

dar *to give*		**ir** *to go* and **ser** *to be*		**hacer** *to do, make*	
di	dimos	fui	fuimos	hice	hicimos
diste	disteis	fuiste	fuisteis	hiciste	hicisteis
dio	dieron	fue	fueron	hizo	hicieron

—¿**Fuiste** al parque? ¿**Diste** un paseo? ¿Qué más **hiciste**?
—**Fui** al parque, pero no **di** un paseo. No **hice** nada más que descansar.

- In the preterit, **dar** (an **-ar** verb) has **-ir** endings, but without accents.
- The preterit forms of **ser** and **ir** are identical; the context clarifies which verb is used:

Fuimos al teatro para ver el ballet.   We **went** to the theater to see the ballet.
Fue una noche extraordinaria.   It **was** an extraordinary night.

Write the verbs **dar, ir,** and **hacer** on the board. Circle the appropriate verb after students complete each of the following instructions, and write the preterit form used in the demonstration under each. *Demonstration:*
—Ask student A to go to the board, then to a window, and then to the classroom door. Ask the class: ¿**Adónde fue...** (name of student) **primero? ¿Y después? ¿Y al final?**
—Ask student B to do some exercises in front of the class. Ask the class: ¿**Qué hizo...?**
—Ask student C to give two items to two different students. Then ask the class: ¿**Qué le dio... a...? ¿Y qué le dio... a...?** This previews indirect objects, to be presented in scene 3 of this chapter.

Jennifer, su familia y sus amigos hablan mientras toman un café después de la cena.

¿Cuándo vinieron a vivir a Estados Unidos?

Vinimos hace veinte años.[1]

Fue muy difícil. Más tarde, nacieron[2] nuestros dos hijos, Enrique y Jennifer. Mira, ésta es Jennifer de bebé.

Hicimos muchos sacrificios para comprar esta casa y les dimos la mejor educación posible a nuestros hijos.

Tienen unos hijos muy guapos y listos.

[1]**hace...** twenty years ago, [2]were born

¡En acción!

Act surprised when students think you probably *did not* do some of the following. Feel free to modify the statements!

Guión para ¡Oye!
1. Me encanta cocinar. Anoche **hice** un pastel de chocolate.
2. Soy muy ordenado/a; esta mañana **hice** mi cama.
3. Me gusta mantenerme en buena forma. Hoy **hice** ejercicios aeróbicos antes de venir a la universidad.
4. Anoche **fui** a una discoteca y bailé con George Clooney/ Eva Longoria.
5. La semana pasada, **fui** a la peluquería y me teñí el pelo.
6. Ayer **fui** a la biblioteca a buscar unos libros.
7. **Di** una prueba difícil la semana pasada.
8. El fin de semana pasado **di** un paseo por el centro de París.
9. **Di** una fiesta el sábado por la noche; ¡invité a cien personas!

 ¡Oye! ¿Es verdad o no?

Escucha lo que hizo tu profesor/a recientemente. Según lo que sabes de él/ella, responde diciendo: «**probablemente sí**» o «**probablemente no**».

7-18 ¿Qué hicieron tus compañeros?

Paso 1. Camina por la clase haciéndoles cada pregunta a *tres* estudiantes diferentes. Apunta sus nombres y las respuestas. Tienes *cinco* minutos.

Preguntas	E1: _____	E2: _____	E3: _____
1. ¿Adónde fuiste el fin de semana pasado?	...fue a...		
2. ¿Hiciste un viaje el verano pasado? ¿Adónde?			
3. ¿Diste una fiesta recientemente? ¿Cuál fue la ocasión?			

Paso 2. Al terminar, cuéntale a la clase una cosa que hicieron dos de tus compañeros/as : *...y... **fueron** al centro el fin de semana pasado.* ¿Quién hizo la cosa más interesante?

> RECYCLES regular verbs in the preterit along with **dar, hacer,** and **ir.**

7-19 Mi fin de semana en la Ciudad de México

Paso 1. Miren las fotos con los comentarios que colgó[1] Lola en su *blog*. Como lo hizo muy rápido, faltan algunos verbos. Escojan el verbo más apropiado de la lista para completarlos. Usen el pretérito. Tienen *ocho* minutos.

LA CIUDAD DE MÉXICO

VIERNES
Por la noche, *llegué* a la Ciudad de México; __me__ _registré_ en el hotel e inmediatamente __me__ _acosté_. [**acostarse, llegar, registrarse**]

SÁBADO

Por la mañana, __fui__ al Museo Nacional de Antropología y allí _admiré_ el famoso calendario azteca. [**admirar, ir**]

Por la tarde, __visité__ Chapultepec, un parque enorme con lagos y bosques, y __di__ un paseo por el jardín botánico. Por la noche, __cené__ en un restaurante buenísimo y _volví_ al hotel muy contenta. [**cenar, dar, visitar, volver**]

---

[1]posted

DOMINGO

Por la mañana, _me_ _desperté_ temprano; _desayuné_ huevos rancheros y café, y _tomé_ un taxi para ir al museo del Templo Mayor. Allí _vi_ pirámides construidas por los aztecas para sus dioses. [**desayunar, despertarse, tomar, ver**]

Al lado del Museo, en el Zócalo*, está el Palacio Nacional donde se pueden admirar los murales de Diego Rivera. El guía nos _explicó_ muy bien todo acerca de ellos. Al mediodía, _almorcé_ en una terraza; _comí_ pollo con mole y _bebí_ un licuado de frutas tropicales. [**almorzar, comer, beber, explicar**]

Por la tarde, no _hice_ mucho por estar cansada, pero por la noche, _fui_ al Palacio de Bellas Artes donde _vi_ el Ballet Folclórico. ¡Me _gustó_ muchísimo! ¡La Ciudad de México es fascinante! [**gustar, hacer, ir, ver**]

7-19 Regarding the last answer, remind students that **gustó/gustaron** are the forms of **gustar** used in the preterit.

Paso 2. Imagínense que Uds. tienen solamente un día para visitar la Ciudad de México. Decidan *tres* cosas que van a hacer, y compártanlas.

7-20 ¿Dices siempre la verdad?

RECYCLES reflexive verbs and regular verbs in the preterit.

Paso 1. Escribe *cinco* oraciones diciendo lo que hiciste ayer. Incluye dos cosas que no son ciertas.

MODELO

*Ayer, **me levanté** a las siete y **me duché**. Luego, **trabajé** seis horas en la oficina. **Hablé** con el presidente de Estados Unidos y después, **cené** con Tarzán.*

Paso 2. Lee tus oraciones a dos compañeros/as y ellos/ellas adivinan[1] las que no son ciertas.

7-20 ANOTHER STEP: Have students write two paragraphs: one describing what they did yesterday (no lies this time) and one describing what a friend or family member did. Ask students to exchange compositions with a peer and correct each other's.

[1]guess; *Plaza principal de la Ciudad de México

¿SABES QUE...?

Air quality in Mexico City, one of the largest metropolitan areas in the world, was once so bad that children drew the sky using brown crayons and birds would drop dead while flying over the city. New, tough, environmental standards have changed all of this. Lead levels have dropped 95%, sulfur dioxide, 86%, and carbon monoxide, 74%.

ESCENA 2

doscientos treinta y nueve **239**

Tu mundo cultural

✈ Un viaje a Machu Picchu

¿Te gustaría visitar una ciudad muy antigua del hemisferio sur? ¿Eres una persona aventurera? ¿Cómo prefieres viajar, en avión, en tren, en autobús o a pie[1]?

PERÚ
Lima
Machu Picchu
Cuzco

En 1911, Machu Picchu, ciudad sagrada de los incas, fue descubierta por Hiram Bingham, arqueólogo e historiador de la Universidad de Yale. Bingham buscaba *La Ciudad Perdida de los Incas* que, según la leyenda, fue el lugar donde se escondieron[2] de los españoles. Un indígena de nueve años le condujo hasta las ruinas y allí, Bingham pudo admirar, por primera vez, templos y casas reales[3] cubiertos por la densa vegetación de la selva[4]. Fue una experiencia, sin duda, inolvidable. Desde entonces, miles de viajeros y aventureros de todo el mundo visitan este lugar, situado en medio de un paisaje[5] espectacular.

Para llegar a Machu Picchu, por su situación tan remota, son necesarios varios medios de transporte.

Información práctica:

- Líneas aéreas: LAN Perú; TANS; Nuevo Continente
- Temporada alta de turismo: junio-septiembre
- Para problemas de altura: infusión de hojas de coca, pastillas de coramina, glucosa o diamox

De Lima se va en avión a Cuzco donde se toma el tren que llega a la estación de Aguas Calientes, a media hora de Machu Picchu. El viaje dura cerca de cuatro horas, dependiendo del tren que se tome (hay tres trenes, de categoría y precios diversos: véase *www.perurail.com*). Las vistas son de paisajes majestuosos.

En Aguas Calientes se toma un autobús para llegar a las ruinas de Machu Picchu. Este trayecto de media hora se hace por una carretera estrecha[6] y zigzagueante. Para subir a pie se requiere aproximadamente una hora, si se está en buena forma.

Otra forma de ir de Cuzco a Machu Picchu es a pie, por el Camino del Inca. Es una opción para quienes estén en buena forma física, sean aventureros o les guste la naturaleza. Para ello, se toma el tren a Machu Picchu o un autobús hasta el kilómetro 82 u 88 de la vía a Machu Picchu. Desde allí, se camina entre 35 y 40 kms. por lugares de gran belleza. Acompañados de guías, se tarda generalmente cuatro días, y se atraviesan diferentes ecosistemas que varían en altitud de los 8.000 a los 13.776 pies. Una ruta más corta sólo requiere dos días.

[1]**a...** on foot, [2]**se...** hid, [3]royal, [4]jungle, [5]landscape, [6]**carretera...** narrow highway

Finalmente, se llega a la ciudad sagrada, situada a unos ocho mil pies sobre el nivel del mar. En este lugar majestuoso, con un paisaje espectacular, hay cerca de 200 casas y templos, acueductos, fuentes, tumbas y terrazas construidos todos de granito. Algo muy curioso es que no emplearon argamasa[1] para la construcción, pero, las piedras[2] están tan unidas, que no se puede poner ni un cuchillo entre ellas. Se estima que allí vivían cerca de 1.200 personas, la mayoría mujeres, niños y sacerdotes[3]. Y se cree que los conquistadores nunca la descubrieron.

¿Qué aprendiste?

1. ¿Quién descubrió Machu Picchu? ¿En qué año? ¿Qué buscaba?

2. ¿Qué medios de transporte hay que usar para llegar a Machu Picchu? ¿Para qué clase de turistas es el Camino del Inca?

3. ¿Cómo es la ciudad sagrada? ¿A qué altura está?

Actividad cultural

Planeen un viaje a Machu Picchu. Apunten **(a)** cuándo van a ir, **(b)** qué medios de transporte van a usar y por qué, **(c)** y qué piensan ver y hacer allí.

Contraste cultural

EE.UU. cuenta también en su historia con civilizaciones antiguas. Hablen de una de ellas y de los lugares donde se pueden visitar sus restos[4]. O si lo prefieren, hablen de la historia de su región y mencionen los edificios y monumentos más representativos.

[1]mortar, [2]stones, [3]priests, [4]remains

3 En ¹la carretera

La vida caótica de Lola, la enfermera

1. road, highway 2. I'm on my way. 3. gas station 4. maximum speed 5. restrooms 6. to fill the tank 7. to check (the oil) 8. freeway 9. noise 10. traffic 11. Stop! **parar** to stop 12. auto repair shop 13. My car broke down. 14. stop (road sign) 15. road sign 16. One must/ should 17. brakes 18. to repair, fix 19. to change, exchange 20. flat tire 21. What bad luck! 22. does not work; **funcionar** to work (machinery) 23. keys

¡En acción!

7-21 Una vida loca

Observa las escenas de la página 242 y completa la descripción de un día en la vida de Lola, la enfermera.

Lola maneja mientras habla por el celular con su novio. Le dice que está en camino, pero que tiene que ir a una gasolinera para __llenar__ el tanque. No __revisa__ el aceite, pero pregunta por los __baños__ y un señor muy amable le dice que están a la __izquierda__. De nuevo, en la __autopista__, hay mucho __ruido__ y mucho __tráfico__. Un policía le dice a Lola y a otros conductores «¡__Paren__!» porque hay un accidente. Al final, Lola tiene muchos problemas. El motor de su carro no __funciona__ y tiene una __llanta__ pinchada. ¡Qué mala __suerte__!

7-22 Las aventuras de Lola en la carretera

¿Es caótica la vida de Lola? Para saberlo, observen las escenas de la página 242 y contesten las preguntas.

1. ¿En qué dirección dobla el carro rojo? ¿Qué dice Lola por su celular?

2. ¿Adónde va Lola, probablemente? ¿A qué distancia está la gasolinera?

3. ¿Cuál es la velocidad máxima (kilómetros por hora) en la carretera número 76?

4. ¿Qué pasa en la gasolinera?

5. ¿Hay mucho tráfico y ruido en la autopista? ¿Qué dice el policía? ¿Por qué?

6. Según el letrero[1] de la autopista, ¿en qué dirección se dobla para ir a Lagos? ¿Y para ir a Guanajuato?

7. Lola está cerca de la señal de tráfico que dice ALTO. ¿Qué pasa allí?

8. Finalmente, ¿adónde llega Lola? ¿Por qué dice «¡Qué mala suerte!»?

9. ¿Qué pasa dentro y fuera del taller?

7-21 Students may complete the activity individually or in pairs, with answers reviewed by the instructor. *Option:* Students read the paragraph aloud to a classmate.

7-21 ANOTHER STEP: Write the following direction line on the board and allow two or three minutes for students to complete the follow-up activity: **En las escenas de la carretera, Lola habla con varias personas. Digan con quiénes habla y qué les dice o pregunta.**

7-22 After students have completed the activity, you may want to project the PowerPoint slide of the scenes. Have the class describe each vignette, or have students in pairs come to the front, with each describing one scene.

For additional vocabulary practice, see PowerPoint slides at www.wiley.com/college/lucasmurillo or visit www.wileyplus.com

7-22 PERSONALIZED QUESTIONS: ¿Quiénes de Uds. manejan al *college* o a la universidad por carretera o por autopista? ¿Qué carretera/autopista? ¿Quiénes hablan por el celular y mandan mensajes de texto cuando manejan? ¿Es una buena o una mala idea? Expliquen. ¿Quiénes saben reparar su carro? Expliquen.

La avenida 9 de Julio y el obelisco, que conmemora la fundación de Buenos Aires, son símbolos famosos de esta bella ciudad. A lo lejos se ve el río de La Plata, que separa Argentina y Uruguay. ¿Te gustaría viajar a Buenos Aires?

[1]sign

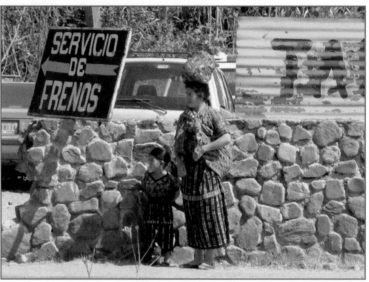

7-23 Conversaciones: En camino

Hagan los siguientes papeles y conversen. Tienen 30 segundos para cada conversación. Túrnense.

1. **tú y un policía:**
   el policía te para por exceso de velocidad y va a darte una multa

2. **tú y el/la operador/a:**
   estás en tu carro, ves un accidente y llamas al 911

3. **tú y el/la empleado/a de una gasolinera:**
   buscas los baños, necesitas gasolina,...

4. **tú y el mecánico de un taller:**
   hablan de los problemas de tu carro

¿SABES QUE...?

In Spanish-speaking countries, a driver's license is not used as an ID, as it is in the USA. Hence the need for an identification card: **cédula o carnet de identidad.**

¿SABES QUE...?

Spanish-speaking countries use the metric system, so distances are measured in meters and kilometers.

1 meter = 1.09 yards
1 kilometer = 0.62 miles

A veces lo milenario se encuentra con lo moderno, y el resultado tiene mucho encanto, tal como se observa en esta fotografía tomada en Guatemala.

¡A escuchar! ¡Un día de esos! CD 4 Track 3

Paso 1. Dos enfermeras, Macarena y Pilar, se encuentran al entrar en el estacionamiento y charlan de los eventos del día.

Paso 2. Escucha la conversación e indica si las afirmaciones son ciertas o falsas.

1. Fue un día estupendo para Pilar. ☐ Cierto ☑ Falso
2. Pilar no empezó muy bien la mañana. ☑ Cierto ☐ Falso
3. Pilar causó un accidente. ☐ Cierto ☑ Falso
4. Pilar llamó a los paramédicos. ☐ Cierto ☑ Falso
5. El carro de Pilar se descompuso. ☑ Cierto ☐ Falso
6. Pilar manejó su carro al taller. ☐ Cierto ☑ Falso
7. Pilar llegó tarde al trabajo. ☑ Cierto ☐ Falso
8. Macarena va a ayudarle a Pilar con la llanta. ☑ Cierto ☐ Falso

GRAMÁTICA

¡Manos a la obra!

5

To whom? For whom?: Indirect object pronouns

You have learned that *direct* object pronouns answer the questions *Who?* and *What?* in relation to the verb.

Who? —¿Llamaste a Carmen?   —Sí, **la** llamé.
What? —¿Compraron los boletos?   —Sí, **los** compramos.

Indirect object pronouns answer the questions *To whom?* and *For whom?* in relation to the verb. Thus, the person receives the action of the verb indirectly.

To whom? El policía **me** dio una multa.   *The policeman gave me a ticket (gave a ticket to me).*

For whom? Ella **nos** compró dos boletos.   *She bought two tickets for us.*

Indirect object pronouns are identical to direct object pronouns, except in the third-person singular and plural forms. You have been using them with the verb **gustar** since *Capítulo 4.*

direct object pronouns		indirect object pronouns	
me	*me*	me	*(to, for) me*
te	*you (fam.)*	te	*(to, for) you (fam.)*
lo	*you (m., form.), him, it (m.)*	**le**	*(to, for) you (form.), him, her*
la	*you (f., form.), her, it (f.)*		
nos	*us*	nos	*(to, for) us*
os	*you (fam.)*	os	*(to, for) you (fam.)*
los	*you (m., form.), them (m.)*	**les**	*(to, for) you (form.), them*
las	*you (f., form.), them (f.)*		

Indirect object pronouns follow the same rules for placement as direct object pronouns.

- They go immediately *before* a conjugated verb.

  Le di las llaves a él.   *I didn't give him the keys./ I didn't give the keys to him.*

  No **le** voy a dar las llaves.   *I am going to give him the keys./ I am going to give the keys to him.*

  Le estoy dando las llaves.   *I am giving him the keys./ I am giving the keys to him.*

- They go immediately *before* the verb in a negative command.

  No **me** llenes el tanque. Lo hago yo.   *Don't fill the tank for me. I'll do it.*
  No **les** digas que el motor no funciona.   *Don't tell them that the motor doesn't work.*

- They are always *attached to* an affirmative command.

  Pregúnta**les*** si viene la ambulancia.   *Ask them if the ambulance is coming.*
  Por favor, di**me** lo que pasó.   *Please, tell me what happened.*

- They may be *attached to* an infinitive or present participle.

  Va a mostrar**nos** la llanta pinchada.   *He is going to show us the flat tire./ He is going to show the flat tire to us.*

  Está mostrándo**nos*** la llanta pinchada.   *He is showing us the flat tire./ He is showing the flat tire to us.*

*There is a written accent when the stress falls on the third-to-last syllable.

For additional practice on this grammar point, see PowerPoint slides at www.wiley.com/college/lucasmurillo or visit www.wileyplus.com

Review direct object pronouns. Highlight the differences between the third-person direct and the third-person indirect object forms. Illustrate the differences in concept—the action being received directly versus indirectly—through sample sentences: Vi a Marta. Cuando <u>la</u> vi, <u>le</u> di el libro. <u>Le</u> regalé un carro a mi hijo. <u>Lo</u> compré por Internet.

Illustrate indirect object pronouns as follows: Bring to class a little gift box (or draw one on a sheet of paper) and put it on a student's desk. Ask him/her to give it to you. Tell the class: **¡Juanita me dio un regalo!** (write the sentence on the board). Then ask several students: **¿Te dio Juanita un regalo?** They respond: **No, no me dio un regalo.** Summarize responses: **Juanita no le dio un regalo a...,** **¡pero me dio un regalo a mí!** As a follow-up, have students give each other various "gifts," and then tell the class who gave them the item and what it was: **...me dio...** Students need to recall who gave what to whom: **...le dio** (*objeto*) **a...**

See Grammar Handbook found in WileyPLUS.

For additional practice on this grammar point, see PowerPoint slides at www.wiley.com/college/lucasmurillo or visit www.wileyplus.com

. . . y algo más

- Le and les are commonly used even when the person *to* or *for whom* something happens is mentioned.

    El policía **le** dio una multa **a Elena.**   *The policeman gave a ticket to Elena.*
    Ella **les** contó **a sus hermanos**   *She told her brothers what happened.*
       lo que pasó.

- For emphasis or clarification, the following phrases may be used along with the indirect object pronouns: **a mí, a ti, a Ud., a él, a ella, a nosotros/as, a vosotros/as, a Uds., a ellos/as**

    A mí me dieron un boleto para el teatro. ¿Y **a ti**?
    *They gave **me** a theater ticket. What about **you**?*

    A ellos les mandaron cuatro boletos y **a nosotros,** seis.
    They sent them four tickets and (sent) us, six.

VERBOS PARA COMUNICARSE Y RELACIONARSE

Indirect objects are frequently used with certain verbs, as one generally gives, sends, shows, lends,... things *to someone.*

You may find it helpful to present, along with the verb **prestar** *to lend,* the expression **pedir/ tomar prestado** *to borrow.*

Verbs you already know:		Other verbs you need to learn:	
contestar	*to answer*	contar (ue)	*to tell, narrate (a story or incident)*
dar	*to give*	devolver (ue)	*to return (something)*
decir (i)	*to say, tell*	explicar	*to explain*
escribir	*to write*	mostrar (ue)	*to show*
mandar	*to send*	preguntar	*to ask*
pedir (i)	*to ask for, request*	prestar	*to lend*
		regalar	*to give (as a gift)*

Fabio, Mario y Ernesto vuelven a casa después de cenar con Jennifer y su familia.

¡Qué familia tan simpática!

Sí, y además, comimos muy bien.

Tengo que llenar el tanque de gasolina.

¿No lo llenaste hace poco[1]?

Sí, pero esta mañana llevé a mi hija al zoo y le di una vuelta[2] por la ciudad.

¿Alguien tiene dinero para pagar la gasolina?

¡Se me olvidó[3] la cartera en casa!

[1]**hace...** recently [2]**le...** I drove her, [3]**Se...** I forgot

¡En acción!

¡Oye! El carro de mi profesor/a

Escucha con atención mientras tu profesor/a te cuenta lo que le pasó con su carro. Luego, di si las afirmaciones son ciertas o falsas.

7-24 Un mal día en la autopista

Paso 1. Ayer Álvaro manejó al centro con su hermano Adrián por la autopista, pero... por encima del límite de velocidad. Un policía los paró. Para contar lo que pasó, llena los espacios en blanco con **le** o **les.**

1.

... _les_ preguntó el policía a Álvaro y a su hermano.

2.

... _le_ contestó Álvaro.

3.

... y Álvaro _le_ mostró su licencia.

4.

... _le_ explicó el policía a Álvaro, y _le_ devolvió la licencia.

Ni Álvaro ni Adrián _les_ contaron a sus padres lo que pasó.

5.

... _le_ dijo[1] Adrián a Álvaro.

(continúa en la pág. 248)

[1]said

Write on the board: **¡Por supuesto!** *Of course!*
As you read the narration, emphasize the phrases in boldface.

Guión para ¡Oye!
1. Voy al taller y **le cuento** al mecánico lo que le pasa a mi carro.
2. **Le explico** que el motor y los frenos no funcionan.
3. **Le muestro** las dos llantas pinchadas, y **me dice:** «¡Qué mala suerte!»
4. **Le pregunto:** «¿Puede repararlo pronto? Lo necesito para mañana.»
5. **Me contesta:** «Sí, ¡por supuesto!»
6. Hace lo que promete y **me devuelve** el carro el día después, a las dos de la tarde.
7. **Le digo:** «¡Mil gracias!» «¡Ud. es un mecánico fenomenal!».
8. **Le pregunto:** «¿Cuánto le tengo que pagar?»
9. **Me contesta:** «Para Ud., 250 dólares». (*Repeat.*)

Comprensión para ¡Oye!
Begin by having students write the numbers 1–9 on a sheet of paper. Then read the statements, pausing after each to give students time to jot down their responses before they call them out to the class. This procedure avoids having a few extroverts provide most of the responses.
1. Le cuento al mecánico lo que le pasa a mi carro. ¿Cierto o falso? *Cierto*
2. Le explico que la batería no funciona. *Falso*
3. Le muestro las tres llantas pinchadas. *Falso*
4. Le pregunto si puede reparar el carro pronto. *Cierto*
5. Me contesta: «¡Imposible!» *Falso*
6. Me devuelve el carro a tiempo. *Cierto*
7. Le digo: «¡Mil gracias!» *Cierto*
8. Le pregunto: «¿Cuánto le tengo que pagar?» *Cierto*
9. Me dice: «500 dólares». *Falso*

Paso 2. Ahora, háganse las siguientes preguntas para saber si les pasó algo similar.

1. Alguna vez, ¿manejaste por encima del límite de velocidad?

2. ¿Te paró un policía/ una mujer policía? ¿Le mostraste la licencia de manejar? ¿Te dio una multa?

3. ¿Le contaste a tu familia lo que pasó?

7-25 Regalos para los Roldán

 Paso 1. Miren la lista de regalos de los Roldán de la Navidad pasada. Contesten las preguntas escogiendo el que probablemente recibió cada persona o pareja, y el perro. Sigan el modelo y usen **le** o **les** en las preguntas y respuestas. Sírvanse de la foto de la familia, páginas 72–73. Túrnense.

7-25 Review answers for *Paso 1*. Expect disagreement as to which gift is most appropriate for a person or people (or pet). After each response, ask the class ¿Es un buen regalo para... o no?

Lista de regalos recibidos

a. una pelota

b. el último libro de *Twilight*

c. un suéter rosado con la inicial C

d. un DVD y un CD de Amy Winehouse

e. unas vacaciones en la nieve para toda la familia

f. un hueso[1]

g. dos boletos para la ópera

h. una cena romántica para dos en su restaurante favorito

✓ i. boletos para el circo

j. un teléfono celular y una blusa bonita de flores

MODELO

Los abuelos → sus nietos

E1: *¿Qué **les** regalaron los abuelos a sus nietos?*

E2: *(i) **Les** regalaron boletos para el circo.*

1. Nuria → Robertito *¿Qué **le** regaló...?*
2. Los padres → sus hijos
3. Ángel → Guadalupe
4. Guadalupe → Carmen
5. Carmen → Ángel

6. Robertito→ Pachá, el perro
7. Los nietos → sus abuelos
8. Los hijos → sus padres
9. Todos → Nuria

Ahora, confirmen si escogieron bien los regalos.

1.a 2.e 3.b 4.c 5.d 6.f 7.g 8.h 9.j

 Paso 2. Ahora cada uno/a de Uds. piensa en un regalo que recibió, cuándo lo recibió, y de quién. Compartan las información con la clase: *Mi tío **me** regaló una motocicleta el año pasado.* Luego, la clase decide quién recibió el mejor regalo.

[1]bone

7-26 ¿Recibiste algo de alguien? RECYCLES verbs in the preterit.

Paso 1. Háganse preguntas para saber qué recibieron de otras personas recientemente. Si tu compañero/a responde **sí** a una pregunta, apunta en la segunda columna quién lo hizo.

MODELO

E1: ¿Alguien **te mandó** un paquete recientemente?

E2: Sí, mi tía **me mandó** un paquete. (**E1** escribe en la segunda columna *la tía de Lisa*.)

o: No, nadie me mandó un paquete.

¿Alguien...?	¿Quién lo hizo?
1. mandar / un paquete	*la tía de Lisa*
2. dejar / un mensaje en Facebook	
3. escribir / un mensaje de texto	
4. regalar / algo especial	
5. pagar / el almuerzo o la cena	
6. prestar / su carro	
7. explicar / la tarea de español	
8. dar / un abrazo	
9. contar / un chiste[1]	

Paso 2. Ahora, dile a la clase qué información tienes de tu compañero/a: *La tía de Lisa le mandó un paquete recientemente.* **o:** *Nadie le mandó un paquete recientemente.*

7-27 En la ciudad y en la carretera
RECYCLES verbs in the preterit, city vocabulary, and professions.

Paso 1. Con frecuencia, en la ciudad y en la carretera se reciben servicios de otras personas. Describe en *cinco* oraciones los que recibiste recientemente, e indica dónde y de quién.

MODELO

En un restaurante, el mesero **me recomendó** *el mejor vino de la casa.*

LUGAR	PERSONAS	SERVICIOS
restaurante	el/la mesero/a	recomendar...
pastelería	el/la dependiente/a	mostrar.../ vender...
oficina de correos	el/la empleado/a	vender...
peluquería	el/la peluquero/a	lavar.../ cortar.../ teñir (tiñó)...
sauna	el/la empleado/a	dar un masaje...
local para tatuajes	el/la empleado/a	hacer un tatuaje o un *piercing*...
taller mecánico	el/la empleado/a	reparar.../ revisar.../ cambiar...

Paso 2. Ahora, háganse preguntas para saber qué servicios recibió cada uno/a de Uds.

MODELO

E1: ¿El mesero **te recomendó** el bistec a la parrilla?

E2: Sí.

E1: ¿Y **te recomendó** la sangría?

E2: No, pero **me recomendó** el mejor vino de la casa.

Finalmente, díganle a la clase un servicio que Uds. dos recibieron: *Un peluquero* **nos** *cortó...*

[1]joke

7-27 ANOTHER STEP: For further writing practice, ask students to make a list of the services their classmate received, indicating who did them and where.

¡Exprésate!, a chapter wrap-up focusing on conversation and writing (the latter with *Writing Strategies*), is included in *Apéndice 3.*

Writing Strategy

✎ *Using sequencing words to connect your sentences*

For more information about this Strategy go to p. A-18.

Tu mundo cultural

El transporte público

Para moverte por tu ciudad, ¿caminas, usas un medio de transporte o manejas tu carro?

La mayoría de las ciudades hispanas cuenta con medios de transporte urbano que permiten a los ciudadanos vivir sin necesidad de un carro. Un buen ejemplo es la capital de México, la segunda ciudad más poblada del mundo (22 millones de habitantes), por cuyo metro circulan diariamente casi cinco millones de personas. Este metro cubre una extensión de 201.7 km (125.3 millas). Es uno de los metros más seguros[1] y económicos del mundo (2 pesos = $0,20).

[1]safe

El metro es una solución ideal para una ciudad con problemas de tráfico y contaminación como ésta, pero su construcción no fue fácil. Durante las excavaciones se encontraron ruinas arqueológicas que ahora se pueden ver en estaciones como la de *Pino Suárez,* y los restos de un mamut (10.000 a. C.) que se pueden observar en la estación *Talisman.* Allí también se encuentran murales interesantes como el de esta foto.

Este metro ofrece servicios para usuarios discapacitados: señalización en Braille y accesos para las personas en sillas de ruedas.

¿Qué aprendiste?

1. ¿Cuántas personas circulan por el metro de la ciudad de México diariamente?

2. ¿Qué ventajas[1] ofrece este metro? Da ejemplos específicos.

Actividad cultural

Imagínense que Uds. van a visitar la capital de México próximamente. Para familiarizarse con la ciudad, expliquen cómo se va a los siguientes destinos. Mencionen las líneas y los cambios[2] necesarios. Antes de empezar, localicen en el mapa sus puntos de partida y sus destinos.

MODELO

Propósito:	visitar el Castillo de Chapultepec y pasear por el parque
Estación de salida:	Talismán (línea 4)
Estación de llegada:	Chapultepec (línea 1)

- *Primero, **se toma** la línea 4 en Talismán **con dirección a** Santa Anita.*

- ***Se pasan** cuatro estaciones y luego **se llega** a Candelaria.*

- ***Se cambia**[3] a la línea 1 **con dirección a** Observatorio.*

- ***Se pasan** ocho estaciones y finalmente, **se llega a** Chapultepec.*

Propósito	Estación de salida	Estación de llegada
a. visitar la Casa Azul, el museo de Frida Kahlo, en *Coyoacán*	*Universidad* (línea 3)	*Coyoacán* (línea 3)
b. reunirse con unos amigos para tomar un café en la plaza principal de la capital	*Zócalo* (línea 2)	*Polanco* (línea 7)
c. tomar un autobús para visitar las pirámides de Teotihuacán, situadas fuera de la capital	*Pino Suárez* (conexión entre la línea 1 y la línea 2)	*Autobuses del Norte* (línea 5)

Contraste cultural

Comparen la vida en una cultura como la estadounidense, que depende del carro, con la cultura hispana en donde se depende más del transporte urbano. Comenten las consecuencias que esto tiene en las relaciones humanas, la economía, la salud[4], el ruido y la contaminación.

[1]advantages, [2]changes, [3]Se... One changes, [4]health

♫ Tu mundo en vivo

¡Video en acción!

7.1 La plaza: el centro de la ciudad hispana

1. **Antes de ver el video** Mira los primeros 45 segundos del video 7.1 <u>sin el sonido</u>.

   ¿Qué imágenes ves? ¿Qué impresión tienes de esta plaza mexicana?

Have the students review the activity before watching the video.

2. **Mientras ves el video** Marca las respuestas correctas.

   a. Según el antropólogo, la plaza conecta:

   ☑ lo político ☑ lo religioso ☐ lo nativo ☑ lo comercial

   b. Las plazas se usan para: ☑ mercados ☑ eventos culturales ☑ pasear ☐ patinar

   c. Para la mamá, ir a la plaza es: ☑ una tradición ☐ un quehacer ☐ una obligación

3. **Míralo otra vez** Relaciona las fotos con lo que dice cada persona.

 A   B   C   D

   _C_ «El domingo... vinimos a la iglesia... vinimos a comer...»

   _D_ «Vine a la plaza para estar un poquito más tranquilo.»

   _A_ «El fin de semana pasado... visité las tiendas que están alrededor.»

   _B_ «Me gusta venir a la plaza... para ir al cine...»

7.2 El transporte público: el metro

1. **Antes de ver el video**

   Lee la información que sigue y adivina las respuestas.

2. **Mientras ves el video** Completa los espacios en blanco con la respuesta que corresponde.

	pequeños	grandes	caros
Es uno de los más _grandes_ del mundo.	pequeños	grandes	caros
Tiene _175_ estaciones.	75	165	175
Cada día pasan por allí casi _4 millones_ de personas.	4 millones	4 mil	40 mil
Un viaje cuesta _2 pesos_.	2 dólares	2 centavos	2 pesos
Causa menos _contaminación_ que los automóviles y los buses.	ruido	dinero	contaminación

3. **Comenta con la clase** ¿Tienes ahora una idea diferente de este metro que antes de ver el video? Explica.

¡Lectura en acción!

Aviso público

Este aviso de la Secretaría de Turismo de la capital de México apareció en folletos[1] turísticos y periódicos de la ciudad.

Paso 1. Con sólo echarle un vistazo[2] a este aviso, contesta las siguientes preguntas.

1. ¿A quién se dirige? ¿Cómo se sabe?

2. ¿Quién lo emitió[3]?

Paso 2. Piensa en la posible información que se puede transmitir en un aviso como éste. Marca las respuestas más probables.

Información relacionada con...

☐ la seguridad del turista   ☐ interrupciones de tráfico
☐ atracciones turísticas   ☐ actividades culturales

ESTIMADO VISITANTE

La circulación vehicular en la avenida Paseo de la Reforma y en el Centro Histórico de la Ciudad de México ha sido bloqueada por un movimiento pacífico de resistencia civil derivado de nuestro reciente proceso electoral.

Por ello es importante informarle que:

- Estas zonas pueden ser recorridas a pie y de manera segura.

- Los hoteles, atractivos y servicios turísticos ubicados en estas zonas funcionan de manera normal.

- Para trasladarse, puede utilizar el Metro, el Metrobús, los autobuses del Sistema de Transporte Colectivo y taxis autorizados.

- Para mayor información:
  Información turística: 01 800 008 0909
  Teléfono de emergencia: 066
  www.mexicocity.gob.mx

¡Que su estancia en la ciudad de México sea placentera!

GOBIERNO DEL DISTRITO FEDERAL
Secretaría de Turismo

Paso 3. Ahora, lee el aviso y responde a las siguientes preguntas para ver si entendiste la información más importante.

1. ¿Qué problema se comunica a quienes visiten la avenida Paseo de la Reforma y el Centro Histórico?

2. ¿Qué medios de transporte se recomiendan a los visitantes de esa zona? Marca las respuestas correctas.

   ☐ caminar   ☐ carros privados   ☐ autobuses   ☐ el metro   ☐ el metrobús
   ☐ taxis

3. Si alguien desea más información, ¿qué debe hacer?

4. ¿Por qué crees que la Secretaría de Turismo emitió este aviso?

[1]flyers, [2]glancing, [3]issued

Reading Strategy

Identifying the target audience and point of view

Identifying the target audience of a passage and its point of view can assist you in understanding a reading, sometimes after only glancing at it.

Encourage students to think critically about the types of messages the *Secretaría de Turismo* is likely to promote in an announcement such as this one, as well as those that office would likely not advertise.

Remind students to focus on what they do understand from the text and to keep the context of the reading, the target audience, and the point of view of the *Secretaría de Turismo* in mind as they read the passage and answer the questions. Even without understanding a number of the individual words in the passage, they will likely be able to understand a great deal of the passage's message.

🎕 Vocabulario: Capítulo 7

Escena 1

En el centro *Downtown*

el banco *bank, bench*
el buzón *mailbox*
el cine *movie theater*
la entrada *entrance*
la esquina *corner*
la estación de tren *train station*
la fuente *fountain*
la iglesia *church*
la joyería *jewelry store*
la motocicleta *motorcycle*
el museo *museum*
la oficina de correos *post office*
la parada de autobús *bus stop*
el parque *park*
la pastelería *pastry shop*
el peatón *pedestrian*
la película *film*
la peluquería *hair salon*
el puente *bridge*
el quiosco *newsstand*
el rascacielos *skyscraper*
la salida *exit*
el semáforo *traffic light*
la tienda *store*
la tienda por departamentos *department store*
la zapatería *shoe store*

las noticias *news*
el periódico *newspaper*
la revista *magazine*

Instrucciones *Directions*

a la derecha *to the right, on the right*
a la izquierda *to the left, on the left*
a una cuadra *a block away*
una cuadra/media cuadra *one block/ half a block*
recto/ derecho *straight ahead*
hasta llegar a… *until you arrive at…*

En el pasado *In the past*

anoche *last night*
anteayer *day before yesterday*
ayer *yesterday*
el fin de semana pasado *last weekend*
el mes/ año pasado *last month/ year*
el viernes/ sábado… pasado *last Friday/ Saturday . . .*
la semana pasada *last week*
ya *already*

Verbos y expresiones verbales
Verbs and verbal expressions

cruzar *to cross*
doblar *to turn*
entrar (a/en) *to enter*
esperar *to wait for*
estacionar *to park*
pasarlo bien *to have a good time*
pasar por *to pass, go by*
seguir (i) *to continue, follow*

¡Que lo pases bien! *Have a good time!*

Escena 2

Por la ciudad *In and around the city*

el boleto *ticket (movie/ theater/ bus/ plane/ train)*
el cajero automático *ATM*
el cheque *check*
la cuenta *account*
la estampilla *stamp*
la gente *people*
la licencia de manejar *driver's licence*
la multa *fine, ticket*
el paquete *package*
la tarjeta postal *postcard*

el país extranjero *foreign country*

Verbos y expresiones verbales
Verbs and verbal expressions

abrir *to open*
abrocharse el cinturón *to fasten one's seatbelt*
cerrar (ie) *to close*
cobrar *to cash, charge*
cortarse el pelo *to get a haircut, cut one's hair*
empezar (ie) *to begin, start*
encontrar (ue) *to find*
encontrarse (ue) (con) *to meet up (with) (by chance)*
firmar *to sign*
hacer fila *to wait in line*
llevar *to take, carry*
mandar una carta *to mail/ send a letter*
perder (ie) *to loose*
pintarse las uñas *to have one's nails painted, paint one's nails*

sacar *to take out*
teñirse (i) el pelo *to have one's hair colored, color one's hair*
terminar *to finish*

Escena 3

En la carretera *On the road, highway*

la autopista *freeway*
el baño *restroom*
los frenos *brakes*
la gasolinera *gas station*
la llanta pinchada *flat tire*
la llave *key*
el ruido *noise*
la señal de tráfico *road sign*
el taller mecánico *auto repair shop*
el tráfico *traffic*
la velocidad máxima *maximum speed*

alto *stop (road sign)*
¡Qué mala suerte! *What bad luck!*

Verbos y expresiones verbales
Verbs and verbal expressions

cambiar *to change, exchange*
contar (ue) *to tell, narrate (a story or incident)*
devolver (ue) *to return (something)*
explicar *to explain*
funcionar *to work (machinery)*
llenar el tanque *to fill the tank*
mostrar (ue) *to show*
parar *to stop*
preguntar *to ask*
prestar *to lend*
regalar *to give (as a gift)*
reparar *to repair, fix*
revisar (el aceite) *to check (the oil)*

Estoy en camino. *I'm on my way.*
Hay que… *One must/ should…*
Mi carro se descompuso. *My car broke down.*
¡Paren! *Stop!*

Autoprueba y repaso: Capítulo 7

Escena 1
En la ciudad

A. Completa la descripción con la palabra apropiada.

1. En el _____ hay árboles y bancos para sentarse.
2. Para leer las noticias, voy a comprar un _____.
3. Hay muchos buzones en la oficina de _____.
4. Vamos al _____ para ver una película.
5. Vamos a la _____ para cortarnos el pelo.
6. La luz roja del _____ señala que debemos parar.
7. Vamos a _____ el puente para ir a la estación de _____.

I. Formal commands (*Ud.* and *Uds.*)

B. Una persona mayor viene a visitar tu ciudad. Dile lo que debe hacer. Completa las instrucciones con el mandato de **Ud.** del verbo apropiado de la lista.

asistir	comprar	cruzar	hacer	ir
probar	sentarse	venir	ver	visitar

1. ___Venga___ este fin de semana.
2. _____ la visita de la ciudad a pie.
3. _____ el museo Botero; pero no después de las cinco de la tarde.
4. _____ unos pasteles en la pastelería González; no cuestan mucho.
5. _____ el puente para ver el río; pero no si hay mucho tráfico.
6. _____ en un banco del parque para descansar.
7. _____ la comida del café Colón; ¡es muy rica!
8. Por la noche, _____ una película en el cine Amenábar.
9. Después del cine, _____ a un bar para charlar con sus amigos.
10. Al día siguiente, _____ a un concierto en el teatro Colón.

II. The preterit tense of regular -*ar* verbs

C. Indica lo que hicieron ayer en el centro las siguientes personas. Usa los verbos de la lista en el pretérito.

almorzar	caminar	comprar	entrar
escuchar	hablar	tomar	visitar

1. Carlos y Linda ___tomaron___ un café en el café Colón.
2. Mi prima _____ a todas las tiendas.

3. Tú _____ la iglesia de Santa Ana.
4. Yo _____ en un restaurante cubano.
5. Nosotros _____ un concierto en el parque.
6. Pablo _____ por la calle del Río.
7. Yo me _____ unas revistas en el quiosco.
8. Uds. _____ con los vagabundos del parque.

En resumen

Contesta las preguntas con oraciones completas.

1. ¿Qué lugares interesantes hay en el pueblo o ciudad donde vives?
2. ¿Hay tiendas cerca de donde vives? ¿Cuáles te gustan más?
3. Durante tu última (*last*) visita al centro, ¿compraste algo? ¿Qué compraste? ¿Para quién?
4. ¿Cenaste en un restaurante? ¿Cuál? ¿Con quién?
5. ¿Regresaron Uds. a casa muy tarde?

Escena 2
La vida urbana

D. Combina las palabras de la primera columna con las palabras que mejor les corresponden de la segunda.

___ 1. la peluquería   **a.** la estampilla
___ 2. el cajero automático   **b.** el policía
___ 3. el cheque   **c.** sacar dinero
___ 4. la tarjeta postal   **d.** esperar
___ 5. la cuenta   **e.** recibir y abrir
___ 6. la multa   **f.** cortarse y teñirse el pelo
___ 7. hacer fila   **g.** firmar y cobrar
___ 8. el paquete   **h.** abrir o cerrar

III. The preterit tense of regular -*er* and -*ir* verbs

E. Indica lo que hicieron ayer en el centro las siguientes personas. Usa los verbos de la lista en el pretérito.

asistir	abrir	beber	cerrar	comer	correr
entrar	escribir	mandar	salir	ver	

1. Carlos y Linda ___comieron___ en una cafetería.
2. Los dos _____ varios refrescos.
3. Mi prima _____ una película.
4. Tú _____ una tarjeta postal y la _____.
5. Nosotros _____ a un concierto en el parque.

6. Pablo _____ por la calle del Río.

7. Yo _____ una cuenta en el banco y _____ otra.

8. Uds. _____ a todas las tiendas y _____ con muchas compras.

IV. *Dar, ser, ir,* and *hacer*

F. Completa la conversación. Usa el verbo apropiado de la lista en el pretérito. El verbo **hacer** se usa dos veces y el verbo **ir,** cuatro veces.

dar	hacer	ir	ver	volver

Francisco: ¿Qué _*hicieron*_ Uds. anoche?

Alejandra: Ana y su hermana _____ una fiesta. Sé que Pablo y sus amigos _____, pero creo que Timoteo _____ al cine.

Francisco: ¿Y qué _____ tú?

Alejandra: Primero, _____ una película en DVD, y luego, _____ a la discoteca con Elena.

Francisco: Fenomenal. ¿A qué hora _____ Uds. a casa?

Alejandra: Pues, un poco tarde, porque después, nosotras _____ a la fiesta de Ana.

En resumen

Contesta las preguntas con oraciones completas.
1. ¿Fuiste al centro la semana pasada? ¿Qué hiciste allí?
2. ¿Fuiste a la oficina de correos? ¿Compraste estampillas? ¿Mandaste un paquete?
3. ¿Fuiste al banco? ¿Qué hiciste allí?

Escena 3
En la carretera

G. Completa las oraciones con palabras apropiadas del vocabulario.
1. ¡Qué mala _____! No puedo encontrar las _____ de mi carro.
2. Y, mi carro necesita gasolina. Tengo que _____ el tanque.
3. También debo _____ el aceite.
4. Anteayer mi carro se descompuso. Mi mecánico lo _____ inmediatamente.
5. La señal de tráfico dice ¡ALTO! Debo _____ inmediatamente, ¿no?
6. ¡Caramba! La velocidad _____ en la _____ es de 100 km por hora.

Additional **Autopruebas** online

V. Indirect object pronouns

H. Combina las oraciones de la primera columna con las que mejor les corresponden de la segunda.

___1. Hóy es el cumpleaños de Sara.

___2. Alberto me mandó un e-mail.

___3. Le mostré mi nuevo carro a mi novio/a.

___4. Le presté mi carro a mi hermano menor, y ahora, estoy furioso/a con él.

___5. Susana quiere saber lo que pasó ayer en la carretera.

___6. Adelina no entiende las señales de tráfico de aquí.

a. ¡Le encantó!

b. Le conté acerca del accidente.

c. ¡Me devolvió el carro siete horas más tarde!

d. Le contesté inmediatamente.

e. Le expliqué lo que significa cada una.

f. Le regalé un DVD.

I. Tu tía, una persona muy rica y generosa, les regaló a todos los miembros de tu familia algo increíble. Indica lo que le regaló a cada persona.

MODELO

a mi hermana / boletos para la ópera de Milán (viaje incluido)
A mi hermana, le regaló boletos para la ópera de Milán.

1. a mí / un viaje a Barcelona
2. a mis abuelos / una nueva lavadora y secadora
3. a ti / un reloj Rolex
4. a mi hermano / un televisor de pantalla plasma
5. a nosotros / ¡un Porsche nuevo!

En resumen

Contesta las preguntas con oraciones completas.
1. ¿Hiciste un viaje en carro el verano pasado? ¿Adónde fuiste? ¿Con quién fuiste? ¿Qué hicieron Uds.?
2. Cuando viajas, ¿les compras regalos a las personas de tu familia? ¿Qué les compras? ¿Les escribes tarjetas postales?
3. ¿Le regalaste algo a alguien recientemente? ¿Qué le regalaste?
4. ¿A quién le cuentas lo que pasa en tu vida? ¿Esa persona también te cuenta cosas a ti?

Answers to the *Autoprueba y repaso* are found in **Apéndice 2.**

De compras WILEY PLUS

Additional activities and **Autopruebas** for each **Escena** available online.

For *Writing Strategies* see *Apéndice 3.*

Escena 1
En el centro comercial

· Talking about what happened: More irregular verbs in the preterit

TU MUNDO CULTURAL
El estilo de los hispanos

Escena 2
La ropa

· Making equal comparisons
· Making unequal comparisons

TU MUNDO CULTURAL
Diseñadores hispanos de fama internacional

Escena 3
Los aparatos electrónicos

· Direct and indirect object pronouns together
· Expressing possession: Emphatic possessive adjectives

TU MUNDO CULTURAL
Los internautas hispanos

TU MUNDO EN VIVO
¡Video en acción!

¡Lectura en acción! (with *Reading Strategies*)

En el centro comercial

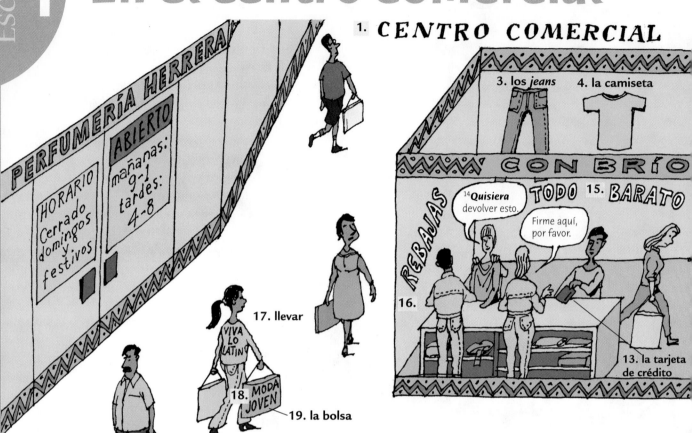

1. CENTRO COMERCIAL

PERFUMERÍA HERRERA

ABIERTO

HORARIO
Cerrado
domingos
y
festivos

mañanas:
9-1
tardes:
4-8

3. los *jeans*
4. la camiseta

CON BRÍO

REBAJAS   TODO   15. BARATO

14 **Quisiera** devolver esto.

Firme aquí, por favor.

16.

13. la tarjeta de crédito

17. llevar

VIVA LO LATINO

18. MODA JOVEN

19. la bolsa

JOYERÍA RUIZ

20. JOYAS DE ORO Y PLATA

21. el collar

22. la cadena

23. la pulsera

24. los aretes

$1,500 US   25. el precio

26. el anillo (de diamante)

Es 27**caro** pero bonito.

¿Paga 29**en efectivo**?

28. gastar

ZAPATERÍA FERNÁNDEZ

30. los zapatos de tenis

31. las sandalias

32. las botas

Señora, ¿el 37 es su número?

Sí, gracias, y es un zapato muy 33**cómodo**.

Las Mercedes

1. mall
2. clothes
3. jeans
4. t-shirt
5. shorts
6. sweatshirt
7. (baseball) cap
8. long pants
9. size
10. They don't fit me; **quedar bien/mal** to fit/ not fit
11. too (*adv.*)
12. I'm going to try them on; **probarse (ue)** to try on
13. credit card
14. I would like (*polite variation of* **quiero**)
15. cheap, inexpensive
16. sales
17. to wear, carry
18. fashion
19. bag
20. gold and silver jewelry
21. necklace
22. chain
23. bracelet
24. earrings
25. price
26. (diamond) ring
27. expensive
28. to spend
29. cash
30. sneakers
31. sandals
32. boots
33. comfortable
34. (leather) jacket
35. purse, handbag
36. wallet
37. gloves
38. belt

¡La pronunciación!

Pay attention to the correct pronunciation of the Spanish ll (see P-4).

anillo   collar   talla
billetera

¡En acción!

Present alternatives to vocabulary items at your discretion: **aretes/ pendientes/ zarcillos; camiseta/ franela/ remera.**

8-1 Asociaciones

Paso 1. ¿Cuántas encuentran? Miren las páginas 258–259 y escriban como mínimo *tres* cosas o acciones que asocien con las siguientes palabras. Tienen *tres* minutos.

8-1 Write the five categories on the board. As each "winner" supplies answers, jot them down. Other students add their input as well.

los *jeans*	el cuero	el oro	la zapatería	el precio
la camiseta				

Paso 2. Al terminar, la pareja con la lista más larga en cada categoría se la lee a la clase.

8-2 En el centro comercial Las Mercedes

¿Qué tiendas hay allí? ¿Qué se vende? Para saberlo, observen el dibujo de las páginas 258–259 y contesten las preguntas.

1. ¿Qué se vende en la tienda de ropa para jóvenes?

2. ¿Qué dicen los letreros[1] para indicar que la ropa está muy barata?

3. En los probadores, ¿cuántas chicas están probándose *jeans*? ¿Cómo reacciona cada una de ellas? ¿Les quedan bien los *jeans* a todas las chicas?

4. ¿Qué hacen o dicen los otros clientes y empleados que están en la tienda?

5. ¿Qué ropa lleva la chica que camina por el centro comercial con dos bolsas? Según una de las bolsas, ¿a qué tienda fue de compras?

6. ¿Qué clase de joyas se venden en la joyería Ruiz? ¿Qué precio tiene el anillo de diamante? ¿Es caro o barato?

7. ¿Cómo paga el señor que habla con la cajera? ¿Qué dice?

8. ¿Qué clase de calzado[2] se vende en la zapatería Fernández?

9. ¿Qué número de zapato necesita la señora? ¿Cómo son los zapatos que se está probando?

10. ¿De qué material son los artículos que se venden en la tienda Lara? ¿Qué accesorios tienen?

8-2 You may want to project the Power-Point slide of the opener scene. Have the class describe the scene, or have small groups of students describe segments of it. Ask students to note when the **perfumería Herrera** is open and closed, and to compare those days and times with the schedules of malls where they live.

For additional vocabulary practice, see PowerPoint slides at www.wiley.com/college/lucasmurillo or visit www.wileyplus.com

8-2 PERSONALIZED QUESTIONS: ¿Adónde van Uds. de compras? ¿Qué clase de ropa o accesorios les gusta comprar?

¿SABES QUE...?

In some Hispanic countries, such as Ecuador and El Salvador, the U.S. dollar is the currency.

For additional practice on this grammar point, see PowerPoint slides at www.wiley.com/college/lucasmurillo or visit www.wileyplus.com

. . . y algo más

In *Capítulo 7* you learned that **llevar** means *to take* or *carry*:

Llevo a mi hijo al parque. **Llevamos** los regalos a la fiesta.

Llevar also means *to wear* (clothing, shoes, jewelry, a hat, perfume, …) or *to carry a personal item* (a purse, wallet, umbrella, …).

to wear   Hoy Juan **lleva** unos *jeans* nuevos y botas de cuero.
Doña Ana **lleva** unos aretes de oro y un cinturón rojo.
¿Qué perfume **llevas** tú?

to carry   Luisa **lleva** una cartera azul, y un paraguas, porque va a llover.

[1]signs, [2]footwear

8-3 Las compras de tu compañero/a   RECYCLES verbs in the preterit.

Paso 1. Entrevista a un/a compañero/a con las preguntas de la primera columna.
Él/Ella responde siguiendo el modelo de la segunda columna, y tú escribes la información en la
tercera columna. Después, cambien de papel.

Preguntas	Respuestas	Información escrita
1. ¿A qué tiendas fuiste recientemente?	*Fui a...*	*...fue a...*
2. ¿Con quién fuiste?		
3. ¿Te probaste algo? ¿Te quedó/ quedaron bien?		
4. ¿Qué compraste?		
5. ¿Cuánto costó?		
6. ¿Cómo pagaste?		
7. ¿Lo devolviste?		

8-3 For all paired activities, be sure students work with different partners each time. Either change seating periodically or divide the class in half and assign a number (1–10 and 1–10) to each student, with matching numbers forming pairs.

Paso 2. Cambien de pareja y comuníquenle la información obtenida a otro/a
compañero/a: *...fue a...* Luego, comparte con la clase una cosa que compró tu compañero/a.

¡A escuchar! En el centro comercial Las Mercedes   CD 4 Track 4

Paso 1. Una madre y sus dos hijas van de compras al centro comercial. Escucha la
conversación.

Paso 2. Escucha de nuevo y marca la respuesta correcta.

1. Son las diez y las tiendas están...

   ☑ abiertas   ☐ cerradas

2. La tienda de ropa para jóvenes tiene...

   ☐ ropa cara   ☑ rebajas

3. Paulina dice que los pantalones largos de color verde van muy bien con...

   ☐ la camiseta blanca   ☑ la sudadera

4. Para su viaje a Florida, Yolanda se va a probar la camiseta blanca y...

   ☑ los pantalones cortos   ☐ los pantalones largos

5. La madre fue a la joyería y...

   ☐ compró la pulsera y unos aretes   ☑ no compró nada

6. A Yolanda le queda mal la camiseta. Es...

   ☑ una talla demasiado grande   ☐ una talla demasiado pequeña

7. La madre paga...

   ☐ en efectivo   ☑ con tarjeta de crédito

8. En la tienda de artículos de cuero, Yolanda y Paulina quieren ver...

   ☑ una cartera y una billetera   ☐ un cinturón y unos guantes

The scripts for the *¡A escuchar!* sections are included in the Book Companion Site (BCS) for instructors and in WileyPLUS under "Prepare and Present". The recordings are on the student CDs and in WileyPLUS under "Read, Study, and Practice".

For additional practice on these grammar points, see PowerPoint slides at www.wiley.com/college/lucasmurillo or visit www.wileyplus.com

Help students become familiar with the preterit forms by calling out sample sentences and having individuals identify the infinitives: *Ayer hice ejercicio en el gimnasio. Quise hacer ejercicio dos horas, pero no pude. Estuve allí una hora y media, y luego tuve que irme.*

To introduce the preterit of irregular verbs, make statements about yourself: **Anoche, a las 6:00, estuve en casa.** Ask several students **¿Y tú?** They each respond **(No) Estuve en casa.** Recap student answers: *...estuvo en casa; ...y... estuvieron en casa; ...y yo estuvimos en casa.* In later examples, allow students to provide the recap. *More examples:* **Hice ejercicio. Tuve que preparar la cena. Quise descansar. No pude dormir bien anoche. Hoy vine a clase a tiempo. Traje... a clase.**

See Grammar Handbook found in WileyPLUS.

GRAMÁTICA

¡Manos a la obra!

Talking about what happened: More irregular verbs in the preterit

You have already learned the preterit of the irregular verbs **dar, ser, ir,** and **hacer** (see page 237). The following verbs follow a pattern similar to **hacer** (also shown below).

stem + irregular endings: -e, -iste, -o, -imos, -isteis, -ieron		
estar	**estuv-**	estuv**e**, estuv**iste**, estuv**o**, estuv**imos**, estuv**isteis**, estuv**ieron**
poder	**pud-**	pud**e**, pud**iste**, pud**o**, pud**imos**, pud**isteis**, pud**ieron**
poner	**pus-**	pus**e**, pus**iste**, pus**o**, pus**imos**, pus**isteis**, pus**ieron**
saber	**sup-**	sup**e**, sup**iste**, sup**o**, sup**imos**, sup**isteis**, sup**ieron**
tener	**tuv-**	tuv**e**, tuv**iste**, tuv**o**, tuv**imos**, tuv**isteis**, tuv**ieron**
hacer	**hic-**	hic**e**, hic**iste**, hiz**o**, hic**imos**, hic**isteis**, hic**ieron**
querer	**quis-**	quis**e**, quis**iste**, quis**o**, quis**imos**, quis**isteis**, quis**ieron**
venir	**vin-**	vin**e**, vin**iste**, vin**o**, vin**imos**, vin**isteis**, vin**ieron**
decir	**dij-**	dij**e**, dij**iste**, dij**o**, dij**imos**, dij**isteis**, dij**eron***
traer	**traj-**	traj**e**, traj**iste**, traj**o**, traj**imos**, traj**isteis**, traj**eron**

—¿Dónde **estuviste** anoche? *Where were you last night?*
—Mis amigos **vinieron** a visitarme. *My friends came to visit me.*

Trajeron comida y bebidas. *They brought food and drinks.*

*Verbs whose stem ends in **j** add **-eron** instead of **-ieron.**

. . . y algo más

The verbs **saber** *to know,* **querer** *to want,* and **poder** *to be able* convey a different meaning in the preterit than in the present.

saber	No lo **supe** hasta hoy.	*I didn't **find out** until today.*
querer	José **quiso** llamarla.	*José **tried** (and failed) to call her.*
	Ella **no quiso** hablar con él.	*She **refused** to speak with him.*
poder	**Pudimos** encontrar el carro.	*We **succeeded** in finding the car.*
	No pudimos encontrarlo.	*We **failed** (after trying) to find it.*

Hoy Fabio pasa el día con su hija Olivia. Ahora están en la cocina hablando de lo que hicieron ayer.

Entonces, ¿qué hiciste ayer, papá?

Fui al centro comercial y ...

¿Compraste algo?

No, no pude. Estuve allí poco tiempo.

Pero, ...¿viste alguna sudadera bonita para mí?

¿Para ti? ¡Ay! No, no vi ninguna sudadera bonita.

Entonces, ¿no me trajiste nada del centro comercial?

No, no supe qué comprar. Mejor vamos tú y yo un día...

¡En acción!

¡Oye! ¿Qué pasó?

Escucha lo que le pasó a su profesor/a anoche. Luego, di si las afirmaciones son ciertas o falsas.

8-4 ¿Qué hizo Ramón anoche?

Paso 1. Anoche, Ramón y sus amigos, unos jóvenes de dieciséis años, organizaron una fiesta en casa de Ramón, aprovechando la ausencia de sus padres. Al volver los padres, la hermana de Ramón, alias "la espía", les contó acerca del incidente. Lean lo que les dijo.

Los amigos de Ramón **vinieron** a casa a las nueve de la noche, ¡y **estuvieron** aquí hasta las dos de la mañana! **Trajeron** comida, bebidas y sus CD favoritos. **Pusieron** la música a todo volumen, bailaron e **hicieron** muchísimo ruido[1]. Por eso, los vecinos[2] no **pudieron** dormir, y unos policías que **supieron** de la fiesta por los vecinos, **vinieron** a casa. Al llegar, uno de ellos **dijo**: "Jóvenes, es obvio que Uds. no **quisieron** perder un minuto durante la ausencia de sus padres." Ramón y sus amigos **tuvieron** que darles sus nombres a los policías y luego todos **se fueron** a sus casas.

Paso 2. Como es natural, Ramón tuvo que someterse a un largo interrogatorio de papá. Hagan los dos papeles.

Papá	Ramón
1. ¿Quiénes **vinieron** a la fiesta?	*1. Bueno, …eh… unos amigos…*
2. ¿Cuánto tiempo **estuvieron** aquí?	2. …
3. ¿Qué **trajeron**?	3. …
4. ¿**Pusieron** Uds. la música muy alta?	4. …
5. ¿Qué más **hicieron** Uds.?	5. …
6. ¿Cómo **supieron** los policías de la fiesta?	6. …
7. ¿Qué **hicieron** los policías? ¿Qué les **dijeron**?	7. …
8. ¿Qué **tuvieron** que hacer Uds.?	8. …

8-5 Isidora, la famosa actriz, va de compras

Paso 1. Isidora va con frecuencia de compras con su novio a la tienda de ropa ¡Con brío! Primero, *tres* estudiantes leen para la clase lo que dicen Isidora, la dependienta y el novio.

1. ISIDORA — ¡Me encanta la ropa de esta tienda! Me gustaría probarme estos jeans.
DEPENDIENTA — ¡Cuánto lo siento, señorita, pero no tenemos tallas tan pequeñas!

2. ISIDORA — ¡Que lástima, porque esos *jeans* son divinos!
DEPENDIENTA — Señorita, pruébese estas camisetas y esos pantalones cortos; son la última moda.

3. ISIDORA — Me los compro. ¡Ay! ¡No veo la tarjeta de crédito en mi cartera! / Gracias, mi amor.
NOVIO — No te preocupes, Isidora, mi amor; yo lo pago todo con mi tarjeta.

4. ISIDORA — ¡Hasta pronto! ¡Su tienda es fantástica!
NOVIO

Write on the board: **llamar a la puerta** *to knock on the door;* **hubo…** *there was….*

Guión para ¡Oye!
Ayer, a las nueve de la noche, alguien llamó a la puerta de mi casa (*make knocking sound*). Abrí la puerta, y vi a un policía que me **dijo** con un tono muy serio:
—Esta tarde hubo un crimen en esta calle y quiero hacerle a Ud. unas preguntas.
—Bueno —le **dije**.
—¿Dónde **estuvo** Ud. a las tres de la tarde? —me preguntó.
—**Estuve** en mi oficina —le contesté.
—¿A qué hora salió Ud. de la oficina? —me preguntó.
—**Quise** salir a las cuatro, pero no **pude**. Salí a las cinco —le **dije**.
—¿**Vino** directamente a casa? —me preguntó.
—No. **Tuve** que hacer unas compras y no llegué a casa hasta las seis de la tarde —le contesté.
—Bueno, gracias —me **dijo**, y se fue.
Nunca **supe** lo que pasó en mi calle, ni por qué **vino** el policía.

Comprensión para ¡Oye!
1. El policía vino a mi casa para hacerme unas preguntas. ¿Cierto o falso? *Cierto*
2. Le dije que estuve en casa a las tres de la tarde. *Falso*
3. Le dije que estuve en la oficina a las tres de la tarde. *Cierto*
4. Le dije que quise salir de la oficina a las tres, pero que no pude. *Falso*
5. Le dije que vine directamente a mi casa. *Falso*
6. Le dije que tuve que hacer unas compras. *Cierto*
7. El policía me contó lo que pasó esa tarde. *Falso*
8. Nunca supe lo que pasó en mi calle. *Cierto*

(See p. 264 for annotations pertaining to *Actividad 8-4.* and *8-5.*)

[1]noise, [2]neighbors

8-4 Have three students play the roles of parents and child and perform for the class. Encourage the parents to "grill" their son, being very stern in their inquiries.

8-4 ANOTHER STEP: Students make their own confessions. In groups of three, they talk about what they once did when their parents were not at home.

8-5 For *Paso 1,* ask three students to read the dialogue with expression. Students may complete *Paso 2* individually or in pairs, with answers reviewed by the instructor.

Paso 2. Ahora, completen el *e-mail* que la dependienta, gran admiradora de la actriz, envía a su mejor amiga. Usen los verbos que siguen:

| decir | encontrar | estar | irse | poder | probarse | querer | tener | venir |

Para: nenag@correocb.com

Asunto: ¡La famosa Isidora estuvo en la tienda!

Querida Nena:

¿Sabes quién ___estuvo___ hoy en la tienda? ¡La famosa actriz Isidora! ___Dijo___ que le encanta nuestra ropa. Isidora ___vino___ con su novio, un hombre guapísimo que se llama Juan Maravillas. En la tienda, ___quiso___ probarse unos *jeans*, pero no ___pudo___ hacerlo porque no tenemos su talla; es delgadísima. Luego, ___se probó___ unas camisetas y unos pantalones cortos que le gustaron mucho, pero no ___encontró___ su tarjeta de crédito en la cartera y su novio ___tuvo___ que pagarlo todo. Finalmente, ella y su novio ___se fueron___ de la tienda muy satisfechos con las compras.

Un abrazo,
Cecilia

8-6 Un sondeo de la clase

Paso 1. Camina por la clase y hazle cada pregunta a un/a estudiante diferente. Apunta el nombre de la persona que responde y la información obtenida. Tienes *seis* minutos.

Option: Students complete the activity in groups of 4-6 students.

8-6 For *Paso 2,* ask follow-up questions such as ¿Quién tuvo que trabajar la semana pasada? ¿Quién pudo descansar el fin de semana pasado? Elicit responses from several students.

Preguntas	Nombre	Información obtenida
1. ¿Tuviste que trabajar la semana pasada? ¿Dónde trabajaste? ¿Cuántas horas?	Luis	Sí, (No, no) tuvo que...
2. ¿Pudiste descansar el fin de semana pasado? ¿Qué hiciste?		
3. ¿Hiciste ejercicio en el gimnasio la semana pasada? ¿Cuánto tiempo pasaste allí?		
4. ¿Quisiste dormir más esta mañana?		
5. ¿Viniste a la universidad en carro o en autobús?		
6. ¿Le dijiste algo a tu profesor/a al entrar a clase?		
7. ¿Trajiste hoy la tarea terminada?		
8. ¿Dónde pusiste tus cosas después de entrar?		

Paso 2. Con la información obtenida, contesten las preguntas de su profesor/a.

8-7 Un robo en la joyería Ruiz

¡AVISO! Ayer, viernes, alguien robó un anillo con un diamante de tres quilates[1] en la joyería Ruiz. Hoy, sábado, la detective Rascacielos interroga a los tres sospechosos[2]: **Candelario Vega, Gertrudis Salazar** y **Humberto Ramos.** ¿Quién será la persona culpable?

8-7 Allow the detectives in each group one minute to study the "evidence" while the other three students determine which "suspect" they are each going to be. *The suspects close their books.* For *Paso 2*, have each of the detectives say who in their group is the likely robber and why. Note that there is no predetermined selection—the detective will make his/her decision based on the information provided by the suspects.

anillo robado por la tarde — el mostrador — mancha de café — marcas de chocolate — bolsa de la zapatería Fernández — la alfombra

JOYERÍA RUIZ

La evidencia, según la foto del policía (la detective la estudia con cuidado)

Paso 1. En grupos de *cuatro*, hagan los papeles de la detective y de los tres sospechosos. Ahora comienza el interrogatorio; los sospechosos contestan y la detective apunta la información.

Preguntas de la detective	Respuestas de Candelario Vega	Respuestas de Gertrudis Salazar	Respuestas de Humberto Ramos
1. Sabemos que Ud. estuvo en la joyería Ruiz ayer. ¿En qué otras tiendas estuvo por la tarde?	Yo estuve...	Yo...	Y yo...
2. ¿Qué le gusta beber? ¿Y qué bebió ayer por la tarde?			
3. ¿Qué comió ayer por la tarde? ¿Le gusta el chocolate?			
4. Antes de ir a la joyería, ¿qué compró Ud.? ¿Perfume? ¿Zapatos? ¿Ropa?			
5. ¿Cuándo supo del robo?			

Paso 2. La detective decide quién es el posible autor del robo y se lo dice a la clase explicando sus razones.

[1]carats, [2]suspects

Tu mundo cultural

El estilo de los hispanos

La forma de vestir y el arreglo personal[1] varían de una cultura a otra. ¿Conoces algunas de las idiosincrasias hispanas?

Hay hispanos que prefieren llevar las camisetas y los *jeans* muy planchados.

Para muchos hispanos, particularmente los mayores, vestirse bien es importante, incluso para actividades tan corrientes como ir al mercado.

En los países hispanos la mayoría de las niñas llevan aretes desde que son bebés, tal como se ve en la fotografía. Y probablemente esta bebé lleva también colonia, otra costumbre muy extendida en esa cultura.

Prendas y accesorios hispanos fáciles de encontrar en EE.UU.

Muchos hispanos, aunque residan en EE.UU., no abandonan algunos de los aspectos típicos de su cultura en lo que se refiere al arreglo personal o al vestir, como se observa en la foto.

Las joyas de oro de estilo muy elaborado se llevan mucho entre los hispanos de Estados Unidos. Tanto las chicas como los chicos llevan pulseras, cadenas de oro y medallas religiosas. En los centros comerciales de EE.UU. se encuentran joyerías especializadas en esta clase de trabajo en oro.

[1]**arreglo...** personal appearance

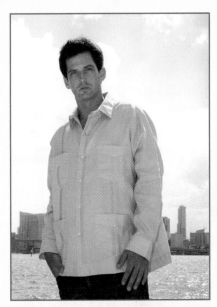

La guayabera es la prenda masculina del Caribe por excelencia. Es también popular en las regiones tropicales de EE.UU. La usan hombres tanto jóvenes como mayores para ocasiones informales o fiestas elegantes. Generalmente, es de lino o de algodón y lleva bordados, pliegues[1] y bolsillos[2].

El poncho, prenda de abrigo usada en toda América Latina, y esencial para el gaucho[3] argentino, sirve de inspiración para una nueva moda en EE.UU., tal como se observa en la foto de estas jóvenes estadounidenses.

Algo que le llama la atención al extranjero que visita una ciudad hispana es la abundancia de zapaterías y tiendas de artículos de cuero que hay en sus calles y centros comerciales. EE.UU. importa grandes cantidades de zapatos y artículos de cuero de países como España, Argentina o Costa Rica.

¿Qué aprendiste?

1. ¿Qué aspectos del arreglo personal son comunes en muchos hispanos? Den ejemplos.

2. ¿Qué prendas o joyas hispanas se encuentran fácilmente en EE.UU.? ¿Dónde?

3. ¿Qué artículos hispanos de cuero se importan a EE.UU.? ¿De qué países se importan?

Actividad cultural

 Paso 1. Hagan dos listas con lo siguiente:

- la ropa, accesorios, zapatos y costumbres hispanas relativas al vestir y al arreglo personal

- la ropa y los accesorios típicos de los jóvenes en tu universidad; o la ropa y los accesorios típicos de tus colegas en el trabajo (escojan una de las dos)

 Paso 2. Luego, compárenlas con la otra pareja para ver si son similares.

Contraste cultural

Imaginen que van a pasar un año en un país hispano. Comenten a qué aspectos del arreglo personal y forma de vestirse se van a adaptar Uds. más fácilmente, y a cuáles les va a costar más trabajo hacerlo, y por qué.

[1]pleats, [2]pockets, [3]cowboy

VOCABULARIO

En casa

1
Mamá, mi camiseta está ⁵**sucia** y no tengo otra ⁶**limpia**.

1. los calcetines
2. la ropa interior →
3. las pantimedias
4. el/la pijama

En la calle

2
8. la bufanda
9. el gorro (de lana)
¡Qué frío!
13. el paraguas
7. el abrigo
10. el suéter
11. tener frío
12. el impermeable

En la universidad

3
14. la blusa (de algodón)
16. la camisa (de manga larga)
Ser o no ser, ésa es la cuestión.. W. Shakespeare
15. la falda (corta)

En la oficina

4
17. los lentes
19. la corbata
18. el traje
20. el vestido

En la playa

5
21. tener calor
23. las gafas de sol
24. el sombrero
22. el traje de baño
¡Qué buena idea!
Me voy al agua. ¿Vienes conmigo?

1. socks 2. underwear 3. panty hose 4. pajamas 5. dirty 6. clean 7. coat 8. scarf 9. (wool) cap 10. sweater 11. to be cold 12. raincoat
13. umbrella 14. (cotton) blouse 15. (short) skirt 16. (long-sleeve) shirt 17. glasses; **lentes de contacto** contact lenses 18. suit 19. tie 20. dress
21. to be hot 22. swimsuit 23. sunglasses 24. hat

¡En acción!

8-8   Ropa diferente para cada ocasión

¿Qué van a ponerse? Apunten la ropa y los accesorios apropiados para cada ocasión. Al terminar, compartan la información con la clase.

1. una cena de gala en el hotel Ritz
2. un picnic en el campo
3. una reunión de negocios
4. un día de esquí en Portillo, Chile

8-9   ¿Qué llevan?

Para saberlo, observen las escenas de la página 268 y contesten las preguntas.

1. ¿Qué ropa llevan las personas que están en casa? ¿Qué problema tiene el niño?
2. ¿Qué ropa y accesorios llevan las personas que están en la calle? ¿Qué tal está el clima? ¿Quién tiene frío?
3. En la universidad, ¿qué ropa llevan los estudiantes que están sentados? ¿Y los que están de pie[1]?
4. ¿Qué ropa llevan la señora y la joven que trabajan en la oficina? ¿Y el señor?
5. ¿Qué llevan las dos personas que están en la playa? ¿Quién tiene calor? ¿Qué van a hacer?

8-10   ¿Quién es?

Escribe *cuatro* oraciones para describir la ropa y accesorios que lleva un/a estudiante de la clase, pero no digas quién es. Usa el vocabulario de las páginas 258–259 y 268. Dale la descripción a tu profesor/a. Luego, él/ella lee las descripciones y la clase adivina[2] quién es.

MODELO

Profesor/a: *Lleva unos jeans, una camiseta blanca y una gorra azul.*

Estudiante: *¡Es David!*

¡A escuchar!   ¿Qué ropa llevar?   CD 4 Track 5

Paso 1.   Adrián se va de viaje de negocios a Santiago de Chile. Su esposa Laura le ayuda a escoger la ropa que se va a poner durante su estancia en ese país. Escucha la conversación.

Paso 2.   Escucha de nuevo y completa los espacios en blanco.

1. Adrián se va mañana y todavía no sabe qué ropa se va a __poner__.
2. Laura dice que si lo llevan a Los Andes va a __tener__ frío y va a necesitar un suéter y probablemente un __abrigo__, una __bufanda__ y un gorro.
3. La lista de Laura incluye: dos __trajes__, tres camisas, dos __corbatas__, calcetines,...
4. Adrián cree que lo van a llevar a la playa en Valparaíso, así que va a necesitar el __traje de baño__ y las gafas de sol.
5. Tienen que lavar las camisas. Laura cree que la blanca está __limpia__, pero la azul y la beige están __sucias__.
6. En Santiago llueve mucho. Adrián tiene que llevar el __paraguas__ y el __impermeable__ también.

[1]**de...** standing, [2]guesses

8-8   Write the four occasions on the board. As students provide responses, a secretary writes the information on the board.

8-8   ANOTHER STEP: Have students, in groups of four, select two distinctly different destinations in the Hispanic world (see map on inside front cover). Remind students that when it is winter in the northern hemisphere, it is summer in the southern. Then ask them to draw up a packing list for each destination, and to compare their lists with those of other classmates.

8-9   You may want to project the PowerPoint slide of the scenes and have the class describe each vignette.

For additional vocabulary practice, see PowerPoint slides at www.wiley.com/college/lucasmurillo or visit www.wileyplus.com

8-9   PERSONALIZED QUESTIONS: ¿Qué ropa les gusta a Uds. llevar cuando están en casa? ¿Y en la universidad? ¿Y en el trabajo?

¿SABES QUE...?

In Spanish-speaking countries, clothing and shoe sizes are different from those in the United States, and they even vary from country to country. For example, a woman's shoe size 7 in the United States is a 24 in Mexico, and a man's size 10 shoe is a 29.

For additional practice on these grammar points, see PowerPoint slides at www.wiley.com/college/lucasmurillo or visit www.wileyplus.com

Use students to demonstrate the equal comparisons: **Juana es tan alta como Patricia.** (Have two students who are the same height stand back-to-back.) **Pablo tiene tantos amigos como Ricardo. José estudia tanto como Miguel. ¿Sí o no?**

GRAMÁTICA

¡Manos a la obra!

Making equal comparisons

- When we compare things, we look for similarities or differences between them. To compare things that are roughly equal, Spanish uses **tan** or **tanto/a/os/as** with **como.**

> **tan** + *adjective* or *adverb* + **como** = *as... as*

Esta blusa es **tan** bonita **como** ésa.
Mis botas son **tan** cómodas **como** las tuyas.

Mi falda es **tan** corta **como** la tuya.
Él plancha **tan** bien **como** ella.

> **tanto/a** + *noun* + **como** = *as much... as*
> **tantos/as** + *noun* + **como** = *as many... as*

José tiene **tanto** dinero **como** Jorge.
Ana compró **tantos** suéteres **como** Tina.

Tú devolviste **tanta** ropa **como** yo.
Ella lleva **tantas** joyas **como** su amiga.

- To compare *actions*, **tanto como** is used.

> *verb* + **tanto como** = *as much as*

Pagué **tanto como** tú por los lentes, pero no gasté **tanto como** ella.
En las rebajas, yo compré **tanto como** tú.

. . . y algo más

Tan can also mean *so:*

¡Esa corbata es **tan** barata!   *That tie is **so** cheap!*

Tanto can also mean *so much,* and **tantos/as** can mean *so many:*

¡Él habla **tanto**!   *He talks **so much**!*
¡Tienes **tantas** camisetas!   *You have **so many** T-shirts!*

Fill in with names of students. After each statement, ask: **¿Es verdad o no?**

Guión para ¡Oye!
1. Soy tan fuerte como... (*show your muscles*) ¿Es verdad o no?
2. Soy tan alto/a como...
3. Soy tan simpático/a como...
4. Soy tan joven como...
5. Soy tan guapo/a como...
6. Soy tan trabajador/a como...
7. Soy tan organizado/a como...
8. Soy tan divertido/a como...

8-11 Get feedback from the class one category at a time, eliciting responses from as many students as possible.

¡En acción!

¡Oye! ¿Es verdad o no?

Escucha las comparaciones que hace tu profesor/a. Luego responde diciendo si son verdad o no.

8-11 ¡Comparaciones!

Identificarse con personas similares a uno/a es algo muy normal. Compárate con una persona de la clase o de tu familia con quien tengas algo de lo siguiente en común. Escribe *dos* comparaciones de igualdad para cada categoría. Luego, léeselas a un/a compañero/a o a la clase.

1. características personales: **Soy tan... como...**
2. cosas que tienen: **Tengo tanto/a/os/as... como...**
3. actividades que hacen: **Yo (verbo)... tanto como...**

8-12 Irma e Imelda RECYCLES descriptive adjectives.

Paso 1. Irma e Imelda son gemelas[1]. Según la fotografía, hagan *cinco* comparaciones. Usen **tan... como** y *cinco* adjetivos que sean apropiados.

antipática   fea

divertida   rubia

bonita   simpática

inteligente

seria

vieja   morena   joven

8-12 For *Paso 1,* allow students a minute or two to think of comparisons, then elicit responses from the class. To review answers for *Paso 2,* you may want to project the PowerPoint slide of Irma's and Imelda's closets and have the entire class now make the comparisons, with input from as many students as possible.

MODELO

inteligente

Irma es tan inteligente como Imelda.

Paso 2. Ahora, miren los roperos tan ordenados de Irma e Imelda: **E1** observa el de Irma y **E2,** el de Imelda. Digan lo que hay en cada uno, y hagan comparaciones usando **tantos/as... como**. Túrnense.

Ask students to mention the advantages of a grass garment: easy to wash, do not need to iron it, etc.

MODELO

E1: *Hay dos paraguas en el ropero de Irma.*

E2: *También hay dos paraguas en el ropero de Imelda.*

E1: *Imelda tiene **tantos** paraguas **como** Irma.*

El ropero de Irma   El ropero de Imelda

Este **vestido ecológico** diseñado por *Agresearch* de Nueva Zelanda, es el primer vestido de hierba[2]. Se tiene que regar y fertilizar con nutrientes de calidad. Se recomienda no usarlo cerca de animales rumiantes por peligro[3] a que se lo coman. ¿Llevarías tú un vestido o una camisa de hierba? ¿Por qué?

[1]twins, [2]grass, [3]danger

See Grammar Handbook found in WileyPLUS.

¡Manos a la obra!

Making unequal comparisons

For additional practice on this grammar point, see PowerPoint slides at www.wiley.com/college/lucasmurillo or visit www.wileyplus.com

Use students to illustrate unequal comparisons: **Mónica es más alta que la profesora. Jared es menos sentimental que Juan.** To bring the concept to life, have two volunteers arm wrestle. The class then declares: **...es más fuerte que...**

To reinforce the use of **de** before numbers, ask different students how much money they have on them (**¿Marta, tienes más/menos de diez dólares? ¿más/menos de doce?...**) until the amount is determined.

Inform your students that **mayor** and **menor** are also used to refer to sizes: **una talla mayor/menor** *a larger/smaller size.*

3

- To compare *things* that are *not* equal, highlighting their differences, Spanish uses

> **más/ menos** + *adjective/ adverb/ noun* + **que**
> *more / less (fewer)... than*

Esta blusa es **más** elegante **que** ésa.
Gasto el dinero **más** rápidamente **que** él.
En este centro comercial hay **menos** tiendas **que** en ése.

*This blouse is **more** elegant **than** that one.*
*I spend money **more** quickly **than** he does.*
*There are **fewer** stores at this mall **than** at that one.*

- To compare unequal *actions,* Spanish uses

> verb + **más/ menos que***
> *...more/ less than*

Lidia trabaja **más que** su hermana.   *Lidia works **more than** her sister.*

*Before a number, **de** replaces **que**: Pagué más **de** 100 dólares por el abrigo.

- Some adjectives and adverbs have irregular comparative forms. These forms do not use **más** or **menos.**

> bueno/a, bien → **mejor**   malo/a, mal → **peor**
> *good, well*   *better*   *bad, badly*   *worse*

Esta tienda es **buena**, pero ésa es **mejor.**
Ese restaurante es **peor** que aquél.
¿Manejas **mejor** o **peor** que yo?

*This store is **good**, but that one is **better**.*
*That restaurant is **worse** than that one.*
*Do you drive **better** or **worse** than I do?*

- To compare age, **mayor que** *older than* and **menor que** *younger than* are used.

Mi padre es **menor que** mi tío.   *My father is **younger than** my uncle.*
Soy **mayor que** mi prima.   *I am **older than** my cousin.*

Jennifer va de compras con Fabio. Buscan un regalo para el cumpleaños de Ysenia.

¡En acción!

 ## ¡Oye! Las mujeres son más inteligentes, ¿no?

Escucha las siguientes generalizaciones y para cada una di si, en tu opinión, son verdad o no.

8-13 ¡A comparar!

 Paso 1. ¿Sabes cómo es tu compañero/a comparado con su mejor amigo/a? Hazle las preguntas de la primera columna. Luego, él/ella responde según el modelo de la segunda, y tú apuntas la información en la tercera columna. Después, cambien de papel.

Preguntas	Respuestas	Información escrita
1. ¿Eres más alto/a o menos alto/a que tu mejor amigo/a?	Soy más/ menos...	...es más/ menos...
2. ¿Eres más inteligente o menos inteligente que él/ella?		
3. ¿Eres más perezoso/a o menos perezoso/a que él/ella?		
4. ¿Hablas español mejor o peor que él/ella?		
5 ¿Eres mayor o menor que él/ella?		
6. ¿Te vistes más a la moda o menos a la moda que él/ella?		

Paso 2. Comuníquenle la información obtenida a otro/a compañero/a.

8-14 Un desfile de modas en YouTube   RECYCLES equal comparisons.

 Uds. están mirando un desfile de modas en YouTube. Tomen apuntes y hagan como mínimo *ocho* comparaciones entre la ropa, los accesorios y las cinco personas que modelan. Usen los comparativos de *desigualdad* e *igualdad* y los adjetivos que siguen, más otros de su elección.

MODELO

E1: *El vestido de Soraya es **más** largo **que** el vestido de Olivia.*

E2: *Las joyas de Penélope son **tan... como...***

caro/ barato	feo/ bonito
cómodo/ incómodo	formal/ informal
corto/ largo	moderno/ clásico

¡Viva lo latino!

Soraya Olivia Penélope Ricardo Mario

After each statement, ask: **¿Es verdad o no?**

Guión para ¡Oye!
1. La clase de español es más difícil que la clase de matemáticas. ¿Es verdad o no?
2. Las mujeres de esta clase son más inteligentes que los hombres.
3. Los hombres de esta clase son más trabajadores que las mujeres.
4. Las mujeres, en general, gastan menos dinero que los hombres.
5. Los hombres hispanos bailan mejor que los hombres estadounidenses.
6. Los carros americanos son mejores que los japoneses.
7. El dinero es más importante que el amor.
8. Vestirse bien (estar a la moda) es más importante que sacar buenas notas.

8-14 You may want to use the PowerPoint slide to review answers. *Option:* Turn the activity into a competition, to see which pair can come up with the longest list.

ESCENA 2   doscientos setenta y tres   **273**

. . . y algo más

The superlatives

In Spanish, superlatives (*the most..., the least..., the tallest..., the best..., the worst...*) are expressed as follows:

> **el/ la/ los/ las** (*noun*) + **más/ menos** + *adjective or adverb* + **de** (*in*)...

Ella compró **el** vestido **más** elegante **de** la tienda.
She bought the most elegant dress in the store.

> **el/ la/ los/ las** + **mejor(es)/ peor(es)** (*noun*) + **de**...

Ésta es **la mejor** tienda **del** centro comercial.
This is the best store in the mall.

8-15 ¡El mejor o la mejor!

 Paso 1. En grupos de *tres*, escriban los nombres de *tres* personas o cosas que se distingan por ser las mejores o las peores en las siguientes categorías. Luego, compárenlas según el modelo. Un/a secretario/a apunta la información, según lo que decida el grupo.

MODELO

equipos de fútbol americano: bueno/ mejor/ el mejor → *Indianápolis, Chicago, Pittsburgh*

E1: *El equipo de Chicago es* **bueno.**

E2: *Creo que el equipo de Indianápolis es* **mejor.**

E3: *En mi opinión, el equipo de Pittsburgh es* **el mejor de** *los tres.*

E1: *No estoy de acuerdo. Creo que el equipo de... es* **el mejor de** *todos.*

1. equipos de béisbol: bueno/ mejor/ el mejor
2. centros comerciales: grande/ más grande/ el más grande
3. actrices: bonita/ más bonita/ la más bonita
4. películas: divertida/ más divertida/ la más divertida
5. restaurantes: malo/ peor/ el peor
6. carros: bueno/ mejor/ el mejor

 Paso 2. Los/Las secretarios/as comparten con la clase los resultados y algunos voluntarios los escriben en la pizarra. Luego, se vota para decidir cuál es el/la mejor en cada categoría.

8-16 ¡Compra en línea!

 Paso 1. El próximo mes tienes una reunión de negocios con clientes importantes de Puerto Rico y decides comprar en línea las cosas que te vas a poner allí. Primero, mira la lista de lo que necesitas. Luego, escoge en el catálogo de la tienda *¡Con brío!* lo que más te guste de cada cosa.

> *Lo que necesito para San Juan:*
>
> *un traje de baño*
> *unas gafas de sol*
> *un vestido/ un traje*
> *unos zapatos*

Tienda en línea ¡Con brío!

1. Trajes de baño de dama   Trajes de baño de caballero

   $60 $42 $39 $45

2. Gafas de sol de dama   Gafas de sol de caballero

   $55 $90 $75 $94

3. Vestidos de dama   Trajes de caballero

   $105 $129 $300 $240

4. Zapatos de dama   Zapatos de caballero

   $62 $29 $35 $68

   $80 $45 $145 $170

Paso 2. Ahora, pregúntense qué cosas escogieron. Al responder, usen el superlativo, teniendo en cuenta lo siguiente: (*precio*) más caro/ más barato; (*estilo*) apropiado/ bonito/ práctico/ elegante/ cómodo... Añadan también, otras razones para justificar su selección.

MODELO

E1: *¿Qué traje de baño pediste?*

E2: *Pedí el… porque es **el más barato de** los dos; es más bonito que el otro y me gusta el color.*

> **Palabras útiles**
> de tacón alto *high heeled*
> de tacón bajo *low heeled*
> zapato plano *flat shoe*

Tu mundo cultural

Diseñadores hispanos de fama internacional

¿Piensas que la moda que se lleva en los países hispanos es muy diferente de la moda que se lleva en EE.UU.?

El arte de la moda no siempre tiene el reconocimiento[1] que se da a otras artes, pero es indudable que para ser diseñador de ropa se requieren talento y cualidades artísticas que no todos poseen. Los cinco diseñadores hispanos que se mencionan a continuación ejercen gran influencia en múltiples esferas de la vida en EE.UU., tal como se va a ver.

Carolina Herrera

Modelo de la diseñadora venezolana Carolina Herrera. Ha diseñado trajes para Jacqueline Onassis, Carolina Kennedy, Renée Zellweger (en la foto), Salma Hayek y varias esposas de presidentes de EE.UU. En el año 2004 recibió en Nueva York el premio[2] de la *Council of Fashion Designers of America* (CFDA) al mejor diseñador o diseñadora del año. El famoso artista Andy Warhol pintó tres retratos de Carolina Herrera.

Isabel Toledo

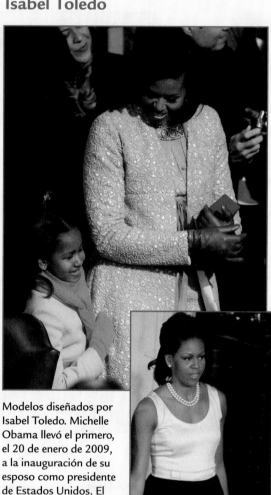

Modelos diseñados por Isabel Toledo. Michelle Obama llevó el primero, el 20 de enero de 2009, a la inauguración de su esposo como presidente de Estados Unidos. El segundo lo lució[3] en la cumbre[4] del G20 en Londres, el 1 de abril de 2009. Isabel Toledo es una diseñadora cubana que estudió en *Parson's School of Design*, en Nueva York, ciudad donde reside.

Narciso Rodríguez

Modelo del diseñador Narciso Rodríguez. Este estadounidense de padres cubanos nació en Nueva Jersey y es diplomado de *Parson's School of Design* en Nueva York. Fue director de Cerruti en París y ha recibido por dos años consecutivos el premio de la CFDA al mejor diseñador o diseñadora del año en la categoría de ropa de mujer. Diseñó el traje de novia de Carolyn Bessette, la esposa de John Kennedy Jr. Otras de sus clientas son Claire Danes, Julianna Margulies y Salma Hayek. Narciso Rodríguez diseñó también el vestido que Michelle Obama llevó el 4 de noviembre de 2008, cuando su esposo fue nominado para la presidencia de Estados Unidos.

[1]recognition, [2]prize, [3]showed off, [4]summit

Custodio y David Dalmau

Los hermanos españoles Custodio y David Dalmau, creadores de la marca Custo Barcelona, diseñan ropa para hombre y mujer. Con sus camisetas de estilo innovador y original estos hermanos han obtenido fama internacional. Residen en Barcelona, pero sus tiendas se encuentran en varios continentes. Sus camisetas han aparecido en las series y programas televisivos como *Friends* y *Suddenly Susan* y en MTV. Actrices de cine como Julia Roberts, Penélope Cruz, Sandra Bullock y Natalie Portman, y los músicos Dixie Chicks, Sarah McLachlan y LeAnn Rimes son algunos de sus clientes.

 ¿Qué aprendiste?

1. ¿De dónde son y dónde residen los diseñadores mencionados?

2. ¿Cuáles son algunos de los clientes famosos de estos diseñadores?

3. ¿Qué diseñadores hispanos han creado ropa para Michelle Obama? ¿Para qué acontecimientos importantes la diseñaron?

 Actividad cultural

Uds. son expertos en moda y tienen que hacer un comentario sobre la noche de los *Óscar* o la de los premios MTV, donde se vieron los modelos de las fotografías. Compárenlos en cuanto a colorido, elegancia y estilo. Digan cuál prefieren y por qué.

 Contraste cultural

Piensen en las camisetas favoritas de su ropero. Compárenlas con las camisetas de Custo Barcelona y digan qué elementos tienen o no en común.

Los aparatos electrónicos

1. ad 2. electronic devices/ equipment 3. DVD/VCR player 4. loudspeakers 5. flat-screen (TV) 6. to plug in 7. to turn on 8. remote control
9. to turn off 10. brand 11. support; **apoyar** to support 12. laptop 13. keyboard 14. (wireless USB) mouse 15. cell phone 16. cordless phone
17. answering machine 18. digital camera 19. to take photos 20. I would like/love to... 21. headphones

*Note: **el DVD/ el CD** is said **el devedé/ el cedé**; **los DVD/ los CD** is said **los devedés/ los cedés**.

¡En acción!

8-17 Aparatos electrónicos

Paso 1. Observa los aparatos electrónicos y digitales de la página 278 y escribe en cada columna la información que corresponda, de acuerdo a tu situación, necesidades o preferencias.

Ya tengo:	Me gustaría tener:	No me interesa tener:
Una computadora		

Paso 2. Ahora, compara tu lista con la de un/a compañero/a.

8-18 En la tienda Tecnología Siglo XXI

¿Les gustan las tiendas de alta tecnología? Para saber lo que hay en ésta, observen la escena de la página 278 y contesten las preguntas.

1. ¿Qué aparatos electrónicos y digitales se ven en el estante al fondo de la tienda? ¿Y en las dos mesas?

2. Según los anuncios que se ven por la tienda, ¿qué servicios ofrece?

3. ¿Qué hay en el estante que está a la derecha de la entrada a la tienda?

4. ¿Qué está haciendo cada persona que está en la tienda? ¿Y el joven que entra a la tienda?

5. Según el póster a la izquierda de la entrada, ¿qué se debe hacer para conectarse a la alta tecnología? Según el anuncio que está cerca de la entrada, ¿qué está en oferta?

8-18 You may want to use the PowerPoint slide of the scene and have the class describe it, one area at a time.

For additional vocabulary practice, see PowerPoint slides at www.wiley.com/college/lucasmurillo or visit www.wileyplus.com

8-18 PERSONALIZED QUESTIONS: De los aparatos electrónicos que se venden en la tienda Siglo XXI, ¿cuáles tienen ya? ¿Cuáles les gustaría tener? ¿Cuáles son los más útiles? ¿Por qué?

Marco digital OLED (diodo emisor de luz orgánica) para fotos que se mostró en el stand de Kodak, en la Feria Internacional del Consumidor de Productos Electrónicos (8/1/09).

¿Te gustaría tener un iPhone como éste, o ya lo tienes?

For additional practice on this grammar point, see PowerPoint slides at www.wiley.com/college/lucasmurillo or visit www.wileyplus.com

. . . y algo más

Para and **por** are commonly used in the context of shopping.

PARA = *for, destined for, to give to...*   POR = *for, in exchange for...*
Compré un iPod **para** mi tía.   Pagué 99 dólares **por** el iPod.
La camará digital es **para** mí.   La compré **por** 200 dólares.

8-19 ¡Me encantan los aparatos electrónicos!

Paso 1. Uno/a de Uds. entra a la tienda Tecnología Siglo XXI (p. 278) para comprar *tres* regalos y habla con la dependienta. Hagan los papeles de cliente y dependienta y completen la conversación.

Palabras útiles
¡Qué bien! *Great!*
¡Genial! *Nice!*
¿Qué más? *What else?*

Dependienta:	¿En qué puedo servirle?
Cliente:	Quisiera comprar _____ para _____.
Dependienta:	Este(a)/ Estos(as) _____ de aquí es/son muy _____.
Cliente:	¿Cuánto cuesta/n?
Dependienta:	¿Para usted? ¡Sólo _____ dólares!
Cliente:	A ver... también me gustaría comprar...

Paso 2. Cambien de pareja y háganse preguntas acerca de lo que compraron. Digan también cuánto pagaron por cada artículo.

MODELO

E1: *¿Qué compraste?*

E2: *Compré una computadora portátil **por** seiscientos dólares.*

E1: *¡Genial! ¿**Para** quién la compraste?*

E2: ***Para** mi hermano. ¿Y tú, qué compraste?*

8-19 Have two students role-play *Paso 1* for the class, followed by another pair buying a different gift. For *Paso 2,* get feedback from the entire class.

¡A escuchar! Siglo XXI, tu tienda   CD 4 Track 6

Paso 1. Un hijo encuentra en el periódico un anuncio de la nueva tienda de alta tecnología y se lo lee a su padre. Escucha la conversación.

Paso 2. Escucha de nuevo. Ahora completa la información.

¿SABES QUE...?

Costa Rica provides its people, beginning in elementary school, with free training in and access to computers and the Internet. One government program, **Punto.com,** has turned the country's post offices into free Internet cafes. The *Banco Nacional* provides loans to low-income families for computer equipment.

1. El hijo lee un ____anuncio____ en el periódico de una tienda nueva donde venden toda clase de ____aparatos____ electrónicos.

2. La tienda ofrece un 25% de descuento en las cámaras ____digitales____ y en todos los teléfonos: inalámbricos, celulares y celulares con ____cámara____.

3. También ofrece descuentos en ____ratones____ ópticos, controles remotos, ____audífonos____ y altoparlantes.

4. Tienen gran selección de marcas de ____computadoras____ portátiles, ____pantallas____ planas y gran variedad de otros artículos.

5. Los precios son bajos con garantía de ____apoyo____ técnico muy profesional.

6. El padre quiere ir a la tienda inmediatamente y le dice a su hijo: «____Apaga____ la televisión y vamos ahora mismo».

GRAMÁTICA

¡Manos a la obra!

Direct and indirect object pronouns together

4

You have studied direct objects (p. 154) and indirect objects (p. 245) separately.

- To combine them, place the indirect object pronoun first: **indirect + direct** (ID).

  Tomás **me lo** compró.　　　　　　　　　*Tomás bought it for me.*

- In a negative statement, **no** precedes both object pronouns.

  Pedro **no me lo** compró.　　　　　　　　*Pedro did not buy it for me.*

- The indirect object pronouns **le** and **les** change to **se** when they precede the direct object pronouns **lo, la, los, las.**

> le (*or*) les + lo, la, los las → se + lo, la, los, las

  —¿Quién **le** compró el iPod a Anita?　　*Who bought the iPod for Anita?*
  —Tomás **se lo** compró.　　　　　　　　　*Tomás bought it for her.*

  —¿Quién **les** mostró a ellos la impresora?　*Who showed them the printer?*
  —El empleado **se la** mostró.　　　　　　　*The employer showed it to them.*

- Double object pronouns (like single ones) are placed *before* a conjugated verb, or may be *attached* to an infinitive or present participle.

  Se lo compro.　　　Voy a comprár**selo**.　　　Estoy comprándo**selo**.

- They are always placed *before* negative commands, and *after* affirmative commands.

  No **me lo** muestres.　　　Muéstra**melo**.

For additional practice on this grammar point, you may want to see PowerPoint slides at www.wiley.com/college/lucasmurillo

To demonstrate the position of two object pronouns, write the words **mandé, lo,** and **te** on separate sheets of paper. Also write the words **quiero** and **mandar** (to substitute for **mandé**) on two other sheets. Give the first three sheets to three students who, with the help of class-mates, position them-selves correctly. Then replace the student holding **mandé** with two others holding **quiero** and **mandar.** The students once again determine the correct order. *Note:* Provide a large red marker to write in the accent once the pro-nouns are attached to the infinitive. Highlight the two options for placing the pronouns in the latter sentence.

To demonstrate **le → se,** re-place **te** in the sentences above with **le** (written on a separate sheet of paper, with **se** written on the back). Repeat the pronoun positioning process, show-ing how **se** replaces **le.**

For ¡Oye! instructions and **Guión para ¡Oye!** see p. 282.

¡En acción!

¡Oye! ¿Me lo prestas?

Primero, su profesor/a les pide que le presenten ciertas cosas. Luego, contesten las preguntas.

8-20 "El empleado del mes"　RECYCLES direct objects and **pedir** in the preterit.

Paso 1. Hoy, los clientes de la tienda Tecnología Siglo XXI comentan maravillas sobre "el empleado del mes". Completa lo que dijeron los clientes.

1. Le pedí un iPhone 3GS, ¡y *me lo* vendió con un descuento!

Tania

2. Le llevé mi computadora portátil porque no funcionaba, ¡y *me* *la* reparó inmediatamente!

Juan

3. Le pedimos unos DVD, ¡y *nos* *los* buscó rápidamente!

Linda y Tomás

4. Le pedimos dos cámaras digitales, ¡y *nos* *las* dio más baratas!

Sergio y Lucía

5. Le pedí _____, ¡y *me* __ _____!

Yo

Paso 2. Ahora, cuéntale a tu compañero/a quién pidió cada cosa y qué hizo el empleado: *Tania le pidió al empleado un iPhone 3GS ¡y el empleado **se lo** vendió con un descuento!* Luego, tu compañero/a reacciona: *¡Qué empleado tan...!* Túrnense.

8-20 After reviewing an-swers for *Paso 1*, you may want to provide cues for *Paso 2:* 2. Juan le llevó su... 3. Linda y Tomás le pi-dieron... 4. Sergio y Lucía le pidieron... 5. Yo le pedí...

(See p. 281) ¡Oye!
Walk around the classroom spotting items that you would like to borrow. If it is a ring or another accessory that the student is wearing, and he/she agrees to lend it to you, have the student take it off and give it to you.

Guión para ¡Oye!
1. Me encanta esa chaqueta. ¿Me la prestas?
2. Me encanta ese collar. ¿Me lo prestas?
3. ...ese anillo, ...esa pulsera, ...esa gorra de béisbol, ...esa bolsa, ...ese suéter, ...esa mochila, ...ese celular, etc.

Comprensión para ¡Oye!
Hold up each item and ask to whom it belongs. Then ask if you should return it to the owner. If the class says yes, return the item and thank the student. If the class says no, pretend to keep the item, saying ¿Es para mí? ¡Gracias!
1. ¿De quién es esta chaqueta? Es de... ¿Se la devuelvo? ¿Sí o no?
2. ¿De quién es este collar? etc.

8-21 Ask several pairs of students to present the question/answer sequences. ANSWERS:
1. (modelo). 2. Se lo presto a... (o) No se lo presto a nadie. 3. Se las regalo a... (o) No se las regalo a nadie. 4. Se los mando a... (o) No se los mando a nadie. 5. Se la doy a... (o) No se la doy a nadie. 6. Se la preparo a... (o) No se la preparo a nadie. 7. Se la explico a... (o) No se la explico a nadie. 8. Se la presto a... (o) No se la presto a nadie.

8-22 Bring a bag to class to put the slips of paper in. Make sure students do not write their names on the papers. For *Paso 2*, to keep students attentive, ask follow-up questions: **¿Quién le regaló a Sandra el collar?**, etc.

8-21 ¿Para quién lo haces?

¿Son Uds. personas generosas o no? Háganse preguntas para saberlo. Túrnense.

MODELO

E1: ¿A quién le prestas dinero?

E2: *Se lo presto a mi hermano.*

o: *No se lo presto a nadie.*

1. ¿A quién le prestas dinero?
2. ¿A quién le prestas tu carro?
3. ¿A quién le regalas flores?
4. ¿A quién le mandas mensajes?
5. ¿A quién le das propina?
6. ¿A quién le preparas comida?
7. ¿A quién le explicas la tarea?
8. ¿A quién le prestas tu ropa?

8-22 Regalos secretos

Paso 1. Hoy cada estudiante le va a dar un regalo a una persona de la clase. Apunta en un papelito la descripción detallada de un regalo y ponlo en la bolsa que va pasando tu profesor/a. Luego, toma un papelito (tu regalo) de la bolsa y camina por la clase preguntando hasta saber quién te lo regaló.

MODELO

E1: *¿Me regalaste tú este celular con cámara de la marca...?*

E2: *Sí, yo te lo regalé. (Dale las gracias y dile que te encanta.)*

o: *No, yo no te lo regalé. (Sigue preguntando.)*

Paso 2. Tu profesor/a quiere saber qué regalos recibieron algunos de los estudiantes. Contesta según el modelo.

MODELO

Profesor/a: *Sandra, ¿qué recibiste?*

Sandra: *Un collar de oro.*

Profesor/a: *¿Quién te lo regaló?*

Sandra: *Me lo regaló Tina. (Sandra le dice a Tina) Gracias, por el collar de oro, Tina.*

8-23 En todas partes hay gente generosa

Paso 1. Anoche robaron en su apartamento y Felipe perdió todas sus cosas. Hoy, llega a clase sin nada, y Uds. le prestan algunas cosas. Un/a estudiante hace el papel de Felipe.

MODELO

Profesor/a: *¿Quién puede prestarle algo?*

E1: *Yo puedo prestarle mi iPod.*

Profesor/a: *Excelente. ¿Quién puede prestarle otra cosa?*

Paso 2. Un día después, Felipe, que ya ha recuperado[1] sus cosas, quiere devolverles a sus compañeros las que le prestaron. El problema es que no recuerda quién se las prestó[2].

MODELO

Felipe: *¿Quién me prestó este iPod?*

E2: *Carlos te lo prestó.* **o:**

E1: *Yo te lo presté.*

[1]ha... has recovered, [2]se... lent them to him

GRAMÁTICA

¡Manos a la obra!

5

Expressing possession: Emphatic possessive adjectives

You have learned how to express ownership or possession by using **de + *person*** and by using the possessive adjectives **mi, tu, su,...** (see pages 49 and 76).

Es el celular **de Marta.**   Son **mis** altoparlantes.

To stress the idea of ownership (*who* owns something), the emphatic possessive adjectives are used.

mío/a, míos/as	*mine*	Este videojuego no es **mío.**
tuyo/a, tuyos/as	*yours*	¿Es **tuyo?**
suyo/a, suyos/as	*his/ hers/ yours*	Los audífonos son **suyos.**
nuestro/a, nuestros/as	*ours*	Estos videos no son **nuestros.**
vuestro/a, vuestros/as	*yours*	¿Son **vuestros?**
suyo/a, suyos/as	*theirs/ yours*	Dicen que el ratón óptico es **suyo.**

- Emphatic possessive adjectives agree in gender and number with the object possessed, and not with the possessor or owner:

Los DVD son **suyos.**	*The DVDs are **hers**.*
Los CD son **míos.**	*The CD are **mine**.*
Ese celular es **tuyo.**	*That cell phone is **yours**.*
Esa cámara digital es **nuestra.**	*That digital camera is **ours**.*
Ese iPod es **suyo.**	*That iPod is **his/ hers/ yours** (formal)/ **theirs**.*
Los audífonos son **suyos.**	*The headphones are **his/ hers/ yours** (formal)/**theirs**.*

- To clarify ownership (who owns something) in the third person, **de + *pronoun*** may be used.

El DVD es **suyo.** El DVD es **de él (de ella, de Ud., de ellos, de ellas, de Uds.).**

- The emphatic possessive adjectives can also mean *of mine, of yours*, etc.

Un amigo **mío** llega mañana.   *A friend **of mine** is arriving tomorrow.*

For additional practice on this grammar point, you may want to see PowerPoint slides at www.wiley.com/college/lucasmurillo or visit www.wileyplus.com

To illustrate gender and number changes in possessive adjectives, place four items (masculine singular and plural, feminine singular and plural) on your desk: **el libro, la mochila, los cuadernos, las gafas de sol.** Point to each and say that it is yours: **Este libro es mío, ¿verdad? Y esta mochila es mía..., estos cuadernos...** Then place the items on the desks of several students and say **Ahora vamos a ver de quiénes son estas cosas. Ese libro es suyo, ¿verdad? Y esa mochila es...** (allow the class to complete the sentences), **esos cuadernos son... y esas gafas de sol son....**

If you wish to present possessive pronouns, tell students that they are formed by using the definite article before the emphatic possessive adjective: **Tengo mi cámara. / Tengo la mía. ¿Tienes tuya?**

Ysenia, Mabel y Jennifer están en el centro comercial. Ysenia tiene que comprar un celular para su madre.

[1]**hace...** four years ago

¡Oye! Bring to class four items in a bag—for example, **bufanda, guantes, gorro de lana, gafas de sol.** Choose an extroverted student as your partner. It is best to practice the dialogue once before the actual "performance."

(For **Guión para ¡Oye!,** see below.)

¡En acción!

¡Oye! ¡Son míos!

Observa lo que pasa y luego, contesta las preguntas de tu profesor/a para decidir de quién es cada cosa.

8-24 Los regalos de Navidad For the *Actividad 8-24* annotation, see p. 285.

Paso 1. Es la mañana del 25 de diciembre y hay muchos regalos en la casa de los Roldán. Decide qué regalo es el más apropiado para cada persona. Luego, escribe lo que dice cada uno/a.

El iPod es mío.

ÁNGEL

... es mía.

ROBERTITO

CARMEN

GUADALUPE

NURIA

MªLUISA **DAMIÁN**

el equipo de DVD

el iPod

la cámara digital

el celular

el suéter de lana

el gorro y los guantes para esquiar

las botas de cuero

la pelota

Guión para ¡Oye!
1. *Profesor/a:* Esta bufanda es mía. (*You hold it up.*)
Estudiante: No es suya, ¡es mía! (*He/She grabs it from you.*)
Profesor/a: ¡Le digo que es mía! (*You grab it back.*)
Estudiante: Bueno, es suya. (*Sometimes the student yields, and sometimes not.*)
2. *Profesor/a:* Estos guantes son míos. (*You hold them up.*)
Estudiante: No son suyos, ¡son míos!
Profesor/a: ¡Son míos!
Estudiante: ¡No! ¡Son míos! Follow the same procedure with the remaining items.

(continues on p. 285)

Paso 2. Según lo que se lee en las burbujas[1] que completaron Uds., digan qué regalo le corresponde a cada persona de la familia. En algunos casos, es posible que haya diferencias de opinión entre Uds. Túrnense.

MODELO

E1: ¿Qué dice Ángel?

E2: Dice que el iPod es **suyo.**

8-25 ¡Rebajas increíbles en la tienda Siglo XXI!

Hoy hay precios únicos y los clientes, muy impacientes, compiten por llevarse las mejores gangas[2]. Primero, completen los diálogos (pág. 285) con el singular o plural de **mío/a, tuyo/a, nuestro/a,** según corresponda. Luego, hagan los siguientes papeles:

[1]bubbles, [2]bargains

CAPÍTULO 8 DE COMPRAS

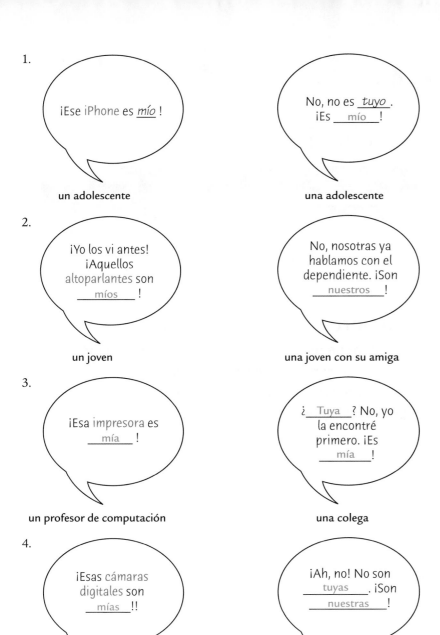

1.

¡Ese iPhone es _mío_ !

un adolescente

No, no es _tuyo_ .
¡Es ___mío___!

una adolescente

2.

¡Yo los vi antes!
¡Aquellos
altoparlantes son
___míos___ !

un joven

No, nosotras ya
hablamos con el
dependiente. ¡Son
___nuestros___!

una joven con su amiga

3.

¡Esa impresora es
___mía___ !

un profesor de computación

¿___Tuya___? No, yo
la encontré
primero. ¡Es
___mía___!

una colega

4.

¡Esas cámaras
digitales son
___mías___!!

un estudiante de electrónica

¡Ah, no! No son
___tuyas___. ¡Son
___nuestras___!

dos estudiantes de arte

(from p. 284)

Comprensión para ¡Oye!
1. ¿De quién es esta bufanda? ¿Es mía o es suya (*pointing to student*)? *Es suya (students respond pointing to you).*
2. ¿De quién son estos guantes? ¿Son míos o son suyos?
3. ¿De quién es este gorro de lana? ¿Es mío o es suyo?
4. ¿De quién son estas gafas de sol? ¿Son mías o son suyas?

8-24 You may want to review answers for *Paso 1* using the PowerPoint slide of the illustrations. Expect answers to vary.

8-25 To confirm answers, ask pairs to take turns reading each set of statements. Encourage students to be expressive!

8-26 In some instances, say that a particular item is yours and, if posible, put it on. If someone in the class says ¡No es suyo! ¡Es mío! return it to that person.

¡Exprésate!, a chapter wrap-up focusing on conversation and writing (the latter with *Writing Strategies*), is included in *Apéndice 3*.

8-26 Objetos perdidos

(Para poder hacer esta actividad, cada estudiante tiene que poner una cosa en el escritorio de su profesor/a: zapatos, suéter, chaqueta, cuaderno, mochila, ...)

Pronto termina el semestre y en la oficina de tu profesor/a se han acumulado muchas cosas perdidas. Ayúdale a localizar a los dueños[1] contestando sus preguntas.

MODELO

Profesor/a:	*Alex, ¿es **tuyo** este anillo?*
Estudiante:	*No, no es **mío**.*
Profesor/a (a toda la clase):	*¿Saben Uds de quién es?*
Otro/a estudiante (apuntando a la persona dueña del objeto):	*Es **suyo**. (o) Es de....*

[1]owners

Writing Strategy

✏️ *Providing supporting information*

For more information about this Strategy go to p. A-19.

Tu mundo cultural

Los internautas hispanos

latino.msn.com
msn.

Red | Noticias | Imágenes | Desktop | Local | Compras   English

[   ] Busca en la Red

Bienvenido   Volver a configuración inicial   Iniciar sesión ▪ □ ▪ ▪ ▪

Hotmail	Amor	Busca Pareja	Empleos	Inmigración	Música
Messenger	Autos	Clima	Entretenimiento	Latina Magazine	Noticias
Spaces	Autos nuevos	Compras	Finanzas	Latinos en USA	Postales
Mapa del sitio	Autos usados	Curso de inglés	Foros	Mapas	Salud
	Billboard Latino	Deportes	Horóscopo	Mujer	Video

Extranjeros en Estados Unidos:
- **Hispanos de tercera generación prefieren hablar inglés**
- **Latinos enfrentan gran riesgo de timos**
- **Vislumbran un futuro bilingüe en EE.UU.**
- **Clases de inglés**

La barrera del idioma

A todos nos atrae la tecnología y sus innovaciones. La Red continúa cambiando nuestras vidas y reduciendo la distancia entre la gente del planeta.

La Red en los países hispanos

El uso del Internet está muy extendido en los países hispanos. En muchos de ellos, los cibercafés son el medio más asequible para conectarse a la Red porque a causa de su costo, no todos pueden hacerlo en casa. Observen este Cibercafé situado en un centro comercial de Quito, la capital de Ecuador.

AGENCIA LATINA DE NOTICIAS

- Argentina es el país hispano con el costo más bajo para conectarse a la Red, (13 dólares al mes)

- Nicaragua es el país con el costo más alto para conectarse a la Red, (51 dólares al mes)

Los hispanos en EE.UU. y su acceso a la Red

Gracias a su costo asequible, muchos hispanos residentes en EE.UU. pueden acceder a la Red para conectarse con sus familias, leer las noticias en los periódicos de sus países de origen, hacer compras, y en general, informarse. El 55% de los hispanos de EE.UU. ya navega por la Red, y es la minoría que más rápido está conectándose.

USUARIOS HISPANOS—RESULTADOS DE ENCUESTA[1] REALIZADA EN EE.UU.

- El 50%* de los hispanos que navega por la Red en EE.UU. son mayores de 16 años
- El promedio de edad del usuario hispano en EE.UU. es de 30 años
- El 50% de los usuarios no habla inglés
- El 78% de los usuarios hispanos tiene computadoras en casa
- El 75% usa la Red para su correo electrónico
- El 48% la usa para leer los periódicos de su país
- El 61% la usa para hacer investigaciones
- El 48% la usa para bajar música y comprar boletos para el cine o el teatro

PORTALES Y SITIOS EN LA RED CON INFORMACIÓN DE TODA CLASE EN ESPAÑOL

http://www.terra.com/

http://espanol.yahoo.com/

http://latino.msn.com/

http://www.us.starmedia.com/

Nota: También puedes escribir "portales en español" en tu buscador favorito.

¿Qué aprendiste?

1. Según la encuesta, ¿qué porcentaje de usuarios hispanos se conecta a la Red en EE.UU.? ¿Lo hacen en inglés? ¿Para qué se conectan?

2. ¿Por qué son tan populares los cibercafés en los países hispanos?

3. ¿Cómo se puede aprender más del mundo hispano haciendo uso de la Red?

Actividad cultural

Paso 1. Camina por la clase y pregunta a *tres* personas lo siguiente. Apunta la información.

1. ¿Dónde te conectas a la Red?

   ☐ en casa   ☐ en la universidad   ☐ en otro lugar

2. ¿Para qué te conectas?

   ☐ para escribir *e-mails*   ☐ para hacer compras   ☐ para chatear y buscar información   ☐ para otras cosas

3. ¿Cuánto tiempo pasas conectado/a cada día?

   ☐ menos de una hora   ☐ más de una hora   ☐ más de dos horas   ☐ más de tres horas

Paso 2. En grupos de *seis*, compartan sus resultados. Un/a secretario/a apunta la información y se la presenta a la clase.

Contraste cultural

Lean de nuevo los cinco últimos datos obtenidos en la encuesta anterior realizada entre usuarios hispanos de EE.UU. Luego, hablen sobre cuáles serían los resultados más probables de una encuesta similar realizada entre los estudiantes de su *college* o universidad. Finalmente, compártanla con un/a compañero/a.

[1]poll

* % por ciento

Tu mundo en vivo

¡Video en acción!

8.1 De compras

1. Antes de ver el video

   ¿Te gusta ir de compras solo/a o con otra persona?

2. Mientras ves el video

   1. ¿Para qué van a comprar ropa nueva las hermanas? _____ para una fiesta de la escuela _____

   2. ¿Llegó la señora Flores a tiempo? _____ No _____

   3. ¿Cuántos vestidos se va a probar Yesenia? _____ 2 vestidos _____

   4. ¿Cómo paga la señora Flores los vestidos? _____ con tarjeta de crédito _____

3. Míralo otra vez Relaciona las fotos con lo que dice cada persona.

   A　　　　　　　　　**B**　　　　　　　　　**C**

   _B_ «Ésa no me gusta. Está muy corta.»

   _C_ «Ay, no, éste es tan largo como éste, pero éste me gusta más.»

   _B_ «Este color te queda muy bien con el color de tus ojos.»

   _A_ «¿Trajiste suficiente dinero?»

4. Comenta con la clase

   a. ¿Cómo es la relación entre la mamá y sus hijas?

   b. ¿Tienes una relación parecida con tu mamá o con tu papá?

8.2 La tecnología une a las familias

1. Antes de ver el video

   ¿Tienes familia que vive lejos de ti? ¿Cómo mantienes el contacto con ellos? ¿Usas Skype?

2. Mientras ves el video Marca **C** (Cierto) o **F** (Falso) según corresponda.

   a. _F_ Skype no es gratis[1].

   b. _C_ Puedes acceder a Skype por Internet.

   c. _F_ Con Skype te puedes comunicar sólo con una persona a la vez.

   d. _C_ Con Skype puedes usar video o texto.

3. Comenta con la clase

   ¿Por qué dice la pareja del video que la computadora ayuda a la familia a estar más unida?

[1]free

¡Lectura en acción!
Reseña[1] musical

En la siguiente reseña de *Amar es combatir*, un CD del grupo mexicano Maná, vas a leer la opinión de un crítico. La reseña apareció en la revista mensual mexicana, llamada *SO! Show Off, Tu estado ideal*.

Paso 1. Antes de leer lo que sigue, piensa en una reseña que hayas leído o escuchado recientemente y contesta las siguientes preguntas.

1. ¿De qué trataba[2] la reseña? ¿De una película, de un disco compacto o de un libro?
2. ¿Dónde la leíste o escuchaste? ¿En un periódico, en una revista, en Internet o en la radio?
3. ¿Fue positiva o negativa?
4. ¿Estuviste de acuerdo con el crítico? ¿Por qué?

Paso 2. Ahora lee la reseña y concéntrate en contestar una sola pregunta: ¿Le gustó el disco al crítico de esta reseña?

Paso 3. Luego, responde a lo siguiente para ver cómo llegaste a contestar la pregunta del Paso 2.

1. ¿Qué palabras o frases te ayudaron a llegar a tu conclusión? Menciona cinco.

_____

_____

_____

_____

_____

2. ¿Cómo es el tono de la reseña? ¿En qué te basaste para tu decisión?

_____

_____

Paso 4. Algo personal.

1. ¿Conoces a este grupo? ¿Te gusta?
2. ¿Cuál es tu grupo de música favorito? ¿Por qué te gusta?

◆MANÁ
Amar es combatir

Ya sabemos que Maná cuenta con dinero para producir, de manera que sus discos siempre sonarán decentemente grabados. También sabemos que Maná vende discos sin importar cómo los grabe. Sabemos que Maná tiene un vocalista con limitaciones líricas, que sin duda hablará de los labios de alguien, de cómo le duele todo hasta los huesos, de cómo extraña, y de cómo llueve. Ya sabemos que Maná cuenta con excelentes músicos además de un bajista. En fin, este *review* es innecesario, porque tanto tú como yo sabíamos y anticipábamos lo que iba a hacer Maná en este nuevo regreso al estudio de grabación. Maná hizo en este disco lo mismo que hizo con el anterior.

Desde mi punto de vista, han existido sólo tres evoluciones de real consideración en la carrera de Maná. La primera es la transición entre Sombrero Verde y Maná, que fue más un cambio de nombre que de concepto. La segunda es entre el primer disco de Maná, que incluía toda clase de cursilerías, y *Falta Amor*, en donde éstas se volvieron más efectivas comercialmente. Y la tercera fue después de *¿Dónde Jugarán los Niños?*, cuando entró Sergio Vallín en la guitarra, en sustitución de César "Vampiro" López. Maná ha pasado de moda, y es lastimoso ver al grupo más importante de nuestro país en tal presagio de decadencia.

[1]review, [2]**De...** What was ... about?

ᕱ Vocabulario: Capítulo 8

Escena 1

La ropa *Clothing*
la camiseta *t-shirt*
la chaqueta *jacket*
los jeans *jeans*
los pantalones cortos *shorts*
los pantalones largos *long pants*
la sudadera *sweatshirt*

El calzado *Footwear*
las botas *boots*
las sandalias *sandals*
los zapatos de tenis *sneakers*

Los artículos de cuero *Leather goods*
la billetera *wallet*
la cartera/ la bolsa *purse, handbag*
el cinturón *belt*
los guantes *gloves*

Las joyas *Jewelry*
el anillo (de diamante) *(diamond) ring*
los aretes *earrings*
la cadena *chain*
el collar *necklace*
la pulsera *bracelet*
de oro/ plata *gold/ silver*

Otras palabras y expresiones
   Other words and expressions
la bolsa *bag*
el centro comercial *mall*
la gorra (de béisbol) *(baseball) cap*
la moda *fashion*
el precio *price*
las rebajas *sales*
la talla *size*
la tarjeta de crédito *credit card*
en efectivo *cash*

Adjetivos *Adjectives*
barato/a *cheap, inexpensive*
caro/a *expensive*
cómodo/a *comfortable*

corto/a *short*
largo/a *long*

Adverbio *Adverb*
demasiado *too*

Verbos y expresiones verbales
   Verbs and verbal expressions
gastar *to spend*
llevar *to wear, carry*
probarse (ue) *to try on*
quedar bien/ mal *to fit/ not fit*
quisiera *I would like*

Escena 2

¿Qué llevan? *What are they wearing?*
el abrigo *coat*
la blusa *blouse*
la bufanda *scarf*
los calcetines *socks*
la camisa *shirt*
la corbata *tie*
la falda *skirt*
el gorro *cap*
el impermeable *raincoat*
las pantimedias *panty hose*
el/la pijama *pajamas*
la ropa interior *underwear*
el sombrero *hat*
el suéter *sweater*
el traje *suit*
el traje de baño *bathing suit*
el vestido *dress*
las gafas de sol *sunglasses*
los lentes *glasses*
los lentes de contacto *contact lenses*
el paraguas *umbrella*

Adjetivos y otras expresiones
   Adjectives and other expressions
limpio/a *clean*
sucio/a *dirty*
de algodón *cotton*

de lana *wool*
de manga larga/ corta *long-/ short-sleeved*

Comparaciones *Comparisons*
mejor/ peor *better/ worse*

Expresiones verbales
   Verbal expressions
tener calor *to be hot*
tener frío *to be cold*

Escena 3

Los aparatos electrónicos *Electronic devices/ equipment*
los altoparlantes *loudspeakers*
los audífonos *headphones*
la cámara digital *digital camera*
el celular *cell phone*
la computadora portátil *laptop*
el contestador automático *answering machine*
el control remoto *remote control*
el equipo de DVD y video *DVD/VCR player*
el ratón (óptico USB) *(wireless USB) mouse*
el teclado *keyboard*
el teléfono inalámbrico *cordless phone*
(el televisor) de pantalla plana *flat screen (TV)*
el anuncio *ad*
el apoyo *support*
la marca *brand*

Verbos y expresiones verbales *Verbs and verbal expressions*
apagar *to turn off*
apoyar *to support*
enchufar *to plug in*
prender *to turn on*
tomar fotos *to take photos*
me gustaría... *I would like/love to...*

Autoprueba y repaso: Capítulo 8

Escena 1
En el centro comercial

A. Haz un círculo alrededor de las dos palabras que más se asocian.

1. el anillo   el collar   la cadena
2. la cartera   la billetera   los guantes
3. el cinturón   los aretes   los pantalones
4. los *jeans*   la camiseta   la pulsera
5. la chaqueta   la gorra de béisbol   el suéter
6. caro   cómodo   barato

I. More irregular verbs in the preterit

B. Todos los años mis amigos y yo organizamos una campaña para donar ropa a los pobres. Completa las oraciones para indicar lo que pasó el sábado pasado. Usa la forma correcta del pretérito de los verbos que siguen.

decir	estar	poder	poner	querer
recibir	saber	tener	traer	venir

1. Mis amigos _____ a mi casa para ordenar la ropa donada.
2. Tomás y Alex _____ *jeans* y camisetas, y Nina y Sandra, suéteres y otras prendas.
3. Marta _____ venir pero no _____; nos va a ayudar el próximo sábado.
4. Nosotros _____ la ropa donada en la mesa para doblarla y organizarla.
5. Mis amigos _____ en mi casa más de dos horas.
6. A las cuatro, todos _____ que irse, y (yo) les _____ «¡Gracias, amigos!»
7. Otras personas _____ que organizamos esta campaña, y una semana después, nosotros _____ más donaciones.

En resumen

Contesta las preguntas con oraciones completas.
1. ¿Llevas joyas frecuentemente? ¿Qué joyas llevas?
2. ¿Siempre te pruebas la ropa antes de comprarla?
3. ¿Te gusta ir de compras cuando hay rebajas? ¿Por qué?
4. ¿Normalmente, pagas en efectivo o con tarjeta de crédito?
5. ¿Tuviste que ir de compras el sábado pasado? ¿Estuviste en un centro comercial? ¿Qué compraste?
6. ¿Qué más hiciste el sábado pasado?

Escena 2
La ropa

C. Haz un círculo alrededor de las dos palabras que más se asocian.

1. los calcetines   la camisa   la corbata
2. el traje de baño   la ropa interior   las gafas de sol
3. el gorro de lana   la bufanda   el traje
4. los lentes   el suéter   el abrigo
5. la blusa   la falda   el vestido
6. el sombrero   el impermeable   el paraguas

II. Making equal comparisons

D. Haz una comparación de igualdad (*equal*) entre las dos cosas mencionadas.

1. Esta camisa es __*tan*__ barata __*como*__ ésa.
2. Sandra tiene _____ pares de zapatos _____ Mercedes.
3. Marvin tiene _____ ropa en su ropero _____ Diego.
4. Estas botas son _____ caras _____ ésas.
5. Cuando van de compras, Mercedes siempre gasta _____ dinero _____ Lupe.
6. ¿Gastaste _____ _____ yo en el regalo de cumpleaños de Juan?

III. Making unequal comparisons

E. Haz una comparación de desigualdad (*unequal*) entre las dos cosas mencionadas. Usa **más...** o **mejor(es)...** en tu comparación.

Modelo
Por lo general...

grande: los centros comerciales de los pueblos / ...de las ciudades

Por lo general, los centros comerciales de las ciudades son más grandes que los centros comerciales de los pueblos.

Por lo general...
1. caro: los anillos de oro con diamantes / ...de plata con turquesa
2. barato: las sandalias de cuero / ...de plástico
3. corto: las faldas de las chicas jóvenes / ...de las señoras mayores
4. mejor: las rebajas de las tiendas de descuento / ...de las tiendas por departamentos

F. Indica cuál, en tu opinión, es el mejor, peor, etc. de los tres, y por qué. Usa el superlativo.

MODELO

mejor: la clase de arte / ...de biología / ...de español

La clase de... es la mejor de las tres porque la profesora es muy buena.

1. peor: la clase de historia / ...de química / ...de cálculo
2. mejor: la actriz Keira Knightley / ...Nicole Kidman / ...Penélope Cruz
3. interesante: las películas de *Indiana Jones* / ...de *Batman* / ...de *El señor (Lord) de los anillos*
4. divertido: el carro Hummer / ...Mini-Cooper / ...Jeep

En resumen

Contesta las preguntas con oraciones completas.

1. Cuando vas a la playa, ¿qué llevas puesto?
2. Cuando nieva, ¿qué ropa te pones para salir afuera?
3. Cuando tienes mucho calor, ¿qué ropa te quitas?
4. ¿Tienes tanta ropa como tu pareja o mejor amigo/a?
5. ¿Estás más a la moda o menos a la moda que él/ella?
6. ¿Quién es la persona de tu familia que se viste mejor de todos? Explica.

Escena 3
Los aparatos electrónicos

G. Identifica la cosa o la acción que corresponde a la descripción.

1. Para _____ o _____ el televisor, usamos el control remoto.
2. Los televisores de _____ plana son muy populares hoy en día.
3. Lo que se usa con la computadora y tiene botones con las letras del alfabeto es ____ _____.
4. Algo pequeño que se usa para hacer *clic* y que sirve para hacer gráficos en la pantalla es ____ _____.
5. El aparato que registra mensajes es ____ _____ _____.
6. Los aparatos que se ponen en las orejas para escuchar música son ____ _____.

IV. Direct and indirect object pronouns together

H. Todos recibieron regalos ayer. Primero, completa las oraciones con las palabras de la lista que corresponden.

Luego, escribe una oración usando el pronombre directo y el indirecto según el modelo.

mí ti Carmen nosotros los abuelos sus sobrinas

1. Nosotros **les** regalamos un contestador automático a *los abuelos*. *Se lo regalamos ayer.*
2. Yo **le** regalé una computadora portátil a _____. _____
3. Mi hermano **me** regaló un MP3 a _____. _____
4. Tú **nos** regalaste una cámara digital a _____. _____
5. Yo **te** regalé unos altoparlantes a _____. _____
6. Mis hermanas **les** regalaron unas pulseras de plata a _____. _____

V. Emphatic possessive adjectives

I. Estás en una lavandería (*laundromat*) con tus amigos. Indica de quién es la ropa, usando la forma correcta de los adjetivos posesivos **mío, tuyo, suyo**, etc.

MODELO

yo: calcetines azules, suéter rojo

Los calcetines azules son míos y el suéter rojo también es mío.

1. yo: la camiseta blanca, los pantalones cortos
2. tú: la chaqueta negra, los pantalones largos
3. Ana: el vestido verde, las blusas blancas
4. Diego y Paco: los *jeans*, la ropa interior
5. nosotros: las camisetas amarillas, la ropa limpia que está aquí

En resumen

Contesta las preguntas con oraciones completas.

1. ¿Es tuya la computadora que usas? ¿Cuándo la compraste?
2. ¿Te gusta comprar aparatos electrónicos? ¿Cuáles te fascinan?
3. ¿Te gustaría comprarle un televisor de pantalla plana o un televisor plasma a tu pareja o mejor amigo/a? ¿Por qué?
4. ¿Tienes una cámara digital? ¿Se la prestas a tus amigos o hijos?
5. ¿Tomas fotos con frecuencia? ¿A quién se las mandas?

Answers to the *Autoprueba y repaso* are found in **Apéndice 2**.

Additional **Autopruebas** online

La salud y las emergencias

Additional activities and **Autopruebas** for each **Escena** available online.

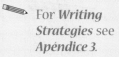

For *Writing Strategies* see *Apéndice 3*.

Escena 1
En el consultorio médico

· Talking about what happened: The preterit of stem-changing verbs

TU MUNDO CULTURAL
La medicina natural en el mundo hispano

Escena 2
El cuerpo humano

· Describing in the past: The imperfect

TU MUNDO CULTURAL
El lenguaje corporal

Escena 3
Situaciones de emergencia

· Piecing together the past: The preterit and the imperfect

TU MUNDO CULTURAL
La diversidad racial de los hispanos

TU MUNDO EN VIVO

¡Video en acción!

¡Lectura en acción! (with *Reading Strategies*)

En ¹el consultorio médico

SE RUEGA 2. NO FUMAR

RECEPCIÓN

¿⁴**Tiene vómitos** y diarrea?

27. tomar la temperatura
28. el termómetro

3. la sala de espera

6. la paciente

7. estar embarazada

5. el seguro médico

29. examinar

8. estar resfriado/a

21. quejarse

¡Ay! ²⁰¡**Tengo dolor de cabeza!**

Tiene que ²⁴**cuidarse**.

Debo ²⁵**dejar de** fumar.

¹²**Me duele la garganta**.

9. estar congestionado/a

10. tener gripe

23. tener tos

11. tener fiebre

22. torcerse (ue) el tobillo

19.

HOY ENFERMEDADES CONTAGIOSAS

MEDICINA Y SALUD

REMEDIOS NATURALES

18.

¹⁵**Tengo dolor de estómago** y...

13. el discapacitado

Es una infección. Tengo ¹⁶**una cita** a las tres.

14. la silla de ruedas

17. enfermarse

33. poner una inyección

³²**No tengas miedo.**

La tiene alta.

34. sacar sangre

omar la presión

Debe ²⁶**quedarse** varios días en la cama.

Su cita para la terapia física.

Para ³⁸**las pastillas.**

SALIDA →

EL EXCESO DE = EL CÁNCER DE 35. PIEL

36. EL SIDA

BUSCAMOS 37. LA CURA

39. la receta

1. the doctor's office
2. no smoking; **fumar** to smoke
3. waiting room
4. Are you vomiting...? **tener vómitos** to be vomiting
5. medical insurance
6. patient (*f.*); **el paciente** (*m.*)
7. to be pregnant
8. to have a cold
9. to be congested
10. to have the flu
11. to have a fever
12. My throat hurts. **doler (ue)** to hurt
13. disabled (*m.*); **la discapacitada** (*f.*)
14. wheelchair
15. I have a stomachache; **tener dolor de estómago** to have a stomachache
16. an appointment, a date
17. to get sick
18. health
19. illnesses, diseases (*f.*)
20. I have a headache; **tener dolor de cabeza** to have a headache
21. to complain
22. to twist/ sprain one's ankle
23. to have a cough
24. to take care of yourself/ oneself
25. to stop... **dejar de + *inf.*** to stop doing something
26. to stay, remain
27. to take one's temperature
28. the thermometer
29. to examine
30. X-ray
31. to take one's blood pressure
32. Do not be afraid. **tener miedo** to be afraid
33. to give a shot
34. to take blood
35. skin (*f.*)
36. AIDS
37. cure
38. pills
39. prescription

¡La pronunciación!

Pay attention to the correct pronunciation of Spanish diphthongs (see P-1, P-2).

cuidarse   duele
miedo   terapia

¡En acción!

 ## 9-1 Enfermedades, dolores y malestares

9-1 ANOTHER STEP:
Ask students to brainstorm what they need to *stop doing* in order to lead a healthier life: things they should stop eating, bad habits they should break, and so on.

Present alternatives to vocabulary at your discretion: **estar embarazada/ estar en cinta; estar resfriado/ tener un resfrío/ resfriado; tener gripe/gripa** ...and you may want to mention the false cognate **estar constipado/a**, meaning **estar resfriado/a**. (*To be constipated* = **estar estreñido/a.**)

For additional practice on these grammar points, see PowerPoint slides at www.wiley.com/college/lucasmurillo or visit www.wileyplus.com

9-2 You may want to project the Power-Point slide of the opener scene. When pairs have finished answering the questions, see how many sentences they can generate for each area: entrance and reception, waiting room, examination rooms, exit area. The activity can be turned into a competition, with students writing their responses, one area at a time. Give them ten minutes. When time is called, the pair with the most sentences reads them to the class. As they read, point to the subject of the sentence on the screen.

For additional vocabulary practice, see PowerPoint slides at www.wiley.com/college/lucasmurillo or visit www.wileyplus.com

A ver cuánto sabes de remedios y curas. Empareja las palabras de la primera columna con las de la segunda para obtener oraciones lógicas.

1. Si tienes dolor de cabeza,...	d.	a. ...debe comer pocas grasas y hacer ejercicio.
2. Cuando tengo gripe y fiebre,...	e.	b. ...haz gárgaras[1] con agua y sal.
3. Algunas personas que tienen alergias,...	f.	c. ...deja de fumar.
4. Para el dolor de garganta,...	b.	d. ...toma una aspirina.
5. Alguien con el colesterol alto,...	a.	e. ...bebo muchos líquidos y descanso.
6. Si tienes tos y adicción al tabaco,...	c.	f. ...tienen que ponerse inyecciones.

. . . y algo más

The verb **doler (ue)** works like **gustar:**

Present tense: **me** duele/n, **te** duele/n, **le** duele/n, **nos** duele/n, **os** duele/n, **les** duele/n.

Me duele la garganta.   **Nos duelen** los pies.
My throat hurts.   *Our feet hurt.*

 See Grammar Handbook found in WileyPLUS.

. . . y algo más

Tener expressions learned to date:

tener hambre/ sed/ frío/ calor/ sueño/ miedo
tener dolor de cabeza/ garganta/ estómago; tener fiebre/ gripe.

9-2 En el consultorio médico

9-2 PERSONALIZED QUESTIONS: Cuando Uds. tienen gripe, ¿cuáles son los síntomas? ¿Y si están resfriados? Cuando Uds. están enfermos, ¿prefieren medicamentos o remedios naturales? Expliquen.

¿Qué pasa allí? ¿Cuáles son los síntomas de los pacientes? Para saberlo, observen la escena de las páginas 294–295 y contesten las preguntas.

1. ¿Quién entra al consultorio médico? ¿Qué dice el letrero que se ve en la puerta?

2. ¿Qué pasa en la recepción? ¿Y en cada uno de los cuatro cuartos?

3. En la sala de espera, ¿qué síntomas tiene la niña? ¿Y el señor que está al lado de la mamá?

4. En el otro sofá, ¿qué problema tiene cada uno de los pacientes?

5. ¿Qué consejo le da la señora al señor que está a su lado? ¿Cómo responde él?

6. ¿Qué debe hacer el paciente que está con la enfermera?

7. ¿Qué síntomas tiene el señor que está en la silla de ruedas?

8. ¿Y qué le pasa al señor que está en el sillón? ¿A qué hora es su cita?

9. ¿Qué clase de revistas hay en la mesa? ¿Cuál te interesa más? *Me interesa...*

10. ¿Qué dicen los letreros que hay a la salida? ¿Qué pasa allí?

[1]gargle

9-3 Una cita con el médico

Paso 1. Un paciente que se preocupa constantemente por su salud llama al consultorio médico para hacer una cita. Hagan los papeles de recepcionista y paciente. Incluyan:

- saludos
- descripción de los síntomas
- días y horas para la cita
- confirmación de la cita
- despedida

MODELO

Paciente: *Buenos días, señorita. Soy Tom Smith.*

Recepcionista: *Buenos días, señor Smith. ¿En qué puedo servirle?*

Paciente: *Me duele mucho la garganta. Quiero hacer una cita con el doctor López.*

Recepcionista: *¿Esta tarde a las cinco, o mañana a las ocho de la mañana?*

Paciente: *Esta tarde a las cinco, por favor.*

Paso 2. Luego, el paciente pasa a ver a la médica. Hagan los papeles de la médica y del paciente.

MODELO

Doctora: *Buenos días. ¿Cómo está?*

Paciente: *No muy bien. Me duele mucho la garganta.*

Doctora: *¿Está congestionado?*

Paciente: *Sí, estoy muy, muy congestionado.*

Doctora: *A ver... Voy a tomarle la temperatura...*

(*Ideas:* La médica le toma la presión, le da su diagnóstico, y posiblemente, le pone una inyección.)

¡A escuchar! En el consultorio médico CD 4 Track 7

Paso 1. La recepcionista y una enfermera atienden[1] a los enfermos que llegan al consultorio médico mientras unos pacientes charlan en la sala de espera. Escucha la conversación.

Paso 2. Escucha de nuevo. Indica **Sí** o **No**.

1. ¿Tiene dolor de garganta y fiebre la paciente que tiene cita a las 9:30?   ☑ Sí ☐ No

2. ¿Se enfermó ayer la paciente embarazada?   ☑ Sí ☐ No

3. ¿Conoce al médico la paciente embarazada?   ☐ Sí ☑ No

4. ¿Tiene seguro médico la paciente embarazada?   ☑ Sí ☐ No

5. ¿Tiene el consultorio fácil acceso para discapacitados?   ☑ Sí ☐ No

6. En la sala de espera, ¿va el señor mayor a ver al médico porque tiene la presión baja?   ☐ Sí ☑ No

7. ¿Va la señora mayor a ver al médico porque necesita un análisis de sangre?   ☑ Sí ☐ No

8. ¿Le van a poner una inyección al joven que tiene alergias?   ☑ Sí ☐ No

[1] assist

¿SABES QUE...?

When offering a toast at a celebration, Spanish speakers say **¡Salud!** *To your health! Cheers!* **¡Salud!** is also said when a person sneezes, as is **¡Jesús!**

9-3 Have one pair of students perform the telephone conversation in *Paso 1*, and have another pair role-play the visit to the doctor's office in *Paso 2*.

Palabras útiles

Abra la boca y diga «ah». *Open your mouth and say "ah."*
Respire hondo. *Breathe deeply.*

The scripts for the *¡A escuchar!* sections are included in the Book Companion Site (BCS) for instructors and in WileyPLUS under "Prepare and Present". The recordings are on the student CDs and in WileyPLUS under "Read, Study, and Practice".

Familiarize students with the stem changes through examples: **Seguí las instrucciones.** (él, ella, nosotros,...); **Me divertí en la fiesta.** (mis amigos, tú,...).

Write the following activities on 3" x 5" cards and hand them to six students: **dormirse, vestirse, servir la comida, reírse, repetir las palabras del vocabulario, morir.** Students mime the actions. The class identifies what each student is doing, using the present progressive. **(Sandra) está durmiendo.** Highlight the stem change. When students finish miming the actions, the rest of the class indicates what each classmate *did,* using the preterit: **(Sandra) se durmió.**

Have students form the present participles of the nine verbs in the *¡Manos a la obra!* grammar chart. Write each on the board: **divirtiendo, muriendo/muriéndose, prefiriendo, riéndose, repitiendo, siguiendo, sintiéndose, sirviendo, vistiéndose.**

GRAMÁTICA

¡Manos a la obra!

Talking about what happened: The preterit of stem-changing verbs

Verbs ending in **-ar** and **-er** that undergo stem changes in the present (see page 164) *do not* do so in the preterit. Verbs ending in **-ir** *do* change in the preterit (**e → i, o → u**), but only in the third person singular and plural.

¿Qué te **p**idió el enfermero?   No d**u**rmieron bien anoche, ¿verdad?

pedir	**e → i**	**dormir**	**o → u**
pedí	pedimos	dormí	dormimos
pediste	pedisteis	dormiste	dormisteis
p**i**dió	p**i**dieron	d**u**rmió	d**u**rmieron

- Here are nine other common verbs with stem changes in the preterit.

divertirse (ie, i)	*to have a good time*	El niño se div**i**rtió con las enfermeras.
morir(se) (ue, u)	*to die*	Su abuelo m**u**rió hace cinco años.
preferir (ie, i)	*to prefer*	Pref**i**rieron no tomar la medicina.
reírse* (i, i)	*to laugh*	Se r**i**eron cuando lo vieron.
repetir (i, i)	*to repeat*	La enfermera rep**i**tió la lista de los síntomas.
seguir (i, i)	*to follow, continue*	S**i**guieron las instrucciones de la médica.
sentirse (ie, i)	*to feel*	Ayer se s**i**ntió mal.
servir (i, i)	*to serve*	Nos s**i**rvieron té caliente con miel (*honey*).
vestirse (i, i)	*to dress oneself, get dressed*	Ella se v**i**stió para ir al hospital.

When two stem changes are given in parentheses after an infinitive **(ie, i), (ue, u),** and **(i, i),** the first refers to the present tense, and the second to the preterit.

PRESENT **divertirse (ie):** me div**ie**rto, te div**ie**rtes, se div**ie**rte, ... se div**ie**rten
PRETERIT **divertirse (i)** ...se div**i**rtió, ...se div**i**rtieron

- The present participle of the above verbs undergoes the same stem change as in the preterit: **e → i, o → u.**

pedir → p**i**diendo: Te está **pidiendo** la información.
dormir → d**u**rmiendo: El paciente está **durmiendo.**

*In the third person singular and plural, **reírse** drops the **e** in the infinitive before adding the preterit **ió, ieron** endings: **se rió, se rieron.**

Ernesto está en el consultorio médico porque tiene un dolor de estómago muy fuerte.

Me duele el estómago. Anoche fui a un restaurante y...

¿Qué pidió?

Pedí camarones con mayonesa.

¿Cómo se sintió? ¿Cómo durmió? ¿Tuvo vómitos?

Me sentí muy mal, no dormí nada y tuve vómitos toda la noche.

Bueno, por lo menos no se murió.

¡En acción!

¡Oye! ¿Es bueno para la salud?

Escucha lo que hicieron o pidieron las personas, y di si es bueno o malo para la salud.

9-4 ¿Qué hicieron y cómo les fue?

Paso 1. Primero, cada uno/a lee las siguientes descripciones y marca la letra del/de la paciente que le corresponde. Luego, para confirmar las respuestas, **E1** lee la descripción y **E2** identifica al/ a la paciente describiéndolo/la con sus propias palabras. Sigan el modelo. Túrnense.

MODELO

E1: *Cuando el médico terminó de examinarlo, **se vistió** y se fue a casa. Ese día no fue al trabajo.*

E2: *Es el hombre sin camisa. Un doctor lo está examinando…*

1. __g.__ Después de examinarlo el médico, **se vistió** y se fue a casa. Ese día no fue al trabajo.

2. __f.__ **Siguió** varias semanas con la tos y decidió dejar de fumar para siempre.

3. __b.__ Le **pidió** una receta al médico para la congestión y esa noche **durmió** mejor.

4. __h.__ **Se murió** de miedo en el consultorio y le dijo a su mamá "No vuelvo aquí más."

5. __d.__ La enfermera le dio unas pastillas para el dolor de cabeza y se **sintió** mucho mejor.

6. __e.__ Esa tarde **prefirió** quedarse en casa con el pie[1] en alto mirando la televisión.

7. __a.__ La médica le dijo que estaba embarazada de gemelos[2] y ella **sonrió** muy feliz.

8. __c.__ Ese día no **se divirtió** mucho porque no pudo ir a la escuela por estar enferma.

a.   b.   c.   d.

e.   f.   g.   h.

> **Palabras útiles**
> osito de peluche
> *teddy bear*

Paso 2. Ahora, observa de nuevo a los pacientes del consultorio médico y comenta con tu compañero/a algunas de las cosas que experimentaste o hiciste también en los últimos meses. Túrnense. Sigan el modelo.

MODELO

E1: *La semana pasada yo también tomé unas pastillas para el dolor de cabeza y **me sentí** mejor.*

E2: *Pues yo,…*

[1]foot, [2]twins

Guión para ¡Oye!
1. Eva **durmió** tres horas anoche. ¿Es bueno o malo para la salud?
2. Tomás y su amigo Pedro vieron una película muy cómica y **se rieron** mucho.
3. El sábado, Paula y Ana jugaron al vólibol en el parque y **se divirtieron** mucho.
4. En el restaurante, José **pidió** una pizza con tres quesos, salchicha, tocino y jamón.
5. Sonia y Mónica **pidieron** pescado, vegetales y una ensalada.
6. El mesero les **sirvió** a todos jugos naturales.
7. De postre, Aurora **prefirió** comer fruta.
8. Eduardo **prefirió** comer pasteles, galletas ¡y helado!

Palabras útiles

saltar *to jump*
la almohada
pillow

Paso 1. Max y su hermano Nico tuvieron que pasar dos días en el hospital. Escucha a tu profesor/a que va a contar lo que hicieron, pero no en orden cronológico. Identifica el número del dibujo que corresponde a cada descripción.

1.

2.

3.

4.

5.

6.

9-5 Script for *Paso 1*: —El médico les dijo "Chicos, descansen, por favor", pero Max y Nico **no siguieron** las instrucciones; ellos jugaron con las almohadas y saltaron (*act out*) en las camas sin parar. [2] —Max y Nico **se vistieron.** [5] —Max y Nico vieron la tele y **se rieron** mucho. [3] —La enfermera les dijo "Ya pronto regresan a su casa". Max y Nico **sonrieron.** [4] —Max **pidió** un helado de chocolate, y Nico **pidió** un helado de fresa, pero **les sirvieron** sopa de verduras. [1] —Al tercer día, salieron del hospital y se fueron muy contentos a casa con sus padres. [6]

Paso 2. Ahora, narren la historia en el pasado, pero en orden cronológico. Usen los siguientes verbos: **pedir, servirles, decir, no seguir, jugar, saltar, ver, reírse, decir, sonreír, vestirse, salir, irse.**

MODELO

E1: *Los dos **pidieron** helado. Max **pidió…** y Nico…*

 9-5 Be sure to ask a pair of volunteers to narrate the teenagers' story for the class. You may use the PowerPoint slide.

9-6 ¡No me siento bien! RECYCLES regular and irregular verbs in the preterit.

Paso 1. Habla con tu compañero/a sobre la última vez que él/ella estuvo enfermo/a. Usa las preguntas de la primera columna. Él/Ella responde siguiendo los modelos de la segunda, y tú apuntas la información en la tercera. Después, cambien de papel.

Preguntas	Respuestas	Información escrita
1. ¿Tuviste gripe? ¿Estuviste resfriado/a?	Sí (No, no) tuve...	... tuvo
2. ¿Te sentiste muy mal? Explica.		
3. ¿Qué hiciste para recuperarte?		
4. ¿Te quedaste en la cama?		
5. ¿Dormiste durante el día? ¿Cuánto?		
6. ¿Qué comidas pediste?		
7. ¿Seguiste las instrucciones de tu médico/a?		
8. ¿Qué comidas o bebidas te sirvió tu pareja (o tu madre o tu padre)?	Mi... me sirvió...	Su... le sirvió...

Paso 2. Comunícale la información obtenida a otro/a compañero/a o a la clase.

... y algo más

Hace... to express *ago*

To express how long *ago* something was done, you use **hace** + *a unit of time* (*minutes, hours, days, months,...*)

—¿Cuánto tiempo hace que compraste tu carro?

How long ago did you buy your car?

—Lo compré **hace un mes**.

*I bought it a month **ago**.*

9-7 ¿Cuánto tiempo hace?

Paso 1. Háganse preguntas para saber cuánto tiempo hace que hicieron lo siguiente. Respondan con **hace** + *cantidad de tiempo* y hagan preguntas adicionales según el modelo.

MODELO

cortarse el pelo

E1: ¿Cuánto tiempo hace que te cortaste el pelo?

E2: Me corté el pelo **hace un mes.**

E1: ¿Quién te lo cortó? (o) ¿A qué peluquería fuiste?

E2: ...me lo cortó. (o) Fui a la peluquería... ¿Y tú?

1. hacer un viaje
2. ir de compras
3. morirse de risa o de aburrimiento
4. comer un postre con muchas calorías
5. leer un libro
6. ver una película en el cine
7. comprar un carro nuevo
8. enfermarse

Paso 2. Ahora, contesten las preguntas de su profesor/a.

9-6 Poll students about their ailments (item 1) and also get feedback on item 3. Have a student write the suggestions for recovery on the board; the class determines which ones are the best to follow.

See Grammar Handbook found in WileyPLUS.

For additional practice on this grammar point, see PowerPoint slides at www.wiley.com/college/lucasmurillo or visit www.wileyplus.com

9-7 For *Paso 2*, instructor-led questions (supply names of students): ¿Cuánto tiempo hace que... hizo un viaje? ¿Cuánto tiempo hace que... fue de compras? and so on.

Palabras útiles

morirse de risa *to die laughing*

morirse de aburrimiento *to die of boredom*

Tu mundo cultural

La medicina natural en el mundo hispano

¿Te preocupa la salud y te gusta cuidar de tu cuerpo de forma natural? En ese caso, el mundo hispano te ofrece innumerables posibilidades.

Las plantas medicinales son los remedios para la salud más antiguos del mundo. Algunos estudios indican que un 80% de la población de América Latina usa plantas medicinales y métodos para curarse transmitidos de generación en generación. Además, las grandes compañías farmacéuticas usan estas plantas para producir muchos medicamentos. La quinina, por ejemplo, tratamiento para la malaria, viene de un árbol de los Andes.

Una costumbre: el mate y sus propiedades preventivas

Uruguayo bebiendo mate, una infusión o bebida caliente preparada con las hojas de la planta del mismo nombre. Generalmente, se sirve en una calabaza[1] seca y se bebe con una bombilla[2], que es un filtro de metal o bambú. Su uso está muy extendido entre los argentinos, uruguayos y paraguayos. Es antioxidante, diurético y digestivo, estimula la actividad muscular y pulmonar, regula los latidos del corazón[3] y produce una sensación de bienestar, vigor y lucidez intelectual. Ahora, se está poniendo de moda en EE.UU.

Una ciencia: la medicina tradicional y las hierbas medicinales

En Bolivia, las infusiones preparadas con guayaba se usan como remedio para múltiples enfermedades: úlceras, neuralgia, artritis, diarrea, soriasis y dolores de estómago. Allí se conocen unas 2.000 plantas medicinales.

La *uña de gato* crece en Perú. Se usa para combatir enfermedades inflamatorias. Además, se dice que tiene propiedades que estimulan la actividad inmunológica, razón por la que se utiliza para tratar el SIDA, aunque las investigaciones todavía no lo han confirmado.

[1]gourd, [2]straw for drinking mate, [3]**latidos...** heartbeat

Remedios caseros: sitios en la Red para intercambiar remedios

Cuando tengas la oportunidad, visita la Red y te va a sorprender la cantidad de remedios caseros que se intercambian los hispanos.

LOS REMEDIOS CASEROS
http://personal.redestb.es/martin/REMEDIOS.HTM

Jarabe para la bronquitis y el asma
Se cortan una cebolla blanca y 20 dientes de ajo; se ponen en un recipiente; y se bañan con una taza de miel[1] virgen (sin calentar ni pasteurizar). Se dejan reposar 12 horas y se toman cuatro cucharadas al día. *Trini (México)*

Para las pequeñas quemaduras[2] domésticas
Se coge una papa, se raya[3] y se pone en la zona afectada. Da muy buenos resultados. *Ana (Chile)*

Para la conjuntivitis
Se enjuagan[4] los ojos con agua mineral o destilada que contenga dos o tres gotas[5] de limón recien cortado. *Tomás (Paraguay)*

Para el pelo reseco y dañado
Se prepara una crema con un aguacate[6] maduro y un huevo. Se extiende por el pelo recién lavado. Se deja una hora; y se enjuaga con agua tibia. El pelo recupera su gracia natural inmediatamente. *La tía Rosa (Guatemala)*

El uso tan extendido de remedios caseros en el mundo hispano explica por qué muchos hispanos se resisten a usar métodos curativos que no sean naturales. Es algo que, sin duda, debe conocer el personal médico de los consultorios, clínicas y hospitales de EE.UU. que cuentan cada vez con un mayor número de pacientes hispanos.

¿Qué aprendiste?

1. ¿A qué clase de medicina están acostumbrados los hispanos? Explica.

2. De las hierbas y medicinas naturales que se mencionan, ¿cuáles te interesan más? Explica. ¿Y de los remedios caseros? Explica.

3. ¿Qué debe saber el personal médico que trata con pacientes hispanos en EE.UU.?

Actividad cultural

La clase se divide en grupos de *cinco* con un/a secretario/a para cada grupo. Los secretarios hacen una encuesta entre los estudiantes de su grupo para saber cuántos prefieren hacer uso de la medicina natural y qué clase de remedios usan. Luego, informan a la clase de los resultados obtenidos.

Contraste cultural

En grupos de *cinco*, hablen de los médicos naturistas que conocen y de las tiendas de productos y medicinas naturales que hay en su pueblo o ciudad. Comenten también si piensan que es importante que las facultades de medicina de EE.UU. ofrezcan clases de medicina preventiva y natural. Den razones.

[1]honey [2]burns, [3]**se...** grate it, [4]**Se...** Rinse, [5]drops, [6]avocado

¹El cuerpo humano

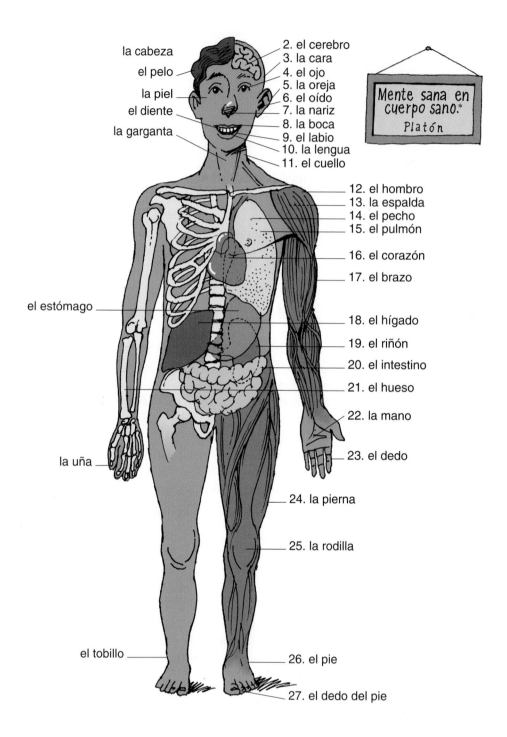

la cabeza
el pelo
la piel
el diente
la garganta

2. el cerebro
3. la cara
4. el ojo
5. la oreja
6. el oído
7. la nariz
8. la boca
9. el labio
10. la lengua
11. el cuello

Mente sana en cuerpo sano.*
Platón

12. el hombro
13. la espalda
14. el pecho
15. el pulmón

16. el corazón

17. el brazo

el estómago

18. el hígado

19. el riñón

20. el intestino

21. el hueso

22. la mano

la uña

23. el dedo

24. la pierna

25. la rodilla

el tobillo

26. el pie

27. el dedo del pie

1. human body 2. brain 3. face 4. eye 5. ear 6. inner ear 7. nose 8. mouth 9. lip 10. tongue 11. neck 12. shoulder 13. back 14. chest, breast 15. lung 16. heart 17. arm 18. liver 19. kidney 20. intestine 21. bone 22. hand 23. finger 24. leg 25. knee 26. foot 27. toe

*Mente sana en cuerpo sano. *Sound mind, healthy body*

CAPÍTULO 9   LA SALUD Y LAS EMERGENCIAS

¡En acción!

9-8 Un pediatra bilingüe

Eres pediatra y estás examinando a un niño para su chequeo anual. ¿Qué partes del cuerpo tienes que saber decir para comunicarte con él en español? Completa las oraciones. Luego, dos estudiantes hacen de pediatra y niño; el niño hace lo que le dice el/la pediatra.

A ver, voy a examinarte los ___ojos___, para ver si ves bien; y los ___oídos___ para ver si me puedes oír. A ver, ¿cómo se llama esto que tienes entre los ojos y la boca? Sí, muy bien, la ___nariz___. Respira profundamente, por favor. A ver, ¿cuántos dientes tienes? Abre la ___boca___ y di ¡ah! Ahora, con mi estetoscopio, voy a escuchar los latidos[1] de tu ___corazón___. Respira profundamente otra vez, por favor. Muy bien; estoy oyendo tus ___pulmones___ y no hacen ruidos raros. Ahora, muéstrame las ___manos___; ábrelas y ciérralas. ¿Cuántos ___dedos___ tienes en cada una? Cinco y cinco, diez. Muy bien. Y para terminar, levántate y camina sin zapatos. Quiero ver lo bien que lo haces con tus ___pies___ tan pequeñitos. ¡Excelente! ¡Qué niño tan bueno eres!

9-8 Allow students a few minutes to complete the narration. After reviewing answers, have two students perform for the class: the pediatrician speaks and the child carries out the instructions.

Additional vocabulary, to present at your discretion: **la muela, el codo, la planta de la mano** and **la planta del pie.**

9-9 El cuerpo humano

¿Qué saben de anatomía? Observen el dibujo de la página 304 y contesten las preguntas.

1. ¿Qué hay en la cara? ¿Tiene este joven la piel clara u oscura?

2. ¿Qué se ve dentro de la boca? ¿Y por fuera?

3. ¿Qué parte del cuerpo sirve para proteger los oídos?

4. ¿Qué parte conecta la cabeza con el torso? ¿Qué conecta el cuello y los brazos? ¿Se ve la espalda?

5. ¿Qué partes forman la mano? ¿Y el pie?

6. ¿Qué parte del cuerpo sirve para doblar la pierna?

7. En la figura, ¿en qué extremidades se ven músculos?

8. ¿Cuáles son los siete órganos internos que se observan?

9. ¿De qué se compone el esqueleto humano?

9-9 To review answers, you may use the PowerPoint slide of the human body.

For additional vocabulary practice, see PowerPoint slides at www.wiley.com/college/lucasmurillo or visit www.wileyplus.com

9-9 PERSONALIZED QUESTIONS: ¿Quién se fracturó alguna vez una mano, un brazo o una pierna? Todos tenemos dolores de vez en cuando. ¿Qué les duele a Uds. con más frecuencia?

9-9 ANOTHER STEP: Write these verbs on the board: **respirar, nadar, manejar, comer, ver, oír, pintar, jugar al fútbol, tocar el piano.** Students in pairs jot down parts of the body they associate with each activity: **respirar** → **la nariz, el pulmón.**

9-10 Un juego: ¿Qué parte del cuerpo es?

El objetivo del juego es adivinar la parte del cuerpo que escoge el otro equipo, haciendo el mayor número de preguntas posible en un tiempo limitado de unos *dos* minutos.

1. Se ponen papelitos con los nombres de las partes del cuerpo en una bolsa.

2. La clase se divide en dos equipos (**A** y **B**), que se sientan uno enfrente del otro.

3. El/La profesor/a muestra un papelito de la bolsa a los miembros del equipo **A**.

4. Los miembros del equipo **B,** siguiendo un orden, le hacen preguntas al equipo **A**. El equipo **A** sólo puede responder **Sí** o **No.**

5. Después de 2 minutos, el equipo **B** tiene que decir qué parte del cuerpo es. Si es correcto, obtiene un punto. Ahora es el turno del equipo **A**.

9-10 To make the game simpler, ask students not to include the organs.

(continúa)

[1]beats

los ojos

Equipo A, E1: *¿Hay uno? (o) ¿Hay más de uno?*

Equipo B. E1: *Sí. (o) No.*

Equipo A, E2: *¿Está en la cabeza? (o) ¿Está en el tronco/ en las extremidades?*

Equipo B, E2: *Sí. (o) No.*

Equipo A, E3: *¿Sirve para... (verbo)?*

Equipo B, E3: *Sí. (o) No.*

Equipo A, E4: (Pregunta final) *¿Es el/la...? (o) ¿Son los/las...?*

> **Palabras útiles**
> girar *to turn*
> masticar *to chew*
> respirar *to breathe*
> tocar *to touch*

9-11 Prueba: Anatomía 101

> Activities 9–11 and 9-12 introduce students interested in the health professions to useful medical terminology. As most of the words are cognates, they will be easy for students to recognize.

¿Sabes para qué sirven los órganos y las partes del cuerpo que siguen? Haz la prueba. Empareja cada palabra de la columna A con la definición que le corresponde de la columna B.

A. ÓRGANOS y más		B. SUS FUNCIONES
1. el corazón	4 a.	filtrar la sangre y ayudar a formar la orina
2. el hígado	5 b.	tomar oxígeno
3. el estómago	7 c.	dar soporte a los órganos internos
4. los riñones	2 d.	segregar la bilis
5. los pulmones	1 e.	hacer circular la sangre
6. los intestinos	3 f.	hacer la digestión
7. los huesos	6 g.	absorber los alimentos y eliminar los residuos de la digestión

9-12 Especialistas, enfermedades y más

Paso 1. Di a qué especialistas deben ir a ver las siguientes personas.

> **9-12 ANOTHER STEP:** Call out the following illnesses and disorders, and have students guess their meaning: *(-itis)* apendicitis, artritis, bronquitis, conjuntivitis, gastritis, hepatitis, sinusitis, tendonitis; *(-ión)* indigestión, intoxicación; *(-exia)* anorexia, dislexia; *(-ma)* glaucoma, melanoma, trauma, asma; *otros:* alergia, diabetes, epilepsia, leucemia, osteoporosis, tumor benigno/ maligno.

1. un señor con problemas de corazón	f.	a. dermatólogo/a
2. un joven con cáncer de piel	a.	b. pediatra
3. una mujer embarazada	e.	c. quiropráctico/a
4. una persona con esquizofrenia	g.	d. oculista
5. un bebé con fiebre alta	b.	e. ginecólogo/a
6. un adolescente con problemas en casa	h.	f. cardiólogo/a
7. una persona que no ve bien	d.	g. psiquiatra
8. una persona con dolor de cuello y de espalda	c.	h. psicólogo/a

Paso 2. ¿A qué especialistas vas con más frecuencia? Explícaselo a un/a compañero/a.

♫ ¡A escuchar! La Tienda Natural   CD 4 Track 8

Palabras útiles
eficaz *efficient*
el arándano *cranberry*

Paso 1. Escucha el anuncio de *La Tienda Natural,* donde se puede encontrar todo lo necesario para el cuidado[1] del cuerpo.

Paso 2. Escucha de nuevo. Marca la respuesta correcta.

1. La crema que vende *La Tienda Natural* es para...
   ☑ la cara y el cuello   ☐ los brazos y las piernas

2. Tienen un aceite especial para fortalecer los músculos...
   ☐ del cuello y de la espalda   ☑ de los brazos y de las piernas

3. El jugo de arándano que se vende es bueno para...
   ☐ la circulación de la sangre   ☑ los riñones

4. Los yogures naturales restauran la flora...
   ☑ intestinal   ☐ arterial

5. Las vitaminas que venden son buenas para...
   ☐ el sistema digestivo   ☑ el corazón

6. Para fortalecer los huesos, venden bebidas de alto contenido en...
   ☐ vitaminas alfa-omega   ☑ calcio

7. También hay cosméticos para...
   ☐ la cara   ☑ los labios y las uñas

8. Los productos de la tienda son...
   ☐ artificiales   ☑ naturales

En muchos países hispanos las farmacias se reconocen por una cruz verde o roja. Sus farmacéuticos pueden aconsejar al paciente, y a veces, incluso recetarle[2] medicamentos.

Clase de *zumba* en Gold's Gym, en Bettendorf, Iowa. El *zumba* es una forma de hacer ejercicio que está teniendo mucho éxito en EE.UU. y en muchos otros países del mundo. Hacer *zumba* es muy bueno para los glúteos, las piernas, los brazos, los abdominales y el corazón. También es un modo divertido de hacer ejercicio al mismo tiempo que se aprenden pasos de salsa, merengue, cumbia, hip hop, reggaeton, mambo, calypso, flamenco o rumba. También sirve para tonificar el cuerpo y quemar calorías. (Photo credit: Bettina Bolger)

[1]care, [2]write a prescription for

For additional practice on this grammar point, see PowerPoint slides at www.wiley.com/college/lucasmurillo or visit www.wileyplus.com

To introduce the imperfect, write two model verbs on the board, with endings highlighted. In a side box, add the three irregular verbs. Also write on the board: **Cuando era niño/a...** Make statements about yourself: **Cuando era niño/a, jugaba con mis amigos todos los sábados.** Ask several students: **¿Y tú?** They each respond: **Sí, jugaba con mis amigos...** (or) **No, no jugaba con mis amigos...** Recap student answers: *...jugaba con sus amigos...; ...y... jugaban con sus amigos...; ...y yo jugábamos con nuestros amigos...* In later examples, allow students to provide the recap. *More examples*: **Veía dibujos animados en la televisión. Comía pizza. Escuchaba música. Iba al cine con frecuencia.**

Introduce the imperfect by describing a poster or a magazine picture of your choice. Focus on *descriptions* and *actions in progress*.

For additional practice on these grammar points, see PowerPoint slides at www.wiley.com/college/lucasmurillo or visit www.wileyplus.com

GRAMÁTICA

¡Manos a la obra!

Describing in the past: The imperfect

Spanish uses both the preterit and the imperfect tenses to talk about the past, but each is used in different situations.

The *preterit*, as you know, is used to talk about actions in the past that the speaker views as *completed*. These are *one time only* actions—they have a definite ending.

The *imperfect* is used to talk about things in the past that do *not* have a definite or stated ending, because the speaker views them as in progress. Here are some examples:

• What *used to/ would happen* (actions that are ongoing, habitual, happening repeatedly)

Cuando estábamos en la universidad, **corríamos** todas las mañanas.	*When we were in college, we **used to/ would** run every morning.*

• What *was happening* (actions in progress)

Yo **hablaba** con el médico cuando ella llegó.	*I **was** talking with the doctor when she arrived.*

• Description of characteristics (people, places, things), ongoing conditions, telling age

El gato **era** bonito y cariñoso.	*The cat was pretty and affectionate.*
Siempre **estaba** contento.	*He was always happy.*
Murió cuando **tenía** dieciséis años.	*He died when he was sixteen years old.*

• Setting the stage: background description, including season, weather, date, and time.

Era un día perfecto. **Hacía** sol.	*It was a perfect day. It was sunny.*
Eran las dos de la tarde.	*It was two o'clock in the afternoon.*
Había muchas flores en el jardín.	*There were many flowers in the garden.*

The imperfect tense is formed by dropping the infinitive ending (**-ar, -er, -ir**) and adding the endings below. The endings for **-er** verbs and **-ir** verbs are the same.

	tomar (-ar)	tener (-er)	pedir (-ir)
(yo)	tom**aba**	ten**ía**	ped**ía**
(tú)	tom**abas**	ten**ías**	ped**ías**
(Ud., él, ella)	tom**aba**	ten**ía**	ped**ía**
(nosotros/as)	tom**ábamos**	ten**íamos**	ped**íamos**
(vosotros/as)	tom**ábais**	ten**íais**	ped**íais**
(Uds., ellos, ellas)	tom**aban**	ten**ían**	ped**ían**

. . . y algo más

There are three irregular verbs in the imperfect tense.

ser *to be*		**ver** *to see*		**ir** *to go*	
era	éramos	veía	veíamos	iba	íbamos
eras	érais	veías	veíais	ibas	íbais
era	eran	veía	veían	iba	iban

. . . y algo más

Hay means *there is* or *there are*.

Había (imperfect of **haber**) means *there was* or *there were*.

Yolanda quiere saber cómo era su abuelita de niña, cuando vivía en Puerto Rico.

Abuelita, ¿cómo eras de niña?

Tenía los ojos, la nariz y la boca como tú.

¡Eso ya lo sé!

¿Y tenías el pelo negro como esta muñeca[1]?

Sí, y hacía siempre la tarea de la escuela y ayudaba a mi mamá.

¡Como yo! Lo sabía, abuelita. Tú y yo somos muy parecidas.[2]

¡Pero yo no hablaba ni escribía inglés tan bien como tú!

¡En acción!

¡Oye! A dibujar

Escucha la siguiente descripción y después de cada oración, dibuja lo que oyes. Al final, compara tu dibujo con el de tu compañero/a.

9-13 Nostalgia de los viejos tiempos

Paso 1. En grupos de *cuatro*, escojan la época con la que más se identifiquen o mejor conozcan y escríbanla en el espacio en blanco: **años cincuenta, sesenta, setenta, ochenta o noventa.** Luego, piensen durante unos minutos para recordar lo que ocurría en aquellos años en las categorías 1–8 y apunten la información.

EN LOS AÑOS _____ EN EE.UU.

1. ¿Quién **era** presidente?	Era...
2. ¿Qué música se **escuchaba**?	
3. ¿Qué moda se **llevaba**?	
4. ¿Qué películas se **veían**?	
5. ¿Qué programas de televisión **daban**?	
6. ¿Qué carro **estaba** de moda?	
7. ¿Qué **ocurría** en el resto del mundo?	
8. ¿Adónde **iba** la gente de vacaciones?	

Paso 2. Ahora, un grupo le hace las preguntas a otro y ellos contestan usando los verbos en el imperfecto, pero *sin nombrar la época*. La clase escucha, y al final, adivina la época (**Eran los años...**). Luego, otros dos grupos hacen lo mismo.

9-13 Helpful information on the presidents: **50s,** Truman, Eisenhower; **60s,** Kennedy, Johnson; **70s,** Nixon, Ford, Carter; **80s,** Reagan; **90s,** H. W. Bush, Clinton.

[1]doll [2]similar

Guión para ¡Oye!
1. **Era** verano y **hacía** sol. (Dibujen el sol en el cielo.)
2. **Había** algunas nubes.
3. En el centro de la escena, se **veía** una casa pequeña.
4. A la derecha de la casa, **había** dos árboles.
5. A la izquierda, **había** un pequeño lago, con flores cerca.
6. Alguien **pescaba** en el lago.
7. Fuera de la casa, dos niños **jugaban** con una pelota.
8. Cerca de ellos, se **veía** un camino pequeño que cruzaba de este a oeste.
9. Por el camino, una niña **montaba** en bicicleta.
10. Detrás de ella, **corría** su perro.

Repeat the description so that students can check their drawings. Have students in pairs compare their drawings, and then try to describe what they have drawn using the imperfect.

9-13 *Option:* If your class is large, have one group ask another the questions; the first group guesses the period being described. The groups then switch roles.

9-14 La vida sana[1]

 Paso 1. Los hábitos de nutrición y cuidado del cuerpo cambian de una generación a otra. Primero, marca **Sí** o **No** para indicar si la generación anterior hacía o no lo siguiente. Luego, compárala con la de ahora. Usa el imperfecto y el presente según el modelo.

MODELO

Sí	No	
☐	☑	*comer* tofu

Antes no se **comía** *tofu. Ahora, mucha gente lo* **come.**

Sí	No	
☐	☐	**1.** *comer* mucha carne
☐	☐	**2.** *comprar* agua
☐	☐	**3.** *beber* leche descremada[2]
☐	☐	**4.** *tomar* leche de soja[3]
☐	☐	**5.** *contar* las calorías de cada ración[4]
☐	☐	**6.** *dar* importancia a las grasas saturadas de las comidas
☐	☐	**7.** *hacer* ejercicio en el gimnasio
☐	☐	**8.** *conocer* los efectos del estrés
☐	☐	**9.** *pedir* productos orgánicos
☐	☐	**10.** *fumar* mucho

 Paso 2. En grupos de *tres*, comenten qué cosas poco saludables comían o bebían antes que ya no comen ni beben ahora.

9-15 Los años pasan para todos RECYCLES the present tense.

Paso 1. Comparen cómo eran antes y cómo son ahora Alejandro, Eulalia y Eduardo según las fotos. Para describirlos, escojan verbos y expresiones de las listas que acompañan las fotos. Escriban como mínimo *tres* cosas para cada persona. Sigan el modelo.

1

Alejandro a los seis meses

...y a los ochenta años

Antes Alejandro **tenía** mucho pelo. _____

Ahora no **tiene** pelo. **Está** calvo. _____

Antes Alejandro . . . _____

_____

_____

llevar, llorar, reírse, estar, tener

[1]healthy, [2]skim, [3]soy, [4]portion

2

Eulalia a los cinco años

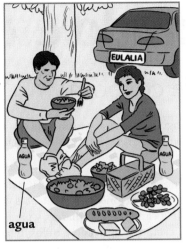

...y a los treinta

_____
_____
_____
_____

beber, comer, manejar, montar en bicicleta,
pintarse, salir con, ser, ir

3

Eduardo a los diecinueve años

...y a los cincuenta

_____
_____
_____
_____

afeitarse, escuchar, hacer ejercicio, leer,
peinarse, vestirse

Paso 2. Ahora, comparen sus observaciones con las de otra pareja.

9-16 Cuando tenía... años   RECYCLES home, food, activities, and clothing vocabulary.

Paso 1. Uds. son dos pacientes que comparten habitación en el hospital, y están charlando de los siguientes aspectos de su vida cuando tenían... años (escojan su edad favorita):

- su casa o apartamento
- personas con quienes vivían
- quiénes eran sus amigos y a qué jugaban
- sus comidas favoritas

- qué programas veían en la televisión
- qué otras cosas les gustaba hacer
- adónde iban de vacaciones
- qué ropa se ponían

Paso 2. Tu hijo quiere saber acerca de tu vida cuando tenías... años, y quiere que lo escribas en un *blog*, para poder compartirlo con toda la familia. Escríbelo en *ocho* oraciones. Incluye la misma información del *Paso 1*.

MODELO

Voy a contales acerca de mi niñez. Cuando tenía…años, vivía en…

9-15 You may project the PowerPoint slide of Alejandro, Eulalia, and Eduardo. After students complete the activity, ask them to share their comparisons with the class.

9-15 ANOTHER STEP: Students in groups take turns describing a member of their family, mentioning what the person *was* like and/or what he/she *used to do* (imperfect, two items) and what the person *is* like and/or *does* now (present, two items).

9-16 For *Paso 1*, have two students reenact their conversation for the class, followed by others volunteering information regarding their partner's childhood experiences.

Tu mundo cultural

El lenguaje corporal[1]

Cada cultura tiene un lenguaje corporal y formas de comunicación no verbal que la caracterizan. ¿Cuáles son las de tu cultura? ¿Es el contacto físico frecuente y aceptable en la comunicación? ¿Qué gestos se usan?

En su mayoría, los hispanos son muy expresivos. Cuando hablan, mantienen una distancia pequeña entre ellos y las interrupciones son frecuentes y más toleradas en su cultura. Además, usan muchos gestos[2] con la cara y con las manos, y para ellos, el contacto físico es un elemento importante de la comunicación. En privado y en los lugares públicos como calles, autobuses, filas de cines y bancos, se observa también gran proximidad entre las personas.

En los países hispanos, cuando dos amigas salen de paseo, es común ir del brazo.

En el caso de los hombres, cuando dos amigos salen de paseo, al hablar, es común poner el brazo por encima del hombro del otro. La proximidad física, en estos casos, es una forma de expresar afecto y amistad.

Saludos y despedidas

Si por razones profesionales tienes contacto frecuente con hispanos en EE.UU., o si eres un hombre o una mujer de negocios que va a viajar a países hispanos, te va a ser muy útil familiarizarte con las siguientes formas de saludarse.

Cuando dos hombres que se conocen se encuentran o se despiden, se dan un abrazo y unas palmaditas[3] en la espalda, incluso si se han visto hace poco tiempo.

Cuando dos mujeres o un hombre y una mujer se encuentran o se despiden, se saludan con un beso en la mejilla[4], o rozando[5] la mejilla. En algunos países como España, se dan dos besos. No importa si se vieron hace tiempo o el día anterior.

[1]**El...** Body language, [2]gestures, [3]little pats [4]cheek, [5]barely touching

En las situaciones de trabajo, el contacto físico también es frecuente, pero a veces, cuando dos hombres o mujeres no se conocen, y si es una situación de trabajo formal, se dan la mano para saludarse o despedirse.

¿Sabes interpretar los gestos hispanos?

Cada cultura tiene gestos que la diferencian de los de otras culturas. A veces, un gesto en una significa algo diferente en otra. Hay gestos comunes a muchos países, y otros exclusivos de unos pocos. A continuación vas a observar algunos gestos hispanos útiles.

En España se usa este gesto para indicar que hay mucha gente en un lugar. En otros países hispanos, como México, Chile y Argentina, significa tener miedo.

Es un gesto para asegurar[1] a otra persona que es cierto lo que se dice.

Este gesto indica que la persona de quien se habla es tacaña, es decir, poco generosa. Se usa en México, América Central, el Caribe y Venezuela, entre otros. No se usa en España.

¿Qué aprendiste?

1. ¿En qué detalles se nota que el contacto físico entre los hispanos es importante?

2. Cuando dos amigas hispanas se encuentran, ¿cómo se saludan? ¿Y dos hombres hispanos que son amigos? ¿Y dos que no se conocen?

3. ¿Para quiénes, en particular, es importante conocer los saludos y gestos hispanos?

Actividad cultural

1. Ahora, tu compañero/a y tú hacen los siguientes papeles: **(a)** una persona que saluda "*a la hispana*" a una amiga que encuentra por la calle; **(b)** una persona que saluda a un compañero de trabajo.

2. Usa gestos hispanos para decirle a tu compañero/a lo siguiente: **(a)** que alguien es tacaño/a; **(b)** que le aseguras que cierta persona es muy inteligente y **(c)** que hay mucha gente en un lugar. Túrnense.

Contraste cultural

Hablen de las maneras de saludarse y del contacto físico en su cultura. Incluyan saludos entre sólo mujeres, sólo hombres, hombres y mujeres y personas que se conocen bien o no. ¿Cuáles de los saludos son similares a los hispanos y cuáles son diferentes?

[1]assure

3 Situaciones de emergencia

En ¹el lugar del accidente

En ¹²la sala de emergencias

En el quirófano*

1. the scene/ place of the accident 2. Help! 3. to yell, scream 4. to crash 5. to hurt/ injure oneself 6. paramedic (*m.*); **la paramédica** (*f.*) 7. stretcher 8. to be in a hurry 9. injured/wounded person (*m.*); **la herida** (*f.*) 10. to be careful 11. He is unconscious. **estar inconsciente** to be unconscious 12. emergency room 13. I fell. **caer(se)** to fall 14. wound 15. bandage 16. to fracture, break 17. cast 18. crutches 19. Do not move. **mover(se)** to move (oneself) 20. to have a heart attack 21. Don't worry. **preocupar(se)** to worry 22. surgeon (*f.*) **el cirujano** (*m.*) 23. to operate 24. to recuperate 25. slowly

* **En el quirófano** *In the operating room*

¡En acción!

9-17 ¿Es así o no?

Observa la escena de la página 314 e indica si las afirmaciones son ciertas o falsas. Si son falsas, da la oración correcta.

MODELO

C	F	
☐	☑	Alguien grita «¡Un accidente!». *Falso. Alguien grita «¡Socorro!».*

C	F	
☐	☑	**1.** En el lugar del accidente, un paramédico se lastimó.
☑	☐	**2.** El herido que llevan en la camilla a la ambulancia está inconsciente.
☐	☑	**3.** El señor que está en la sala de emergencias sufrió un ataque de nervios.
☑	☐	**4.** Las muletas de la chica le sirven de ayuda para caminar.
☐	☑	**5.** Una enfermera pone un yeso en la herida de una paciente.
☐	☑	**6.** En el quirófano, la cirujana está lista para poner la anestesia al paciente.
☐	☑	**7.** Según la persona de la sala de espera, el paciente va a recuperarse rápidamente.

9-17 ANSWERS: (for false responses) 1. F: Un señor (o una señora) se lastimó. 3. F: ...sufrió un ataque al corazón. 5. F: ...pone una venda... 6. F: ...para operar al paciente. (o) ...para el trasplante de riñón. 7. F: ...va a recuperarse lentamente.

9-18 Situaciones de emergencia

¿Qué pasó? ¿Hubo heridos? ¿Los llevaron al hospital? Para saberlo, observen las escenas de la página 314 y contesten las preguntas.

1. En el lugar del accidente, ¿cuántos carros chocaron? ¿Qué grita el señor que viene corriendo del otro lado de la carretera?

2. ¿Qué le pasó al señor de la corbata azul?

3. ¿Quiénes tienen prisa?

4. ¿Por qué tienen cuidado los paramédicos que ponen la camilla en la ambulancia?

5. En la sala de emergencias, ¿por qué está allí cada una de las tres personas?

6. ¿Qué hacen las tres enfermeras? ¿Qué dicen dos de ellas?

7. En el quirófano, ¿qué va a hacer la cirujana? ¿Qué clase de operación es? ¿Y qué dice el anestesista?

8. En la sala de espera, ¿qué pronostica una de las señoras? ¿Cuánto tiempo va a quedarse el paciente en el hospital?

9-18 You may want to project the Power-Point slide of the "emergency" vignettes and have the class describe each one.

For additional vocabulary practice, see PowerPoint slides at www.wiley.com/college/lucasmurillo or visit www.wileyplus.com

9-18 PERSONALIZED QUESTIONS: ¿Quién tuvo un accidente? (¿Cuándo? ¿Qué clase de accidente?) ¿Quiénes tuvieron una operación? (¿Cuándo?) ¿Quiénes se han fracturado la pierna o el brazo? (¿Cuándo?)

9-19 *Option:* Students complete the activity in groups of six.

9-19 Accidentes y emergencias

RECYCLES verbs in the preterit and **hace** + *time.*

Paso 1. ¿Qué les pasó a tus compañeros/as alguna vez[1]? Camina por la clase y hazles preguntas para saberlo. Apunta en el espacio en blanco (pág. 316) el nombre de cada estudiante que responda *afirmativamente*. Sigue el modelo. Tienes *cinco* minutos.

MODELO

E1: *Alguna vez, ¿tuviste que hacer rehabilitación o terapia física?*

E2: *Sí, tuve que hacer terapia física **hace dos años.***

E1: *(Apunta el nombre del/ de la estudiante. Si la respuesta es negativa, haz otra pregunta.)*

(continúa)

[1]**alguna...** at some time

9-19 Spot-check responses by asking ¿Quiénes se fracturaron la pierna o el brazo? ¿Quiénes tuvieron un accidente? Elicit multiple responses, with students answering according to the names they noted: Pedro tuvo una operación.

Alguna vez,...

_____ 1. ...¿tuviste una operación? ¿Te pusieron anestesia?

_____ 2. ...¿te caíste? ¿Te lastimaste?

_____ 3. ...¿te fracturaste la pierna o el brazo? ¿Te pusieron un yeso?

_____ 4. ...¿te torciste el tobillo?

_____ 5. ...¿tuviste un accidente en bicicleta, en motocicleta o montando a caballo? ¿Tuviste heridas?

_____ 6. ...¿estuviste inconsciente?

 Paso 2. Comparte la información obtenida con otro/a compañero/a: ...*tuvo una operación.*

¡A escuchar! Situaciones de emergencia CD 4 Track 9

Paso 1. Escucha las conversaciones.

Paso 2. Escucha de nuevo. Marca la respuesta correcta.

1. Dos carros chocaron y...
   ☐ no hay heridos   ☑ hay heridos

2. Los paramédicos vienen...
   ☑ inmediatamente   ☐ más tarde

3. Uno de los heridos...
   ☐ tiene prisa   ☑ está inconsciente

4. En la sala de emergencias hay un niño. Le duele...
   ☑ la pierna   ☐ el brazo

5. La enfermera le pone...
   ☐ una herida   ☑ una venda

6. En el quirófano hay un paciente que sufrió...
   ☑ un ataque al corazón   ☐ heridas muy graves

For additional practice on this grammar point, see PowerPoint slides at www.wiley.com/college/lucasmurillo or visit www.wileyplus.com

. . . y algo más

The verb **haber**

Había (imperfect) *There was, there were* (existing state or condition)

Hubo (preterit) *There was* (occurred), *there were* (completed action or event)

Había mucho tráfico y **hubo** un accidente.
There was a lot of traffic and there was an accident.

GRAMÁTICA

For additional practice on this grammar point, see PowerPoint slides at www.wiley.com/college/lucasmurillo or visit www.wileyplus.com

¡Manos a la obra!

Piecing together the past: The preterit and the imperfect

3

You have been using the preterit and the imperfect tenses to refer to the past. Study the contrasts in their meanings in the following chart.

IMPERFECT	Examples	PRETERIT	Examples
1. Describes a past action or condition that was *in progress,* with no emphasis on the beginning or end.	El paciente **dormía** tranquilamente. **Estaba** muy enfermo. No **quería** comer.	**1.** Indicates a single past action, generally quickly *completed,* or a series of actions in the past.	Tere **llamó** al médico. La enfermera le **tomó** la presión, le **sacó** sangre y le **puso** la inyección.
2. Describes a past action that was repeated or *habitual* over an indefinite period of time.	La familia **visitaba** al abuelo todos los domingos. Siempre le **llevaban** un regalo y le **compraban** chocolate.	**2.** Focuses on a past action or condition with an evident *beginning, end,* or *time frame.*	Juan **se lastimó** ayer. **Pasó** tres horas en la sala de emergencias. **Se sintió** mal todo el día.
3. *Describes the background,* often setting the stage for other actions or events to take place. Includes: • the date or the season • the time • the weather • a description of the scene	**Era** el 16 de junio. **Era** verano. **Eran** las cinco de la tarde. **Llovía** y **hacía** viento. **Había** mucho tráfico en la carretera.	**3.** Indicates an action that *interrupts* an ongoing scene, action, or condition described in the imperfect.	Tina **manejaba** al centro cuando **chocó** con el autobús. Cuando **llegó** el paramédico, el herido **estaba** inconsciente. Mientras lo **llevaban** al hospital, **abrió** los ojos.
4. Describes people: • age • physical and personality traits • mental or emotional states, conditions, or attitudes	La cirujana **tenía** 52 años. **Era** muy competente. **Estaba** preocupada por su paciente.	**4.** Indicates a sudden, unexpected *change of condition or attitude.*	La enfermera **se preocupó** cuando vio al niño. El niño **tuvo** miedo cuando vio la inyección.

You may introduce the preterit and the imperfect by projecting the PowerPoint slide of the opener scene for this chapter. Begin by describing the scene using the *imperfect.* Include (a) day, hour, date: **Era/n...**; (b) description of the setting: **Había...**; (c) description of various patients and their ailments; (d) description of ongoing actions: in the reception area, waiting room, examination rooms. Introduce an interrupting (*preterit*) action, such as **De repente, entraron cuatro policías al consultorio.** Follow with students providing a series of actions in the past: **La niña empezó a llorar...** Encourage students to use their imaginations!

Let students know that certain time-related expressions are often associated with either the imperfect or the preterit. For example, *Preterit:* **anoche, ayer, la semana pasada, una vez, de repente...** *Imperfect:* **todos los días, siempre, por lo general, normalmente, mientras,...**

ADVERBIOS ÚTILES

mientras *while*   mientras tanto *meanwhile*   por fin *finally*   de repente *suddenly*

Mario está en la sala de emergencias. Allí se encuentra con Mabel que es enfermera del hospital.

Mario, ¿qué haces aquí en la sala de emergencias?

Creo que me rompí el tobillo... Estaba en el parque jugando al fútbol y otro jugador chocó conmigo.

A ver, el tobillo... No te lo rompiste, pero sí te lo lastimaste. Necesitas una venda y unas muletas.

¡Qué buena enfermera eres! ¿Cuándo tengo que regresar?

Dentro de dos semanas, pero si quieres, el sábado vamos al cine y yo manejo...

Guión para ¡Oye!

Era sábado, el quince de marzo, y **llovía** mucho (*draw rain on the board*). **Eran** las cuatro de la tarde y Juan **estaba** en casa, aburrido. **Quería** ver a su novia Sofía, a quién **amaba** con pasión, y **decidió** ir a visitarla. **Se puso** la chaqueta y **salió** de casa. **Manejaba** por la calle San Martín y **hablaba** con ella por el celular, cuando... ¡Ay! No **vio** la señal de tráfico que **decía** ¡ALTO! y **chocó** con otro carro (*clap hands together to make a crashing sound*). Alguien **llamó** al 911, la ambulancia **llegó** inmediatamente y lo **llevaron** a la sala de emergencias. **Tuvo** mucha suerte—sus heridas no **fueron** graves y **se quedó** sólo unas horas en el hospital. Mientras tanto, Sofía **estaba** *muy* preocupada. Cuando Juan por fin **llegó** a casa y la **llamó**, ella **fue** inmediatamente a verlo. Le **llevó** un DVD de una comedia, y **se rieron** mucho el resto de la noche. El día **terminó** mejor de lo que **empezó**.

Comprensión para ¡Oye!
1. ¿Era sábado o domingo?
Era sábado.

2. ¿Llovía o hacía sol?

3. ¿Juan manejaba y escuchaba música, o manejaba y hablaba por el celular?

(continúa)

¡En acción!

¡Oye! Lo que le pasó a Juan

Escucha la narración, y luego contesta las preguntas.

9-20 Un mal día para Jorge y Zacarías

Paso 1. Un/a narrador/a lee el relato de forma dramática, haciendo pausas donde haya //, para que los actores sepan cuando les toca actuar. Los actores siguen las instrucciones que escuchan y las representan con mímica.

Actores y actrices en orden de aparición:
Narrador/a; Jorge; Zacarías; dos paramédicos. **En la sala de emergencias:** *grupo de personas que mira la televisión; grupo que lee revistas; grupo que habla; persona que está resfriada; persona con dolor de estómago; persona con tos; dos mujeres embarazadas, a punto de dar a luz[1]; dos niños; la médica.*

Narrador/a:
Todos los días, Jorge y su amigo Zacarías **jugaban** al vólibol // y **montaban** en bicicleta, // pero el sábado pasado, Jorge **se cayó** de la bicicleta // y **se fracturó** una pierna. Inmediatamente, Zacarías **llamó** al 911 por el celular, // y los paramédicos **llegaron** poco después. // Rápidamente, **pusieron** a Jorge en la camilla // y lo **llevaron** al hospital. //

En la sala de emergencias **había** mucha gente. Unas personas **miraban** la televisión, // otras **leían** revistas // y otras **hablaban.** // Una persona **estaba** resfriada; // otra **tenía** dolor de estómago; // y otra, mucha tos. // **Había** incluso, dos mujeres embarazadas a punto de dar a luz. Cada cinco minutos, **decían** «¡¡¡Ay!!!, ¡¡¡Ay!!!». // Dos niños **corrían** por todas partes, // y Jorge, en la silla de ruedas, no **estaba** nada contento.

Jorge **leía** una revista en la silla de ruedas, cuando de repente, uno de los niños que **corría** por la sala, **chocó** contra[2] su pierna rota. // «¡¡¡Ay!!! ¡Dios mío!» **gritó** Jorge. // Mientras Zacarías **consolaba** al pobre Jorge, **entró** la médica // y lo **llevó** a un cuarto. // Zacarías los **acompañó.** // La médica le **tomó** la temperatura // y la presión a Jorge, y luego le **sacó** unas radiografías. // Por último, le **puso** un yeso, // le **dio** unas pastillas para el dolor y unas muletas. //

Jorge y Zacarías **regresaron** a casa, caminando muy lentamente. // Al llegar, **estaban** bien cansados. **Fue** un mal día.

[1]give birth, [2]against

9-20 First, select the participants as listed. The narrator, Jorge, and Zacarías go to the front of the class. The other characters remain seated until their participation is required. If the first run-through is rough, call it a dress rehearsal and try it again, perhaps assigning students different roles.

CAPÍTULO 9 LA SALUD Y LAS EMERGENCIAS

Paso 2. Contesten las siguientes preguntas. Al terminar de responder a todas las preguntas, indiquen en el espacio en blanco qué uso del pretérito o del imperfecto escogieron para sus respuestas (A, B, C o D). Túrnense.

(from p. 318)

A   1. ¿Qué hacían Jorge y Zacarías todos los días?

C   2. ¿Qué pasó después de fracturarse Jorge la pierna?

B, B   3. En la sala de emergencias, ¿cómo estaban algunas personas? ¿Qué hacían otras?

D, D   4. ¿Qué ocurrió cuando Jorge leía la revista? ¿Quién entró cuando Zacarías lo consolaba?

C   5. ¿Qué hizó la médica?

B   6. ¿Cómo estaban Jorge y Zacarías al regresar a casa?

4. ¿Vio la señal de tráfico?
5. ¿Chocó?
6. ¿Llegó la ambulancia inmediatamente o media hora después?
7. ¿Tuvo heridas graves?
8. ¿Se quedó Juan en el hospital unos días o unas horas?
9. Mientras tanto, ¿estaba Sofía enojada o preocupada?
10. ¿Le llevó a Juan un DVD o un CD?
11. ¿Lo pasaron bien?
12. ¿Cómo terminó el día, mejor o peor de lo que empezó?

Usos del Imperfecto		Usos del Pretérito	
A. Acción pasada que se repite o es habitual durante un periodo de tiempo indeterminado.	**B.** Acción o condición pasada en progreso, sin un principio o fin¹ determinado.	**C.** Acción o serie de acciones pasadas que se consideran concluidas.	**D.** Acción pasada que interrumpe otra acción o condición en progreso.

9-20   Before beginning *Paso 2*, have students review the four preterit and imperfect concepts. After students complete their work in pairs, they share answers to the questions with the class. Write on the board the verbs that are mentioned in the answers. Students then confirm the concept they selected.

9-21 Malestares y remedios   RECYCLES the preterit along with the imperfect.

Primero, escoge de la lista *dos* malestares que tuviste en alguna ocasión. Descríbele a tu compañero/a **(a)** el malestar que tenías (imperfecto) y **(b)** lo que hiciste para remediarlo (pretérito). Sigue el modelo. Túrnense.

Malestares que tenías antes	Remedios
• tener problemas digestivos	*Dejé de…*
• tener dolores de cabeza frecuentes	*Tomé…*
• dolerme la espalda/ los oídos/ el estómago/…	*Fui a un/a…*
• dormir mal y sentirme cansado/a	*Empecé a…*
• estar estresado/a	*Decidí…*
• tener el colesterol alto	*…*
• toser a causa de fumar	

MODELO

E1: *¿Qué problema **tenías** antes?*

E2: *Me **dolía** la espalda.*

E1: *¿Qué **hiciste** para remediarlo?*

E2: ***Fui** a una médica y me **dio** unas pastillas.*

E1: *¿Y cómo estás ahora?*

E2: *Estoy bien.*   **o:** *Todavía me duele la espalda.*

¹**principio…** beginning or end

9-22 ¿Y qué pasó después?

Paso 1. Veamos si son Uds. personas creativas. Su profesor/a le va a asignar a cada grupo de *cuatro* estudiantes uno de los siguientes temas. Su tarea es completar la historia con *cuatro* oraciones ¡y usando la imaginación!

1. **Eran** las nueve de la noche, y después de un día largo, el cirujano **se iba** a casa. De repente, **sonó** su iPhone, y...

2. **Era** una noche de verano y **hacía** muchísimo calor. Una mujer embarazada de más de nueve meses **empezó** a sentir contracciones. Inmediatamente, ...

3. **Era** invierno y **nevaba** mucho. Un esquiador que iba a toda velocidad, no **vio** un árbol y **chocó.** En ese momento, ...

4. Un día de verano, **nadábamos** tranquilamente en el agua azul turquesa de una playa del Caribe, cuando de repente vimos, ¡la aleta de un tiburón!...

Paso 2. Lean sus historias a la clase. ¿Cuál fue la más original?

9-23 Noticias de última hora

Paso 1. ¿Sabes lo que pasó ayer? Lee el artículo. Luego, <u>subraya</u> los *nueve* verbos que están en pretérito, y haz un círculo alrededor del verbo que está en imperfecto.

9-23 In *Paso 1,* students are asked to underline verbs for the purpose of recognizing preterit and imperfect endings. Point out that in the newspaper article, the nine verbs in the preterit focus on a past actions with an evident beginning, end or time frame, while **pasaba** is in the imperfect because it is an *ongoing* action.

The *Preguntas* that follow the article serve to quickly confirm key elements of the story, prior to moving on to *Paso 2.*

Paso 2: When students have completed the activity, ask a volunteer to read the story aloud. The class confirms answers.

ANSWERS: For *Paso 2:* Eran, manejaba, nevaba, oí, estaba, dijo, Salí, vi, estaba, Saqué, limpié, dije, vino, tomé, di, empezó, puse, dio, abrazamos, Fue

Noticias de última hora: Diario local

¡Un bebé nació en un taxi!

Ayer domingo, a las dos de la mañana, doña Eugenia Pérez dio a luz[1] en un taxi a un precioso bebé de 3 kilos y medio. El taxi no pudo llegar al hospital a tiempo a causa de la tormenta de nieve. Las personas que ayudaron a la embarazada en el parto[2] fueron su esposo José, el conductor del taxi y una enfermera. La enfermera, llamada Lola, casualmente pasaba por allí y al oír los gritos de socorro provenientes del taxi, corrió a ayudarles. Los bomberos y la ambulancia llegaron demasiado tarde, pero gracias a la eficacia de la enfermera y al valor de los dos hombres que la ayudaron, el evento tuvo un final muy feliz. Los padres del bebé ya tienen otros cinco hijos, y dijeron que éste va a ser el último, y que lo van a llamar Benjamín, alias «el intrépido».

Preguntas: ¿Qué pasó ayer domingo a las dos de la mañana? ¿Por qué paró allí Lola, la enfermera? ¿Quiénes más ayudaron a la embarazada en el parto? ¿Cuántos hijos tienen ahora los padres?

Paso 2. Ahora, escojan la forma correcta de cada verbo para narrar lo que Lola les contó a sus compañeros/as al llegar al hospital.

Eran/Fueron las dos de la mañana y yo *manejaba/ manejé* al hospital con gran dificultad porque afuera *nevaba/ nevó* mucho. De repente, *oí/ oía* unos gritos provenientes de un taxi que *estaba/ estuvo* estacionado cerca. Un hombre desde el taxi me *decía/ dijo*: «¡¡Por favor, venga, necesitamos su ayuda!!». *Salía/ Salí* inmediatamente y *veía/ vi* a una mujer embarazada que *estaba/ estuvo* dando a luz en ese momento. *Sacaba/ Saqué* alcohol y unas toallas de mi bolsa, me *limpiaba/ limpié* las manos y le *decía/ dije* a la señora: «No se preocupe. Me llamo Lola, soy enfermera y todo va a salir bien.» El bebé *venía/ vino* al mundo a gran velocidad. Lo *tomaba/ tomé* por los pies, le *daba/ di* suavemente unas palmaditas y el recién nacido *empezaba/ empezó* a llorar. Lo *ponía/ puse* en los brazos de su madre en una cobija[3] que me *daba/ dio* el taxista y finalmente, los cuatro nos *abrazábamos/ abrazamos* con gran alegría. *Era/ Fue* un día que todos vamos a recordar[4].

[1] **dio...** gave birth, [2] birthing, [3] blanket, [4] remember

9-24 Un día en el parque

Paso 1. ¿Qué les pasó a una señora y a su perrita, Bolita, hace una semana? Para saberlo, primero, escucha la descripción de tu profesor/a e identifica la escena que le corresponde (del 1 al 6).

MODELO

Profesor/a: *La señora **tomó** a Bolita en sus brazos y **llamó** a un taxi.*

Tú: (marcas o dices) *Número 4.*

1.

2.

3.

4.

5.

6.

Paso 2. Ahora, cuenten la historia. Usen los verbos que siguen y otros, en imperfecto o pretérito según corresponda. Digan como mínimo *tres* cosas en cada escena.

atacar	encantar	haber	irse	llevar	sentirse	tomar	ver
caminar	gritar	hacer	llamar	ponerle	ser	venir	volver

MODELO

E1: ***Era** primavera y **hacía** sol.*

E2: *Una señora muy elegante **caminaba** por el parque con su perrita.*

9-25 Algo personal

Paso 1. ¿Tuviste un accidente o un incidente grave de niño o de joven? Descríbelo en *ocho* oraciones. Incluye lo siguiente:

- cuándo ocurrió (mes y año) y cuántos años tenías
- qué hora era, dónde estabas y qué tiempo hacía
- qué hacías cuando ocurrió
- qué pasó y cómo te sentiste después

Paso 2. En grupos de *cinco*, léanse sus relatos y decidan cuál es el más original. Luego, esa persona se lo lee a la clase.

9-24 To be read twice by the instructor. The first time, students jot down their responses. The second, they call out answers.
· De repente, un perro enorme atacó a Bolita. [3]
· Pocos días después, Bolita se recuperó, y ella y la señora estaban contentas de nuevo. [6]
· Era primavera y hacía sol. Una señora muy elegante caminaba por el parque con su perrita. [1]
· El veterinario le puso una venda a Bolita. [5]
· A Bolita le encantaba caminar por el parque. [2]

9-24 After students complete *Paso 2*, you may want to project the PowerPoint slide of the scenes. Students volunteer their descriptions, one scene at a time.

¡Exprésate!, a chapter wrap-up focusing on conversation and writing (the latter with *Writing Strategies*), is included in *Apéndice 3*.

Writing Strategy

Drafting a newspaper article, from catchy title to strong conclusion

For more information about this Strategy go to p. A-19.

Tu mundo cultural

La diversidad racial de los hispanos

Cuando usamos el término *hispano*, ¿nos referimos a una raza?

El término *hispano* no denota la entidad racial, sino la entidad cultural de una persona. La composición racial de los hispanos es muy variada, tal como se ve en las siguientes fotografías. Esa misma diversidad racial se observa entre los hispanos que residen en EE.UU.

Con la conquista de América, los europeos se mezclaron[1] con los indígenas americanos y los esclavos africanos y surgieron[2] nuevas razas. Este proceso continuó con la emigración de europeos a Latinoamérica. En la actualidad, debido a la emigración de latinoamericanos a España, el fenómeno continúa.

Have students turn to the map of the Hispanic world on the inside front cover of their books to locate each of the countries mentioned.

Muchos mexicanos tienen antepasados[3] de los indígenas que habitaron su territorio.

Hay mexicanos descendientes de europeos que tienen la piel, los ojos y el pelo claros[4].

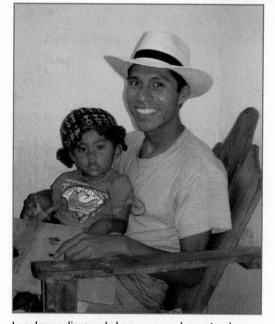

Los descendientes de los mayas en la península de Yucatán y Guatemala tienen rasgos[5] muy característicos. Guatemala es el país hispano con más alto porcentaje de indígenas. Su población se compone de 54% de indios maya-quiché, 43% de mestizos (mezcla de indios nativos y europeos) y solamente 3% de blancos.

Los países del Caribe como[6] Cuba (12%), República Dominicana (12%), Panamá (10%) y Venezuela (8%) tienen población de raza negra. Hay también minorías de raza negra en Colombia y Ecuador.

[1]mixed, [2]emerged, [3]ancestors, [4]light colored, [5]features, [6]like

CAPÍTULO 9 LA SALUD Y LAS EMERGENCIAS

En los países andinos como Ecuador, Perú y Bolivia, gran parte de la población conserva los rasgos de sus antepasados incas. En Paraguay tienen rasgos de los nativos guaraníes.

Además de en España, en países como Costa Rica, Argentina, Uruguay y Chile, la población es de origen predominantemente europeo. Chile y Argentina tienen mucha población de origen alemán e italiano.

En países de la costa del Caribe como República Dominicana (59%), Cuba (51%) y Colombia (18%) hay población de raza mulata, resultado de la mezcla de los europeos con los esclavos procedentes de África.

Este joven es de Honduras, país donde un alto porcentaje de la población es mestiza (90%). Lo mismo ocurre en otros países de América Central y del Caribe, como por ejemplo: El Salvador (85%), Nicaragua (74%) y Panamá (70%).

¿SABES QUE...?

Spanish-speaking countries are not only racially diverse but also linguistically diverse. Although Spanish is the official language of 21 countries, in most of them other languages are also spoken, and some of these are official languages. For example, in **Bolivia,** Spanish, Quechua, and Aymara are all official languages. In **Mexico,** 62 indigenous languages and 100 dialects are spoken along with Spanish. In **Paraguay,** Spanish and Paraguayan Guaraní are official languages, but 20 indigenous languages are also spoken. In **Spain,** Castilian Spanish is the official language, with Basque, Galician, and Catalan each official in their respective regions.

¿SABES QUE...?

Evo Morales, the president of Bolivia (elected 2006), is a native Aymara. He is the first indigenous president of his country.

¿Qué aprendiste?

1. ¿Qué denota el término *hispano*?

2. ¿Qué razas se mezclaron con la conquista?

3. En el mundo hispano, ¿dónde hay más población de raza indígena, mestiza, mulata, africana y blanca? Den ejemplos concretos.

Actividad cultural

En grupos de *tres*, entrevístense para obtener la siguiente información: el lugar de origen de sus antepasados y su composición racial.

For the *Actividad cultural,* students might find it helpful to refer to the list of countries and nationalities of the world found in the inside back cover of their textbooks.

Contraste cultural

Comenten sobre la diversidad racial en su *college,* universidad o comunidad. Indiquen qué razas predominan y las razones que explican su presencia.

Tu mundo en vivo

¡Video en acción!

9.1–9.2 Una visita al médico/Una visita al herbolario

Show video segments 9.1 and 9.2 consecutively.

1. Antes de ver los videos

   a. ¿Te gusta ir al médico? ¿Por qué?

   b. ¿Usas la medicina alternativa? Explica.

2. Mientras ves los videos   Marca **C** (Cierto) o **F** (Falso).

   a. __C__ Renato tiene seguro médico.

   b. __C__ Vomitó anoche.

   c. __F__ Fue a un restaurante y pidió langosta.

   d. __C__ El diagnóstico es una intoxicación.

   e. __C__ En el mercado se venden hierbas medicinales.

   f. __F__ La menta se usa para problemas circulatorios.

   g. __C__ La caña de jabalí se usa para problemas de los riñones.

   h. __C__ Para algunos remedios se combinan varias hierbas.

menta

caña de jabalí

3. Comenta con la clase

   a. ¿Hay diferencias entre la visita de Renato y tus visitas al médico? Explica.

   b. En tu pueblo o ciudad, ¿hay lugares donde se venden hierbas medicinales?

9.3 ¿Qué significa ser hispano?

1. Antes de ver el video

   Para ti, ¿qué significan los términos «hispano» y «latinoamericano»?

2. Mientras ves el video

   Según la antropóloga:

   a. El término «hispano» se usa en _____iii_____.
   i. España   ii. Latinoamérica   iii. EE.UU.

   b. Las personas de Latinomérica se identifican como _____ii_____.
   i. hispanos   ii. latinos   iii. americanos

   c. Uno de los aspectos que identifica a los latinoamericanos es que comparten la cultura europea, africana, asiática, y la cultura _____i_____.
   i. nativa   ii. mexicana   iii. argentina

   d. No hay diferentes razas, hay diferentes _____iii_____.
   i. culturas   ii. idiomas   iii. etnias

3. Comenta con la clase

   Al final del video, una señora mexicana dice que está orgullosa de ser:

   ____mestiza____, ____latinoamericana____ y ____mexicana____.

¡Lectura en acción! ¡Nunca es tarde para empezar!

Si buscas en sitios de Internet como *Yahoo en español*, vas a encontrar mucha información para ayudarte a llevar una vida saludable. Un ejemplo es el siguiente artículo que trata de cómo prevenir las enfermedades cardiovasculares. Antes de leerlo, ¿puedes mencionar *tres* cosas que ayuden a tener un corazón sano?

Paso 1. Ahora, lee el artículo. Siguiendo la estrategia, después de cada sección describe lo que leíste con tus propias palabras. A ver cuánto recuerdas.

Según datos de la Organización Mundial de la Salud (OMS), cada dos segundos se produce una muerte por enfermedad cardiovascular. Por ser ésta la causa principal de fallecimientos[1] en el mundo, cuidar el corazón debe convertirse en una prioridad.

Dos reglas[2] de oro para cuidar el corazón

1. Vigila tu dieta

Alimentarse[3] de forma adecuada beneficia no sólo al sistema cardiovascular, sino a todo el cuerpo.

- Consume cinco o más raciones diarias de verduras y frutas.
- Come pescado al menos dos veces a la semana.
- Escoge granos integrales[4] (pan, arroz, pasta y cereales).
- Reduce el consumo de proteínas de origen animal.
- Usa aceite de oliva para cocinar y condimentar tus comidas.

- Mantén al mínimo el consumo de sal porque aumenta el riesgo de hipertensión.
- Sírvete raciones moderadas y ajusta a tus necesidades el contenido calórico de lo que consumes.

2. Haz ejercicio con regularidad

La actividad física mejora los niveles de colesterol, ayuda a reducir la presión alta y mantiene niveles normales de glucosa en la sangre.

- Practica algún deporte, nada, baila, camina,... como mínimo, 30 minutos al día.

Paso 2. Escribe aquí abajo tu interpretación de las siguientes secciones del texto.

En el anuncio se dice:	Tú dices:
· Alimentarse de forma adecuada beneficia... al sistema cardiovascular... · Reduce el consumo de proteínas de origen animal. · Sírvete raciones moderadas... · ...ajusta a tus necesidades el contenido calórico de lo que consumes. · Haz ejercicio con regularidad.	· *Comer bien ayuda al corazón.* · · · ·

Paso 3. Ahora, sin mirar el artículo, responde a las siguientes preguntas.

1. ¿Por qué es importante cuidar el corazón?

2. Y tú, en tu dieta, ¿cuáles de las recomendaciones debes seguir con más atención?

3. ¿Por qué es importante hacer ejercicio con frecuencia? ¿Qué ejercicio haces tú?

[1]deaths, [2]rules, [3]To nourish oneself, [4]**granos**...whole grains

Vocabulario: Capítulo 9

Escena 1

La salud *Health*
la cita *appointment, date*
el consultorio médico *doctor's office*
la cura *cure*
el/la discapacitado/a *disabled*
la enfermedad *illness, disease*
el/la paciente *patient*
la pastilla *pill*
la piel *skin*
la radiografía *X-ray*
la receta *prescription*
la sala de espera *waiting room*
el seguro médico *medical insurance*
el SIDA *AIDS*
la silla de ruedas *wheelchair*
el termómetro *thermometer*

Verbos y expresiones verbales *Verbs and verbal expressions*
cuidarse *to take care of yourself/ oneself*
dejar de + *infinitivo* *to stop doing something*
doler (ue) *to hurt*
enfermarse *to get sick*
estar congestionado/a *to be congested*
estar embarazada *to be pregnant*
estar resfriado/a *to have a cold*
examinar *to examine*
fumar *to smoke*
morir(se) (ue, u) *to die*
poner una inyección *to give a shot*
quedarse *to stay, remain*
quejarse *to complain*
sacar sangre *to take blood*
tomar la presión *to take one's blood pressure*
tomar la temperatura *to take one's temperature*
torcerse (ue) el tobillo *to twist/sprain one's ankle*

tener dolor de cabeza *to have a headache*
tener dolor de estómago *to have a stomachache*
tener fiebre *to have a fever*
tener gripe *to have the flu*
tener miedo *to be afraid*
tener tos *to have a cough*
tener vómitos *to be vomiting*

Me duele la garganta. *My throat hurts.*

Escena 2

El cuerpo humano *The human body*
la boca *mouth*
el brazo *arm*
la cara *face*
el cerebro *brain*
el corazón *heart*
el cuello *neck*
el dedo *finger*
el dedo del pie *toe*
la espalda *back*
el hígado *liver*
el hombro *shoulder*
el hueso *bone*
el intestino *intestine*
el labio *lip*
la lengua *tongue*
la mano *hand*
la nariz *nose*
el oído *inner ear*
el ojo *eye*
la oreja *ear*
el pecho *chest, breast*
el pie *foot*
la pierna *leg*
el pulmón *lung*
el riñón *kidney*
la rodilla *knee*

Escena 3

Las emergencias *Emergencies*
la camilla *stretcher*
el/la cirujano/a *surgeon*
la herida *wound*
el/la herido/a *injured/wounded person (m./f.)*
el lugar del accidente *the scene/place of the accident*
las muletas *crutches*
el/la paramédico/a *paramedic*
la sala de emergencias *emergency room*
la venda *bandage*
el yeso *cast*
¡Socorro! *Help!*

Otras expresiones útiles *Other useful expressions*
de repente *suddenly*
lentamente *slowly*
mientras *while*
mientras tanto *meanwhile*
por fin *finally*

Verbos y expresiones verbales *Verbs and verbal expressions*
caerse *to fall*
chocar *to crash*
estar inconsciente *to be unconscious*
fracturarse/ romperse *to fracture, break*
gritar *to yell, scream*
lastimarse *to hurt/ injure oneself*
mover(se) *to move (oneself)*
operar *to operate*
preocuparse *to worry*
recuperarse *to recuperate*
sufrir un ataque al corazón *to have a heart attack*
tener cuidado *to be careful*
tener prisa *to be in a hurry*

Autoprueba y repaso: Capítulo 9

Escena 1
En el consultorio médico

A. Combina las palabras o expresiones de la primera columna con las que mejor les corresponden de la segunda. No se repiten respuestas.

___ 1. las pastillas
___ 2. la enfermedad
___ 3. el discapacitado
___ 4. estar embarazada
___ 5. estar resfriado/a
___ 6. tomar la temperatura
___ 7. comer demasiado
___ 8. estar estresado/a, dormir mal

a. el bebé
b. la cura
c. la receta
d. tener dolor de cabeza
e. tener dolor de estómago
f. estar congestionado/a
g. la silla de ruedas
h. tener fiebre

B. Pon las siguientes oraciones en orden cronológico para contar lo que te pasó.

___ La médica me examinó.
___ Le mostré la tarjeta del seguro médico a la recepcionista.
___ Salí del consultorio y volví a casa.
___ Hice una cita con la médica.
_1_ Me enfermé.
___ El enfermero me tomó la presión y la temperatura.
___ Fui al consultorio médico.
___ Una enfermera me puso una inyección.
___ Me quedé en la cama dos días.
___ Leí revistas en la sala de espera.

I. The preterit of stem-changing verbs

C. Completa las oraciones para contar lo que les pasó a Guillermo y Lucinda. Usa la forma correcta del verbo apropiado de la lista.

divertirse	dormir	llamar	morirse	preferir
reírse	seguir	sentirse	servir	vestirse

1. El viernes a las ocho de la noche, Guillermo y Lucinda ___ _____ para ir a la fiesta de Óscar.
2. Los dos ___ _____ mucho con sus amigos.
3. Lucinda ___ _____ de risa al oír los chistes (*jokes*) de Óscar, y Guillermo también ___ _____ mucho.
4. Óscar _____ tapas de mariscos y un ponche muy exótico.
5. Al día siguiente, Guillermo y Lucinda _____ hasta las once de la mañana. Al despertarse, no ___ _____ bien. ¿Fue a causa de los mariscos o el ponche? Quién sabe.

6. Ellos _____ al médico y _____ las instrucciones que les dio.
7. El sábado por la noche _____ quedarse en casa viendo videos y descansando.

En resumen

Contesta las preguntas con oraciones completas.
1. ¿Te enfermas fácilmente?
2. Cuando tienes gripe, ¿cuáles son los síntomas que tienes?
3. Generalmente, ¿te gusta seguir una dieta saludable? La última vez que fuiste a un restaurante con tu pareja o mejor amigo/a, ¿qué pidieron Uds.?
4. ¿Saliste con tu familia o con tus amigos el fin de semana pasado? ¿Se divirtieron Uds.? ¿Qué hicieron?

Escena 2
El cuerpo humano

D. Haz un círculo alrededor de las dos palabras que más se asocian.

1. la pierna · el hombro · la rodilla
2. la boca · la lengua · el cuello
3. el labio · la oreja · el oído
4. el brazo · el dedo · la uña
5. el pie · la garganta · la mano
6. el pecho · la cara · la nariz
7. el pulmón · la espalda · el corazón
8. los dientes · el estómago · el intestino

II. The imperfect

E. Completa las oraciones usando el imperfecto del verbo apropiado de la lista.

divertirse	estar	haber	ir	jugar
querer	ser (2x)	tener (2x)	venir	vivir

1. Cuando yo _____ ocho años, Julio _____ mi mejor amigo.
2. Su familia _____ en una casa al lado de la nuestra.
3. Nosotros _____ todos los días, y siempre ___ _____.
4. El único conflicto que a veces _____ nosotros es que yo _____ jugar afuera, y él, dentro.
5. Cuando yo _____ enfermo, él y su familia _____ a visitarme.
6. Cuando _____ alguna emergencia en su casa, mis padres y yo _____ a ayudarles.
7. ¡Qué buenos amigos _____ Julio y yo!

En resumen

Contesta las preguntas con oraciones completas.

1. ¿Haces ejercicio? ¿Qué músculos del cuerpo quieres tener más fuertes?
2. Describe tu cara y tu cuerpo. ¿Cómo son?
3. Cuando eras adolescente, ¿te preocupabas por tu «imagen»? ¿Qué aspectos de tu cuerpo querías cambiar?
4. ¿Te enfermabas frecuentemente cuando eras niño/a? ¿Qué hacían tus padres para cuidarte?

Escena 3
Situaciones de emergencia

F. Haz un círculo alrededor de las dos palabras que más se asocian.

1. el paramédico	la camilla	el yeso
2. gritar	operar	la cirujana
3. la venda	el ataque al corazón	la herida
4. las muletas	el yeso	la camilla
5. chocar	tener prisa	tener cuidado
6. caerse	fracturarse	recuperarse
7. moverse	lastimarse	la herida
8. gritar	estar inconsciente	¡Socorro!

III. The preterit and the imperfect

G. Completa las oraciones para decir lo que le pasó a Felipe. Cambia el verbo entre paréntesis al pretérito o al imperfecto según la situación.

1. (Ser) _____ el quince de noviembre y (llover) _____.
2. (Ser) _____ las nueve cuando Felipe (despertarse) ____ _____.
3. No (sentirse) ____ _____ nada bien.
4. Por eso, (llamar) _____ al consultorio de su doctor y (hablar) _____ con la recepcionista.
5. Ella (decirle) ____ _____ que (estar) _____ muy enfermo.
6. Ella (preguntarle) ____ _____ qué síntomas (tener) _____.
7. Él (explicarle) ____ _____ que (dolerle) ____ _____ todo el cuerpo.
8. Ella también (querer) _____ saber si (tener) _____ fiebre.
9. Felipe (contestarle) ____ _____ que probablemente sí.
10. La recepcionista (darle) ____ _____ una cita para las tres de la tarde.
11. Después de la llamada, Felipe (dormirse) ____ _____ otra vez.
12. A las dos de la tarde su amigo (llegar) _____ y (llevarlo) ____ _____ al médico. Ya no (llover) _____; (hacer) _____ buen tiempo.

En resumen

Contesta las preguntas con oraciones completas.

1. ¿Tuviste un accidente de carro alguna vez? ¿Cuándo?
2. ¿Tuviste una operación cuando eras niño/a? ¿Cuántos años tenías? ¿En qué hospital estuviste?
3. ¿Alguien de tu familia se fracturó un brazo o una pierna alguna vez? ¿Quién? ¿Cómo ocurrió?
4. ¿Qué síntomas tenías la última vez que te enfermaste? ¿Fuiste al médico o a la médica? ¿Qué hizo él/ella?

Answers to the *Autoprueba y repaso* are found in **Apéndice 2**.

Additional **Autopruebas** online

El barrio

For *Writing
Strategies* see
Apéndice 3.

Escena 1
La vida en el barrio

· Expressing subjective reactions:
The subjunctive mood and the
formation of the present subjunctive

· Expressing wishes and requests:
The subjunctive with expressions of
influence

TU MUNDO CULTURAL
El barrio en EE.UU.

Escena 2
Actividades del barrio

· Expressing emotional reactions and
feelings: The subjunctive with
expressions of emotion

TU MUNDO CULTURAL
Voluntarios dentro y fuera de EE.UU.

Escena 3
Asuntos sociales,
políticos y religiosos

· Expressing uncertainty or denial:
The subjunctive with expressions of
doubt or negation

TU MUNDO CULTURAL
Los murales de los barrios de EE.UU.

TU MUNDO EN VIVO

¡Video en acción!

¡Lectura en acción! (with *Reading Strategies*)

La vida en ¹el barrio

1. neighborhood
2. neighbors
3. to hang
4. remember . . . ; **acordarse (ue) de** to remember
5. soap opera
6. I won't forget; **olvidarse de** to forget . . .
7. mail carrier
8. to go down/ pass by . . .
9. sidewalk
10. porter, concierge
11. to move (from house to house)
12. to pick up, gather
13. garbage truck
14. fire
15. to burn oneself, burn down
16. smoke
17. Fire!
18. *Don't jump!* **saltar** to jump
19. (newspaper) delivery person; **la repartidora** (*f.*)
20. to greet
21. to obey
22. They have just . . . ; **acabar de** + *inf.* to have just done something
23. owner (*m.*); **la dueña** (*f.*)
24. tow truck
25. vote; **votar** to vote
26. party (political)
27. prejudices
28. vendor (*f.*); **el vendedor** (*m.*)
29. sweets, candies (*m.*)
30. chewing gum
31. to relax
32. boys; **las muchachas** girls
33. citizen (*m.*); **la ciudadana** (*f.*)
34. town, people

***recoger** (presente): recojo, recoges,...
****obedecer** (presente): obedezco, obedeces...

¡La pronunciación!

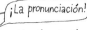

Pay attention to the correct pronunciation of the Spanish **ch** (see P-3).

mu**ch**acho   **ch**icle

¡En acción!

10-1 En el barrio

¿Qué pasa en el barrio? Empareja las dos columnas para describir lo que ocurre en la escena de las páginas 330–331.

1.	Las dos vecinas que están en el balcón... g.	a. ...se muda a dos cuadras de allí.
2.	Una familia del barrio... a.	b. ...quiere que su perro obedezca.
3.	El camión del Servicio Municipal... d.	c. ...acaba de llevarse un carro.
4.	Una mujer grita «¡Socorro!»... h.	d. ...acaba de recoger la basura.
5.	El Servicio de Grúas... c.	e. ...los ciudadanos voten.
6.	La mujer que cruza la calle... b.	f. ...dulces y chicles a los niños.
7.	Los anuncios del barrio piden que... e.	g. ...cuelgan la ropa.
8.	La vendedora del parque les vende... f.	h. ...porque hay un incendio en su edificio.

10-2 ¡Qué vitalidad hay en el barrio!

Observen el dibujo de las páginas 330–331 y usen el vocabulario de la escena para describir: **(a)** lo que hacen y dicen las personas en los siguientes lugares; **(b)** lo que pasa en cada lugar; **(c)** las tiendas, negocios o anuncios que hay allí.

- en la calle Sol
- en la calle Luna
- en la calle Estrella
- en las esquinas y proximidades de la calle Luna y la calle Estrella
- en el parque y cerca de allí

10-3 Conversaciones
RECYCLES the interrogatives and vocabulary related to family, work, health, ...

Hagan los papeles de las siguientes personas de la escena (págs. 330–331). Hablen durante un minuto para cada situación y usen las palabras que se incluyen como guía. Cambien de pareja después de cada conversación.

1. **vecina nº 1 y vecina nº 2, de balcón a balcón:**

   las telenovelas/ los esposos/ los hijos/ otros vecinos/ la comida/ la casa...

2. **señora que riega las plantas en la ventana y empleado de las Mudanzas López:**

   mudarse/ quién/ adónde/ cuándo/ por qué/ qué muebles y cosas...

3. **empleado del servicio de grúas y dueño del carro:**

   adónde/ por qué/ cuánto/ cuándo...

4. **señor nº 1 y señor nº 2, al saludarse en la esquina:**

   el clima/ la familia/ el trabajo/ la política/ el tráfico...

5. **persona que entra a la farmacia y farmacéutico/a[1]:**

   los síntomas de la persona/ los consejos/ las recetas...

[1]pharmacist

Review the **acabar de** + *infinitive* construction highlighted in items c. and d. Give several examples: **Acabo de hablar con mi vecina. Acabamos de terminar la *Actividad 10-1*.** Then ask if students have just done certain things: **¿Acabas de aprender el vocabulario?**

10-2 You may project the PowerPoint slide of the opener scene. When pairs have completed the activity, have students volunteer statements for each area of the scene.

For additional vocabulary practice, see PowerPoint slides at www.wiley.com/college/lucasmurillo or visit www.wileyplus.com

10-2 ANOTHER STEP: To review the present progressive, students in pairs identify all actions in progress in the opener scene: **Dos señoras *están hablando* de telenovelas.**

10-2 PERSONALIZED QUESTIONS: ¿A quiénes les gustan sus vecinos? Expliquen. ¿Y a quiénes no les gustan? Expliquen. ¿Hay tiendas o negocios en su barrio? Expliquen.

10-3 Students get up from their seats, select a partner and begin the first conversation. After one minute, say «¡Alto! ¡Cambien de pareja!» Students change partners and continue with the next role-play.

10-4 En caso de incendio

10-4 Inform students that **incendio** is used to describe a large fire, such as that of a building or a forest. **Fuego** refers to a more limited fire (stove, electrical appliance,...). However, to ask for help in any type of fire, say ¡**Fuego**!

Paso 1. ¿Quieres familiarizarte con el trabajo de los bomberos de tu barrio y saber qué precauciones tomar en caso de incendio? Primero lee el folleto[1].

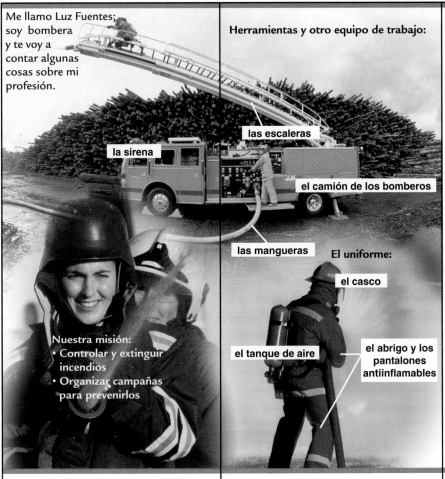

Me llamo Luz Fuentes; soy bombera y te voy a contar algunas cosas sobre mi profesión.

la sirena

las escaleras

el camión de los bomberos

las mangueras

Nuestra misión:
- Controlar y extinguir incendios
- Organizar campañas para prevenirlos

Herramientas y otro equipo de trabajo:

El uniforme:

el casco

el tanque de aire

el abrigo y los pantalones antiinflamables

Consejos en caso de incendio:

Si hay un incendio, sal y quédate fuera.

Grita para que los bomberos sepan dónde estás.

Si hay humo, camina a gatas.

Resultados deseados:
- Socorrer a personas en peligro (incendios, accidentes y otras emergencias)
- Salvar vidas

En esta profesión el tiempo es oro. Todo se hace muy rápido. Por ejemplo, hay que ponerse el uniforme en unos 40 segundos.

Medidas preventivas:
- Ten un detector de incendios en cada cuarto de tu casa.
- Ten extintores de fuego a mano.
- No dejes cigarrillos encendidos, ni fósforos al alcance de los niños.
- Apaga la luz y el gas, si crees que hay un incendio.

Paso 2. Hablen de lo siguiente:

- Las cosas importantes que hacen los bomberos
- Por qué se dice que «el tiempo es oro» para ellos
- Las cosas que utilizan los bomberos para los incendios y para protegerse
- En caso de incendio, los consejos que se deben seguir
- Los consejos mencionados que sigues en tu casa o apartamento
- Si hubo alguna vez un incendio en tu casa o apartamento y qué pasó

10-4 ANOTHER STEP: Each student draws the floor plan of his/her house or apartment and traces the safest and fastest evacuation route in case of fire. He/She also determines the place where his/her family or roommate would meet after their escape. Students then share the information with another classmate.

[1]brochure

The scripts for the *¡A escuchar!* sections are included in the Book Companion Site (BCS) for instructors and in WileyPLUS under "Prepare and Present". The recordings are on the student CDs and in WileyPLUS under "Read, Study, and Practice".

¡A escuchar! Conversaciones de barrio   CD 4 Track 10

Paso 1. Escucha las conversaciones de varias personas en el barrio: el cartero y un portero; dos vecinas en la calle Luna; el conductor de la grúa y el dueño del carro.

Paso 2. Escucha de nuevo y marca la respuesta correcta.

1. El cartero vio...

   ☑ el camión de los bomberos ☐ el camión de la basura

2. El cartero trajo...

   ☐ una carta para doña Lucía ☑ un paquete para doña Lucía

3. La vecina...

   ☑ se acordó de ver la telenovela ☐ se olvidó de ver la telenovela

4. Los vecinos del 15 se mudan a...

   ☑ un apartamento moderno ☐ un apartamento viejo

5. El apartamento de los vecinos del 15...

   ☑ se alquila ☐ se vende

6. El carro del dueño estaba estacionado...

   ☐ en un lugar permitido ☑ en un lugar prohibido

7. El dueño del carro tiene que pagar al conductor de la grúa...

   ☑ una multa ☐ unas pastillas

¿SABES QUE...?

Nuestro Barrio is the name of a soap opera (in Spanish with English subtitles) aired in several states in the United States. Its primary objective is to educate and entertain Hispanic consumers on a variety of issues, such as banking, homeownership, health, and wellness.

For additional practice on this grammar point, see PowerPoint slides at www.wiley.com/college/lucasmurillo or visit www.wileyplus.com

 See Grammar Handbook found in WileyPLUS.

GRAMÁTICA

¡Manos a la obra!

Expressing subjective reactions: The subjunctive mood and the formation of the present subjunctive

1 The tenses or verb forms you have studied to this point (the present, the preterit, and the imperfect) belong to the *indicative mood*. This mood is used to objectively convey information perceived as real or factual, or to ask questions.

Conozco a los nuevos vecinos.	*I know the new neighbors.*
¿Sabes de dónde son?	*Do you know where they are from?*

The *subjunctive mood*, in contrast, is used to express the speaker's wishes, desires, hopes, doubts, fears, and other emotional reactions to events and to the actions of *others*.

Quiero que *conozcas* a mi vecina Ana.	*I want **you** to meet my neighbor Ana.*

The present subjunctive and the present indicative have the same English equivalents, though the subjunctive can also have the meaning of *will*.

Dudo que mis amigos **vayan** a la fiesta.	*I doubt my friends **will go** to the party.*

Later in this chapter you will be introduced to several concepts and uses of the present subjunctive. First, you will practice its formation.

The present subjunctive–formation of regular verbs

You have already used some present subjunctive forms—in the **Ud./Uds.** commands (**Venga** aquí, por favor) and in the **tú** negative commands (**No vayas** al cine).

To form the present subjunctive of regular verbs:

- Take the **yo** form of the present tense;
- drop the **-o** ending;
- add the subjunctive endings, as shown below.

Note that the present subjunctive endings for **-er** and **-ir** verbs are the same.

infinitive	present (yo)	drop the -o	-ar endings	present subjunctive	
pasar	paso	pas-	**-e**	pas**e**	
			-es	pas**es**	
			-e	pas**e**	
			-emos	pas**emos**	
			-éis	pas**éis**	
			-en	pas**en**	
			-er/ir endings		
poner	pongo	pong-	**-a**	pong**a**	dig**a**
decir	digo	dig-	**-as**	pong**as**	dig**as**
			-a	pong**a**	dig**a**
			-amos	pong**amos**	dig**amos**
			-áis	pong**áis**	dig**áis**
			-an	pong**an**	dig**an**

. . . y algo más

The spelling changes that some verbs undergo in the **yo** form of the preterit also take place in the present subjunctive:

-car	c → qu	to**car**	to**que**, to**ques**...
-gar	g → gu	lle**gar**	lle**gue**, lle**gues**...
-zar	z → c	cru**zar**	cru**ce**, cru**ces**...

 See Grammar Handbook found in WileyPLUS.

. . . y algo más

When saying good-bye or ending a conversation, people commonly express good wishes to the person with whom they are speaking. This is how to say it in Spanish: **¡Que + *present subjunctive*...!**

Situation: Your neighbors are leaving on a trip.

You say: **¡Que lo pasen bien!** *Have a good time!*

(See *Actividad 10-5*)

Write a lead sentence on the board, such as **El/La profesor/a quiere que los estudiantes estudien.** Provide additional items that instructors want students to do: **aprender el vocabulario, hacer la tarea, llegar a clase a tiempo, hablar en español,**... Students restate the original sentence using the new items and changing the verbs to the present subjunctive.

For additional practice on these grammar points, see PowerPoint slides at www.wiley.com/college/lucasmurillo or visit www.wileyplus.com

Guión para ¡Oye! (p. 336)

1. Queremos que el camión de la basura **recoja** la basura una vez al mes. ¿Sí o no?
2. Queremos que la banda **toque** música en el parque toda la noche.
3. Queremos que todos **voten** en las elecciones.
4. Queremos que la panadería se **abra** a las cinco de la mañana.
5. Queremos que la farmacia **esté abierta** las 24 horas del día.
6. Queremos que los repartidores de periódicos los **repartan** a mediodía.
7. Queremos que la heladería **venda** helado de cebollas.
8. Queremos que el cartero **deje** nuestros paquetes en la calle.
9. Queremos que los vecinos nos **inviten** a sus fiestas.

¡En acción!

 ¡Oye! En nuestro barrio

Guión para ¡Oye!
(See page 335)

Imagínate que tu profesor/a y tú viven en el mismo barrio. Escucha lo que propone él/ella y responde **sí** o **no** para indicar si estás de acuerdo.

10-5 Allow students a couple of minutes to match the items, then review answers. *Actividad 10-5* familiarizes students with the **que** + **subjunctive** construction by means of commonly used expressions.

10-5   Lo que se dice en las despedidas

En las despedidas es importante saber decir lo apropiado. Empareja cada situación con la burbuja correspondiente para indicar lo que les dices a las siguientes personas al despedirte.

MODELO

Tu vecina tiene gripe. → ¡*Que te mejores* pronto!

ANSWERS: 1. ¡Que se diviertan!, 2. ¡Que tenga buen viaje!, 3. ¡Que les vaya muy bien en su nueva casa!, 4. ¡Que pase un buen fin de semana!, 5. ¡Que saques una buena nota!, 6. ¡Que sean muy felices!

¿Qué dices al despedirte en estas situaciones?

1. Dos de tus vecinos van a la fiesta del barrio.

2. Te encuentras con un vecino que se va a la estación de tren.

3. Dos de tus vecinos se mudan de casa.

4. Es sábado y te despides del cartero hasta el lunes.

5. Ves a tu sobrino en el cibercafé y al salir le deseas suerte en el examen.

6. Tus amigos recién casados se van de luna de miel.

10-6 *Actividades 10-6* and *10-7* preview the use of the subjunctive with expressions of influence.

10-6   Lo quiere el presidente de la asociación

El presidente de la asociación de vecinos les comunica a ocho vecinos que no respetan las normas lo que **quiere** o **no quiere** que haga cada uno/a. Haz el papel de presidente.

MODELO

respetar las normas → *Quiero* que Ud. *respete* las normas.

fumar en la reunión → *No quiero* que *fume* en la reunión.

1. venir a las reuniones de la asociación con más frecuencia

2. limpiar y barrer su parte de la escalera

3. dejar el cubo de la basura delante de su casa toda la semana

4. invitar a grupos de *hard rock* a acampar en su jardín

5. asistir a la fiesta del barrio

6. permitirle a su perro hacer sus necesidades en los jardines de los vecinos

7. poner música por la noche a todo volumen

8. tener fiestas hasta las cuatro de la mañana

10-6   ANSWERS:
1. Quiero que venga...
2. Quiero que limpie y barra... 3. No quiero que deje... 4. No quiero que invite... 5. Quiero que asista... 6. No quiero que le permita... 7. No quiero que ponga... 8. No quiero que tenga...

10-6   ANOTHER STEP:
Students write one thing they want a neighbor to do and one they do not, then share their thoughts with the class.

See Grammar Handbook found in WileyPLUS.

. . . y algo más

Stem-changing verbs in the present subjunctive

Just as in the present indicative, stem-changing verbs ending in **-ar** and **-er** *do not* undergo a change in the stem in the **nosotros** and **vosotros** forms of the present subjunctive.

cerrar (e → ie)   **ci**erre, **ci**erres, **ci**erre, cerremos, cerréis, **ci**erren
volver (o → ue)   **vu**elva, **vu**elvas, **vu**elva, volvamos, volváis, **vu**elvan

Verbs ending in **-ir** *do* undergo a stem change in the **nosotros** and **vosotros** forms. The change (**e → i, o → u**) is the same as in the present participle (**pidiendo, sintiendo, durmiendo**), which you have already learned.

pedir (e → i, i)   **pi**da, **pi**das, **pi**da, **pi**damos, **pi**dáis, **pi**dan
sentir (e → ie, i)   **si**enta, **si**entas, **si**enta, **si**ntamos, **si**ntáis, **si**entan
dormir (o → ue, u)   **du**erma, **du**ermas, **du**erma, **du**rmamos, **du**rmáis, **du**erman

See Grammar Handbook found in WileyPLUS.

. . . y algo más

Irregular verbs: Only six verbs have irregular forms in the present subjunctive, and you have already used several of these in **Ud./Uds.** and negative **tú** commands (see pages 208 and 222).

dar   dé, des, dé, demos, deis, den
estar   esté, estés, esté, estemos, estéis, estén
haber   haya, hayas, haya, hayamos, hayáis, hayan
ir   vaya, vayas, vaya, vayamos, vayáis, vayan
saber   sepa, sepas, sepa, sepamos, sepáis, sepan
ser   sea, seas, sea, seamos, seáis, sean

Present the conjugations of stem-changing verbs through contextual examples: **Mi vecino quiere que** *almuerce* **con él. (tú, nosotros,...).** El dueño de la pastelería quiere que *pruebes* sus pasteles. (ellos, nosotros,...) El mesero recomienda que Uds. *pidan* langosta. (yo, nosotros,...)

For additional practice on these grammar points, see PowerPoint slides at www.wiley.com/college/lucasmurillo or visit www.wileyplus.com

Let students know that the six irregular verbs presented in the chart are the same six verbs whose present indicative tense **yo** forms do not end in **-o**.

10-7 Todos queremos algo de los otros, ¿no?

Paso 1.   Un **novio** quiere cuatro cosas de su novia; una **madre** quiere cuatro cosas de sus hijos pequeños; y una **esposa,** otras cuatro para su marido o para los dos. Escriban en los espacios en blanco quién quiere cada cosa.

1. _madre_ *vestirse* más rápido por la mañana
2. _novio_ *ir* conmigo a bailar a la discoteca
3. _esposa_ *dormir* más; ya no somos jóvenes
4. _madre_ *probar* toda la comida que les preparo
5. _novio_ *ser* la madre de mis hijos
6. _madre_ *acordarse* de cepillarse los dientes

7. _novio_ *estar* conmigo las 24 horas del día
8. _esposa_ *darnos* regalos por nuestro aniversario de 25 años de casados
9. _novio_ *saber* que ¡¡te quiero con pasión!!
10. _esposa_ *jugar* al golf con nuestros hijos
11. _madre_ *acostarse* a las 8:30 de la noche
12. _esposa_ *divertirnos* más y *trabajar* menos, como cuando éramos jóvenes

10-7   Review answers for *Paso 1*. Students may complete *Paso 2* individually or in pairs, with answers reviewed by the instructor. ANSWERS: *Novio:* ...vayas... (provided) ...seas..., estés..., sepas...; *Madre:* ...se vistan..., prueben..., se acuerden de..., se acuesten...; *Esposa:* ...durmamos..., nos demos..., juguemos..., nos divirtamos más y trabajemos...

Paso 2.   Ahora, hagan los tres papeles y completen las oraciones para expresar sus deseos. Sigan los ejemplos.

Novio: Mi amor, quiero que (tú) **vayas** *conmigo a bailar a la discoteca; quiero que…*

Madre: Niños, quiero que (Uds.)…

Esposa: Querido, quiero que a partir de ahora, (nosotros)…

GRAMÁTICA

2 ¡Manos a la obra!

Expressing wishes and requests: The subjunctive with expressions of influence

As you have noticed in the previous activities, the subjunctive mood is used with expressions of *influence*—when one person wishes to influence the actions of another. A sentence that expresses a desire to influence consists of two clauses joined by **que.**

expression of a desire to influence	+ que +	action influenced
(present indicative)		*(present subjunctive)*

To contrast direct commands and the use of the subjunctive with expressions of influence, , bring to class six items: a sentence written on a piece of paper, a dollar bill, a comb, a baseball cap, an apple, and a soda. Invite a student to the front to play the role of **el señor/ la señora Gómez.** Give the items to other students who, one by one, hand their item to **el señor/ la señora Gómez** and, using **Ud.** commands, tell him/her what to do with it: **Lea la oración. Gaste el dinero. Péinese. Póngase la gorra. Coma la manzana. Beba el refresco. El señor/ La señora Gómez** complies with their requests. The class, with your assistance, sums up what is happening: **Margaret quiere que el señor/ la señora Gómez lea la oración. Susana quiere que gaste el dinero. Jaime quiere que se peine…**

- With the subjunctive, therefore, each sentence has *two* different subjects—the person influencing and the person influenced.

  Quiero que **votes** en las elecciones.   *I want **you** to vote in the election.*
  Preferimos que no **vayas** al parque.   *We prefer that **you** not go to the park.*

- If there is only one subject, the infinitive, not the subjunctive, is used.

  Queremos votar en las elecciones.   *We want to vote in the election.*
  Preferimos no ir al parque.   *We prefer not to go to the park.*

- A number of verbs you already know (those in the first column) are commonly used to express the wish to influence. The other verbs and expressions are new.

querer (ie)	**aconsejar**	*to advise*	**es necesario**	*it is necessary*
desear	**insistir (en)**	*to insist (on)*	**es importante**	*it is important*
preferir (ie)	**recomendar (ie)**	*to recommend*	**es mejor**	*it is better*
pedir (i)				

- The indirect object pronouns (**me, te, le, nos, os, les**) are used with the verbs **pedir** and **aconsejar,** and commonly with **recomendar.** These precede the verb:

  Me piden que les ayude.   *They are asking me to help them.*
  Les recomiendo que lo compren.   *I recommend that they buy it.*

- **Le** and **les** are commonly used even when the person *to whom* one is asking, advising, or recommending is mentioned.

  Les aconsejamos **a los vecinos** que resuelvan sus propios problemas.
  We advise the neighbors to resolve their own problems.

Ysenia y Mabel visitan el barrio donde vivieron los abuelos de Ysenia.

Antes este barrio era muy bonito, pero ahora está muy mal. Mucha gente se está mudando.

¡Qué lástima! Es necesario que informemos a los políticos. Es importante que ayuden a este barrio.

Sí, y lo mejor es que todos los vecinos sepan que es posible hacerlo. Voy a escribir un artículo acerca de este asunto.

¡Qué buena idea! Te aconsejo que hables con los vecinos y les pidas su opinión.

Sí, es necesario que hagamos algo por un barrio con tanta historia.

¡Que te vaya bien con el artículo! Yo voy a recoger firmas de apoyo.

¡En acción!

¡Oye! Consejos de un padre

Dos hermanos de diez y doce años van a salir a la calle, pero antes su padre les da los *ocho* consejos que vas a escuchar. Di si son razonables o no.

PARA HABLAR DE TELENOVELAS

(no) llevarse bien con...	*to (not) get along well with*
enamorarse	*to fall in love*
comprometerse	*to get engaged*
casarse	*to get married*
divorciarse	*to get divorced*

10-8 Una telenovela: *El amor lo puede todo*

¡LA SENSACIÓN DEL AÑO! *El amor lo puede todo* se transmite todos los jueves por televisión. Cuenta la vida de dos familias, una muy rica, los Castillo, y otra pobre, los Soto. Los ricos viven en un castillo en las afueras del pueblo, y los pobres, en un pequeño apartamento de un barrio humilde. Conozcan a los personajes principales:

los Castillo (los ricos)

Don Aureliano Castillo
62 años
esposo de Josefina y padre
   de Víctor
director del banco
quiere divorciarse de su
   esposa

Doña Josefina Castillo
61 años
esposa de don Aureliano y
   madre de Víctor
dominante y celosa[1]

Víctor Castillo
28 años
hijo de Aureliano y Josefina
guapo, inteligente y compasivo[2]
médico y voluntario
está muy enamorado de Angelita
quiere comprometerse y casarse

los Soto (los pobres)

Angelita Soto
21 años
hija de Pascual y Rosa
bella
se lleva bien con todos
maestra en la guardería infantil
está muy enamorada de Víctor

Pascual Soto
41 años
esposo de Rosa y padre de
   Angelita
guapo, muy trabajador, buen
   padre y esposo
policía y bombero voluntario

Rosa Soto
39 años
esposa de Pascual y madre
   de Angelita
simpática e inteligente
trabaja en la farmacia

[1]jealous, [2]kind-hearted

Guión para ¡Oye!
1. Les pido que tengan cuidado al cruzar las calles. ¿Es razonable o no?
2. Quiero que jueguen a la pelota en la calle.
3. Les recomiendo que prueben el helado de la heladería de la calle Estrella.
4. Quiero que me compren pan en la panadería de la calle Luna.
5. Insisto en que compren todo el chicle que vende la vendedora del parque.
6. Les aconsejo que corran por las aceras cuando hay muchos peatones.
7. En el parque, es importante que pongan la basura en las papeleras.
8. Y es mejor que siempre me obedezcan.

¿SABES QUE...?

In Spanish-speaking countries and among Hispanics in the United States, **telenovelas** are very popular, especially those produced in Colombia. Venezuelan and Mexican soaps also have a large following.

10-8 Introduce the activity by having one student read the introduction followed by six students reading the descriptions of the characters to the rest of the class.

Paso 1. En grupos de *cinco*, hagan los papeles de **doña Josefina, Víctor, Angelita, Pascual** y **Rosa** como si fueran actores de telenovela. Pero antes de hacerlo, completen el guión[1] poniendo los verbos en presente de subjuntivo.

1. *Primero, en la mansión de los Castillo...*

   Dª Josefina: Víctor, tu padre y yo **insistimos** en que no (*ver*) ___veas___ a Angelita más. **Queremos** que (*conocer*) ___conozcas___ a personas de la clase alta, como nosotros.

   Víctor: ¡Pero, mamá! Para mí su clase social no es un problema, pero sí **es importante** que (*ser*) ___sea___ sincera y compasiva.

   Dª Josefina: **No quiero** que me (*hablar*) ___hables___ de tus amores. Y **te aconsejo** que no (*olvidarse*) _te_ ___olvides___ de algo muy importante: tu herencia.

   Víctor: No seas tan fría y calculadora, mamá. ¿Cómo puedes **pedirme** que no (*pensar*) ___piense___ en el amor de mi vida? Me enamoré de ella en el momento en que la vi.

   Dª Josefina: ¡Olvídate de ella! Y en cuanto a las personas sin hogar,[2] **prefiero** que no (*trabajar*) ___trabajes___ con ellas. Tenemos asuntos más importantes en que pensar.

   Víctor: Mamá, sólo **quiero** que las personas sin hogar (*tener*) ___tengan___ lo suficiente para comer, y que no (*morirse*) _se_ ___mueran___ de hambre y frío.

2. *Más tarde, en el parque...*

   Víctor: ¡Amor de mi vida! **¡Quiero** que (*casarse*) _te_ ___cases___ conmigo! ¡No puedo esperar ni un día más!

   Angelita: ¡Ay, cariño! Sabes que tus padres **no quieren** que nosotros (*casarse*) _nos_ ___casemos___. Y **es mejor** que tú no (*perder*) ___pierdas___ el apoyo de tu familia.

   Angelita: Víctor, corazón mío, **te pido** que me (*olvidar*) ___olvides___. **Quiero** que (*tener*) ___tengas___ una vida sin problemas; en otras palabras, sin mí.

   Víctor: ¡No digas eso! ¡Lo único que yo **deseo** es que tú (*estar*) ___estés___ siempre conmigo y que me (*besar*) ___beses___ y me (*abrazar*) ___abraces___!

3. *Luego, en el apartamento de los Soto....*

   Pascual: Rosa, querida, **te pido** que (*trabajar*) ___trabajes___ menos en la farmacia; siempre estás tan cansada.

   Rosa: Mi amor, quiero ganar lo suficiente para comprar una casita algún día. Y también **deseo** que tú (*dejar*) ___dejes___ de trabajar y que (*descansar*) ___descanses___.

4. *Después, en la farmacia...*

   Dª Josefina: Buenos días, Rosa. **Quiero** que me (*dar*) ___des/ dé___ algo para los nervios. La relación entre mi hijo Víctor y su hija Angelita no me deja dormir.

   Rosa: Lo siento muchísimo, doña Josefina. **Le recomiendo** que (*tomar*) ___tome___ este medicamento para tranquilizarse. (*Le da uno demasiado fuerte por error.*)

5. *En una reunión de la asociación de vecinos...*

   Pascual: **Queremos** que los pobres de este barrio (*tener*) ___tengan___ lo básico para vivir.

   Rosa: Y para nuestros hijos deseamos paz y bienestar.

   Víctor: Debemos **insistir en** que (*haber*) ___haya___ seguro médico no sólo para los ricos, sino también para los pobres, y tenemos que decirle al alcalde[3] que nos apoye.

6. *En la guardería infantil... (Hay un pequeño incendio y llegan los bomberos.)*

   Angelita: Niños, **les pido** que (*escuchar*) ___escuchen___ con atención a los bomberos, y que (*obedecer*) ___obedezcan___ sus instrucciones. ¡Rápido, rápido!...

   Poco después, a la entrada de la guardería, llega Víctor...

   Víctor: ¡Ay, mi amor! ¡Cuando oí lo del incendio vine corriendo!

   Angelita: ¡Ay,Víctor! Tuvimos suerte. Los bomberos apagaron el fuego y los niños están bien. Pero **nos aconsejan** que no (*entrar*) ___entremos___ al edificio de momento.

   Continuará...

[1]script, [2]**personas...** homeless, [3]mayor

Paso 2. Ahora, cada grupo de *cinco* estudiantes va a escribir una lista de consejos para los cinco personajes anteriores. Usen las expresiones que siguen. Luego compartan sus consejos con el resto de la clase. ¡A ver qué grupo tiene más!

10-8 At the conclusion of *Paso 1,* confirm answers by having 5 students perform for the class, playing the roles of Dª Josefina, Víctor, Angelita, Pascual, and Rosa.

Le recomiendo a... que...   Le aconsejo a... que...   Le pido a... que...

Insisto en que...   Es importante que...   Es mejor que...

10-9 ¡Expresa tus deseos!

Paso 1. Escribe *cinco* deseos o recomendaciones para **tu pareja, hijo/a, mejor amigo/a, madre** o **padre.** Pueden ser todos para la misma persona o para personas distintas. Usa las expresiones de la lista.

Quiero/Prefiero que...   Te aconsejo/pido que...   Te recomiendo que...   Es importante que...

Paso 2. Comparte con la clase *uno* de tus deseos o recomendaciones, a ver si ellos pueden adivinar para quién lo escribiste.

MODELO

E1:   *Quiero que **pasemos** una semana romántica en una isla tropical.*

Clase: *Se lo escribiste a tu pareja.*

E1:   *¡Cierto!*

10-10 Preparativos para una visita   RECYCLES clothing and city vocabulary.

Un estudiante mexicano que conociste en un viaje a México va a visitar tu pueblo o ciudad este año, y te llama por teléfono con varias preguntas. Contéstale, dándole tus recomendaciones. Hagan los dos papeles.

10-10 Have pairs team up with other pairs and re-cite their conversations to each other. Conclude with one pair of students per-forming for the class.

E1:	E2:
¿Dónde puedo quedarme? →	Te aconsejo que *te quedes...*
¿Qué ropa debo llevar? →	Te recomiendo que...
¿Qué lugares hay para ver o visitar? →	Es importante que...
¿Adónde puedo ir de compras? →	Es mejor que... en... porque...
¿Tienes algún consejo más? →	Te aconsejo que...

Tu mundo cultural

El barrio en EE.UU.

¿Hay un barrio hispano en tu pueblo o ciudad? La existencia de barrios hispanos en casi todas las ciudades estadounidenses confirma la presencia, cada vez más evidente, de los hispanos en EE.UU. Algunos son como auténticos barrios mexicanos, cubanos, puertorriqueños o dominicanos, otros son ya historia. Y con la continua emigración de hispanos a EE.UU. están apareciendo nuevos barrios, algunos en lugares donde tradicionalmente no había hispanos.

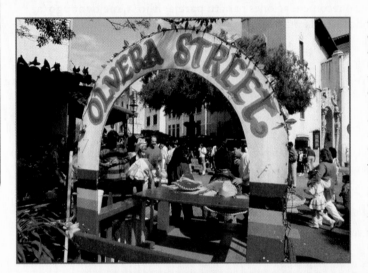

Olvera Street (1700) está situada en *El Pueblo de Los Ángeles Historic Monument,* el barrio más antiguo de Los Ángeles. Fue territorio de México hasta que en 1848 pasó a formar parte de EE.UU. Muchos mexicanos y otros grupos étnicos emigraron allí en busca de oportunidades económicas. Pasear por *Olvera Street* recuerda a los barrios de México, con sus restaurantes y puestos de la calle donde sirven especialidades mexicanas. Los fines de semana, los mariachis tocan en la plaza, y durante el año se celebran allí El Día de los Muertos y Las Posadas.

"El Barrio", en Nueva York. Es también conocido por el nombre de *Spanish Harlem,* y ocupa una parte de Manhattan de mayoría puertorriqueña y afro-americana. Los puertorriqueños que llegaron en busca de oportunidades económicas se establecieron en ese barrio donde sus restaurantes sirven, entre otros platos, el típico arroz con pollo y burritos puertorriqueños. Allí está el Museo del Barrio, el único museo de EE.UU. dedicado al arte latinoamericano y en particular, al puertorriqueño. El museo organiza festivales y eventos culturales y sirve de punto de conexión entre el Upper East Side, la sección más adinerada[1] de Manhattan, y "El Barrio" con su rica herencia cultural. «El Barrio» tiene también su propia orquesta.

[1]wealthy

La Calle Ocho, en *Little Havana*. En el corazón de Miami está el barrio conocido por el nombre de "Little Havana", donde se encuentran desde puros[1] enrollados a mano hasta fruterías, mercados, herbolarios y cafés al aire libre. Es el barrio donde residen muchos exiliados cubanos llegados después de la instauración del régimen comunista en Cuba, y también inmigrantes de otros países hispanos. El español es la lengua predominante y muchos de sus residentes no hablan inglés. Hay restaurantes con auténtica comida cubana y tiendas de toda clase. El Carnaval de la Calle Ocho tiene fama internacional.

¿Qué aprendiste?

1. ¿Qué indica la existencia de barrios hispanos en casi todas las ciudades de EE.UU.? ¿Qué está ocurriendo actualmente?

2. ¿Quiénes residen en cada unos de los tres barrios mencionados?

3. ¿Qué cosas interesantes ofrece cada uno de ellos?

Actividad cultural

Un/a estudiante va a hacer de turista y otro/a, de residente de uno de los barrios mencionados. Túrnense para preguntar y dar información acerca del barrio: quiénes y por qué se establecieron en él; la cultura que representa; tiendas/ museos/ edificios que hay; y lo que se puede hacer allí.

Contraste cultural

Hablen de los barrios étnicos que Uds. conocen. ¿De dónde proceden sus residentes? ¿Qué los caracteriza? ¿Por qué se establecieron allí?

[1]cigars

Actividades del barrio

VOCABULARIO

En la asociación de vecinos

En la fiesta del barrio   **Durante la fiesta...**

En trabajos voluntarios

1. to meet (get together) 2. to argue 3. to organize 4. to try to (do something); **tratar** + **de** + *infinitive* 5. to save (time, money) 6. to solve, resolve
7. to agree 8. the band 9. mayor; **la alcaldesa** (*f.*) 10. to applaud 11. I'll treat/ invite you to...; **invitar a** to invite... 12. crime 13. violence 14. kill;
matar to kill 15. weapon (*f.*) 16. to rob 17. victim (*m./f.*); 18. thief, robber; **la ladrona** (*f.*) 19. to miss 20. to look after, tend 21. to donate
22. to teach, show 23. volunteer (*f.*); **el voluntario** (*m.*) 24. to feed 25. homeless people 26. alcoholic drinks 27. to get drunk 28. to build

*construir (presente): construyo, construyes, construye, construimos, construís, construyen
(pretérito): construí, construiste, construyó, construimos, construisteis, construyeron

¡En acción!

10-11 ¿Hay otra forma de decirlo?

Empareja los verbos o expresiones de la columna A con los que les corresponden de la columna B.

A.			B.	
1. resolver	d.		a.	compartir la misma opinión
2. emborracharse	e.		b.	cambiarse de casa
3. atender a alguien	c.		c.	cuidar a una persona
4. discutir	g.		d.	solucionar
5. enseñar	f.		e.	beber alcohol en exceso
6. mudarse	b.		f.	educar
7. ahorrar	h.		g.	manifestar opiniones contrarias
8. estar de acuerdo	a.		h.	guardar parte de lo que se gana

10-12 You may want to project the PowerPoint slide of the scenes. Have four pairs of students each describe one scene, with the class providing additional input.

For additional vocabulary practice, see PowerPoint slides at www.wiley.com/college/lucasmurillo or visit www.wileyplus.com

10-12 ¡Qué barrio tan activo!

Observen los dibujos de la página 344 y describan lo siguiente.

• En la asociación de vecinos: lo que hacen y dicen las personas

• En la fiesta del barrio: lo que pasa y lo que dicen las personas

• Durante la fiesta: lo que pasa en la joyería Ortiz

• En trabajos voluntarios: quiénes son y qué hacen esas personas

10-12 PERSONALIZED QUESTIONS: ¿Es la dependencia del alcohol o de las drogas un problema grave entre los estudiantes de este *college*/ esta universidad? ¿Se emborrachan frecuentemente? En este pueblo/ esta ciudad, ¿hay mucho crimen? ¿Y personas pobres o sin hogar? Expliquen.

10-13 Para mejorar nuestro barrio o ciudad

RECYCLES subjunctive with expression of influence.

En grupos de *tres*, piensen en *tres* cosas que Uds. quieren, recomiendan o insisten que hagan algunas personas de su barrio o ciudad, **(los vecinos, el alcalde, la policía...).** Un/a secretario/a apunta las ideas para luego informarle a la clase: *Recomendamos* que los vecinos *reciclen* la basura. ...

10-13 A volunteer writes on the board, in abbreviated form, the ideas presented by the group secretaries. Each student then votes for his/her top three choices, to determine, by class consensus, the best plans for town or neighborhood improvements.

¡A escuchar! Trabajos voluntarios   CD 4 Track 11

Paso 1. Escucha la conversación entre los cuatro miembros de la familia García que hablan de los trabajos voluntarios.

Paso 2. Escucha de nuevo y completa los espacios en blanco.

1. Los señores García creen que todos los miembros de su familia deben hacer más ____trabajos____ ____voluntarios____.

2. Los padres están planeando hacerse miembros de Hábitat para la Humanidad porque quieren ___ayudar___ a construir casas para los que las necesitan.

3. El hijo dice que su clase va a visitar una ___residencia___ de ___ancianos___.

4. El hijo dice también que va a ___ahorrar___ dinero para comprarles ___dulces___ a los ancianos.

5. La hija quiere ser voluntaria para ___enseñar___ a leer y a escribir a las personas analfabetas.

6. Las personas analfabetas son las que no saben ___leer___ ni ___escribir___.

> ### ¿SABES QUE...?
> The word **alcalde** is of Arabic origin. Remember that about 5,000 Spanish words come directly from Arabic.

For additional practice on this grammar point, see PowerPoint slides at www.wiley.com/college/lucasmurillo or visit www.wileyplus.com

GRAMÁTICA

¡Manos a la obra!

3

Expressing emotional reactions and feelings: The subjunctive with expressions of emotion

Another common use of the subjunctive is with expressions of *emotion*—when a person expresses emotional reactions and feelings (joy, hope, sorrow,...) about the actions, state, or condition of another person or thing.

expression of emotion	+ que +	action, state, or condition of another person or thing
(present indicative)		*(present subjunctive)*

You already know some verbs and expressions that convey feelings or emotions: **gustar, encantar, tener miedo.** Here are a few others:

alegrarse (de)	*to be glad/ happy (about)*	**es una lástima**	*it is a shame*
esperar*	*to hope, expect*	**es ridículo**	*it is ridiculous*
sentir (ie, i)	*to be sorry, regret, feel*	**es increíble**	*it is incredible*

• As with expressions of influence (see page 338), each sentence contains *two* subjects: the person expressing the emotion and the person or thing that triggers the emotional reaction.

> **Espero** que el alcalde **hable** con los ciudadanos.
> *I hope that the mayor speaks with the citizens.*
>
> **Me alegro de** que **haya** una fiesta del barrio todos los años.
> *I'm glad that there is a neighborhood party every year.*
>
> **Es una lástima** que no **puedas** ir a la fiesta.
> *It is a shame that you cannot go to the party.*

• If no change of subject occurs after the expression of emotion, the infinitive is used.

> **Siento** no poder ir a la fiesta.   *I regret not being able to go to the party.*
> **Es una lástima** no poder ir.   *It is a shame not to be to able to go.*

* Ojalá (que)... also means *I hope . . .,* and when referring to a future action, is followed by the present subjunctive: **Ojalá que** salgamos de la crisis y mi vecino **encuentre** trabajo.

To introduce the subjunctive with expressions of emotion, draw three faces on the board, each representing an emotion: a smiling face (**alegrarse**), a face with large open eyes and a straight mouth (**esperar**), and a face with a frown and tears (**sentir/ es una lástima**). Write the corresponding expression/s under each face. Give personalized examples while referring to the faces: **Me alegro de que ustedes estén aquí. Es una lástima que John no esté aquí hoy. Siento que muchos estudiantes estén enfermos. Espero que todos saquen una «A» en el próximo examen.** Then make statements about yourself: **Estoy enfermo/a hoy. Estoy contento/a. No hay examen final.** Students react according to each face/ emotion: **Siento que esté enfermo/a hoy.**

Ysenia, Mabel y Jennifer están hablando en la cafetería del éxito[1] que tuvo el artículo de Ysenia.

¿Qué tal el artículo Ysenia?

¡Muy bien! Se va a organizar una asociación de vecinos en el barrio. Muchos quieren hablar de sus problemas con el alcalde.

Entonces hiciste buenas entrevistas, ¿verdad?

Sí, y los jóvenes, especialmente, se alegran mucho de que la situación se haga pública; me dieron mucha información.

Espero que el alcalde ayude a las personas sin hogar y termine con la delincuencia en el barrio.

Yo también. ¿Saben? Me encantó esta experiencia. ¡Es posible que en el futuro sea reportera!

[1]success

¡En acción!

¡Oye! Trabajos voluntarios

Un/a estudiante tiene una hoja con una sonrisa ☺ y otra, con una cara triste ☹. Su profesor/a le hace preguntas. Cuando la respuesta debe ser positiva, el/la estudiante muestra la hoja con la sonrisa; cuando debe ser negativa, muestra la de la cara triste. Luego, la clase contesta las preguntas con «**Nos alegramos de que...** » o «**Sentimos que...**», según la cara que ve.

10-14 ¡Reacciona!

Piensa en un aspecto positivo y uno negativo de tu vida actual y comparte uno de ellos con la clase. Luego, otro/a estudiante reacciona diciendo **"Me alegro de que..."** o **"Siento que..."**.

MODELO

E1: ¡Tengo un carro nuevo!   **o:** Hoy estoy cansadísimo/a.

E2: Me alegro de que tengas un carro nuevo.   **o:** Siento que estés cansadísimo/a.

10-15 Observa la vida

Reaccionen ante las situaciones de los dibujos. Usen las expresiones y los verbos que siguen.

Me alegro de que...	Es una lástima que...	Me gusta que...
Espero que...	Es ridículo que...	Me encanta que...
Siento que...	Es increíble que...	Ojalá (que)...

MODELO

E1: Siento que **haya** pobres en el mundo.

E2: Es una lástima que el hombre **tenga** que pedir dinero.

E3: Me alegro de que muchos **donen** dinero.

haber, tener que, donar

1

estar en, atender, extrañar

2

construir, ayudar,
haber voluntarios

3

haber analfabetos,
enseñar, aprender

4

quemarse, saltar,
venir los bomberos

5

relajarse, jugar,
disfrutar de

After you read each sentence, the student reacts by raising the smiling or frowning face. The class then answers the question.

Guión para ¡Oye!

1. Los voluntarios les enseñan a los niños a leer y a escribir. ¿Nos alegramos o sentimos que les **enseñen** a leer y a escribir?

2. Los voluntarios se duermen constantemente. ¿Nos alegramos o sentimos que se **duerman** constantemente?

3. Las personas sin hogar no tienen comida. ¿Nos alegramos o sentimos que no **tengan** comida?

4. Los voluntarios construyen casas para Hábitat para la Humanidad. ¿Nos alegramos o sentimos que **construyan** casas?

5. ¡Hay un incendio en la residencia de ancianos! ¿Nos alegramos o sentimos que **haya** un incendio en la residencia de ancianos?

6. Los voluntarios atienden a los ancianos. ¿Nos alegramos o sentimos que **atiendan** a los ancianos?

7. Nadie dona dinero. ¿Nos alegramos o sentimos que nadie **done** dinero?

10-14 *Option*: Students complete the activity in pairs, with a sampling of responses reviewed by the instructor.

10-15 You may want to project the PowerPoint slide of the illustrations and elicit feedback on each item from a number of students.

10-15 Let students know that the expression **Ojalá (que)** comes from Arabic and means literally "May Allah grant..." In modern Spanish **Ojalá (que)** + *present subjunctive* is synonymous with *I hope*.

10-16 *El amor lo puede todo: continuación*

RECYCLES subjunctive with verbs of influence.

¿Qué personajes son nuevos en este episodio?

Don Aureliano Castillo, el rico del pueblo

Dª Josefina Castillo, su esposa

Víctor Castillo, su hijo

Angelita Soto, la novia de Víctor

Pascual Soto, su padre

Rosa Soto, su madre

El alcalde

Carlitos, huérfano[1]

10-16 Before students begin *Actividad 10-16,* have them describe each soap opera character and recap the plot thus far. Refer to *Actividad 10-8,* on pages 339–341.

 Paso 1. Completen el guión para el nuevo episodio de la telenovela. Finalmente, *cinco* parejas representan las *cinco* escenas de la telenovela para la clase. ¿Quién gana el Óscar?

1. *Angelita visita a* **doña Josefina***, que está muy mal a causa del medicamento tan fuerte que le dio Rosa por error.*

Angelita:	Buenas tardes, doña Josefina. **Siento** mucho que Ud. (*estar*) ___esté___ así. Mi madre está muy preocupada.
Dª Josefina:	Mira, Angelita, vamos a ser sinceras. **Es increíble** que (*decir*) ___digas___ eso, porque tu madre...
Angelita:	¡Pero, doña Josefina! Ud. sabe que mi madre no...
Dª Josefina:	Bueno, eso no cambia nada; tú no eres de nuestra clase social y **queremos** que nuestro hijo (*casarse*) _se_ _case_ con alguien de su misma clase.
Angelita:	**Es una lástima** que Ud. no (*entender*) ___entienda___ que Víctor y yo nos amamos de verdad.

2. *Doña Josefina habla con* **don Aureliano***, su esposo, que es el dueño del apartamento de los Soto.*

Dª Josefina:	Aureliano, **insisto en** que tú (*echar*)[2] ___eches___ a los Soto del apartamento inmediatamente.
Don Aureliano:	Josefina, **me preocupa** que (*haber*) ___haya___ leyes que lo prohíban, pero puedo hablar con mi amigo el alcalde. Tiene que haber alguna manera de resolverlo.
Dª Josefina:	Pues, hazlo hoy. Y, otra cosa, **no me gusta** que tú (*salir*) ___salgas___ por las noches. ¿Adónde vas?
Don Aureliano:	Querida, **es mejor** que nosotros (*hablar*) ___hablemos___ de eso más tarde.

3. *Don Aureliano y* **el alcale** *hablan por teléfono.*

El alcalde:	Buenas tardes, don Aureliano. ¿En qué puedo servirle?
Don Aureliano:	Ud. sabe lo de mi hijo Víctor y Angelita Soto, pues... mi esposa **insiste en** que yo les (*echar*) ___eche___ a los Soto del apartamento.
El alcalde:	Vamos a ver, don Aureliano, seguro que hay alguna forma de hacerlo.
Don Aureliano:	Muchísimas gracias, sabía que podía contar con Ud., señor alcalde.
El alcalde:	Estoy a su disposición, don Aureliano, y **espero** que nosotros (*poder*) ___podamos___ solucionarlo pronto.

[1]orphan, [2]to evict

4. *Angelita* hace de voluntaria con los niños de la Parroquia de San Miguel. Un día aparece *Carlitos*, un huérfano de siete años.

Angelita:	Carlitos, **me alegro** que te (*gustar*) ___guste___ dibujar. ¡Qué lindo es este dibujo!
Carlitos:	Gracias. Es mi papá.
Angelita:	¿De verdad? ¿Cómo se llama?
Carlitos:	Don Aureliano.... y dicen que tiene mucho dinero.
Angelita:	(*Piensa:* ¡Ay! ¡*Tengo miedo de* que (*ser*) ___sea___ el Aureliano que yo conozco!)

5. *Víctor* y *Angelita* se encuentran en la fiesta del barrio.

Víctor:	¡Angelita, me acaban de ofrecer un trabajo en un hospital, muy lejos de aquí! **Te pido** que (*venir*) ___vengas___ conmigo.
Angelita:	Claro que sí, amor de mi vida. ¡Contigo me voy hasta el fin del mundo! ¡Y ojalá que tus padres lo (*aceptar*) ___acepten___ algún día!

 Paso 2. Ahora, cada pareja escribe *tres* reacciones acerca de lo que ocurre en este episodio. Usen las expresiones que siguen. Luego, comparen sus reacciones con las de otra pareja y compartan con la clase una que tengan en común o que sea todo lo contrario.

Me alegro de que...	**Espero que...**	**Siento que...**
Es una lástima que...	**Es ridículo que...**	**Es increíble que...**

10-17 Mis deseos y emociones

 Paso 1. Expresa tus deseos y emociones respecto a las personas importantes de tu vida. Para hacerlo, completa las burbujas. Menciona a la persona en cuestión y usa el presente de subjuntivo.

LO POSITIVO

Me alegro de que *mi amiga Sandra...*

Me gusta que...

LO NEGATIVO

Siento que...

Es una lástima que...

Es ridículo que...

DESEOS PARA EL FUTURO

Espero que...

Ojalá que...

 Paso 2. Comparte con tu compañero/a alguna de las cosas que mencionaste en el *Paso 1*. Túrnense. Finalmente, dile a la clase una de las cosas que dijo tu compañero/a y él/ella hace lo mismo.

MODELO

E1: *Elena **se alegra** de que su amiga Sandra **la visite** este fin de semana.*

E2: *Juan **siente** que su novia no **esté** aquí.*

Tu mundo cultural

Voluntarios dentro y fuera de EE.UU.

¿Quieres conocer a gente hispana y su cultura y al mismo tiempo practicar español? Hazte voluntario. Los trabajos voluntarios son además, experiencias enriquecedoras[1]. A continuación, vas a informarte de varias opciones de voluntariado en EE.UU. y en países hispanos.

Trabajos voluntarios en las comunidades hispanas de EE.UU.

Cada vez son más las personas en este país que hacen trabajos voluntarios con hispanos. Y también, son más los *colleges* y universidades estadounidenses que ofrecen a sus alumnos la oportunidad de obtener créditos mediante lo que se llama *service learning*, a cambio de trabajos voluntarios realizados en la comunidad.

Julia, una voluntaria, de excursión con dos niñas de la comunidad mexicana. Ella, como otros estudiantes de español de la Universidad de Richmond, en Virginia, trabaja con familias hispanas, haciendo de tutora e intérprete. De esta forma, practica español, conoce una cultura diferente y hace amigos.

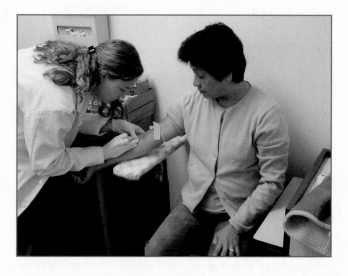

Rachel, voluntaria de *Loyola University Chicago Stritch School of Medicine*, sacándole sangre a una paciente hispana. En esta facultad de medicina y en otras, los estudiantes voluntarios atienden a pacientes hispanos en clínicas que se dedican a ayudar a los que no tienen seguro médico.

[1]enriching

Trabajos voluntarios en países hispanos

Si recuerdas los efectos devastadores del huracán Katrina en EE.UU en el año 2005, puedes entender por qué en tantos países de América Central donde los huracanes, terremotos[1] e inundaciones[2] son muy frecuentes, es tan necesaria la labor de las organizaciones humanitarias.

Muchos voluntarios de EE.UU., Canadá y Europa trabajan para organizaciones humanitarias en países de América Central ayudando en el cuidado y educación de los niños huérfanos, abandonados o con discapacidades físicas o mentales. Jeanne, voluntaria estadounidense, trabaja como terapeuta del lenguaje con niños en el Centro Maya Xe´Kiyqasiiwaan de San Juan de la Laguna, en Guatemala. Como se aprecia abajo en la fotografía, a los niños de la organización NPH se les ve felices en el rancho, donde son muy bien atendidos por los voluntarios.

¿Qué aprendiste?

1. ¿Cómo se benefician los estudiantes que hacen trabajos voluntarios con hispanos? ¿Qué ejemplos se mencionan?

2. ¿A qué niños ayudan muchos voluntarios extranjeros[3] en América Central?

3. ¿Qué ofrece la organización Nuestros Pequeños Hermanos para niños y voluntarios?

Actividad cultural

Un/a estudiante hace el papel de director/a de una organización humanitaria y explica las cualidades que busca en los voluntarios. Otro/a estudiante hace de voluntario/a e indica las cualidades y talentos que le hacen buen/a candidato/a y qué clases de trabajos le gustaría hacer.

NUESTROS PEQUEÑOS HERMANOS

América Central: Honduras, Nicaragua, Guatemala, El Salvador, Belice; América del Sur: Bolivia, Perú

Misión: La organización **NPH** ayuda a niños y jóvenes huérfanos o abandonados. La misión es proveerles de hogar, comida, ropa, cuidados médicos y educación: escuela primaria y talleres[4] vocacionales. No se separa a los niños de sus hermanos y no se dan en adopción. Los niños están en un ambiente seguro y de amor, donde aprenden los valores del trabajo, responsabilidad y a compartir.

Voluntarios y sus responsabilidades: En los voluntarios se busca a personas trabajadoras, flexibles, con actitud positiva y sentido del humor, que quieren ayudar a los niños y compartir con ellos sus talentos y conocimientos. Se necesitan voluntarios para cuidar a los niños o darles clases de inglés. También se necesitan profesores de educación especial, coordinadores de voluntarios, médicos y bibliotecarios.

¿Cómo puede ayudarnos? Dé un donativo, hágase padrino o madrina de un niño o niña, o sea voluntario.

**Póngase en contacto con nosotros:
www.nphamigos.org**

Contraste cultural

Hablen de sus experiencias como voluntarios y de las oportunidades para hacer trabajos voluntarios en su pueblo o ciudad.

[1]earthquakes, [2]floods, [3]foreign, [4]workshops

3 Asuntos* sociales, políticos y religiosos

En ¹la manifestación

En ¹⁰la campaña electoral

En el templo

1. demonstration 2. justice 3. equality (*f.*) 4. laws (*f.*) 5. reporter (*m.*); **la reportera** (*f.*) 6. we fight for...; **luchar por** to fight for 7. human rights 8. war 9. peace (*f.*) 10. electoral campaign 11. taxes 12. candidate (*m.*); **la candidata** (*f.*) 13. the conservatives; **conservador/a** 14. Are you in favor...? **estar a favor de** to be in favor of 15. against 16. dangerous 17. national security 18. cathedral 19. Catholic 20. Protestant 21. to pray 22. Muslim 23. mosque 24. synagogue 25. Jewish 26. God 27. atheist 28. agnostic

*Asuntos *matters*

¡En acción!

10-18 ¿Qué pasa en la calle?

Observa las escenas de la página 352 y di si es cierto o falso lo siguiente. Si es falso, da la información correcta.

C   F

☑ ☐ **1.** En la manifestación hay mucha gente protestando.

☑ ☐ **2.** Unas personas no quieren la guerra; están a favor de la paz.

☐ ☑ **3.** Un vecino informa acerca de lo que pasa en la manifestación.

☐ ☑ **4.** La candidata Mora está a favor de las centrales nucleares.

☑ ☐ **5.** El candidato Trujillo quiere que los ciudadanos paguen menos impuestos.

☐ ☑ **6.** Unos católicos rezan cerca de la mezquita mirando en dirección a La Meca.

☑ ☐ **7.** Los judíos rezan en la sinagoga.

☑ ☐ **8.** Los ateos no creen en Dios.

10-18   ANSWERS:
Corrections for false (F) responses: 3. Un reportero...;
4. Está en contra de...;
6. Unos musulmanes...

10-19 Asuntos sociales, políticos y religiosos

¿Todos hacen y piensan lo mismo? Para saberlo, observen las escenas de la página 352 y describan lo siguiente:

- lo que hace el reportero y sobre qué está informando
- por qué luchan y qué piden las personas que protestan en la manifestación
- qué prioridades tiene cada uno de los candidatos
- las religiones representadas por los tres edificios de la escena; y qué hacen o dicen las personas en ella

10-19 You may want to project the PowerPoint slide of the scenes and elicit responses from the class and/or have pairs of students describe each scene.

For additional vocabulary practice, see PowerPoint slides at www.wiley.com/college/lucasmurillo or visit www.wileyplus.com

10-19   PERSONALIZED QUESTIONS: ¿Participan Uds. en manifestaciones? ¿Por qué? ¿Votaron en las últimas elecciones? ¿Qué organizaciones políticas, religiosas o humanitarias les interesan más?

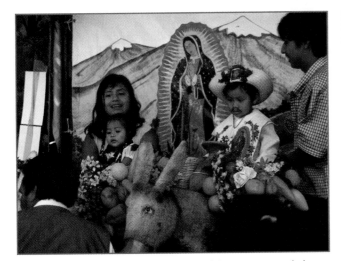

Oaxaca. Festividad de la Virgen de Guadalupe, patrona de los mexicanos. En toda ciudad mexicana hay una iglesia dedicada a ella. El día antes de la festividad, el 12 de diciembre, los niños y bebés van a la catedral en procesión para hacerle ofrendas[1] a la virgen y pedirle protección.

Antigua, Guatemala. La Semana Santa[2] de Antigua es famosa por las magníficas alfombras florales con las que sus habitantes decoran las calles para la procesión religiosa.

[1]offerings, [2]**Semana...** Holy Week

10-20 Write the numbers 1–8 on the board in a horizontal line. Invite a volunteer to come to the board to record the votes in favor of and against each item. As you call out the categories, ask for a show of hands: ¿Quién está a favor? ¿Quién está en contra?

10-20 Un sondeo

Paso 1. Camina por la clase y pregúntales a *ocho* personas diferentes si están *a favor* o *en contra de* lo siguiente. Marca la respuesta (**A favor** o **En contra**) y el nombre de cada persona que responde. Tienes *seis* minutos.

MODELO

E1: Ana, ¿estás **a favor** o **en contra** de las leyes para proteger el medio ambiente?

E2: Estoy a favor.

SONDEO

A favor de	En contra de	Nombre	
☐	☐	_____	1. las leyes para proteger el medio ambiente[1]
☐	☐	_____	2. los programas de «Acción afirmativa»
☐	☐	_____	3. el seguro médico universal
☐	☐	_____	4. el matrimonio entre personas del mismo sexo
☐	☐	_____	5. la pena de muerte[2]
☐	☐	_____	6. el derecho a llevar armas
☐	☐	_____	7. subir los impuestos para reducir el déficit nacional
☐	☐	_____	8. reducir la edad a la que se permite consumir bebidas alcohólicas

Paso 2. Al terminar, compartan con la clase algunas de las opiniones de sus compañeros/as. Luego, voten todos *a favor* o *en contra de* cada categoría. ¿Tienen opiniones similares?

See Grammar Handbook found in WileyPLUS.

For additional practice on this grammar point, see PowerPoint slides at www.wiley.com/college/lucasmurillo or visit www.wileyplus.com

. . . y algo más

You have already learned two pairs of affirmative/ negative words: **algo/ nada** and **alguien/ nadie.** Here is another pair:

alguno/a/os/as *any, some, someone*   **ninguno/a** *no (not a single), none, not any*

- Just as **uno** shortens to **un** before a masculine singular noun, **alguno** and **ninguno** become **algún** and **ningún:**

 Ningún ciudadano está a favor de esa ley. **Algún** día todos van a quejarse.

 *No (not a single) citizen is in favor of that law. **Some** day they are all going to complain.*

- Because **ninguno/a** means *not a single (one)*, it does not have a plural form.

 —¿Van a votar **algunos** estudiantes?   —No, **ninguno** va a votar.

10-21 El ambiente político y social de nuestro *campus*

Paso 1. Escriban *cuatro* oraciones para expresar sus opiniones respecto al ambiente político y social de su *campus*. Escojan las referencias de la primera y segunda columna (pág. 355) que necesiten, y luego completen la oración de una manera original.

MODELO

Algunas estudiantes luchan por la igualdad.

[1]**medio...** environment, [2]**pena...** capital punishment

En nuestro *college* o universidad...	
• **Algunos** estudiantes/ **Algunas** estudiantes...	estar a favor de...
• **Ningún** estudiante/ **Ninguna** estudiante...	estar en contra de...
• **Algunos** profesores/ **Algunas** profesoras...	luchar/ protestar por...
• **Ningún** profesor/ **Ninguna** profesora...	votar por...
	pensar que...

Paso 2. Ahora, lean sus opiniones a otra pareja y ellos dicen si están de acuerdo o no. Si no están de acuerdo, pueden dar su opinión: *¡No!* **Ninguna** *estudiante de nuestro campus lucha por la igualdad.* Luego cambien de papel.

Al final, según las opiniones expresadas, digan si el ambiente político y social de su *campus* es, por lo general, conservador o liberal.

¡A escuchar! Elecciones presidenciales   CD 4 Track 12

Paso 1.   Escucha las entrevistas[1] de una reportera.

Paso 2.   Escucha de nuevo y marca la respuesta apropiada.

1. La reportera está informando sobre las elecciones presidenciales...

   ☐ de hoy   ☑ de la próxima semana

2. Las cuestiones que más preocupan a los ciudadanos son...

   ☑ la economía y la seguridad del país   ☐ los derechos humanos y la igualdad

3. Una señora va a votar por el candidato que tenga como prioridad...

   ☑ la paz   ☐ la guerra

4. Un señor dice que lo más importante es...

   ☑ crear puestos de trabajo   ☐ reducir los impuestos

5. Un joven dice que para él lo más importante son...

   ☑ los derechos humanos   ☐ las centrales nucleares

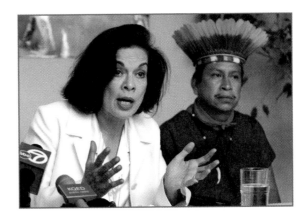

La nicaragüense Bianca Jagger, ex-esposa de Mick Jagger de los *Rolling Stones,* y el biólogo argentino Raúl Montenegro (no aparece en la foto) recibieron el *Right Livelihood Award* (Premio al Correcto Modo de Vida), en reconocimiento a su activismo en defensa de los derechos humanos en el mundo y su defensa de los recursos naturales en América Latina. ¿Conoces a otros famosos dedicados a causas humanitarias?

[1]interviews

GRAMÁTICA

¡Manos a la obra!

Expressing uncertainty or denial: The subjunctive with expressions of doubt or negation

4

Another common use of the subjunctive is with expressions of *doubt* or *negation*—when a person expresses doubt or disagreement about the actions, state, or condition of another person or thing. As before, each sentence has two clauses, with the subjunctive in the second clause.

expression of doubt or negation	+ que +	action, state, or condition of another person or thing
(present indicative)		*(present subjunctive)*

Some verbs and expressions that convey doubt, uncertainty, disbelief, or negation are:

Doubt and uncertainty		*Disbelief or negation*	
dudar	*to doubt*	**no creer**	*not to believe*
no estar seguro/a (de)	*not to be sure*	**no es verdad**	*it's not true*
es posible	*it is possible*	**es imposible**	*it's impossible*
es probable	*it is probable*	**es improbable**	*it's improbable*

Once again, each sentence has *two different* subjects: the person expressing the doubt or negation and the person or thing toward which the doubt or negation is directed.

> **Dudo** que los conservadores **ganen** las elecciones.
> *I doubt the conservatives will win the election.*

> Los candidatos **no creen** que los ciudadanos **estén** a favor de la nueva ley.
> *The candidates do not believe that the citizens are in favor of the new law.*

Because the verbs **creer** and **saber,** and the expressions **estar seguro/a** and **ser verdad,** express certainty, they are used with the indicative.

> Los reporteros **creen/ están seguros** que todos **van** a votar.
> *The reporters believe/ are sure that everyone is going to vote.*

Al volver del supermercado, Ernesto y Fabio ven en su barrio un mural acerca de la tolerancia religiosa.

¡En acción!

¡Oye! ¿Están de acuerdo o no?

Vas a escuchar ocho opiniones. Apunta si estás de acuerdo o no con cada una.

10-22 Opiniones opuestas

Paso 1. Lee las siguientes opiniones y marca tus reacciones.

1. En nuestro país hay justicia e igualdad para todos.

   ☐ Creo que **hay**...   ☐ Dudo que **haya**...

2. La mayoría de los ciudadanos de este país hacen trabajos voluntarios.

   ☐ Creo que muchos **hacen**...   ☐ No estoy seguro/a de que muchos **hagan**...

3. Las centrales nucleares son peligrosas.

   ☐ Estoy seguro/a de que **son**...   ☐ No creo que **sean**...

4. Hay suficiente trabajo y suficientes viviendas para las personas sin hogar.

   ☐ Sé que **hay**...   ☐ Dudo que **haya**...

5. El plan del presidente para resolver la crisis financiera es bueno.

   ☐ Creo que **es**...   ☐ Es improbable que **sea**...

6. En este país, muchos judíos, cristianos y musulmanes se entienden bien.

   ☐ Es verdad que **se entienden**...   ☐ Dudo que un gran número **se entiendan**...

Paso 2. Comparte tus reacciones con la clase. Usa oraciones completas. Luego, decidan entre todos si los estudiantes de la clase son, por lo general, optimistas, pesimistas o realistas.

El catolicismo es todavía la religión predominante entre los hispanos. Las innumerables y magníficas iglesias y catedrales edificadas por todo el mundo hispano, como la catedral de Quito (siglo XVI) en Ecuador, dan testimonio de ello. Este altar es de pan de oro[1].

[1]**pan...** gold leaf

Students jot down the numbers 1–8, and after each statement write: **Estoy de acuerdo** (or) **No estoy de acuerdo**. Write the two expressions on the board.

Guión para ¡Oye!
1. **Creo** que todos los ciudadanos **tienen** que pagar impuestos. ¿Están Uds. de acuerdo o no?
2. **Dudo** que **pueda** haber paz en el mundo.
3. **Es probable** que **haya** más ataques terroristas en este país.
4. **Estoy seguro/a** de que todos los políticos **respetan** las leyes.
5. **Es cierto** que el presidente de este país **es** siempre sincero.
6. **Es imposible** que una mujer **gane** las elecciones y **sea** presidenta de EE.UU.
7. **Dudo** que en el futuro **haya** más tolerancia entre judíos, cristianos y musulmanes.
8. **Es verdad** que **hay** que respetar todas las religiones.

10-22 For each item, ask several students to share their opinions with the class. Then ask for a show of hands to gauge the class's sentiments.

10-22 ANOTHER STEP: Have students tell the class something about themselves that is either true or false. The other students respond, indicating if they doubt what was said or not, using **dudar, (no) creer** and **(no) estar seguro/a**. *Example:*
E1: **Tengo tres novios.**
E2: **¡Eso no es verdad! Dudo que tengas tres novios.** (o) **Sí, creo que tienes tres novios.**

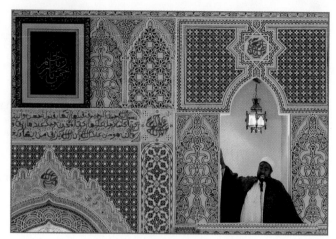

Interior de la sinagoga Gran Templo de Paso de Buenos Aires, en Argentina. Se calcula que en Argentina hay unos 395.000 judíos, la mayoría de los cuales residen en Buenos Aires, lo que constituye la comunidad judía más grande del continente americano después de las de EE.UU. y Canadá.

El Imán de la mezquita de Fuengirola, en Málaga, reza en memoria de las víctimas del ataque terrorista en la estación de Atocha de Madrid (11 de marzo de 2004). Se calcula que hay unos 400.000 musulmanes en España; y el número va en aumento. La mezquita de Madrid es una de las más grandes de Europa.

10-23 Tres religiones: ¿Cuánto saben?

10-23 Ask students which facts they already knew (Ya sabía que...) and which ones they learned today (Hoy supe que...). Also ask them to share any information that they found surprising, and why.

Vamos a ver qué saben Uds. sobre tres religiones que han tenido y todavía tienen gran influencia en el mundo hispano: la cristiana (católica y protestante), la judía y la musulmana.

Primero, cada uno/a marque **Cierto** o **Falso** para indicar si las siguientes afirmaciones son ciertas o no. Luego, díganse si **creen** o **no** lo que se dice en ellas. Túrnense. Al terminar, verifiquen sus respuestas.

MODELO

E1: *La Biblia es un libro sagrado para los musulmanes.*

E2: *(E2 marcó la F.)* **No creo** *que la Biblia* **sea** *un libro sagrado para los musulmanes. ¿Y tú?*

E1: *Estoy de acuerdo.*

o: *(E2 marcó la C.)* **Yo creo** *que la Biblia* **es** *un libro sagrado para los musulmanes.*

C   F

- ☐ ☑ **1.** Uno de los símbolos de la religión cristiana *es* la estrella de David.
- ☑ ☐ **2.** El nombre Cristo *viene* del griego y *significa* Mesías, Salvador.
- ☑ ☐ **3.** El cristianismo *es* la religión con más seguidores en el mundo.
- ☐ ☑ **4.** La religión judía y la musulmana *permiten* comer carne de cerdo.
- ☑ ☐ **5.** Casi la mitad[1] de los 14 millones de judíos del mundo *vive* en EE.UU.
- ☑ ☐ **6.** Las religiones judía y musulmana *prohíben* representar la imagen de Dios, o de figuras humanas o de animales en las sinagogas y mezquitas.
- ☑ ☐ **7.** El Islam *es* la segunda religión con más seguidores en el mundo.
- ☑ ☐ **8.** El Corán (612–632) *es* el libro sagrado de los musulmanes; *contiene* la revelación transmitida a Mahoma por Alá (Dios).
- ☐ ☑ **9.** Durante el Ramadán, los musulmanes adultos, incluso los enfermos y las mujeres embarazadas, no *comen* ni *beben* de sol a sol[2].
- ☑ ☐ **10.** Los musulmanes *rezan* mirando en dirección a La Meca.

[1]half, [2]de... from sunrise to sunset

RESPUESTAS: Modelo. F. La Biblia es el libro sagrado de los cristianos. 1. F. Es el símbolo de la religión judía. La cruz y el pez son símbolos de la religión cristiana. 2. C, 3. C, 4. F. No lo permiten. 5. C, 6. C, 7. C, 8. C, 9. F. Los enfermos y las mujeres embarazadas son la excepción. 10. C

10-24 ¡Vota por mí!

Paso 1. Imagínate que eres candidato/a para el puesto de gobernador/a de tu estado. Escribe *tres* cosas que vas a hacer si los ciudadanos te eligen: *Si me eligen, voy a reducir los impuestos, voy a...*

Paso 2. En grupos de *tres*, hagan los papeles de candidato/a y dos reporteros. El/La candidato/a habla de lo que va a hacer; los reporteros toman apuntes y luego reaccionan a lo que dice, usando las expresiones que siguen. Túrnense.

> Dudo que Ud....   Es improbable que Ud....   Es imposible que Ud....
>
> No creo que Ud....   Es posible que Ud..., pero...   Estoy seguro/a que Ud...(*indicativo*)

MODELO

Reportero/a 1: Señor/Señora..., ¿qué va a hacer Ud. si los ciudadanos lo/la eligen?

Candidato/a: Voy a reducir los impuestos.

Reportero/a 2: Yo **dudo** que Ud. **reduzca** los impuestos. ¿Tiene algo más que decir?

Palabras útiles

apoyar *to support*
controlar *to control*
elegir(i) *to elect*
eliminar *to eliminate*
prometer *to promise*
reducir *to reduce*
(pres.) reduzco,
reduces,...

10-24 When students have completed the activity, have several candidates come to the front to give their presentation, with random reporters reacting and asking questions.

10-25 Mensajes con deseos, emociones y dudas

RECYCLES subjunctive with expressions of influence and emotion.

10-25 If time is short, have each student respond to only one message (items 1–5). Then read each of Julia's messages, and have all students who responded to a particular one read their replies.

Paso 1. Haz el papel de Julia. Lee los mensajes y escribe lo que vas a contestar a las personas que llamaron. Usa los verbos que siguen y otros en tus respuestas.

> aconsejarte   alegrarse de   sentir   esperar   dudar   creer   es una lástima   es probable

MODELO
Respuesta al mensaje nº 1:

1. Hola, Pili. Soy Julia. No te preocupes, **dudo** que haya un examen de inglés mañana.

3. Hija, soy mamá. No puedo ir a tu casa porque hay huelga de transporte público y mi carro no funciona.

2. Julia, cariño, soy Paco. La entrevista acaba de terminar; tengo el trabajo que quería. ¡Soy el nuevo abogado del alcalde!

4. Señorita Julia Bravo, aquí Tecnología Siglo XXI. Su computadora ya está reparada. Díganos cuándo va a pasar a recogerla.

1. Julia, ¿sabes si hay examen de inglés mañana? Llámame. Soy Pili.

5. Julia, soy Fernando. Hoy me robaron la billetera con el dinero, la tarjeta de crédito, la licencia de manejar...; no sé que hacer.

¡Exprésate!, a chapter wrap-up focusing on conversation and writing (the latter with *Writing Strategies*), is included in *Apéndice 3*.

Writing Strategy

Drafting a persuasive business letter

For more information about this Strategy go to p. A-20.

Paso 2. Uno/a de Uds. hace el papel de la persona que deja el mensaje para Julia, y el/la otro/a hace el papel de Julia que devuelve la llamada y deja otro mensaje. Túrnense.

Tu mundo cultural

Los murales en los barrios de EE.UU.

¿Hay murales en las calles de tu pueblo o ciudad? ¿Son hispanos los artistas?

La pintura muralista tiene una larga tradición en México. En el pasado, los grandes maestros como Rivera (1886–1957), Orozco (1883–1949) y Siqueiros (1896–1974) promocionaron el arte mural para concientizar al pueblo de los problemas sociales y políticos. Esta tradición continúa en los barrios mexicanos de EE.UU. donde se pintan murales en las calles y edificios para concientizar a la comunidad de las preocupaciones sociales y políticas más urgentes. Son patrocinados[1] por compañías y organizaciones de la comunidad y en ellos participan jóvenes locales. A continuación, observa tres murales que se encuentran en El Paso, Texas.

"NUESTRA HERENCIA" de Carlos Flores (1992), El Paso. Las tres caras representan la herencia mexicana: la indígena (a la izquierda), la española (a la derecha) y en el centro, el mestizo, combinación de las dos primeras. Este mural refleja la diversidad cultural que hay en la frontera entre México y EE.UU.

"AIDS" de Carlos Callejo y sus estudiantes (1988), situado detrás de la Clínica La Fe en El Paso. Es una de las tres pinturas que forman un mural pintado para concientizar de los peligros[2] del SIDA. El tornado representa la epidemia que transmite la enfermedad y devasta la tierra. Una mujer expresa su dolor porque el hijo que espera va a nacer[3] con el SIDA.

[1]sponsored, [2]dangers, [3]be born

Mural sin título, pero que se conoce por el nombre de "LÁGRIMAS[1]". El mural expresa el malestar de los residentes de Chihuahuita en 1975, por la decisión del departamento de carreteras del estado de Texas de hacer pasar la autopista de la frontera por allí. A los residentes les preocupaban las consecuencias negativas que eso tendría para su pueblo.

¿Qué aprendiste?

1. ¿Qué clase de pintura tiene larga tradición en México? Da ejemplos.

2. ¿Dónde se pintan murales en EE.UU.? ¿Con qué propósito? ¿Quiénes los pintan y quiénes los patrocinan?

3. ¿Qué representa cada uno de los tres murales? Explícalo.

Actividad cultural

Uds. van a encargar[2] a un grupo de artistas un mural que represente un problema o una preocupación de su barrio, *college* o universidad. En grupos de *tres,* hagan una lista de los elementos e imágenes que Uds. quieren que aparezcan en el mural, y si quieren, hagan también un bosquejo[3] del mural.

Contraste cultural

Hablen de los murales y otras manifestaciones artísticas (monumentos, edificios, etc.) que representen la herencia histórica y cultural o las preocupaciones sociales de su ciudad. Digan de qué temas tratan y qué símbolos o imágenes usan.

[1]Tears, [2]to commission, [3]sketch

🎞️ Tu mundo en vivo

¡Video en acción!

10.1 CLUES ayuda a inmigrantes hispanos

1. **Antes de ver el video**

   a. ¿Hay organizaciones en dónde tú vives que ayuden a la comunidad hispana?

   b. ¿Cuáles crees que son las prioridades de esas organizaciones?

2. **Mientras ves el video**

   a. Apunta *tres* programas que tiene CLUES para la comunidad hispana.
   Possible Answers: programas para los ancianos; de salud mental; de empleos; de ESL

   b. Apunta *tres* obstáculos que tienen algunos clientes o inmigrantes latinos.
   el transporte, el idioma, la vivienda, la salud

3. **Míralo otra vez** Relaciona las fotos con lo que dice cada persona.

   A   B   C

   _C_ «Hoy tengo una cita con... que me va a ayudar a conseguir un trabajo.»

   _A_ «Lo que le aconsejo a un latino es... clases de inglés.»

   _B_ «Tenemos talleres que tratan de cómo tener una entrevista exitosa.»

10.2 Un muralista con conciencia

1. **Antes de ver el video**

   ¿Hay murales en tu barrio? ¿Dónde? ¿Qué representan?

Have the students read the statements before watching the video.

2. **Mientras ves el video** Relaciona cada mural con el comentario que le corresponde.

   A   B   C

   _C_ En sus murales, Xavier Cortada trata también temas relacionados con la familia.

   _A_ A Cortada le preocupa la destrucción de los manglares, plantas acuáticas de Florida.

   _B_ Miami se creó como resultado de la integración de razas y culturas diferentes.

3. **Comenta con la clase**

   ¿Cuáles de los temas de los murales de Cortada te interesan más?

¡Lectura en acción!

Empresa[1] modelo por sus servicios voluntarios

Reading Strategy

Recognizing word families

When presented with a reading passage with numerous unfamiliar words, pay attention to their prefixes, suffixes, and root words to help you clarify or decipher their meaning.

A continuación vas a leer un artículo acerca de una empresa de Costa Rica que ha recibido varios premios por sus actividades en múltiples áreas de la comunidad.

Paso 1. Antes de leer el artículo, sigue los siguientes pasos para concentrarte en las palabras más difíciles.

1. Es posible que no conozcas las dos siguientes palabras: **promueve** y **reconocimiento**. Analiza los prefijos y la raíz[2] de cada una. ¿Puedes deducir su significado o identificar palabras con las que se relacionen?

2. ¿Puedes identificar palabras que se relacionen con las tres siguientes? Presta atención a la raíz y también a su terminación y escribe una palabra que se asocie con cada una.

voluntariado	
premió	
comunitarios	

Students may need your help to get started with this activity. Guide them toward identifying the parts of each word that they do recognize and help them to think of related words that they already know or are familiar with.

Paso 2. Ahora lee el artículo. Piensa en las palabras que has asociado con las que están en negrita[3]. Luego, teniendo en cuenta el contexto, decide si tus asociaciones son correctas.

Reconocimiento al programa *Intel Activo en la Comunidad*

Intel Activo en la Comunidad es el programa a través del cual *Intel Costa Rica* **promueve** el **voluntariado** y la participación de sus empleados en programas y proyectos **comunitarios**.

La Cámara Costarricense - Norteamericana de Comercio (AMCHAM) **premió** a *Intel* con el mayor **reconocimiento** por su proyección comunitaria y sentido de responsabilidad social en varias ocasiones, siendo la última a finales del año 2005. Igualmente, *Intel Costa Rica* recibió en el año 2005 el *Premio de Responsabilidad Social Corporativa* otorgado por la Cámara Costarricense de Comercio.

Componentes Intel de Costa Rica recibió el premio que se otorga a empresas que de manera consistente desarrollan programas de proyección comunitaria en el área social, de educación y medio ambiente, en beneficio de su comunidad y del país. Ésta es la primera vez que AMCHAM otorga el premio, en todas las categorías, a una sola empresa.

El honor que le ha correspondido a *Intel Costa Rica* es el resultado de una clara filosofía y política de responsabilidad social, con respecto al papel que deben jugar las empresas privadas en el desarrollo de la sociedad moderna.

Paso 3. Ahora, responde a las siguientes preguntas para ver si entendiste la información más importante.

1. ¿Quiénes participan en los programas y proyectos comunitarios?

2. ¿Qué organización ha premiado a *Intel* por su activismo ambiental y social?

3. ¿Por qué es notable el premio?

4. ¿Qué factores contribuyeron a que *Intel* ganara el premio?

[1]Company, [2]root, [3]boldface

Vocabulario: Capítulo 10

Escena 1

En el barrio *In the neighborhood*
la acera *sidewalk*
el camión de la basura *garbage truck*
el/la cartero/a *mail carrier*
el chicle *chewing gum*
el/la ciudadano/a *citizen*
el/la dueño/a *owner*
el dulce *sweet, candy*
la grúa *tow truck*
la muchacha *girl*
el muchacho *boy*
el partido *party (political)*
el portero *porter, concierge*
el prejuicio *prejudice*
el pueblo *town, people*
el/la repartidor/a (de periódicos)
   (newspaper) delivery person

el/la vecino/a *neighbor*
el/la vendedor/a *vendor*

El incendio *The fire*
el fuego *fire*
el humo *smoke*

Las telenovelas *Soap operas*
casarse *to get married*
comprometerse *to get engaged*
divorciarse *to get divorced*
enamorarse *to fall in love*
(no) llevarse bien con *to (not) get along well*
   with

Verbos y expresiones verbales *Verbs and verbal expressions*
acabar de + *infinitivo to have just done*
   something
aconsejar *to advise*
acordarse (ue) de *to remember*
colgar (ue) *to hang*
insistir (en) *to insist (on)*
mudarse *to move (from house to house)*
obedecer *to obey*
olvidarse de *to forget...*
pasar por *to go down/ pass by*
quemarse *to burn oneself, burn down*
recoger *to pick up, gather*
recomendar (ie) *to recommend*
relajarse *to relax*
saltar *to jump*
saludarse *to greet*
votar *to vote*
es importante *it is important*
es mejor *it is better*
es necesario *it is necessary*

Escena 2

Actividades del barrio
   Neighborhood activities
el alcalde/ la alcaldesa *mayor*
el arma (f.) *weapon*
la banda *the band*
la bebida alcohólica *alcoholic drink*
el crimen *crime*
el ladrón/ la ladrona *thief, robber*
la persona sin hogar *homeless person*
la víctima *victim*
la violencia *violence*
el/la voluntario/a *volunteer*

Verbos y expresiones verbales *Verbs and verbal expressions*
ahorrar *to save (time, money)*
alegrarse (de) *to be glad/ happy (about)*
aplaudir *to applaud*
atender (ie) *to look after, tend*
construir *to construct*
dar de comer *to feed*
discutir *to argue*
donar *to donate*
emborracharse *to get drunk*
enseñar *to teach, show*
esperar *to hope, expect*
estar de acuerdo *to agree*
extrañar *to miss*
invitar a *to invite*
matar *to kill*
organizar *to organize*
robar *to rob, steal*
resolver (ue) *to solve, resolve*
reunirse *to meet (get together)*
sentir (ie, i) *to be sorry, regret, feel*
tratar de + *infinitive to try to (do something)*

es increíble *it is incredible*
es ridículo *it is ridiculous*
es una lástima *it is a shame*

ojalá (que) + present subjunctive *I hope...*
te invito a... *I'll treat/invite you to*

Escena 3

Los asuntos sociales y políticos
   Social and political matters
la campaña electoral *electoral campaign*
el/la candidato/a *candidate*
los derechos humanos *human rights*
la guerra *war*
la igualdad *equality*

los impuestos *taxes*
la justicia *justice*
la ley *law*
la manifestación *demonstration*
la paz *peace*
el/la reportero/a *reporter*
la seguridad nacional *national security*

el/la conservador/a *conservative*
peligroso/a *dangerous*

Los asuntos religiosos *Religious matters*
la catedral *cathedral*
la mezquita *mosque*
la sinagoga *synagogue*

Dios *God*
agnóstico/a *agnostic*
ateo/a *atheist*
católico/a *Catholic*
judío/a *Jewish*
musulmán/ musulmana *Muslim*
protestante *Protestant*

Palabras afirmativas y negativas
   Affirmative and negative words
alguno/a/os/as *any, some, someone*
ninguno/a *no (not a single), none, not any*

Verbos y expresiones verbales *Verbs and verbal expressions*
dudar *to doubt*
estar a favor de/ en contra de *to be in favor of/ against*
luchar por *to fight for*
no creer *not to believe*
no estar seguro/a (de) *not to be sure*
rezar *to pray*

es imposible *it is impossible*
es improbable *it is improbable*
es posible *it is possible*
es probable *it is probable*
no es verdad *it is not true*

Escena 1
La vida en el barrio

A. Combina las acciones de la primera columna con las referencias de la segunda que mejor les corresponden.

___ 1. colgar	**a.** el fuego, el incendio
___ 2. acordarse de	**b.** el parque
___ 3. mudarse	**c.** la ropa
___ 4. quemarse, saltar	**d.** el candidato
___ 5. saludarse	**e.** decir «¡Buenos días!»
___ 6. obedecer	**f.** olvidarse de
___ 7. votar	**g.** el camión de la basura
___ 8. relajarse	**h.** seguir órdenes
___ 9. recoger	**i.** cambiarse de casa

I. The subjunctive mood and the formation of the present subjunctive

B. Cambia los verbos a la forma correcta del presente de subjuntivo, para indicar lo que quieren las siguientes personas.

MODELO

El alcalde quiere que los ciudadanos...

votar → *Quiere que voten.*

El alcalde quiere que todos...
1. ver las comedias que se dan en el parque
2. hacer trabajos voluntarios
3. acordarse de ir a las reuniones

Mi vecino quiere que él y yo...
4. almorzar en el restaurante El Quijote
5. pedir paella
6. ir al concierto esta noche

La abuela quiere que su nieto...
7. ser obediente cuando vayan de paseo
8. estar atento al cruzar la calle
9. sentarse en el banco del parque para almorzar

II. The subjunctive with expressions of influence

C. Indica lo que pasa en la telenovela *El amor lo puede todo*. Completa las oraciones. En el primer espacio en blanco, usa los verbos entre paréntesis en el presente de indicativo. En el segundo, usa el verbo apropiado de la lista en el presente de subjuntivo.

casarse	comprometerse	controlar	salir	trabajar

1. Josefina (*pedirle*) _le_ _pide_ a Víctor que no ___ _____ con Angelita.
2. Los padres de Víctor (*aconsejarle*) ___ _____ que _____ con chicas de clase alta.
3. Ellos también (*preferir*) _____ que no _____ con las personas sin hogar.
4. Víctor es muy independiente; (*insistir*) _____ en que sus padres no _____ su vida.
5. Para él, (*ser*) _____ importante que los dos ___ _____ muy pronto.

En resumen

Contesta las preguntas con oraciones completas.
1. ¿Te gusta vivir en tu barrio? ¿Quieres mudarte?
2. ¿Quieres que construyan más escuelas y hospitales en tu barrio? ¿Y que les paguen más a los maestros?
3. ¿Hay en tu barrio lugares para relajarse y divertirse? Explica.
4. ¿Qué les aconsejas a tus vecinos?
5. ¿Qué recomiendas que hagan algunas personas de tu familia?

Escena 2
Actividades del barrio

aplaudir		atender	construir	discutir	donar
emborracharse	enseñar	organizar	resolver	reunirse	

D. ¿Qué pasa en el barrio? Completa las oraciones usando los verbos que siguen. A veces se conjuga el verbo en el presente, y otras se usa el infinitivo.
1. La Asociación de Vecinos _se_ _____ para _____ la fiesta del barrio.
2. En las reuniones, dos de los vecinos nunca están de acuerdo. Siempre _____, pero luego tratan de _____ las diferencias.
3. En la fiesta del barrio, la banda toca en el parque y la gente _____ porque le gusta la música.
4. En la residencia de ancianos, la joven _____ a la anciana.
5. A la entrada de la iglesia, una persona _____ dinero para ayudar a los pobres.
6. En la escuela, la voluntaria les _____ a los niños a leer y a escribir.
7. En la reunión de Alcohólicos Anónimos una persona piensa que _____ es un error.
8. Algunos voluntarios _____ casas para las personas sin hogar.

III. The subjunctive with expressions of emotion

E. Indica lo que pasa en la primera cita de Víctor y Angelita, en la telenovela *El amor lo puede todo*. Escribe oraciones con las palabras indicadas, usando el presente de indicativo y el presente de subjuntivo. Donde veas tres puntos [...], usa el verbo apropiado de la lista.

| estar | hacer | poder | querer | ser | tener |

MODELO

Víctor / alegrarse de / que / ellos / ... una cita esta noche.

Víctor **se alegra** *de que ellos* **tengan** *una cita esta noche.*

1. Angelita / *esperar* / que / Víctor / ... muy sincero
2. A Víctor / *encantarle* / que / Angelita / ... trabajos voluntarios
3. Angelita / *esperar* / que / Víctor y ella / ... comunicarse bien
4. Victor / *sentir* / que / sus padres / ... en contra de la relación
5. Víctor / *alegrarse* de / que / Angelita / ... salir con él otra vez

En resumen

Contesta las preguntas con oraciones completas.
1. ¿Haces trabajos voluntarios? ¿De qué clase? ¿Dónde? ¿Cuándo?
2. Después del trabajo, ¿normalmente vuelves a casa, o les invitas a tus amigos a ir contigo a algún lugar? ¿Adónde van?
3. Los fines de semana, ¿qué esperas que hagan tus amigos o familiares?
4. ¿Te alegras o sientes que *todos* los miembros de tu familia no vivan en el mismo barrio?

Escena 3
Asuntos sociales, políticos y religiosos

F. Combina las palabras o expresiones de la primera columna con las que mejor les corresponden de la segunda. No se repiten respuestas.

___ 1. la mezquita	a. el candidato
___ 2. la sinagoga	b. la igualdad
___ 3. el reportero	c. la paz
___ 4. la justicia	d. las noticias
___ 5. la guerra	e. los judíos
___ 6. la campaña electoral	f. en contra de
___ 7. la manifestación	g. los musulmanes
___ 8. los impuestos	h. pagar

IV. The subjunctive with expressions of doubt or negation

G. Escribe tus reacciones. Usa el presente de indicativo y el presente de subjuntivo en las oraciones.

MODELO

dudar / que / todos los candidatos / decir la verdad

Dudo *que todos los candidatos* **digan** *la verdad.*

1. no *estar* seguro/a de / que / *haber* elecciones este mes
2. no *creer* / que / muchos ciudadanos / *participar* en la manifestación
3. *dudar* / que / los reporteros / *ser* siempre objetivos
4. *ser* improbable / que / todos los ciudadanos / *respetar* las leyes
5. *ser* imposible / que / todos / *estar* a favor de las centrales nucleares

H. Contesta las preguntas. Usa el subjuntivo sólo para expresar duda.

MODELO

¿Hay muchas personas en la catedral? (creer)

Creo que hay muchas.

¿Es la misa en español? (no creer)

No creo que sea en español.

1. ¿Rezan los musulmanes tres veces al día? (creer)
2. ¿Hay un concierto en la iglesia hoy? (no creer)
3. ¿Son todos los estudiantes ateos? (dudar)
4. ¿Van los judíos a la sinagoga una vez por semana? (no estoy seguro/a de)
5. ¿Es antigua la catedral de Toledo? (estoy seguro/a de)

En resumen

Contesta las preguntas con oraciones completas.
1. ¿Por qué causas deben luchar los candidatos políticos?
2. ¿Estás a favor o en contra de aumentar la seguridad nacional? ¿Y los impuestos?
3. ¿Qué dudas que hagan los líderes de nuestra nación?
4. ¿Es probable que haya más (menos) guerras en el futuro? ¿Por qué?
5. ¿Esperas que las diferencias políticas y religiosas entre países de culturas diferentes se puedan resolver? Explica.

Answers to the *Autoprueba y repaso* are found in **Apéndice 2.**

Additional **Autopruebas** online

11 En el trabajo

Additional activities and **Autopruebas** for each **Escena** available online.

For *Writing Strategies* see *Apéndice 3*.

Escena 1
En la oficina

- Talking about what has happened: The present perfect

TU MUNDO CULTURAL
La etiqueta en los negocios

Escena 2
En la empresa

- Talking about what will happen: The future tense

TU MUNDO CULTURAL
Dos empresas modelo de éxito

Escena 3
En la fábrica

- *Por* and *para*, a summary

TU MUNDO CULTURAL
Las maquiladoras de la frontera mexicana

TU MUNDO EN VIVO

¡Video en acción!

¡Lectura en acción! (with *Reading Strategies*)

En la oficina

7. guardar

¿Aló?

8. responder

⁹¿Para cuándo? ¿Para el lunes? ¡Imposible!

ABRIL 10

Tengo 800 mensajes. Hoy ³⁶no voy a aburrirme.

¡! ¿?

33. las tijeras

34. fotocopiar

35. la fotocopiadora

FAX

32. la impresora

1. letters of recommendation
2. sales manager (*m.*) **la gerente…** (*f.*)
3. position, job
4. executives
5. briefcase
6. Hello?
7. to save
8. to reply, answer
9. *By when?*
10. cubicle
11. boss (*m.*) **la jefa** (*f.*)
12. part time
13. full time
14. long distance call
15. area code
16. to dial
17. telephone book
18. files
19. job applications
20. résumés
21. to send
22. to copy
23. to delete, erase
24. @
25. subject
26. attachment
27. Dear… (*formal, m.*) **Estimada…** (*f.*)
28. Truly yours
29. director of human resources
30. envelope
31. address
32. printer
33. scissors
34. to photocopy
35. photocopier
36. *I'm not going to be bored* **aburrirse** *to get bored*

¡La pronunciación!

Pay attention to the correct pronunciation of the Spanish je and ge combinations (see P-3).

jefe   ejecutivo   gerente

¡En acción!

11-1 ¿Qué hay y qué se hace en la oficina?

11-1 As the "winners" call out their answers, a student writes them on the board, with the class providing additional items.

Present alternatives to vocabulary at your discretion: **solicitud/ aplicación**.

For additional practice on this grammar point, see PowerPoint slides at www.wiley.com/college/lucasmurillo or visit www.wileyplus.com

Escriban una lista de los aparatos y objetos que hay en la oficina (págs. 368–369) y las acciones que asocien con cada uno. Tienen *cuatro* minutos. Luego, la pareja con la lista más larga de objetos y acciones se la lee a la clase.

Aparatos y objetos	Acciones
el contestador automático ⟶	dejar mensajes

. . . y algo más

Here are two uses of **para** that are helpful in the workplace:

trabajar para *to work for* (*a company, a person, etc.*)   Trabaja **para** una compañía multinacional.

para + *deadline* *by, for* (*a specified future time*)   Téngalo listo **para** mañana.

11-2 En la oficina

11-2 You may want to project the Power-Point slide of the opener scene. Have five students come to the front of the class and ask each to describe one of the areas indicated, with the class providing additional input.

For additional vocabulary practice, see PowerPoint slides at www.wiley.com/college/lucasmurillo or visit www.wileyplus.com

11-2 PERSONALIZED QUESTIONS: ¿Quiénes de Uds. tienen un puesto de trabajo? ¿Dónde trabajan? ¿Es un trabajo de tiempo parcial o de tiempo completo? ¿Qué tal es su jefe o jefa?

¿Cómo es un día típico allí? Observen con mucha atención la escena de las páginas 368–369. Luego, digan: **(a)** lo que están haciendo y diciendo las siguientes personas, y **(b)** los objetos y aparatos que hay cerca de ellas. Usen todas las palabras del vocabulario.

MODELO

*La secretaria que lleva gafas **está hablando por teléfono** acerca de...*

- la secretaria que lleva gafas
- los otros dos empleados que están en sus cubículos
- los ejecutivos
- el empleado que está delante de la fotocopiadora
- la señorita Ana López Roca, secretaria del jefe de personal (mencionen lo que vean en el escritorio, en la pantalla y en el resto del cubículo)

11-3 Mi primer día de trabajo   RECYCLES **estar** and prepositions of location.

Es tu primer día en la oficina. Como eres nuevo/a, cada vez que quieres saber dónde está algo se lo preguntas a tu colega Juana. Ella está en el cubículo de al lado y te contesta detalladamente, con varias preposiciones. Usen el plano de la oficina (pág. 371). Hagan los dos papeles y túrnense.

MODELO

hablar con el director

Yo: *Quiero hablar con el director. ¿Dónde está su oficina?*

Juana: *Está **en** la esquina, **al lado de** la oficina de la jefa de personal, **enfrente del** cubo de reciclaje.*

Quiero...

1. hablar con la jefa de personal
2. imprimir un documento de 20 páginas
3. reciclar unas hojas de papel usado
4. prepararme un café
5. ir al baño
6. buscar un número de teléfono

7. *escanear* el plano de la oficina
8. poner cartas en los sobres
9. mandar un fax
10. hacer fotocopias
11. ... (uno de tu invención)
12. ... (uno de tu invención)

Palabras útiles

encima de/ debajo de
enfrente de
delante de/ detrás de
al lado de
entre
cerca de/ lejos de
a la derecha/ a la izquierda
pared norte, sur, este, oeste

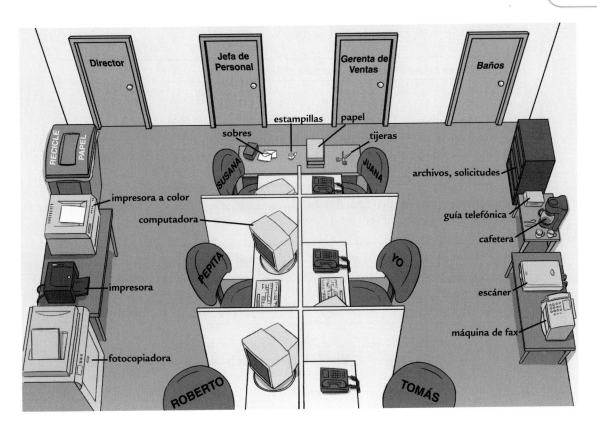

11-3 Mention that vocabulary related to technology is highly influenced by English. Thus, words like *escanear* are common in Spanish-speaking workplaces.

11-3 You may want to review answers using the PowerPoint slide of the illustration.

♪ **¡A escuchar!** En la oficina   CD 4 Track 13

Paso 1. Escucha la conversación entre dos secretarias en una oficina.

Paso 2. Escucha de nuevo y marca si es cierto o no.

1. Las dos secretarias se quejan de la cantidad de trabajo que tienen.   ☑ Sí ☐ No

2. Julia puede ayudar a Serena porque su jefe está de vacaciones.   ☑ Sí ☐ No

3. La semana próxima, Julia va a tener vacaciones.   ☐ Sí ☑ No

4. El jefe le dice a Julia que no haga llamadas de larga distancia.   ☐ Sí ☑ No

5. Serena escribe la siguiente dirección electrónica: *atorres@tecnonet.com*   ☑ Sí ☐ No

6. Julia le dice a Serena que el código de área de *Tecnonet* es el 339.   ☐ Sí ☑ No

7. Julia está contenta de que su jefe regrese mañana.   ☐ Sí ☑ No

Palabras útiles
entrevista *interview*

The scripts for the *¡A escuchar!* sections are included in the Book Companion Site (BCS) for instructors and in WileyPLUS under "Prepare and Present." The recordings are on the student CDs and in WileyPLUS under "Read, Study, and Practice".

Point out that in this construction, the Spanish equivalent of *to have* is **haber**, not **tener**.

Also mention that the preterit, in comparison to the present perfect, is used to convey a completed action that is viewed as a thing of the past, with no relation to the present.

You may want to tell students that in Spain, the present perfect is used more frequently to talk about past actions than in many Latin American countries.

Draw up a list of verbs with regular past participles. Have students first provide the **yo** form of the present perfect, then add words or phrases to create a context. Examples: comprar → **He comprado... He comprado una computadora portátil. hablar → He hablado... He hablado con mi amiga.** After practicing the **yo** form, shift to other subjects.

To illustrate the present perfect, perform a series of actions. Then ask students to tell you what you have done: **Ud. ha comido una manzana, se ha levantado, ha cerrado su libro, ...**

¡Manos a la obra!

Talking about what has happened: The present perfect

In Spanish, as in English, the present perfect describes an action that *has happened*, usually in the recent past, and with its consequences still felt in the present. For example, observe the following conversation, with more information possibly yet to come:

—¿**Has hablado** con el jefe? **Have you spoken with the boss?**
—Sí, **he ido** a su oficina dos veces. **Yes, I have gone to his office twice.**

The present perfect is formed by combining the present tense of the verb **haber** (*to have*) and a past participle:

present tense of haber + *past participle*				
(yo)	**he**		*I have*	
(tú)	**has**		*you have*	
(Ud., él, ella)	**ha**	**+ llegado**	*you/ he/ she has*	*+ arrived*
(nosotros/as)	**hemos**	**+ comido**	*we have*	*+ eaten*
(vosotros/as)	**habéis**	**+ salido**	*you have*	*+ left*
(Uds., ellos, ellas)	**han**		*you/they have*	

To form the past participle in Spanish, **-ado** is added to the stem of **-ar** verbs and **-ido** is added to the stem of **-er** and **-ir** verbs.

infinitive	*stem*	*add ending*	*past participle**
reserv**ar**	reserv-	**ado**	**reservado**
respond**er**	respond-	**ido**	**respondido**
dorm**ir**	dorm-	**ido**	**dormido**

* Pronouns (direct, indirect, and reflexive) precede **he, has, ha,...**
  (*direct*)   ¿Y las soluciones? **Las hemos** encontrado.
  (*indirect*)   **Le he** pedido al jefe de personal que asista a la reunión.
  (*reflexive*)   **Nos hemos** reunido para hablar de los problemas.

* In a negative statement, **no** precedes **he, has, ha...** and a pronoun, if included.
  No he comprado los boletos. **No los he** comprado porque no tengo dinero.

*The past participles of **caer(se), leer,** and **oír** have an accent on the **í: caído, leído, oído.**

. . . y algo más

The verbs below have irregular past participles (**imprimir** and **romper** are new to you).

abrir	**abierto**	*opened, open*	poner	**puesto**	*put, placed*
decir	**dicho**	*said, told*	romper[2]	**roto**	*broken*
escribir	**escrito**	*written*	ver	**visto**	*seen*
hacer	**hecho**	*done*	volver	**vuelto**	*returned*
imprimir[1]	**impreso***	*printed*	devolver	**devuelto**	*returned (something)*
morir	**muerto**	*died, dead*	resolver	**resuelto**	*resolved*

[1]to print, [2]to break; *also **imprimido**

Jennifer tiene una entrevista con la jefa de personal para un puesto en una compañía.

Dígame, ¿por qué quiere ser recepcionista?

He solicitado un puesto de recepcionista de tiempo parcial porque me gusta el contacto directo con la gente.

¿Por qué cree que puede hacerlo bien?

Ya he trabajado antes en puestos similares y mis jefes siempre han estado muy satisfechos con mi trabajo. ¿Ha leído las cartas de recomendación?

Sí, son excelentes. ¿Sabe usar distintos programas?

Sí, he tomado varios cursos de computación.

¿Ha estudiado idiomas?

Hablo español e inglés y he estudiado chino.

¡En acción!

¡Oye! ¿Es bueno el jefe o no?

Escucha lo que ha hecho tu jefe y reacciona diciendo si es algo **buenísimo** o **malísimo.**

11-4 Un día en la compañía ¡Con Brío!

Paso 1. Hoy la presidenta (**P**) está preparando la reunión[1] que tiene anualmente con los ejecutivos de la compañía ¡Con Brío! Hoy también, el jefe de personal (**J**) está organizando un almuerzo para celebrar el día de la secretaria. Identifiquen lo que ha hecho cada uno marcando la casilla correspondiente.

P   **J**

☑ ☐ 1. **He decidido** lo que voy a incluir en la agenda de la reunión.

☐ ☑ 2. **He ido** al restaurante para ver cómo es y dónde está exactamente.

☑ ☐ 3. **He escrito** un cuestionario para todos los ejecutivos.

☐ ☑ 4. **He invitado** a las secretarias al almuerzo.

☑ ☐ 5. **He planeado** mi presentación acerca del futuro de la compañía.

☐ ☑ 6. **He comprado** flores para las secretarias.

☑ ☐ 7. Le **he dicho** a mi secretaria que reserve el salón de conferencias.

☐ ☑ 8. **He visto** el menú y **he pedido** platos vegetarianos y no vegetarianos.

☐ ☑ 9. **He resuelto** el problema de cómo estacionar todos cerca del restaurante.

Paso 2. Ahora, comenten lo que han hecho el resto de los empleados de la compañía (págs. 368–369). Usen la imaginación. Túrnense.

MODELO

E1: ¿Qué **ha hecho** la señorita López Roca?

E2: **Ha escrito** un e-mail, **ha...** ¿Y qué **ha hecho** el empleado rubio?

Guión para ¡Oye!
1. **He cancelado** las vacaciones de todos Uds.
2. **He comprado** computadoras nuevas para todos.
3. **He reducido** el personal, así que Uds. van a tener que trabajar más horas.
4. **He cambiado** la hora del almuerzo; ahora pueden pasar hora y media en la cafetería.
5. **He fotocopiado** sus datos personales y los he puesto en la recepción.
6. **He decidido** que los viernes no es necesario venir a la oficina.
7. **He escuchado** todas sus conversaciones telefónicas.
8. **He decidido** hacerles pagar 200 dólares al mes por usar el estacionamiento.
9. Me **he comido** casi todos los pasteles que Uds. trajeron a la oficina y tengo un dolor de estómago terrible.
10. **He dado** mi aprobación para que vengan a la oficina con *jeans*, camisetas y zapatos de tenis.

11-4 After students complete their work in pairs, ask nine students to each read aloud one of the items listed, with the class identifying the person that has completed the task: **la presidenta** or **el jefe de personal.**

[1]meeting

11-5 En busca de trabajo RECYCLES subjunctive with expressions of influence in *Paso 2*.

11-5 Before beginning the activity, give student **A** a moment to mark the **Sí/No** columns and student **B** a moment to familiarize him/herself with the questions to be asked.

11-5 Review answers by playing the role of student **B**, asking the questions. Students play the role of student **A** and respond as follows: 1. ...las he mirado. 2. ...los he buscado. 3. ...lo he revisado. 4. ...las he completado. 5. ...las he pedido. 6. ...la he solicitado. 7. ...la he leído. 8. ...lo he enviado.

Paso 1. Un/a estudiante que busca trabajo de tiempo completo **(A)** marca **Sí** o **No** en su lista para ver lo que ha hecho ya. Luego su compañero/a **(B)**, para confirmarlo, le pregunta cada cosa de la lista. **A** responde usando **lo/la/los/las**. Hagan los dos papeles. Sigan el modelo.

MODELO

Estudiante B: *¿Has mirado en Internet las ofertas de trabajo?*

Estudiante A: *Sí, (No, no)* **las he mirado.**

El estudiante **A** marca...

Sí	No	
☐	☐	1. *mirar* en Internet las ofertas de trabajo
☐	☐	2. *buscar* puestos de trabajo en el periódico
☐	☐	3. *revisar* el currículo
☐	☐	4. *completar* las solicitudes de empleo
☐	☐	5. *pedir* cartas de recomendación
☐	☐	6. *solicitar* información acerca de los lugares de empleo
☐	☐	7. *leer* toda la información con cuidado
☐	☐	8. *enviar* el currículo en un anexo

Paso 2. Según las respuestas, ¿se ha organizado bien el/la estudiante **A**? ¿Qué le recomienda el/la estudiante **B**?: *Recomiendo que revises el currículo, que...*

11-6 ¿Qué ha hecho ya? RECYCLES reflexive verbs.

El señor Pérez ya está listo para empezar un nuevo día de trabajo en la oficina. Basándose en los dibujos, digan como mínimo *ocho* cosas que ha hecho entre las 6:30 y las 7:30 de la mañana: *El señor Pérez* **se ha levantado.**

11-6 You may want to project the PowerPoint slide and have students volunteer all that **el señor Pérez** has done, stating the evidence: **Se ha cepillado los dientes. Están muy blancos.**

A las 6:30 de la mañana

¡Adiós, cariño!

A las 7:30 de la mañana

11-7 Prior to beginning *Actividad 11-7*, review the irregular past participles on p. 372, and then as a class, have students convert the verbs in items 1 through 10 of the activity into regular or irregular past participles as appropriate.

11-7 Recientemente, en tu trabajo, *college* o universidad
RECYCLES interrogatives.

Paso 1. En la columna que dice **Yo** (pág. 375), marquen cada uno/a lo que ha hecho o no *recientemente*. Luego, háganse preguntas para saber qué ha hecho el/la otro/a. Apunten las respuestas de su compañero/a en la segunda columna. Túrnense.

MODELO

E1: *Recientemente, ¿has solicitado trabajo?*

E2: *Sí, (No, no)* **he solicitado** *trabajo recientemente.*

Yo			Mi compañero/a	
Sí	**No**		**Sí**	**No**
☐	☐	**1.** solicitar trabajo	☐	☐ ha solicitado...
☐	☐	**2.** hacer una cita para una entrevista ¿Con quién?	☐	☐ ...
☐	☐	**3.** devolver una llamada a un/a cliente o compañero/a ¿Para qué?	☐	☐ ...
☐	☐	**4.** decirle algo divertido a tu colega o compañero/a ¿Qué?	☐	☐ ...
☐	☐	**5.** ir a la oficina de tu jefe/a o profesor/a ¿Por qué? ¿Para qué?	☐	☐ ...
☐	☐	**6.** imprimir algo en el trabajo, en la universidad o en el *college* ¿Qué?	☐	☐ ...
☐	☐	**7.** abrir una nueva cuenta de correo electrónico ¿Dónde?	☐	☐ ...
☐	☐	**8.** aburrirse en el trabajo o en clase ¿Por qué?	☐	☐ ...
☐	☐	**9.** resolver un problema con tu jefe/a o profesor/a ¿Cuál?	☐	☐ ...
☐	☐	**10.** escribir en Twitter o en un *blog* acerca de tu trabajo o clases ¿Qué?	☐	☐ ...

Paso 2. Ahora, escriban en Twitter varias cosas que Uds. dos han hecho o no: ...y yo **hemos solicitado** trabajo. (o) Ni... ni yo **hemos solicitado** trabajo. Luego, intercambien los tweets con otra pareja.

> **Palabras útiles**
> **ni... ni** *neither... nor*

11-8 ¿Qué han hecho los empleados?

Paso 1. La jefa no ha venido a la oficina esta semana, y en su ausencia han pasado toda clase de cosas. En grupos de *tres*, escriban *ocho* cosas que han hecho los empleados. Usen los verbos que siguen y la imaginación.

11-8 Before beginning the activity, have students identify and circle verbs in the list that have irregular past participles: abrir, escribir, poner, romper, ver.

abrir	cancelar	comprar	encontrar	escribir	escuchar	fotocopiar
hablar	jugar	navegar	pedir	poner	romper	ver

MODELO

*Han **cancelado** todas las citas con los clientes.*

Paso 2. Al final, lean sus listas a la clase. ¿Qué grupo tiene las ideas más originales?

11-9 ¿Dices la verdad? RECYCLES subjunctive with expressions of doubt in *Paso 2*.

Paso 1. Escribe *tres* cosas que has hecho en el trabajo y *tres* más que has hecho cuando estabas de vacaciones. En cada categoría, incluye por lo menos una cosa que no sea verdad.

En el trabajo	De vacaciones
He vendido cien carros. ...	*He hecho surf en Hawai.* ...

Paso 2. En grupos de *cuatro*, cada uno/a lee su lista de actividades, una por una. El resto del grupo reacciona diciendo: **"Creo que es verdad"** (o) **"Dudo que sea verdad"**.

Tu mundo cultural

La etiqueta en los negocios

Nunca se sabe. Quizás en un futuro próximo tengas que ir de viaje de negocios a un país hispano, y si eso ocurre, ¿estás preparado/a? Lee lo que sigue. Tal vez un día te pueda ser muy útil[1].

Hacer negocios en un país extranjero es siempre un reto[2] porque requiere conocer un idioma[3], una cultura y un sistema legal diferente. Para tener éxito[4] en las relaciones comerciales con los países hispanos, conviene conocer la etiqueta o protocolo que siguen en los negocios. Es cuestión de estar preparado.

Las relaciones personales son la base del éxito en los negocios con los hispanos. Lo primero que hay que hacer es crear una relación personal y amistosa y luego, vienen los negocios.

En los negocios, como en el resto de la vida hispana, la proximidad física es algo normal, tanto en los saludos como durante la conversación y negociación.

El almuerzo es para los hispanos una ocasión para entablar[5] relaciones personales y conocerse, y no necesariamente para hacer negocios. En ocasiones, el almuerzo puede durar de 1:30 a 3:00 de la tarde o incluso más.

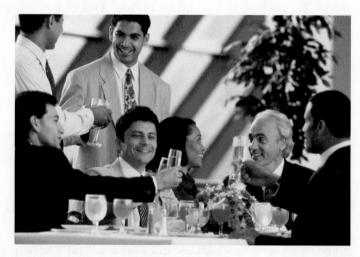

[1]useful, [2]challenge, [3]language, **[4]tener...** to be successful, [5]to initiate

Guía práctica para hacer negocios en los países hispanos

You may want to tell your students that these guidelines are to be taken only as a general rule, as some variations apply according to area and country.

Saludos y presentaciones

Acuérdese siempre de saludar a cada persona (Buenas tardes, etc.) y preguntarle cómo está.

Nombres y títulos

Use el título de la persona (ingeniero/a, licenciado/a, doctor/a) o señor, señora, señorita y el apellido, al menos que se le indique lo contrario. Use Ud., no tú.

La puntualidad

Por lo general, en el mundo hispano el concepto del tiempo es menos rígido que en el mundo anglosajón. En muchos casos, llegar media hora tarde puede ser aceptable, pero en el mundo de los negocios, o cuando se dice "*Nos vemos a las 8, hora inglesa*", lo que se quiere decir es que la cita es a las ocho en punto, y no más tarde.

La ropa

Los hispanos en general ponen mucha atención a la ropa. Ése es también el caso cuando se trata del mundo de los negocios.

Lo que se debe evitar:

- Llamar por el nombre de pila[1] a la otra persona.

- Hablar de negocios durante el almuerzo, a menos que lo haga el anfitrión[2].

- Tomar el café durante el almuerzo; se toma al final.

- Insistir en pagar el almuerzo de negocios a medias[3]; no es costumbre. Generalmente lo paga la persona que hace la venta.

- Hacer el gesto de "OK" con los dedos; puede considerarse vulgar.

- Llevar pantalones cortos o zapatos de tenis a reuniones de negocios.

- Pedir leche o refrescos en un almuerzo de negocios. Pida agua o una buena botella de vino.

¿Qué aprendiste?

1. ¿Qué es importante conocer cuando se hacen negocios en países extranjeros? Y con los hispanos, en particular, ¿qué se recomienda hacer primero?

2. En tu opinión, ¿cuáles son las tres cosas más importantes para tener éxito en los negocios con hispanos? ¿Y cuáles son las tres que más se deben evitar?

3. ¿Cuáles de las normas de etiqueta hispanas encuentras más extrañas? ¿Y a cuáles te va a costar más trabajo adaptarte? Explica.

Actividad cultural

Paso 1. Uds. están preparando un DVD para educar a los hombres y mujeres de negocios de su país sobre las normas de etiqueta en los negocios con hispanos. En grupos de *tres,* escriban un bosquejo[4] de la conversación entre un hombre o una mujer de negocios estadounidense y dos ejecutivos de una compañía latinoamericana. Decidan:

- dónde (oficina, restaurante,...)

- de qué van a hablar (productos, ventas,...)

- los errores de etiqueta que van a hacer

Paso 2. Represéntenlo para la clase. Luego, los otros estudiantes comentan lo que *se debe hacer o no*, según lo que vieron.

Contraste cultural

Tomando como inspiración la guía anterior, escriban una lista de consejos prácticos para las personas extranjeras que vayan de negocios a su país.

[1]first name, [2]host, [3]**pagar...** to split the bill, [4]outline

1. corporation 2. to succeed, be successful 3. budget 4. employee (*f.*) **el empleado** (*m.*) 5. colleague (*m.*) **la colega** (*f.*) 6. interview 7. experience 8. promotion 9. to earn 10. economy 11. profits 12. stock market 13. investments 14. shares 15. to invest 16. bull (up) and bear (down) markets 17. We weren't mistaken. **equivocarse** to be mistaken, make a mistake 18. debts 19. We are lucky. **tener suerte** to be lucky 20. You are right. **tener razón** to be right

¡En acción!

11-10 ¿Hay otra forma de decirlo?

Empareja cada palabra o expresión de la columna A con la que le corresponde de la columna B.

A.		B.	
1. la solicitud	f.	a. expresar dolor o resentimiento	
2. el presupuesto	g.	b. cometer un error	
3. el/la colega	e.	c. débito	
4. tener éxito	h.	d. estar en lo cierto	
5. la entrevista	i.	e. compañero/a de trabajo	
6. tener razón	d.	f. papel que se completa para solicitar un trabajo	
7. quejarse	a.	g. gastos que se anticipan	
8. deuda	c.	h. triunfar, obtener lo que se busca	
9. equivocarse	b.	i. conferencia entre dos o más personas	

11-11 En la empresa

¿Es un día muy activo? Observen las escenas de la página 378 y digan **(a)** qué hay, **(b)** qué pasa y **(c)** de qué se habla en los siguientes lugares. Usen todas las palabras del vocabulario.

MODELO

En la oficina del gerente hay una ventana grande por donde se ven unos rascacielos,...

- En la oficina del gerente
- En la oficina de al lado
- En la sala de conferencias: las estadísticas, las preocupaciones de los empleados,...

11-12 Una entrevista   RECYCLES descriptive adjectives and work-related vocabulary.

La jefa de personal de la empresa donde tú solicitas un puesto quiere saber cómo es tu personalidad antes de ofrecerte el trabajo. Hagan los papeles de jefa de personal y candidato durante una entrevista. Usen la forma de **Ud.** e incluyan lo siguiente:

Jefa de personal	Candidato
1a. Saluda al candidato. →	1b. Saluda a la jefa de personal.
2a. Quiere saber: • de dónde es y cuál es su especialización • los tres adjetivos que mejor lo describen • su experiencia en trabajos previos • si se considera líder o seguidor, y por qué • si trabaja bien o no en equipo	2b. Quiere información acerca de: • el horario de trabajo • sus responsabilidades en el puesto • los beneficios y las vacaciones • el sueldo y las promociones • la frecuencia de los viajes de negocios
3a. Se despide del candidato.	3b. Se despide de la jefa de personal.

11-10 Students may complete the activity individually or in pairs, with answers reviewed by the instructor.

Present alternatives to vocabulary at your discretion: **promoción/ ascenso**

 11-11 You may want to project the PowerPoint slide of the scenes and have students describe each one. As a follow-up, have them describe each worker, including apparel.

 For additional vocabulary practice see PowerPoint slides at www.wiley.com/college/lucasmurillo or visit www.wileyplus.com

11-11 PERSONALIZED QUESTIONS: ¿Quiénes de Uds. trabajan o van a trabajar en una empresa? Expliquen. ¿Quiénes han tenido una entrevista de trabajo o una promoción recientemente? Expliquen.

11-12 If time allows, students switch roles. Walk around the classroom listening to the interviews. If one pair stands out, ask them to conduct their interview in front of the class. The class then votes on whether to offer the job to the interviewee or not, explaining why.

11-12 ANOTHER STEP: Students write five sentences describing their ideal job, then read their descriptions to each other in groups of four. The group decides who described the best job. That student reads his/her composition to the class.

LOS NÚMEROS ORDINALES

primer, primero/a	*first*	sexto/a	*sixth*
segundo/a	*second*	séptimo/a	*seventh*
tercer, tercero/a	*third*	octavo/a	*eighth*
cuarto/a	*fourth*	noveno/a	*ninth*
quinto/a	*fifth*	décimo/a	*tenth*

For additional practice on this grammar point, see PowerPoint slides at www.wiley.com/college/lucasmurillo or visit www.wileyplus.com

. . . y algo más

- Ordinal numbers are adjectives, and like other adjectives in Spanish, they agree in gender and number with the nouns they modify.
- **Primero** and **tercero** become **primer** and **tercer** when they immediately precede a masculine singular noun.

    El ascensor está en el tercer piso. *The elevator is on the third floor.*

- In Spanish, ordinal numbers can be abbreviated as follows: 1°, 2°, 3°,... or 1ª, 2ª, 3ª,... when referring to a feminine noun.

11-13 Read aloud, in random order, each of the floors in *Empresa Tecnomundo* and ask students to say what is there. You say «**En la planta baja del edificio...**» and students complete the statement by adding «**...hay una recepción y una guardería infantil**».

11-13 ¿En qué piso está?

Hoy es el primer día de trabajo para muchos empleados de la empresa *Tecnomundo*. Por eso, quieren saber en qué piso están los distintos lugares o servicios de la empresa (pág. 381), y se lo preguntan a los recepcionistas. Tu profesor/a asigna a *cinco* estudiantes el papel de recepcionistas y al resto, el de empleados que hacen fila para preguntar. Después de *tres* minutos, cambien de papel.

EMPRESA TECNOMUNDO

Piscina[1]	10°
Terraza de descanso	9°
Peluquería	8°
Cafetería – Restaurante	7°
Salas de reuniones	6°
Oficina del gerente	5°
Departamento de ventas	4°
Recursos humanos[2]	3°
Biblioteca	2°
Gimnasio	1°
Recepción – Guardería infantil	Planta baja
Garaje	Sótano

[1]Swimming pool, [2]**Recursos...** Human resources

MODELO

desayunar

Empleado: *Perdón. Quisiera desayunar. ¿En qué piso está la cafetería?*

Recepcionista: *Está en el **séptimo** piso. Allí está el ascensor.*

> **Palabras útiles**
> el ascensor *elevator*

El/La empleado/a quiere:

1. dejar a los hijos en la guardería
2. hablar con el jefe de personal
3. asistir a una reunión
4. nadar
5. hablar con el gerente
6. almorzar

7. consultar libros técnicos
8. hacer ejercicio
9. cortarse el pelo
10. estacionar el carro
11. descansar al aire libre
12. confirmar unos precios

11-13 *Option:* This activity may be completed by students in pairs.

11-13 Mention that ordinal numbers are commonly used only from 1 to 10, and that cardinal numbers are used above 10 (e.g., el piso **veinte** *the 20th floor*).

¡A escuchar! En la empresa: una entrevista   CD 4 Track 14

Paso 1. Escucha la entrevista que tiene lugar en una empresa.

Paso 2. Escucha de nuevo y marca la respuesta correcta.

1. La jefa de personal habla de...

   ☐ una colega   ☑ una solicitud

2. La candidata dice que su especialidad es...

   ☐ la economía   ☑ la Bolsa

3. A la jefa de personal le impresiona que la candidata...

   ☑ hable seis lenguas   ☐ viaje por todo el mundo

4. El padre de la candidata dice que ella...

   ☑ va a tener buenas oportunidades de trabajo   ☐ necesita más experiencia

5. La jefa de personal dice que la candidata puede conseguir...

   ☑ una promoción   ☐ una buena experiencia

6. La candidata quiere saber si los empleados reciben como compensación económica...

   ☑ acciones   ☐ impuestos

7. La jefa de personal dice que el gerente quiere...

   ☑ conocer a la candidata   ☐ ver el currículo de la candidata

For additional practice on this grammar point, see PowerPoint slides at www.wiley.com/college/lucasmurillo or visit www.wileyplus.com

GRAMÁTICA

¡Manos a la obra!

Talking about what will happen: The future tense

You have been using **ir + a + *infinitive*** to talk about actions that are *going to happen*.

Voy a hablar con mi colega hoy.   *I am going to speak to my colleague today.*

The future tense tells what *will happen*, commonly when the action or event is to occur in the more distant future. It is formed by adding the same set of endings to the infinitive of all **-ar**, **-er**, and **-ir** verbs: ***Infinitive* + -é, -ás, -á, -emos, -éis, -án**.

—En ese puesto **ganaré** mucho dinero.   *In that job I **will earn** a lot of money.*
—¿Lo **invertirás** en la Bolsa?   ***Will** you **invest** it in the stock market?*

	llamar	volver	ir
(yo)	llamaré	volveré	iré
(tú)	llamarás	volverás	irás
(Ud., él, ella)	llamará	volverá	irá
(nosotros/as)	llamaremos	volveremos	iremos
(vosotros/as)	llamaréis	volveréis	iréis
(Uds., ellos, ellas)	llamarán	volverán	irán

The future tense may also be used to express wondering, guessing, or probability.

—¿A qué hora **será** la entrevista?   *I wonder what time the interview is?*
—No sé; **será** a las tres.   *I don't know; it will probably be at three.*

Irregular verbs

Some verbs add the future endings to irregular stems, not to the infinitive.

infinitive	*irregular stem*	*future forms*
decir	**dir-**	diré, dirás, dirá, diremos, diréis, dirán
hacer	**har-**	haré, harás,...
poder	**podr-**	podré, podrás,...
poner	**pondr-**	pondré, pondrás,...
querer	**querr-**	querré, querrás,...
saber	**sabr-**	sabré, sabrás,...
salir	**saldr-**	saldré, saldrás,...
tener	**tendr-**	tendré, tendrás,...
venir	**vendr-**	vendré, vendrás,...

Saldremos de la oficina a las cinco.   *We will leave the office at five.*
Tendré que pedirle permiso a la jefa.   *I will have to ask the boss's permission.*

Additional information, to present at your discretion: Ir + a... commonly relates the future to the present moment, conveying an intentional plan or prediction. For example: **El sábado voy a salir con mis amigos.** The future tense is used to talk about future actions, situations, or events that are seen as more detached from the present, often not fully planned, and commonly taking place in the more distant future. For example: **En el futuro, haré un viaje por todo el mundo.** Point out that there are many variations and exceptions to these uses.

To familiarize students with the future endings, make statements about yourself such as: **En el futuro, ganaré mucho dinero.** Ask several students, **¿Y tú?** They each respond **Sí, ganaré...** (or) **No, no ganaré...** Recap student responses: **...ganará mucho dinero; ...y... ganarán...; ...y yo ganaremos...** In subsequent examples, allow students to provide the recap.

Follow the same procedure as in the previous annotation, but use irregular verbs. Examples: **Este verano, haré un viaje a... También tendré que trabajar.**

. . . y algo más

The future of **hay** (*there is, there are*) is **habrá** (*there will be*).

¿**Habrá** una reunión esta tarde?   *Will there be a meeting this afternoon?*

Es el primer día de trabajo de Jennifer y ahora habla con su jefa y con un compañero de trabajo.

Jennifer, como hoy es su primer día de trabajo le mostraremos la empresa y le presentaremos a sus colegas.

Tengo mucha suerte de trabajar aquí. Estoy segura de que tendré oportunidades para aprender muchísimo.

No lo dudo. También tendrá muchas oportunidades de promoción.

Así lo espero. Hoy celebraré mi primer día de trabajo.

¡En acción!

¡Oye! El trabajo del futuro

¿Cómo serán los puestos de trabajo dentro de diez años? Escucha las predicciones y responde diciendo: «**¡Es probable!**» o «**¡Es improbable!**».

11-14 ¿Quieres saber qué clase de inversor/a eres?

Paso 1. En la Bolsa, ¿eres conservador/a o te gusta el riesgo[1]? Recientemente han ocurrido ciertas cosas con tus finanzas. Marca la casilla ☐ apropiada para indicar lo que harás en cada caso.

1. **Has ganado 50.000 dólares en la lotería. ¿Qué harás con el dinero?**
   - ☐ a. Iré al casino más cercano para triplicar mi capital.
   - ☐ b. Lo invertiré en la Bolsa.
   - ☐ c. Los guardaré debajo del colchón[2] de mi cama.

2. **Estás en un casino de Las Vegas jugando al *black jack*. Empezaste con 1.000 dólares y has perdido 400. ¿Cuánto arriesgarás[3] para recuperar los 600?**
   - ☐ a. Jugaré más de 400 dólares.
   - ☐ b. Jugaré 200 dólares.
   - ☐ c. Nada, me iré a casa con los 600 dólares.

3. **Has decidido aprender a invertir tu dinero. ¿Cómo lo harás?**
   - ☐ a. Investigaré y leeré antes de hacer la inversión.
   - ☐ b. Lo consultaré con un amigo.
   - ☐ c. Buscaré el consejo de un corredor de Bolsa[4].

Guión para ¡Oye!
Predicciones:
1. Los hombres y las mujeres llevarán ropa unisexo al trabajo. ¿Es probable o es improbable?
2. Todos los empleados tendrán ocho semanas de vacaciones.
3. La mayoría de la gente trabajará en casa.
4. Los empleados no tendrán que usar teclados; las computadoras escribirán lo que se dicte.
5. Las impresoras imprimirán diez páginas por segundo.
6. El padre y la madre podrán quedarse en casa con su nuevo bebé sin ir a trabajar durante seis meses.
7. En el almuerzo, los empleados tomarán la comida en cápsulas.
8. Habrá menos estrés en el trabajo.

(continúa)

[1]risk, [2]mattress, [3]will you risk, [4]**corredor...** stockbroker

4. **Vas a invertir tu dinero. ¿En qué lo invertirás?**

☐ a. Lo invertiré en acciones de una empresa de alta tecnología.

☐ b. Lo invertiré en un bono del gobierno[1].

☐ c. Lo dejaré en el banco.

5. **Te han dicho que tus acciones han bajado un 20%. ¿Qué harás?**

☐ a. Invertiré más si los precios son bajos.

☐ b. Esperaré antes de vender.

☐ c. Venderé todo, guardaré el dinero en el banco y dormiré tranquilo/a.

6. **El mercado está en baja, pero milagrosamente tus acciones han aumentado un 50%. ¿Qué harás?**

☐ a. Compraré más acciones.

☐ b. Seguiré como estoy.

☐ c. Venderé todo y depositaré el dinero en el banco.

11-14 At the conclusion of *Paso 2,* take a survey to find out how many students consider themselves conservative investors, and how many are risk-takers.

 Paso 2. Háganse las preguntas y dense las respuestas en voz alta para ver los resultados. Finalmente, evalúen la clase de inversor/a que es la otra persona según los resultados. Si marcó cuatro veces o más la opción **(a),** le gusta el riesgo; **(b),** es un/a inversor/a medio/a; **(c)** es conservador/a.

11-15 ¿Qué harás?

 Paso 1. Eres una persona curiosa y quieres saber lo que hará tu compañero/a después de este cuatrimestre/ semestre. Hazle las preguntas de la primera columna. Luego él/ella responde siguiendo los ejemplos de la segunda, y tú apuntas la información en la tercera. Después, cambien de papel.

Preguntas	Respuestas	Información escrita
Después de este cuatrimestre/ semestre, ...		
1. ...¿tomarás más clases? ¿Cuáles?	*...tomaré...*	*...tomará...*
2. ...¿podrás dormir y descansar más?		
3. ...¿saldrás más por la noche?		
4. ...¿trabajarás? ¿Dónde? ¿Cuánto ganarás?		
5. ...¿tendrás vacaciones? ¿Cuántos días serán?		
6. ...¿harás un viaje? ¿Adónde irás?		
7. ...¿te mudarás de casa/ apartamento...?		
8. ...(una de tu invención)		

 Paso 2. Dile a otro/a compañero/a o a la clase una cosa interesante o curiosa que hará la persona a quien entrevistaste, y otra que Uds. dos harán: *...**hará** un viaje a Francia. Él/Ella y yo **trabajaremos**.*

[1]**bono...** government bonds

11-16 ¡Se busca trabajo en un crucero!

Paso 1. Uds. son una pareja que ha decidido buscar trabajo en un crucero, para así poder viajar juntos y gratis a lugares exóticos. En este momento, Uds. están preparándose para la entrevista que tienen la semana próxima. Usen el futuro para indicar lo que harán o pasará, según la siguiente lista. Apunten la información.

1. llevar (qué cosas) ___*Llevaremos* los currículos._____

2. ponerse (qué ropa) _____

3. salir (a qué hora)_____

4. solicitar (qué puestos de trabajo)_____

5. hablar (de qué) _____

6. hacer la entrevista (con quién) _____

7. poder preguntar (acerca de qué) _____

8. saber más (acerca de qué) _____

11-16 Prior to beginning this activity, have students identify the verbs that are irregular in the future tenses (numbers 2, 3, 6, 7, and 8).

Paso 2. Una pareja **(A)** se reúne con otra **(B)** que también busca empleo en un crucero. La pareja **A** pregunta a la pareja **B,** y viceversa.

MODELO

Uno/a de la pareja A: *¿Qué cosas **llevarán** Uds. a la entrevista?*
Uno/a de la pareja B: *Llevaremos los currículos y...*

11-17 La transformación de Casimiro

La semana que viene, Casimiro tiene una entrevista con una compañía de gran prestigio. Ahora, está pensando en cómo cambiar su imagen para conseguir el puesto. Según el dibujo, digan que **hará** antes de la entrevista. Trabajen en grupos de *tres* y túrnense.

MODELO

E1: *Primero, **se duchará**.* **E2:** *Luego,...* **E3:** *Después,...*

Casimiro

11-18 La bola de cristal

11-17 When students complete the activity, you may want to project the PowerPoint slide of Casimiro and ask students to give their creative feedback.

Paso 1. ¿Quieres saber tu futuro? Un/a estudiante hace el papel de adivina que predice tu futuro usando la información que sigue, y tú reaccionas a lo que te dice. Luego, cambien de papel.

MODELO

Adivina: *Dentro de cinco años **trabajarás** para una compañía de pasta de dientes...*
Tú: *¡No! Dentro de cinco años **trabajaré** para MTV.*

- **Dentro de cinco años:** para qué compañía o dónde trabajará
- **Dentro de diez años:** la clase de trabajo que hará
- **Dentro de veinte años:** dónde vivirá y cómo será su vida

Paso 2. Ahora, dile a la clase una predicción que la adivina ha hecho acerca de ti: *La adivina dice que dentro de cinco años **trabajaré** para una compañía de pasta de dientes pero yo creo que **trabajaré** para MTV.*

Tu mundo cultural

Dos empresas modelo de éxito

Una empresa otavaleña

¿Has visto a los indígenas otavaleños vendiendo suéteres de lana y otra clase de mercancía en las calles o en los centros comerciales de tu pueblo o ciudad? Si todavía no los has visto, algún día tendrás la ocasión de hacerlo, ya que estos hombres y mujeres de negocios indígenas se mueven por todo el mundo.

Otavalo, situado en Ecuador en un valle rodeado de volcanes, es famoso por sus productos textiles desde la época preincaica. Su industria textil floreció durante la ocupación española y es ahora la base de la economía de la región. En la actualidad hay unas 6.000 empresas familiares en la región de Otavalo; éstas se dedican con éxito a la manufacturación de productos textiles que se venden por todo el mundo.

El mercado de Otavalo, Ecuador, en plena actividad. La comunidad indígena de Otavalo ha sabido usar su habilidad para tejer[1] y su sentido de los negocios para crear una industria familiar que ha dado a sus miembros solvencia económica. Además, lo ha hecho sin renunciar a su tradición, algo que no muchas comunidades indígenas han conseguido. Los otavaleños están orgullosos[2] de su cultura y la promueven con éxito.

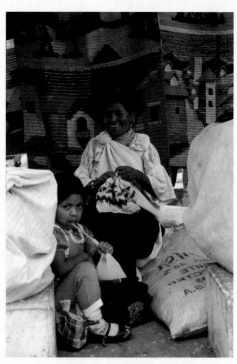

Los otavaleños son conocidos por su iniciativa, inteligencia y sentido del negocio. Son además personas muy dedicadas a sus hijos; y tanto los hombres como las mujeres administran las empresas familiares. Lo común es que mientras la mayor parte de la familia permanece en Otavalo produciendo prendas[3], uno de los miembros viaje al exterior con la mercancía para venderla.

[1]weave, [2]proud, [3]articles of clothing

Una empresa gallega

Incluso en tiempos de crisis económica, la empresa de tiendas Zara es la líder mundial en ventas del sector textil. Su sede central[1] está en La Coruña (Galicia) y su fundador es Amancio Ortega Gaona. El modelo de hacer negocios de Zara es ahora objeto de estudio en muchas escuelas de negocios.

El éxito de Zara reside en tener control total de todos los aspectos de su negocio. No sólo diseña su ropa, sino que la produce, la vende y la distribuye en sus 1.291 tiendas situadas en 72 países. En sus tiendas se ofrecen cosas nuevas cada dos semanas.

Zara sigue una política de respeto al medioambiente. Sus tiendas son ecoeficientes (usan tejidos[2] ecológicos, algodón orgánico y zapatos sin PVC). Usa bolsas de papel, y en las rebajas, bolsas de plástico biodegradables. Para el transporte usa combustible biodiesel. Su catálogo en la Red se anuncia en múltiples idiomas, entre otros, en gallego.

Entrada a la tienda Zara en Nueva York. Hay también tiendas en Chicago, Miami y Los Ángeles.

La tienda Zara, en Salamanca, está ubicada en el edificio restaurado de San Antonio el Real, un antiguo convento franciscano del siglo XVIII. A los habitantes de Salamanca probablemente no les sorprende[3], ya que en su ciudad abundan los edificios antiguos, pero, ¿cuántas tiendas de ropa de moda conoces tú que estén en el edificio de un convento del siglo XVIII?

¿Qué aprendiste?

1. ¿Dónde está Otavalo? ¿Cuántas familias tienen empresas textiles allí? ¿Dónde venden sus productos?
2. ¿Dónde está la sede central de Zara? ¿En cuántos países tiene tiendas?
3. ¿Por qué tienen tanto éxito las empresas otavaleñas? ¿Y la empresa gallega?

Actividad cultural

En grupos de *cuatro*, imagínense que Uds. son una familia o un grupo de vecinos que desea iniciar un negocio. Teniendo en cuenta sus habilidades, talento y experiencia, formulen un plan para el negocio. Luego compártanlo con la clase.

Contraste cultural

¿Conocen empresas familiares en su comunidad? En grupos de *cuatro*, digan de qué tamaño[4] son, si trabajan muchas horas a la semana y si tienen éxito.

[1]**sede**... headquarters, [2]**fabrics**, [3]**les**... surprises them, [4]**size**

Escena 3 En ¹la fábrica

A veces en las fábricas... ¹³*se hace huelga*.

1. factory 2. worker (*m.*) **la obrera** (*f.*) 3. production line 4. to punch in 5. day and night shifts 6. supervisor (*f.*) **el supervisor** (*m.*) 7. to operate the machine 8. I don't feel like... **tener ganas de + *infinitive*** to feel like doing something 9. Will you retire...? **jubilarse** to retire 10. break, rest 11. sick leave 12. maternity leave 13. there are strikes; **hacer huelga** to go on strike 14. layoffs 15. union 16. salaries 17. holidays 18. workdays 19. benefits 20. unemployment 21. (a) raise, increase (in salary, production, etc.)

Jennifer y Fabio pasean por la calle y hablan del primer día de trabajo de Jennifer.

¿Cómo te fue hoy?

Muy bien. Seré recepcionista. Trabajaré por las mañanas y me pagarán por semana.

¿Cuántos días festivos tendrás?

Tendré quince días festivos y dos semanas de vacaciones. ¡Me encanta trabajar para esta compañía!

Ese sueldo te servirá para pagar parte de tus estudios.

Sí, y tendré permiso por enfermedad y seguro médico. Y el trabajo me dará más experiencia para mi futuro profesional.

Bueno, con ese sueldo, y para celebrarlo, ¿pagarás tú la cena?... ¡Es un chiste!

¡En acción!

¡Oye! El dolor de cabeza de Sebastián

Escucha la historia de Sebastián. Luego, di si la información es cierta o falsa. Si es falsa, corrígela.

11-22 Lo que se oye por la fábrica

Para saber de qué se habla en la fábrica, completen los espacios en blanco con **por** o **para**. Luego, escriban la letra (a-i de la pág. 390) para indicar a cuál de los nueve usos de **por** o **para** corresponde.

1. _d_ Oye, ¿ha pasado ya el supervisor _por_ la línea de producción?

2. _f_ ¿Sabes _para_ quiénes es la reunión de esta tarde?

3. _e_ Dicen que habrá huelga _para_ protestar por los despidos.

4. _g_ ¿ _Para_ cuándo es la huelga?

5. _b_ El sindicato se reunirá hoy _por_ la tarde.

6. _a_ Ayer despidieron a cien compañeros; dicen que es _por_ la crisis económica.

7. _h_ Los directivos de la fábrica saldrán _para_ Washington mañana.

8. _c_ ¿Cuánto van a pagar _por_ hora en el turno de noche?

9. _i_ Trabajar _para_ una fábrica como ésta no siempre es fácil.

11-23 La vida académica y laboral

Hablen de la vida académica y laboral de cada uno/a. Usen las siguientes preguntas.

- ¿Trabajas? ¿Cuándo? ¿**Por** qué? ¿**Para** quién?
- ¿**Por** qué estudias? ¿Cuánto pagas **por** tus libros y matrícula?
- ¿**Para** qué título académico, especialidad o profesión te preparas?
- ¿**Para** cuándo piensas realizar tus planes académicos y profesionales?

Guión para ¡Oye! (See p. 390)

11-22 After students complete their work in pairs, check answers by asking nine students to read each of the speech bubbles. As a follow-up, ask students what working in a factory might be like.

¡Exprésate!, a chapter wrap-up focusing on conversation and writing (the latter with *Writing Strategies*), is included in *Apéndice 3*.

Revising Strategy

Reviewing a cover letter

For more information about this Strategy go to p. A-20.

🎵 Tu mundo cultural

Las maquiladoras de la frontera mexicana

Como sabes, el problema de la inmigración ilegal mexicana crea constante tensión en las relaciones entre México y EE.UU. Las maquiladoras, tal como se menciona a continuación, son un ejemplo de lo que se ha tratado de hacer para buscar una solución al problema. Desafortunadamente, también ha creado otros.

Las maquiladoras son fábricas de manufacturación situadas en el norte de México y en América Central. Por lo general, usan materia prima que se importa a México, sin pagar impuestos, para fabricar productos que luego se exportan a EE.UU. Muchas compañías estadounidenses son dueñas de maquiladoras, de las que obtienen grandes beneficios. Las razones para ello son el bajo costo de la mano de obra[1] mexicana y la casi inexistencia de impuestos o tarifas, resultado del TLC, Tratado de Libre Comercio (NAFTA). Actualmente hay unas 3.800 maquiladoras en México donde trabajan más de un millón de mexicanos.

Matamoros
Brownsville

ESTADOS UNIDOS

Tijuana
San Diego

Ciudad Juárez
El Paso

MÉXICO

Una maquiladora en Matamoros, en la frontera con EE.UU. Las maquiladoras se originaron en los años sesenta y aumentaron rápidamente por toda la frontera. Producen sobre todo equipo electrónico, ropa, plásticos, muebles, aparatos y partes de automóvil. El 80% de lo que se produce en las maquiladoras se exporta a EE.UU.

[1]**mano...** labor

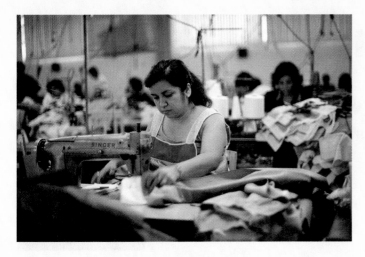

Trabajadoras de una maquiladora de México cosiendo[1] pantalones para exportarlos a EE.UU. Las maquiladoras ofrecen muchas ganancias a las compañías extranjeras y a la economía mexicana. Sin embargo, en muchas de ellas las condiciones de trabajo son malas, con sueldos bajos y pocos beneficios.

Vista de El Paso tomada desde Ciudad Juárez, al otro lado de la frontera. El Paso se ha beneficiado enormemente de los intercambios comerciales con México, y en particular, de las maquiladoras situadas en la vecina Ciudad Juárez. Allí, llegan inmigrantes procedentes del sur de México para trabajar en esas fábricas. Con las maquiladoras, se quiere contribuir a crear puestos de trabajo en México y a frenar la emigración hacia EE.UU.

¿Qué aprendiste?

1. ¿Por qué han comprado maquiladoras muchas compañías estadounidenses? ¿Qué acuerdo ha favorecido el negocio de las maquiladoras?

2. ¿Cuándo se originaron las maquiladoras? ¿Qué producen? ¿Adónde mandan sus productos?

3. ¿Cómo son las condiciones de trabajo en muchas de ellas?

Actividad cultural

Una reportera (**E1**) entrevista al gerente de una maquiladora (**E2**). La reportera le pregunta sobre las condiciones laborales en la maquiladora y las ventajas y desventajas que tienen estas fábricas fronterizas para México y EE.UU.

Contraste cultural

En grupos de *cuatro,* hablen de compañías de su país que, en su opinión, se benefician del trabajo de las maquiladoras de México o de fábricas similares en China. Digan qué productos venden.

[1]sewing

Tu mundo en vivo

¡Video en acción!

11.1 La jornada laboral[1] en dos países diferentes

1. **Antes de ver el video**

   ¿Crees que es muy diferente la jornada laboral en una compañía mexicana que en una de EE.UU.? Explica.

2. **Mientras ves el video** Completa las oraciones y contesta las preguntas.

   a. Los viernes, durante todo el año, salen a las __3:00__ de la tarde.

   b. De lunes a jueves, el horario es de las __8:30__ de la mañana a __6:00__ de la tarde.

   c. ¿Cuánto tiempo tienen para almorzar? _____ 1 hora

   d. ¿Cómo se visten los hombres que trabajan en la oficina? _____ de traje y corbata _____

   e. ¿Se permite fumar en las compañías mexicanas? _____ No _____

   f. ¿Cómo se saludan los empleados cuando llegan en la mañana? _____ con un beso _____

Have the students read the statements and questions before watching the video.

3. **Comenta con la clase**

   Según lo que has observado, ¿hay diferencias entre el trabajo de un empleado de esta compañía y el de una compañía estadounidense? Explica.

11.2 Fábrica que protege el medio ambiente

1. **Antes de ver el video**

   ¿Conoces alguna compañía que haga productos que no dañen el medio ambiente? Explica.

2. **Mientras ves el video** Marca **C** (Cierto) o **F** (Falso) según corresponda.

   a. __F__ Freezetone es una compañía de México.

   b. __C__ Hace productos para carros que no dañan el medio ambiente.

   c. __F__ Sus productos se venden en Australia.

   d. __C__ Gracias a Internet la compañía ha mejorado sus ventas.

   e. __C__ El 80% de su producción es para la exportación.

   f. __F__ Actualmente, la compañía tiene tres turnos de ocho horas cada uno.

   g. __C__ Los trabajadores tienen seguro médico y muchos días festivos.

Have the students read the statements before watching the video.

3. **Comenta con la clase**

   a. ¿Qué tipo de productos hace Freezetone?

   b. ¿Por qué crees que es una compañía con éxito?

   c. ¿Qué mensaje tiene el dueño de esa compañía para los líderes hispanos?

[1]**jornada...** workday

¡Lectura en acción!

Las mejores empresas

Reading Strategy

Making predictions about a text

It can be helpful to briefly brainstorm about the information you expect to see mentioned in a reading passage before you begin reading. This process helps you to activate your previous knowledge about the topic, as well as to predict information likely to be presented in the reading.

La organización *Great Place to Work* publica cada año una lista de las compañías de todo el mundo que, según sus criterios, ofrecen mayores atractivos para trabajar en ellas. En el artículo que sigue, vas a leer acerca de las empresas establecidas en México que ha incluido en su lista más reciente.

Paso 1. En Estados Unidos, ¿cuáles son normalmente los beneficios que ofrecen las empresas a sus empleados? ¿Crees que en México las empresas ofrecen beneficios similares? Antes de leer el artículo, escribe una lista de 3 ó 4 beneficios que crees se van a mencionar.

> **Definen a las mejores para trabajar**
>
> **Promociones internas, becas escolares para los hijos, horarios flexibles y préstamos para adquirir bienes hacen de las empresas las mejores para trabajar**
>
> Arturo Rivero
>
> **Ciudad de México (4 mayo 2006).-** Las cinco mejores empresas para trabajar en México son FedEx Express, McDonald's, British American Tobacco, Wyeth y Financiera Compartamos, revela un estudio de Great Place to Work.
>
> Promociones internas, seguros de gastos médicos mayores para todos los empleados, becas escolares para hijos, club deportivo para la familia, horarios flexibles, salas de lactancia, pensiones vitalicias independientes del SAR, préstamos para adquirir computadoras, auto y vivienda, entre otras prestaciones, hacen de estas empresas las mejores compañías para trabajar.
>
> Jorge Ferrari, presidente de Great Place to Work, aseguró que las empresas establecidas en México comienzan a adquirir una nueva visión sobre cómo hacer más rentables a sus empleados.
>
> "Hoy las empresas saben que la motivación, el impulso al desarrollo de los empleados, el interés básico por éstos y sus familiares los harán más eficientes", dijo.
>
> El estudio denominado "Las mejores empresas para trabajar en México 2006", realizado con el apoyo de Grupo Expansión, analizó a 234 empresas establecidas en territorio nacional, de las cuales sólo 60 fueron aprobadas.

You may wish to help students get started by giving them some options like health insurance, childcare, parking passes, etc. Encourage them to come up with several examples on their own. Also, you may wish to have students list some companies they expect to see (or absolutely don't expect to see) on the list, as part of this activity on making predictions.

El SAR (El Sistema de Ahorro para el Retiro) is one component of Mexico's mandatory pension program into which companies provide 2% of their employees' salary.

As a way to expand this activity, you may wish to ask students more about the benefits included on the list and their reaction to them. Which would be popular in the U.S.? Why do they think McDonald's would rank so high on the list? Would it appear on a listing in the U.S.? Why or why not?

Paso 2. Ahora, lee el artículo y responde a las siguientes preguntas para ver si entendiste la información más importante y si tus predicciones fueron correctas.

1. Según el artículo, ¿cuáles son las compañías que ofrecen mejores condiciones de trabajo en México? ¿Te sorprende la selección? Explica.

2. ¿Qué beneficios ofrecen estas empresas a sus empleados? ¿Fueron correctas algunas de tus predicciones?

3. ¿Qué beneficios te sorprende ver en la lista? ¿Por qué?

4. ¿Cuántas compañías se analizaron para hacer la selección?

♪ Vocabulario: Capítulo 11

Escena 1

En la oficina At the office
el archivo *file*
el cubículo *cubicle*
la fotocopiadora *photocopier*
la impresora *printer*
el maletín *briefcase*
las tijeras *scissors*

Buscando empleo Looking for a job
el (trabajo) de tiempo parcial/de tiempo
     completo *part time/ full time (job/work)*
el currículo *résumé*
el/la ejecutivo/a *executive*
el/la gerente de ventas *sales manager*
el jefe/ la jefa *boss*
el jefe/ la jefa de personal *director of human
     resources*
el puesto de trabajo *position, job*
la solicitud de empleo *job application*

Cartas y documentos Letters and
     documents
el anexo *attachment*
(la) arroba *@*
el asunto *subject*
la carta de recomendación *letter of
     recommendation*
la dirección *address*
el sobre *envelope*

Estimado/a... *Dear...*
Atentamente *Truly yours*

Por teléfono On the phone
el código de área *area code*
la guía telefónica *telephone book*
la llamada de larga distancia *long distance
     call*
¿Aló? *Hello?*
¿Para cuándo? *By when?*

Verbos y expresiones verbales Verbs
     and verbal expressions
aburrirse *to get bored*
borrar *to delete, erase*
copiar *to copy*
enviar *to send*
fotocopiar *to photocopy*
guardar *to save*

imprimir *to print*
marcar *to dial*
responder *to reply, answer*
romper *to break*

Escena 2

En la empresa At the corporation
la acción *share*
la Bolsa *stock market*
el/la colega *colleague*
la deuda *debt*
la economía *economy*
el/la empleado/a *employee*
la entrevista *interview*
la experiencia *experience*
la ganancia *profit*
la inversión *investment*
el mercado en alza y en baja *bull (up) and
     bear (down) markets*
el presupuesto *budget*
la promoción *promotion*

Verbos y expresiones verbales Verbs
     and verbal expressions
equivocarse *to be mistaken, make a mistake*
ganar *to earn*
invertir (ie, i) *to invest*
tener éxito *to succeed, be successful*
tener razón *to be right*
tener suerte *to be lucky*

Números ordinales Ordinal numbers
primer, primero/a *first*
segundo/a *second*
tercer, tercero/a *third*
cuarto/a *fourth*
quinto/a *fifth*
sexto/a *sixth*
séptimo/a *seventh*
octavo/a *eighth*
noveno/a *ninth*
décimo/a *tenth*

Escena 3

En la fábrica At the factory
el aumento *raise, increase (in salary,
     production, etc.)*
los beneficios *benefits*

el descanso *break, rest*
el desempleo *unemployment*
los despidos *layoffs*
el día festivo *holiday*
el día laboral *workday*
la línea de producción *production line*
el/la obrero/a *worker*
el permiso por enfermedad *sick leave*
el permiso por maternidad *maternity leave*
el sindicato *union*
el sueldo *salary*
el supervisor/ la supervisora *supervisor*
el turno de día/ noche *day/ night shift*

Verbos y expresiones verbales Verbs
     and verbal expressions
hacer huelga *to go on strike*
jubilarse *to retire*
marcar tarjeta *to punch in*
operar la máquina *to operate the machine*
tener ganas de + *infinitivo* *to feel like doing
     something*

Autoprueba y repaso: Capítulo 11

Escena 1
En la oficina

A. Combina las palabras y expresiones de la primera columna con las que mejor les corresponden de la segunda columna.

__ 1. la llamada de larga distancia
__ 2. el director de ventas
__ 3. el gerente de la compañía
__ 4. la fotocopiadora
__ 5. las solicitudes de empleo
__ 6. los archivos
__ 7. la estampilla
__ 8. las tijeras
__ 9. el cubículo
__ 10. la guía telefónica
__ 11. eliminar
__ 12. mandar

a. las cartas de recomendación
b. el escritorio
c. el código de área
d. el sobre
e. el número de teléfono
f. el administrador principal
g. copiar
h. borrar
i. vender
j. guardar
k. enviar
l. cortar

I. The present perfect

B. Indica lo que han hecho las siguientes personas para prepararse para las entrevistas de trabajo. Usa el verbo apropiado de la lista y cámbialo al presente perfecto.

enviar	fotocopiar	hablar	leer	pedir	preparar

1. El jefe de personal _ha_ _____ con todos los candidatos.
2. Los candidatos le _____ _____ más información al jefe porque tenían preguntas.
3. Las secretarias les ____ _____ el horario de entrevistas a los candidatos por *e-mail*.
4. Yo ____ _____ todas las cartas de recomendación, y eran muy buenas.
5. Nosotros _____ _____ todas las solicitudes de empleo; necesitábamos cinco de cada una.
6. Tú _____ _____ la agenda, y está muy bien hecha.

C. Usa todos los verbos que siguen para indicar lo que ha ocurrido. Cámbialos al presente perfecto.

decir	escribir	hacer	imprimir
poner	resolver	ver	volver

1. Los empleados _han_ _____ una carta con sus quejas al jefe de personal.
2. Ellos ____ _____ la lista de sus quejas con la nueva impresora y luego las _____ _____ en todas las paredes.

3. Ellos le ____ _____ al jefe que tiene que encontrar una solución para los problemas.
4. El gerente _____ _____ la lista de las quejas.
5. El gerente y el jefe de personal _____ _____ algunos cambios para mejorar las condiciones de trabajo.
6. Finalmente, los problemas se _____ _____ y los empleados _____ _____ a trabajar.

En resumen

Contesta las preguntas con oraciones completas.
1. ¿Cuáles son las características del jefe o de la jefa ideal?
2. ¿Te gustaría trabajar en un cubículo todo el día? Explica.
3. ¿Has tenido un trabajo de tiempo parcial? ¿De tiempo completo? ¿Dónde?
4. ¿Qué cosas has hecho recientemente en tu trabajo?

Escena 2
En la empresa

D. Completa las oraciones con las palabras apropiadas del vocabulario.
1. Cuando las ganancias de una empresa aumentan rápidamente, se dice que la empresa tiene _____.
2. Las personas que trabajan contigo son tus _____.
3. La conversación entre la persona que busca empleo y el jefe o la jefa de una compañía es ____ _____.
4. Si un/a _____ tiene éxito y mucha experiencia, generalmente la compañía le da una promoción.
5. Cuando se invierte en la Bolsa, si se tiene buena _____ se _____ dinero, pero si no, se pierde.
6. Las familias y empresas normalmente controlan sus finanzas y el dinero que gastan a base de un _____.
7. Si compras muchas cosas con tu tarjeta de crédito y no puedes pagarlas, tienes _____.

II. The future tense

E. Escribe oraciones para indicar lo que pasará en el futuro. Usa el verbo apropiado de la lista y cámbialo al futuro.

enviar	escribir	guardar	hablar	ir
leer	llamar	ofrecer	solicitar	

1. (Yo) _solicitaré_ empleo en una compañía internacional.
2. (Yo) _____ mi currículo a la jefa de personal.

3. Ella lo _____ y luego, lo _____ en su archivo.
4. Mis colegas me _____ las cartas de recomendación que necesito.
5. La jefa de personal me _____ al celular para decirme la hora de la entrevista.
6. Esta tarde, ella y yo _____ durante una hora.
7. Yo creo que la entrevista _____ muy bien, y luego, probablemente, ella me _____ el puesto de trabajo.

F. Escribe oraciones para indicar lo que pasará en el puesto de trabajo del futuro. Donde veas tres puntos [...], usa el verbo apropiado de la lista en el futuro.

decirnos	hacer	poder	querer
saber	tener	venir	

1. tú y yo / ... / seis semanas de vacaciones
2. las máquinas / ... / todo el trabajo por nosotros
3. muchos de los empleados / ... / trabajar en sus casas
4. yo / ... / lo que está pasando en la compañía las 24 horas del día
5. tú / ... / estar conectado/a con personas de todo el mundo
6. nuestro jefe / ... / vestido informalmente a la oficina
7. él siempre / ... / que nuestro trabajo es excelente

En resumen

Contesta las preguntas con oraciones completas.

1. ¿Inviertes en la Bolsa? ¿Has ganado dinero con tus inversiones?
2. ¿Tienes muchas deudas? ¿Por qué?
3. ¿Has tenido varias entrevistas de empleo? ¿Con quién? ¿Cuándo?
4. En el futuro, ¿trabajarás para una empresa multinacional? ¿Harás trabajos voluntarios?
5. Según los planes que tienes ahora, ¿qué cosas interesantes o prácticas harás el año que viene?

Escena 3
En la fábrica

G. Completa las oraciones con las palabras apropiadas del vocabulario.

1. Algunos obreros de la fábrica trabajan en el _____ de día, y otros, en el de noche.
2. La persona que supervisa el trabajo de los obreros es el/la _____.

3. Después de tres horas de trabajo en la línea de producción, hay un _____ para comer algo o ir al baño.
4. Una obrera no trabaja este mes; tuvo un bebé y ahora tiene permiso por _____.
5. A otro obrero le operaron de apendicitis y le dieron permiso por _____.
6. Cuando los obreros quieren un _____ de sueldo o salario, o mejores _____ (seguro médico, etc.), y no los obtienen, a veces hacen _____.
7. Muchos obreros se organizan y forman un _____ para defender sus derechos.
8. Cuando la fábrica no tiene suficientes ganancias y no puede pagar a todos los obreros, hay _____.
9. Cuando un obrero tiene 65 años, y ya no tiene _____ de trabajar, se _____.

III. *Por* and *para*, a summary

H. Completa los siguientes diálogos con las preposiciones **por** o **para**, según corresponda.

1. —¿_____ qué te llamó el supervisor ayer?
   —Me llamó _____ hablar de un asunto personal.
2. —¿_____ cuándo necesitas el permiso _____ maternidad?
   —Lo necesito _____ el primero de junio.
3. —¿Te gusta trabajar _____ esta fábrica?
   —Sí, pero me gustaría no tener que trabajar _____ la noche.
4. —En ese caso, pídele al jefe que te lo cambie _____ el turno de día. Es una persona muy comprensiva.
   —Gracias _____ tu consejo. Voy a pasar luego _____ su oficina.

En resumen

Contesta las preguntas con oraciones completas.
1. ¿Qué aspectos del trabajo de una fábrica te gustarían y cuáles no?
2. ¿Qué condiciones de trabajo busca la mayoría de los obreros de una fábrica?
3. ¿En cuántos años te jubilarás, o ya estás jubilado/a?
4. Cuando te jubiles, ¿qué vas a hacer?
5. ¿Qué precauciones estás tomando para tener suficiente dinero cuando te jubiles?
6. Cuando seas viejo/a, ¿cómo podrán ayudarte tus hijos y familiares?

Answers to the *Autoprueba y repaso* are found in **Apéndice 2.**

Additional **Autopruebas** online

Nuevos horizontes

WILEY PLUS

Additional activities and **Autopruebas**
for each **Escena** available online.

For *Writing Strategies* see *Apéndice 3*.

De viaje por el mundo hispano

1. la naturaleza

2. el paisaje

Venezuela

Costa Rica

4. el desierto

Chile

5. el volcán

Guatemala

Acabo de ⁹**sacar el pasaporte**.

Pues, vamos a ¹⁰**reservar** los boletos.

¡¹¹**Conseguí** los boletos!

¿En qué ¹²**aerolínea**? ¿Y en qué ¹³**vuelo**?

...¹⁴**perder el avión**...

No me gusta ¹⁵**volar**.

16. hacer la maleta

17.

AEROPUERTO

18. facturar el equipaje

19. la tarjeta de embarque

20. PUERTA DE EMBARQUE

3. la cordillera

Perú

Ecuador

7. la selva

Honduras

6. la cascada/catarata

Panamá

8. las plantas tropicales

1. nature
2. landscape
3. mountain range
4. desert
5. volcano
6. waterfall
7. jungle
8. tropical plants
9. to get a passport
10. to reserve
11. I got; **conseguir (i, i)** to get, obtain
12. airline
13. flight
14. to miss the plane
15. to fly; **volar (ue)**
16. to pack
17. airport
18. to check the luggage/baggage
19. boarding pass
20. boarding gate
21. flight attendant (female)
22. flight attendant (male)
23. passenger
24. aisle seat
25. window seat
26. customs
27. pilot

25. el asiento de ventanilla 24. el asiento de pasillo

26. ADUANA   SALIDA

23. el pasajero

27. el piloto

21. la azafata   22. el auxiliar de vuelo

¡La pronunciación!

Pay attention to the correct pronunciation of the Spanish **tr** combination (see P-5).

tropical   ex**tr**anjero

regis**tr**arse

¡En acción!

12-1 Preparativos para un viaje

RECYCLES regular and irregular verbs in the preterit.

12-1 *Option:* Students write the answers for *Paso 2*.
ANSWERS: 1. (provided)
2. Luego, conseguí...
3. hice... 4. fui...
5. facturé... y recibí
6. pasé... 7. fui... 8. le di...
9. subí... 10. puse...
11. me senté y me abroché... 12. Finalmente, tomé, me relajé y vi...

Paso 1. Los señores Solís encuentran una lista escrita por su hijo para su viaje a Lima. Es un chico organizado, pero como nunca ha volado, ni ha estado en el extranjero, la lista tiene errores. Hagan el papel de los señores Solís y pongan la lista en orden cronológico.

A. Antes de llegar al aeropuerto (del 1 al 4):

 3 *hacer* la maleta
 4 *ir* al aeropuerto
 2 *conseguir* el boleto por Internet
 1 *sacar* el pasaporte

B. En el aeropuerto y en el avión (del 5 al 12):

 6 *pasar* por el control de seguridad
 8 *darle* la tarjeta de embarque al empleado de la aerolínea
 5 *facturar* el equipaje y *recibir* la tarjeta de embarque
 11 *sentarse* y *abrocharse* el cinturón
 7 *ir* a la puerta de embarque
 12 *tomar* una bebida, *relajarse* y *ver* una película
 9 *subir* al avión
 10 *poner* el equipaje de mano en la cabina del avión

Hint: Before completing *Paso 2*, review the preterit of regular verbs (page 226) and irregular verbs (pages 237 and 262). Can you identify the irregular verbs in the list in *Paso 1*?

Paso 2. Hagan del hijo que cuenta lo que hizo siguiendo el orden cronológico anterior. Usen el pretérito y palabras como **primero, luego, después, finalmente.** Cambien de papel después de completar del 1 al 6.

1. *Primero, saqué el pasaporte.*   7.
2.   8.
3.   9.
4.   10.
5.   11.
6.   12.

12-2 ¡De viaje!

12-2 You may want to project the PowerPoint slide of the opener scene and ask students to describe each area or item of the illustration as indicated.

For additional vocabulary practice, see PowerPoint slides at www.wiley.com/college/lucasmurillo or visit www.wileyplus.com

PERSONALIZED QUESTIONS: ¿Quiénes tienen pasaporte? ¿A qué países han viajado? ¿A quiénes les gusta volar y a quiénes no?

¿Adónde van y qué hacen los viajeros? Para saberlo, observen la escena de las páginas 400–401 y describan:

- las fotos de la naturaleza
- lo que hace la pareja antes de llegar al aeropuerto
- las preocupaciones que tiene cada uno
- lo que pasa en el aeropuerto, en el avión y después

12-3 Un vuelo «inolvidable»

Viajas en un vuelo procedente de Nueva York que hace escala en Miami y tiene por destino Caracas, la capital de Venezuela. Para resolver cada uno de los siguientes problemas que ocurren en el viaje, habla con las personas indicadas. Tienes *un* minuto para cada conversación. Túrnense para hacer el papel de pasajero/a.

12-3 Remind students to use the **Ud.** form, and be sure to time their conversations. *Option:* Students change partners after each conversation. When students have finished the activity, ask five pairs to perform for the class.

Problemas:

1. Llegas a la puerta de embarque tarde para subir al avión, pero **el empleado de la aerolínea** acaba de cerrarla. Habla con él.

2. Tienes reservado un asiento de ventanilla, pero encuentras a **otro pasajero** sentado en tu asiento. Habla con él.

3. **La azafata** te sirve una cena que no puedes comer porque eres vegetariano/a. Habla con ella.

4. Llegas a Caracas, recoges el equipaje y sólo encuentras dos de las tres maletas que facturaste. Habla con **el empleado de la aerolínea.**

5. En el momento de pasar la aduana, no encuentras el pasaporte. Habla con **el agente de la aduana.**

¡A escuchar! Siempre corriendo   CD 4 Track 16

Paso 1.   Escucha la conversación entre dos amigas, Belén y Pepa, en el aeropuerto.

Paso 2.   Escucha de nuevo y marca las respuestas correctas.

Palabras útiles
darse prisa *to hurry up*

The scripts for the *¡A escuchar!* sections are included in the Book Companion Site (BCS) for instructors and in WileyPLUS under "Prepare and Present". The recordings are on the student CDs and in WileyPLUS under "Read, Study, and Practice".

1. Belén y Pepa tienen dos horas para facturar el equipaje y pasar los controles de seguridad.
   ☐ Sí   ☑ No

2. Pepa va a esperar en la fila y Belén va a estacionar el carro.
   ☑ Sí   ☐ No

3. Por los altoparlantes se anuncia que todos los pasajeros del vuelo de Belén y Pepa tienen que ir a la puerta de embarque.
   ☑ Sí   ☐ No

4. Belén y Pepa ya han reservado sus asientos de ventanilla.
   ☐ Sí   ☑ No

5. El empleado les da las tarjetas de embarque con asientos de pasillo, y les dice que el vuelo está completo.
   ☑ Sí   ☐ No

6. Belén y Pepa pierden el avión.
   ☐ Sí   ☑ No

7. Belén piensa que lo van a pasar muy bien en la playa.
   ☑ Sí   ☐ No

8. El capitán anuncia que van a salir ya y que los pasajeros tienen que abrocharse el cinturón de seguridad.
   ☑ Sí   ☐ No

¹stopover

For additional practice on this grammar point, you may want to see PowerPoint slides at www.wiley.com/college/lucasmurillo or visit www.wileyplus.com

Write the conditional endings on the board or on a transparency. Then ask several students questions, such as ¿Viajarías a otro planeta? Recap responses: ...viajaría a otro planeta; ...y... viajarían a otro planeta; ...y yo viajaríamos a otro planeta. Additional questions: ¿Harías un viaje solo/a por todo el mundo? ¿Te gustaría aprender a pilotar un avión?

GRAMÁTICA

¡Manos a la obra!

Talking about what would happen: The conditional

In our daily lives, we often express what *would potentially happen* in certain circumstances. It is the conditional tense that conveys this concept: *Would you fly around the world in a hot air balloon? I would!*

As with the future tense, the conditional of all regular **-ar, -er,** and **-ir** verbs, and most irregular verbs, is formed by adding the following endings to the infinitive. (The endings are the same as the imperfect tense endings for **-er** and **-ir** verbs.)

Infinitive + -ía, -ías, -ía, -íamos, -íais, -ían			
	volar	**volver**	**ir**
(yo)	volaría	volvería	iría
(tú)	volarías	volverías	irías
(Ud., él, ella)	volaría	volvería	iría
(nosotros/as)	volaríamos	volveríamos	iríamos
(vosotros/as)	volaríais	volveríais	iríais
(Uds., ellos, ellas)	volarían	volverían	irían

—¿**Viajarías** allí solo? — *Would you travel there alone?*
—**Iría** con un amigo. — *I would go with a friend.*

The conditional is also used to make polite requests: **Me gustaría...; Querría un...; Preferiría...; Podría Ud. darme un...**

Irregular verbs

With some irregular verbs, the conditional endings are added not to the infinitive but to an irregular stem. These irregular stems are the same as those of the future.

infinitive	irregular stem	conditional forms
decir	**dir-**	diría, dirías, diría, diríamos, diríais, dirían
hacer	**har-**	haría, harías,...
poder	**podr-**	podría, podrías,...
poner	**pondr-**	pondría, pondrías,...
querer	**querr-**	querría, querrías,...
saber	**sabr-**	sabría, sabrías,...
salir	**saldr-**	saldría, saldrías,...
tener	**tendr-**	tendría, tendrías,...
venir	**vendr-**	vendría, vendrías,...

Remind students that (a) they already know the endings of the conditional from the imperfect tense of **-er** and **-ir** verbs; (b) like the future, the conditional uses the infinitive as its stem; and (c) the irregular stems for the conditional and the future tenses are identical.

¿**Harían** Uds. un viaje de tres meses por Sudamérica?
Would you take a three-month trip through South America?

¿**Podrían** salir el primero de febrero?
Would you be able to leave on the first of February?

. . . y algo más

The conditional of **hay** (there is, there are) is **habría** (there would be).

El empleado dijo que no **habría** ningún problema al pasar por la aduana.
The employee said there would be no problem going through customs.

Ysenia se encuentra con Ernesto y él le cuenta que se va a Florida a visitar a sus tíos.

¡Hola Ernesto! ¿Adónde vas con tanta prisa?

Voy a casa para hacer la maleta. Me voy a Florida a ver a mis tíos y no me gustaría perder el avión.

No sabía que tenías familia allí. ¿Conseguiste un boleto barato?

Sí, en una aerolínea nueva. Mi vuelo sale a las tres, y ya tengo la tarjeta de embarque.

Me gusta viajar en avión, pero preferiría no tener que hacer fila para facturar el equipaje.

Y a mí no me gusta pasar por controles de seguridad.

Pero sabes, Ernesto, me encantaría ir contigo. Florida debe ser precioso. ¡Que tengas buen viaje!

¡En acción!

¡Oye! ¿Lo harías o no?

A ver si eres aventurero/a. Escucha las *ocho* preguntas de tu profesor/a y responde, apuntando **sí** o **no** en una hoja de papel.

12-4 El vuelo ideal

Paso 1. Marquen con un símbolo de más (+) las características de lo que en su opinión sería un vuelo ideal y con un símbolo de menos, (−) las de un vuelo desastroso.

+ **1.** Los auxiliares de vuelo **servirían** comida a la carta y unos postres deliciosos.

− **2.** Los bebés **llorarían** constantemente y no **dormirían** durante todo el vuelo.

+ **3.** En el avión **habría** peluquería y una sala para hacer ejercicio y yoga.

− **4.** Los auxiliares de vuelo **se enojarían** con los pasajeros y les **gritarían.**

+ **5.** Todas las azafatas **serían** simpatiquísimas y extremadamente corteses.

+ **6.** Los baños **estarían** limpísimos y **tendrían** duchas e incluso sauna.

− **7.** **Habría** turbulencias y mucho ruido durante todo el vuelo.

− **8.** El vuelo **saldría** y **llegaría** tarde.

+ **9.** Durante el vuelo **pondrían** películas recientes y **habría** Wii para los pasajeros.

+ **10.** **Se ofrecerían** masajes gratis.

Paso 2. Ahora, escriban otras *cuatro* características de un vuelo ideal y *cuatro* más de un vuelo desastroso. Usen el condicional. Luego, compártanlas con la clase para ver cuáles son las más originales de cada categoría.

Before you read the questions, have students write the numbers 1–8 on a sheet of paper. After completing the activity, students share their responses with the class.

Guión para ¡Oye!
1. ¿**Comerías** insectos para no morirte de hambre?
2. ¿**Caminarías** por una densa selva solo/a?
3. ¿**Acamparías** en un desierto?
4. ¿**Pasarías** una noche en un bosque solo/a?
5. ¿**Nadarías** en un río con pirañas?
6. ¿**Vivirías** cerca de un volcán activo?
7. ¿**Subirías** el pico Aconcagua, el más alto de Sudamérica?
8. ¿**Viajarías** en un barco pequeño a las islas Galápagos?

12-5 Have students volunteer instances in which their tastes were different, and also in which they were the same (the latter to practice the **nosotros** form).

12-5 Students will further practice the conditional in *Escena 2*.

12-5 El hotel del futuro

Primero, lean el siguiente artículo. Luego, háganse preguntas para saber cuáles de las *siete* características que se mencionan en la segunda columna escogería cada uno/a de Uds. para su habitación *a la carta*. Usen los siguientes verbos en el condicional.

> escoger   gustar   pedir   poner   preferir   ser   tener   usar

MODELO

E1: *¿De qué color **te gustarían** las paredes y cortinas?*

E2: ***Pondría** paredes azules y cortinas verdes. ¿Y tú?*

E1: *Yo **escogería** paredes verdes y cortinas rojas.*

> **Palabras útiles**
> escoger *to choose*

La habitación de hotel del futuro, *a la carta*
Una cadena de hoteles estadounidense quiere crear la habitación de hotel *a la carta*. Se calcula que dentro de 50 años el cliente será una persona con más estrés que ahora. Por eso, los ingredientes fundamentales serán: el *relax* y la ergonomía.

¡Estimula los cinco sentidos!
Los sentidos de la vista y el tacto
* *Las paredes y cortinas* serán transparentes. El cliente podrá escoger los colores y texturas
* *El techo*: con cielo estrellado, luna, o soleado,...
* *La pantalla de la televisión* proyectará el paisaje deseado: mar, montañas, desierto,...

El sentido del oído
* *Sonidos de la naturaleza*: pájaros, olas,...
* *Música de fondo*: clásica, rock, pop,...

El sentido del olfato
* *Perfumes deseados*: suaves para relajarse y estimulantes para despertarse.

El sentido del gusto
* *El mini-bar* tendrá las bebidas favoritas del cliente.

EN EL HOTEL

1. to check in 2. swimming pool 3. elevator 4. bellhop 5. double room; **...sencilla** single room 6. pillow 7. sheet 8. blanket 9. heating
10. air conditioning 11. room service

12-6 En el hotel Caribe

¿Quién llega? Observen las escenas de la página 406 y describan:

- lo que pasa en la recepción
- lo que hay en la habitación
- lo que pasa en la habitación
- y lo que va a ocurrir (usen la imaginación)

12-6 You may want to project the PowerPoint slide of the hotel scenes. Have students describe the scenes. Then, using their imagination, have them describe everything that is going to happen, or what the mother or daughter, or both, are going to do during their stay.

12-7 Reseñas[1] de hoteles

Paso 1. Uds, viajeros infatigables, acaban de regresar de su último viaje y van a escribir en línea la reseña del hotel donde se alojaron (los dos estuvieron en el mismo). Primero, completen la información que sigue y luego, expliquen con detalle sus experiencias positivas o negativas en el hotel. Para su información, la mitad de la clase estuvo en el *Hotel Trotamundos*✶, y la otra mitad, que tiene más dinero, en el *Hotel Emperador*✶✶✶✶.

12-7 Half of the class is assigned the *Hotel Trotamundos*, and the other half, *Hotel Emperador*. Students then form pairs, within the same hotel grouping. In *Paso 1*, each pair of students works together to write the review of one hotel. For *Paso 2*, each pair talks with another pair that stayed in a different hotel, and they exchange experiences.

Present alternatives to vocabulary at your discretion: **ascensor/ elevador; piscina/ alberca**

> ### Reseña realizada en la Red por huéspedes del hotel
>
> Nombre del hotel: _____ Fecha:_____ Tipo de viaje: (negocios, romance...) _____
>
> Hotel Recomendado ☐ Hotel No Recomendado ☐ Calificación 1-10 ☐
>
> Servicio 1-10 ☐ Condición 1-10 ☐ Comodidad 1-10 ☐ Limpieza 1-10 ☐
>
> **Sus comentarios:** *El hotel... es buenísimo/ malísimo porque...*

Paso 2. Ahora compartan su reseña con otra pareja que estuvo en un hotel diferente al de Uds. dos. Luego, informen a la clase de las experiencias más curiosas que escucharon de la otra pareja.

12-8 Entrevista sobre un viaje RECYCLES travel vocabulary and weather.

Paso 1. Entrevista a tu compañero/a para obtener información acerca de un viaje (real o imaginario) que hizo y apunta lo que dice en la segunda columna. Usa el pretérito o el imperfecto según las preguntas. Luego, cambien de papel.

Hint: For *Actividad 12-8*, review the uses of the preterit and the imperfect on page 317.

Preguntas	Información de tu compañero/a
1. ¿Adónde fuiste y con quién?	*...fue a Chile con su pareja.*
2. ¿Cuándo fuiste y cuánto tiempo te quedaste?	
3. ¿Cómo fuiste (en carro, en avión,...)?	
4. ¿Dónde te quedaste y cómo era el lugar?	
5. ¿Qué atracciones históricas, culturales o naturales había allí?	
6. ¿Qué tal el clima de allí (hacía calor, frío,...)?	
7. ¿Qué hacías por la mañana, por la tarde,...?	
8. ¿Qué cosas especiales hiciste?	

12-8 Review the concepts of the preterit and the imperfect (how both are used), then ask students to identify the interview questions: those that apply to single actions viewed as completed or to a series of completed actions (preterit); those that focus on description, including weather (imperfect); and those that refer to ongoing or repeated actions (imperfect).

Paso 2. Luego, cuéntale a otro/a compañero/a acerca del viaje de la persona que entrevistaste.

[1]Reviews

Tus amigos y tú han ganado un viaje gratis a uno de los dos siguientes lugares. **(a)** Observen las fotos y los mapas y lean la información. **(b)** Decidan cuál de los dos viajes van a hacer. **(c)** Díganle a la clase qué viaje escogieron y por qué. Trabajen en grupos de *tres*.

Viaje A. ESPAÑA: Arquitectura de tres épocas

El museo Guggenheim de Bilbao (1997), uno de los más modernos del mundo, diseñado por F. Gehry. Después de visitarlo, pruebe la exquisita gastronomía vasca[1], asista a un partido de pelota vasca (Jai-Alai) y recorra la costa en cuyas playas se practica el surf.

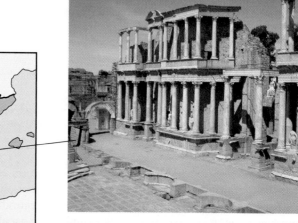

Gastronomía

Pruebe...

las tapas
el gazpacho
la rica paella
la tortilla española
el pescadito frito
la empanada gallega
los vinos, quesos y
    dulces
el chocolate con
    churros

Mérida, pequeña Roma (año 25 antes de Cristo). Su teatro de más de 2.000 años sigue siendo escenario de obras teatrales. Allí hay también un circo, un anfiteatro, un acueducto, un templo, casas romanas y un museo donde se exhiben joyas y piezas de esa época.

El Palacio de la Alhambra (1338–1390), en Granada, ejemplo de la magnífica aquitectura árabe. Los jardines, con sus fuentes[2], son prueba de la fascinación que sentían esas gentes del desierto por el agua. Allí residieron los reyes moros hasta su expulsión en 1502. Desde la Alhambra (véase la foto →) se ve Sierra Nevada, donde se puede esquiar hasta el mes de abril.

[1]Basque, [2]fountains

Viaje B. ARGENTINA: Paisajes espectaculares

Las espectaculares Cataratas del Iguazú, en la frontera entre Argentina y Brasil y cerca de la frontera con Paraguay. Hay 275 cataratas diferentes, y allí también se encuentran más de 21.000 variedades de plantas, 450 especies de aves, y además, reptiles, anfibios, peces y mariposas[1].

Parque Nacional Los Glaciares, en la Patagonia argentina. Ha sido declarado Patrimonio de la Humanidad por la UNESCO por su belleza espectacular y el interés científico que despierta. Las personas aventureras pueden disfrutar caminando por el glaciar Perito Moreno, navegando por el lago para observar el hielo azul o haciendo senderismo[2] por los montes Fitzroy y Torre.

La pampa argentina, tierra del gaucho. Allí el visitante puede disfrutar de los atractivos del turismo alternativo: hospedarse en una hacienda rural, respirar el aire puro, apreciar la variada flora y fauna y montar en los mejores caballos.

[1]butterflies, [2]trekking

Tu mundo cultural

El ecoturismo

¿Te gustaría viajar a un lugar exótico donde hay conciencia del medio ambiente? ¿Te interesaría practicar toda clase de deportes y descansar en medio de la naturaleza?

Si eso es lo que buscas, el ecoturismo es para ti.

El ecoturismo consiste en viajar por áreas naturales causando mínimo impacto en el medio ambiente y cultura que se visita y generando ingresos[1] al mismo tiempo. Estos ingresos benefician a la población local que puede usarlos para conservar sus recursos[2] locales.

COSTA RICA

Costa Rica: modelo de ecoturismo

Costa Rica es un país pionero en ecoturismo y modelo para aquellos países que quieran atraer a turistas que busquen reencontrarse con la naturaleza y escapar del estrés urbano. Tiene 30 parques nacionales, numerosas reservas biológicas y forestales y una variedad increíble de flora y fauna.

El volcán Arenal, uno de los muchos volcanes activos de Costa Rica. Sus emisiones de lava incandescente son un gran espectáculo.

Jardín de mariposas. Costa Rica tiene 12.000 especies de mariposas diurnas y unas 4.000 nocturnas. Los jardines de mariposas y sus flores son espectaculares.

[1]income, [2]resources

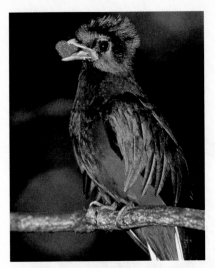

Costa Rica tiene 850 especies de aves, y el programa de conservación medioambiental más avanzado de América. Por eso, no sorprende que la Universidad de Costa Rica ofrezca una especialidad de estudios en Turismo Ecológico.

En las costas del Caribe y del Pacífico, Costa Rica ofrece sus playas a los amantes del surf y de otros deportes acuáticos. En el interior del país se puede practicar el balsismo[1], el piragüismo[2], el ciclismo, el montañismo, el camping y la equitación[3].

HOTEL CONSTRUIDO CON CONCIENCIA MEDIOAMBIENTAL
Costa Rica. En la localidad de Punta Uva se construyen alojamientos para turistas respetando el medio ambiente. En su construcción no se cortan árboles sino que se usan árboles caídos[4], y para su transporte se utilizan bueyes[5] en vez de vehículos, para no alterar el medio. Son alojamientos con vistas magníficas de los jardines botánicos y de la playa con sus palmeras y blanca arena. Uno de ellos es una casa del árbol (véase la foto).

¿Qué aprendiste?

1. ¿Cuál es una de las diferencias entre el turismo tradicional y el ecoturismo?

2. ¿Cómo se sabe que en Costa Rica se da mucha importancia al medio ambiente? Den ejemplos.

3. En el artículo de periódico sobre Punta Uva, ¿en qué se nota la conciencia del medio ambiente que existe en Costa Rica?

Actividad cultural

Imaginen que a Uds. les ofrecen la oportunidad de hacer ecoturismo en Costa Rica. Hagan una lista de lo que les gustaría ver y de las actividades que preferirían hacer allí. Luego, compártanla con otra pareja.

Contraste cultural

Hablen de las medidas que ya se han tomado, o que en su opinión, se deben tomar en su país o región para proteger la naturaleza y sus especies, y atraer al ecoturista.

[1]rafting, [2]canoeing, [3]horseback riding, [4]fallen, [5]oxen

Words related to sports, as well as those related to technology, are often borrowed from English (**hacer surf, escribir *e-mails***, etc.). In this chapter you were introduced to **el senderismo** (p. 409), also referred to as **el trekking**. **El balsismo** (this page), is also called **el *rafting***. In magazines and in on-line advertising, you will often see the English variations of these words.

VOCABULARIO

LA MEDICINA

1. la investigación

2. el invento

3. prevenir♦

4. evitar (enfermedades)

5. prolongar la vida

¿Conoces las últimas tecnologías para ⁶*diagnosticar* y curar enfermedades?

LAS ENERGÍAS RENOVABLES

7. la destrucción de la capa de ozono

ENERGÍAS LIMPIAS PARA 9.PROTEGER ♦♦ 10.EL MEDIO AMBIENTE

HIDRÓGENO

BIODIESEL

8. la contaminación

11. el (carro) híbrido

12. la energía solar

13. la energía eólica (del viento)

¿Cuáles son ¹⁴*las ventajas* de estas energías? ¿Y ¹⁵*las desventajas*?

LA RED DE COMUNICACIONES

20. comunicarse

22. la prensa

EL DIARIO

NOTICIAS

21. el/la radio por satélite

la televisión por satélite/cable

¿Cuáles de estos medios de comunicación usas tú con más frecuencia?

EL ESPACIO

MARTE

16. la exploración espacial

¿Habrá pronto viajes de turismo a la Luna o a Marte?

17. la nave espacial

¿Te gustaría hacer un viaje espacial ¹⁸*alrededor de* ¹⁹*la Tierra*?

1. research 2. invention 3. to prevent 4. to avoid (illnesses) 5. to prolong life 6. to diagnose 7. destruction of the ozone layer 8. pollution 9. to protect 10. environment 11. hybrid (car) 12. solar energy 13. aeolic (wind) energy 14. advantages 15. disadvantages 16. space exploration 17. spaceship 18. around 19. Earth 20. to communicate 21. satellite radio 22. press

♦ **Prevenir** is conjugated like **venir.** ♦♦ **Proteger** (presente): protejo, proteges, protege...

¡En acción!

12-10 Asociaciones

¿Por qué se relacionan? Combina las dos palabras que se asocian en cada serie y explica por qué.

MODELO

el síntoma, la investigación, el diagnóstico

El síntoma y el diagnóstico. El síntoma ayuda a determinar el diagnóstico de una enfermedad.

1. curar, prevenir, evitar
2. cortar, extender, prolongar
3. la prensa, las noticias, el invento
4. la energía eólica, el sol, el viento
5. la contaminación, la capa de ozono, la deforestación
6. la ventaja, el planeta, la nave espacial

12-10 Students may complete the activity individually or in pairs, followed by feedback to the class.

ANSWERS:
1. prevenir, evitar 2. extender, prolongar 3. la prensa, las noticias 4. la energía eólica, el viento 5. la contaminación, la capa de ozono 6. el planeta, la nave espacial

12-11 Los avances científicos y tecnológicos

¿Están Uds. informados? Observen las escenas de la página 412 y comenten lo siguiente.

La medicina:
- clase de investigaciones e inventos que para Uds. serían importantes
- lo que se puede hacer para prevenir o evitar enfermedades
- ventajas y desventajas de prolongar la vida

Las energías renovables:
- ventajas y desventajas
- las que se usan en la región donde viven

El espacio:
- la exploración espacial
- sus respuestas a las preguntas que se hacen en la escena

La red de comunicaciones:
- para qué sirve cada medio de comunicación que se observa
- cuáles usan Uds. con más frecuencia y para qué

12-11 You may want to project the PowerPoint slide of the scenes and encourage students to both describe and comment on the various items presented in each bubble.

For additional vocabulary practice, see Power Point slides at www.wiley.com/lucasmurillo or visit www.wileyplus.com

12-11 PERSONALIZED QUESTIONS: ¿Hasta qué edad les gustaría vivir? ¿Qué hacen Uds. para mantenerse con buena salud, evitar enfermedades y prolongar la vida?

12-12 Un mundo ideal

Paso 1. En grupos de *cuatro*, escriban como mínimo, *seis* oraciones para describir la clase de mundo dónde a Uds. les gustaría vivir. Usen las siguientes preguntas como guía.

- ¿Qué avances médicos y científicos habría? ¿Y qué nuevos inventos?
- ¿Qué métodos de transporte se usarían? ¿Y qué energías alternativas?
- ¿Cómo se comunicaría la gente?
- ¿Se podría vivir en otros planetas?
- ¿Habría paz?

Paso 2. Lean a la clase lo que escribieron. Luego, todos deciden qué grupo tiene la descripción más interesante.

¡A escuchar! Nuevos inventos CD 4 Track 17

Paso 1. Escucha las noticias acerca de algunos de los nuevos inventos.

Paso 2. Escucha de nuevo y di si es cierto o falso.

1. Hay un invento nuevo que sirve para diagnosticar problemas intestinales.
   - ☑ Cierto   ☐ Falso
2. El paciente toma una cápsula y permanece en el hospital 8 horas.
   - ☐ Cierto   ☑ Falso
3. La cápsula recorre el intestino delgado sacando miles de fotos.
   - ☑ Cierto   ☐ Falso
4. Las ventajas de la cápsula son su precio y que se diagnostica rápidamente.
   - ☐ Cierto   ☑ Falso
5. En la Patagonia, ya hay gasolineras que usan la energía del viento.
   - ☑ Cierto   ☐ Falso
6. Ahora existe un vehículo que sirve de guía para turistas.
   - ☑ Cierto   ☐ Falso

See Grammar Handbook found in WileyPLUS.

For additional practice on this grammar point, see PowerPoint slides at www.wiley.com/college/lucasmurillo or visit www.wileyplus.com

Introduce the imperfect subjunctive via examples of present/present subjunctive sentences contrasted with those in the past: **Quieren que salgamos.** → **Querían que saliéramos.** Highlight the location of the accent in the **nosotros** form.

To practice the formation of the imperfect subjunctive, (1) have four students write on the board as many infinitives as they can within one minute. The seated students can help and also watch out for repetitions. (2) After the four students return to their seats, four more go to the board to jot down the third-person plural preterit of each infinitive (**estar** → **estuvieron**). The seated students may lend assistance. (3) After responses have been confirmed, four more students go to the board to write the imperfect subjunctive **yo** form of each verb, with help from the seated students (**estuvieron** → **estuviera**). Recycles the preterit.

GRAMÁTICA

¡Manos a la obra!

2

Reacting to past actions, conditions or events:
The imperfect (past) subjunctive

The imperfect subjunctive of **_all_** verbs is formed by dropping the **-ron** from the *ellos* form of the preterit and adding the endings **-ra, -ras, -ra, -ramos -rais, -ran.***

	reciclar recicla~~ron~~	**hacer** hicie~~ron~~	**ir** fue~~ron~~
(yo)	recicla**ra**	hicie**ra**	fue**ra**
(tú)	recicla**ras**	hicie**ras**	fue**ras**
(Ud., él, ella)	recicla**ra**	hicie**ra**	fue**ra**
(nosotros/as)	reciclá**ramos**	hicié**ramos**	fué**ramos**
(vosotros/as)	recicla**rais**	hicie**rais**	fue**rais**
(Uds., ellos, ellas)	recicla**ran**	hicie**ran**	fue**ran**

The imperfect subjunctive is used in the same kinds of situations as the present subjunctive (see Chapter 10, pages 338, 346, and 356), but relates actions, conditions, or events that took place *in the past*.

PAST TENSE: IMPERFECT/ PRETERIT/ CONDITIONAL + QUE + IMPERFECT SUBJUNCTIVE

Yo **quería** que mi hermano se **comprara** un carro híbrido.
I wanted my brother to buy a hybrid car.

Insistió en que **ahorráramos** gasolina y **fuéramos** en bicicleta.
He insisted that we save gas and ride our bikes.

Me **gustaría** que **encontraran** la manera de reciclar toda la basura.
I would like them to find a way to recycle all of the trash.

The imperfect subjunctive of **hay** (there is, there are) is **hubiera** (there was, there were).
Ojalá que no **hubiera** tanta contaminación. *I wish there wasn't so much pollution.*

*In Spain, the endings **-se, -ses, -se, -semos, -seis, -sen** are often preferred.

Mabel convence a Mario para que se haga voluntario de su organización ecológica.

¿Cómo te va de voluntaria?

Regular. Quería que hubiera más voluntarios, pero muchos no pueden en este momento.

Esperaba que todos organizáramos una gran campaña de prensa para informar a la gente y enseñarle a prevenir y evitar tanta contaminación.

Es verdad. Si trabajara contigo, convenceríamos a muchos de las ventajas de usar carros híbridos.

¿Estás tratando de decirme algo?

Sí, que acabas de conseguir otro voluntario. Vamos a hacer grandes cosas juntos.

¡En acción!

¡Oye! ¿En cuál de las dos décadas?

Escucha lo que va a decir tu profesor/a y luego, di a cuál de las dos épocas se refiere cada afirmación: a **los años cincuenta** o a **los años noventa**.

12-13 Los avances tecnológicos

RECYCLES subjunctive with expressions of doubt and emotion.

En los años 50, cuando se hablaba de las ventajas y desventajas de los avances tecnológicos, ¿qué dudas y esperanzas se tenían? Completen las oraciones usando los verbos indicados. Luego, compartan sus ideas con la clase.

1. **Algunos dudaban...** que hubiera *viajes a la Luna*; que pudiéramos...
2. **Otros, esperaban...** que hubiera...; que pudiéramos...; que tuviéramos...

12-14 Para prolongar la vida

Cuando sus abuelos se jubilaron y se mudaron a Florida, Uds. estaban muy contentos con la idea y deseaban lo mejor para ellos. Según las ilustraciones, digan lo que Uds. **querían** o **no querían** que hicieran ellos para mantenerse con buena salud y poder vivir muchos años.

MODELO

No queríamos que *fumaran.*

Guión para ¡Oye!

1. Se esperaba que un día el hombre **llegara** a la Luna. [50]
2. La gente se empezaba a interesar por carros que **fueran** híbridos. [90]
3. En casi todos los restaurantes se permitía que la gente **fumara**. [50]
4. Se insistía en que la gente **reciclara** el plástico. [90]
5. Muchos dudaban que una persona católica **pudiera** ser presidente de EE.UU. [50]
6. Muchos deseaban que **hubiera** más energías alternativas. [90]
7. Todos se alegraban de que ya no **existiera** Hitler y que no **hubiera** guerra en Europa. [50]
8. Las personas de raza negra tenían miedo de que les **prohibieran** sentarse en la parte delantera del autobús. [50]

. . . y algo más

To express what *would happen* in a hypothetical or contrary-to-fact situation (*If I were a billionaire...*) you use:

Si (*If*) + **imperfect subjunctive** + **conditional**

or

Conditional + **si** + **imperfect subjunctive**

Si fuera presidente/a, **protegería** los parques nacionales.
Protegería los parques nacionales **si fuera** presidente/a.

See Grammar Handbook found in WileyPLUS.

For additional practice on this grammar point, see PowerPoint slides at www.wiley.com/college/lucasmurillo or visit www.wileyplus.com

12-15 Preguntas para conversar

En grupos de *cuatro*, usen las siguientes preguntas para iniciar la conversación.

1. Si pudieras prolongar tu vida hasta los 150 años, ¿lo harías? ¿Cuáles serían dos ventajas y dos desventajas?
2. Si fuera posible encontrar la cura para sólo dos enfermedades, ¿cuáles escogerías?
3. Si fueras presidente/a, ¿apoyarías la investigación de las células madre[1]?
4. Si el precio de la gasolina subiera a diez dólares el galón, ¿qué harías?
5. Si pudieras hacer un viaje a la Luna en una nave espacial, ¿te gustaría hacerlo? ¿Por qué?
6. Si te encontraras con un extraterrestre, ¿qué dos preguntas le harías? ¿Qué le dirías del planeta donde vives?
7. Si tuvieras que pasar un mes completamente solo/a, ¿qué tres cosas te llevarías? ¿Por qué?
8. Si pudieras reencarnarte en otra persona, ¿en quién te reencarnarías? ¿Por qué?

12-15 *Additional questions:* Si tuvieras un hijo o una hija que quisiera casarse con una persona de su mismo género, ¿lo/la apoyarías? Si vieras al novio de tu mejor amiga con otra mujer, ¿qué harías? Si tu madre saliera con tu mejor amigo, ¿cómo reaccionarías? Si pudieras cambiar algo de tu familia, ¿qué cambiarías?

12-16 Una cadena de posibilidades

Primero, divídanse en grupos de *cinco*. Después, su profesor/a les asigna uno de los siguientes temas y Uds. escriben una cadena larga según el modelo. Al final, lean sus "creaciones" a la clase.

MODELO

Si tuviera un mes de vacaciones, ***iría*** a Argentina. (Usen **Si** + el verbo **ir** en la siguiente oración.)
Si fuera a Argentina, ***visitaría*** La Patagonia. (Usen **Si** + el verbo **visitar** →)
Si visitara La Patagonia, ***vería*** … (Usen **Si** + el verbo **ver** →)

1. Si fuera a la Luna…
2. Si viviera en la selva amazónica…
3. Si estuviera en la Ciudad de México…
4. Si no tuviera computadora ni celular…
5. Si hablara perfectamente español…
6. Si tuviera una varita[2] mágica…

12-17 La tecnología también ayuda a las personas ciegas[3]

La Organización Nacional de Ciegos Españoles (ONCE) y otras dos compañías presentaron en Madrid a *Braillín,* un muñeco diseñado por una profesora argentina. Se espera usarlo para fomentar la integración social y familiarizar a los niños, invidentes o no, con el código Braille. Con él los niños aprenderán a respetar y a aceptar la diversidad.

Paso 1. Lee lo que sigue para conocer los inventos gracias a los cuales las personas discapacitadas, como los ciegos, pueden tener una mejor calidad de vida. Escoge los dos que, en tu opinión, serían más útiles si fueras ciego/a.

Aparatos disponibles en el mercado para las personas ciegas: Con ellos, una persona ciega puede hacer la rutina diaria: levantarse, desayunar, vestirse, orientarse, caminar por las calles, trabajar, cocinar y comunicarse por correo electrónico.

[1]**investigación...** stem-cell research, [2]wand, [3]blind *also* **invidentes**

- **Despertador parlante:** Se aprieta un botón y una voz indica la hora.
- **Colorímetro:** Se pone al lado de la ropa, indica su color y ayuda a combinar los colores.
- **Microondas y estufa en Braille:** Cocinar es ya posible para una persona ciega.
- **Reloj en Braille:** Se levanta la cubierta y se pueden tocar las agujas[1] para saber la hora.
- **Agenda electrónica en Braille:** Para anotar fechas y citas.
- **Computadora con teclado en Braille y programa JAWS:** Lee lo escrito en voz alta y escribe lo que se dice.
- **Ojo electrónico:** Se pone en las gafas o lentes, y antes de cruzar la calle, una mini-cámara con computadora y sistema de voz indica el color del semáforo, la distancia entre las dos aceras y la presencia de peatones.
- **Bastones[2] telescópicos láser y con sensor:** Se usan para orientarse más fácilmente.

12-17 *Option:* Have students complete *Paso 2* in pairs, then poll the class to find out which inventions they found most useful and why.

12-17 ANOTHER STEP: To heighten awareness, have students write down three things in their daily routine that they would have great difficulty doing, or would not be able to do, if they were blind: **Si fuera ciego/a,...** Students share their ideas with the class.

Paso 2. Ahora, dile a la clase los dos inventos que has elegido y explícale cómo te ayudarían en tu rutina diaria si fueras una persona ciega.

MODELO

Si fuera ciego/a, tendría un colorímetro porque me gusta combinar bien los colores de mi ropa.

12-18 Los viajes espaciales

Paso 1. ¿Quieres estar al día en lo referente a viajes espaciales? Lee la siguiente información.

TURISMO ESPACIAL

En la imagen, se observa el reflejo de los rayos del sol en el *SpaceShipOne* durante el vuelo 15P.

En el año 2004, la Fundación Premio X ofreció un premio de 10 millones de dólares al inventor que construyera una nave espacial comercial. Ya en 1927 Charles Lindbergh ganó un premio similar por volar solo a través del Atlántico, y a partir de aquel momento, los viajes en avión se multiplicaron por treinta. La Fundación Premio X espera que ocurra lo mismo con los viajes comerciales al espacio.

Los ganadores del premio han sido Burt Rutan y Paul G. Allen, creadores del *SpaceShipOne*. Y ahora, *Virgin Galactic,* la primera compañía de turismo espacial, va a usar el diseño de esta nave para construir el *SpaceShipTwo,* prototipo de vehículo para cinco pasajeros y un piloto.

¿Se lo imaginan? Desde un cómodo asiento, y sin pesar[3] nada, se podrá volar en la oscuridad del espacio observando las estrellas. Y de vuelta a la Tierra, será posible ver hasta una distancia de 1.000 millas en todas direcciones. Se calcula que los primeros vuelos estarán listos para fines del año 2009, y el precio de cada boleto será de 190.000 dólares. Un proyecto para más adelante son los cruceros espaciales que navegarán a un hotel situado en órbita.

 Paso 2. Ahora, inspírense en las siguientes preguntas para conversar.

1. ¿Qué piensas de lo que hizo la Fundación Premio X? Explica.
2. Si pudieras, ¿te gustaría ser uno de los primeros pasajeros de la nave *SpaceShipTwo* si el viaje no costara nada? ¿Por qué?
3. Si fueras billonario/a, ¿invertirías dinero en cruceros espaciales o en hoteles situados en órbita? Explica.
4. ¿Te gustaría formar una comunidad en otro planeta? ¿Por qué? ¿Cómo sería?
5. ¿Por qué crees que los humanos están siempre en busca de nuevos horizontes?

¿SABES QUE...?

NASA has about 2,000 Hispanic career employees, and 8 out of 109 NASA astronauts are of Hispanic descent. Mexican-American Ellen Ochoa is the first Hispanic astronaut in NASA and a veteran of four space flights.

[1]hands of the clock, [2]canes, walking sticks, [3]weigh

Tu mundo cultural

Los desastres ecológicos

¿Qué sabes sobre la contaminación y los desastres ecológicos de tu país? A continuación, siguen unos ejemplos de problemas de Latinoamérica relacionados con el medio ambiente.

La contaminación en México

La Ciudad de México tiene graves problemas de contaminación. El tráfico de los cuatro millones de vehículos que circulan diariamente por ella, unido a su ubicación en un valle rodeado de montañas, hacen de esta capital una de las ciudades más contaminadas del planeta. Entre su población, cada vez son más las personas que sufren enfermedades respiratorias. En el norte del país, la industria de las maquiladoras y el tráfico entre México y EE.UU., resultado del TLC, Tratado de Libre Comercio (NAFTA), son la causa principal de la contaminación en las ciudades de los dos lados de la frontera.

En la Ciudad de México el gobierno está creando soluciones innovadoras para combatir la contaminación. Las principales son: hacer obligatorio el uso de conversores catalíticos en los carros; reducir la cantidad de plomo[1] en la gasolina y el sulfuro en el diesel; modernizar el sistema de transporte de autobuses; y promover las energías renovables como la energía hidroeléctrica y solar, que tienen gran potencial en México.

La deforestación del Amazonas

Hay seis países que comparten la cuenca[2] del Amazonas, y todos, excepto Brasil, son hispanos: Venezuela, Colombia, Ecuador, Perú y Bolivia. Este grupo de países, llamado «el pulmón del mundo», cuenta con uno de los ecosistemas más diversos del planeta. Sin embargo, la deforestación está teniendo consecuencias tan graves en su medio ambiente, que muchas especies ya han desaparecido y otras están en peligro de extinción.

[1]lead, [2]basin

El exceso de población en la cuenca del Amazonas es una de las causas de los 19.000 km2 de deforestación anual. Se eliminan bosques para obtener tierras cultivables y beneficios para la industria maderera[1]. El potencial económico de la cuenca del Amazonas reside en las plantas, de las que se hacen medicamentos; en la madera, que se usa para muebles y en la construcción; y en la diversidad de especies terrestres y acuáticas. El gran reto al que se enfrentan estos países es mantener el crecimiento[2] económico, pero sin dañar[3] el medio ambiente.

¿SABES QUE...?

New markets and advanced technology make globalization a reality for everyone. For example, an American pharmaceutical lab has obtained a patent for a painkiller extracted from a frog that inhabits the tropical forests of Ecuador. However, an Ecuadorian ecological organization is seeking earnings derived from the sale of the medicine, claiming that the corporation has taken advantage of the ancestral knowledge of the indigenous people of the region.

Iquitos es una de las ciudades peruanas situadas en la cuenca del Amazonas. Esta ciudad, como tantas otras de esta región, ha experimentado gran crecimiento económico gracias a las riquezas naturales de la zona. Allí, como en el resto de los países del Amazonas, finalmente están empezando a tomar conciencia de la situación y a crear políticas para frenar la deforestación, preservar las especies y restituir la capa de ozono de la atmósfera.

¿Qué aprendiste?

1. ¿En qué áreas de México hay graves problemas de contaminación? ¿Y en qué otros lugares del mundo?

2. ¿Qué problema ecológico existe en los países de la cuenca del Amazonas? ¿Y en qué otras partes del mundo?

Actividad cultural

Completen el formulario según la información presentada.

lugar	problema	causas	posibles repercusiones	posibles soluciones
México				
Amazonas				

Contraste cultural

Hablen de lugares de su país o región que estén sufriendo daños medioambientales. Describan los daños, y hablen de las causas y de lo que se está haciendo para solucionarlos.

¿SABES QUE...?

The Uwa, an indigenous people from the region of Colombia that borders Venezuela, oppose the drilling of oil in their territory by a multinational oil company. They contend that the drilling will cause irreparable human and environmental damage to their land, their animals, and their plants.

[1]lumber, [2]growth, [3]damaging

En busca de* una vida mejor

1. la frontera

8. integrarse a/en

WELCOME!

...más ²*oportunidades* para la niña.

...para ⁴*mejorar* nuestras vidas...

3. emigrar

5. el emigrante

7. inmigrar

OFICINA DE INMIGRACIÓN

9. estar satisfechos

6. el inmigrante

11. prosperar

10. contribuir♦

15. los países en desarrollo

LA COOPERACIÓN ENTRE **12.** LOS GOBIERNOS DE LAS NACIONES ONU

16. eliminar el hambre y la pobreza

13. el poder

14. el acuerdo de paz

18. una vida sencilla

17. proveer agua potable

19. cultivar productos orgánicos

¡Con brío!

VIVA LO LATINO

20. la diversidad

SOLIDARIDAD ARMONÍA RESPETO TOLERANCIA

21. FIN

1. border 2. opportunities 3. to emigrate 4. to improve 5. emigrant (*m.*) **la emigrante** (*f.*) 6. immigrant (*m.*) **la inmigrante** (*f.*) 7. to immigrate
8. to adjust, integrate oneself 9. to be satisfied 10. to contribute 11. to prosper 12. governments 13. power 14. peace treaty 15. developing
countries 16. to eliminate poverty and hunger 17. to provide potable water 18. a simple life 19. to grow organic produce 20. diversity
21. The end (*m.*)

♦**Contribuir** has the same irregularities as **construir**. See *Apéndice 1*, p. A-4.

* **En busca de** *In search of*

¡En acción!

12-19 ¡A emparejar!

A ver si los reconoces. Empareja los términos de la primera columna con los que mejor les corresponden de la segunda.

1.	el acuerdo de paz	e.	**a.**	línea divisoria	
2.	la diversidad	h.	**b.**	prosperar, progresar	
3.	la pobreza	i.	**c.**	entrar a formar parte, unirse a	
4.	la frontera	a.	**d.**	estar contento	
5.	el fin	f.	**e.**	pacto para terminar la guerra	
6.	el poder	g.	**f.**	conclusión	
7.	estar satisfecho	d.	**g.**	dominio, supremacía	
8.	integrarse	c.	**h.**	variedad	
9.	mejorar	b.	**i.**	no tener lo necesario para vivir	

12-20 En busca de una vida mejor

Describan y comenten las escenas de la página 420. Usen todo el vocabulario de la escena para hablar de:

- la familia que emigra
- la vida de la familia de inmigrantes en el nuevo país
- la reunión de las naciones del mundo y cómo piensan Uds. que deben ejercer su poder
- la escena rural de los países en desarrollo
- la pareja que busca una vida sencilla y cómo piensan Uds. que será su vida
- las personas que representan la diversidad

Niña boliviana bebiendo agua. ¿Será potable? La Asamblea General de las Naciones Unidas ha declarado el 22 de marzo el Día Mundial del Agua. Su lema[1] es: *El agua es fuente de vida.* Cada día mueren cerca de 4.000 niños por beber agua no potable.

[1]slogan

12-20 You may want to project the PowerPoint slide of the scenes. Students describe each area as indicated, adding personal input.

For additional vocabulary practice, see Power Point slides at www.wiley.com/college/lucasmurillo or visit www.wileyplus.com

12-20 PERSONALIZED QUESTIONS: ¿Conocen Uds. a personas de esta universidad/ *college* que sean inmigrantes? ¿De qué países son? ¿Hay mucha diversidad en esta universidad/ en este *college*? Expliquen.

12-21 ¿Quién lo ha hecho?   RECYCLES the present perfect.

Paso 1.   Camina por la clase y pregúntales a tus compañeros/as si han hecho lo siguiente. Apunta en el espacio en blanco el nombre de la primera persona que responda afirmativamente a la pregunta. Luego pasa a la siguiente pregunta.

12-21   Ask the class **¿Quiénes han cruzado la frontera...?** and elicit answers from several students, asking them to elaborate according to the follow-up questions.

Nombre

_____ 1. ¿Has cruzado la frontera entre EE.UU. y México? ¿Cuándo?

_____ 2. ¿Has experimentado alguna vez un «choque cultural»? ¿Cómo te sentiste?

_____ 3. ¿Has vivido en otro país? ¿En qué país? ¿Cuándo? ¿Te gustó?

_____ 4. ¿Hay personas de tu familia que sean inmigrantes? ¿De dónde son/eran?

For additional practice on this grammar point, see PowerPoint slides at www.wiley.com/college/lucasmurillo or visit www.wileyplus.com

_____ 5. Si trabajaras en el gobierno de tu país, ¿votarías por leyes a favor de los inmigrantes?

_____ 6. ¿Estás satisfecho/a con tu vida?

_____ 7. ¿Te gustaría vivir de forma más sencilla?

_____ 8. ¿Te gustaría ser voluntario/a en un país en desarrollo?

Paso 2.   Ahora, según los nombres que tienes, dile a la clase quién ha hecho las cosas indicadas.

> ### . . . y algo más
>
> Note that words such as **agua, arma, ama de casa** or **hambre**, although feminine, use the masculine article **el/un** in the singular. The same happens with any feminine word that begins with a stressed **a** or **ha**. However in plural, they use the feminine article.
>
> **el agua → las aguas**   **el arma → las armas**
>
> **el ama de casa → las amas de casa** (**el hambre** is not used in the plural)
>
> Aquí **el** agua no está **contaminada**. (*Note the feminine adjective.*)

Remind students that some cognates that end in -a, unlike those presented in the chart, are masculine: **el problema, el programa, el planeta, el sistema, el dilema,** and so on.

¡A escuchar! Los inmigrantes   CD 4 Track 18

Paso 1.   Escucha a Olivia y a Julio mientras charlan durante el almuerzo. Los dos son maestros de origen mexicano que trabajan en una escuela de Estados Unidos.

Paso 2.   Escucha de nuevo y marca las respuestas correctas.

1. Los maestros hablan de una familia hondureña que ha inmigrado a EE.UU. por motivos...
    - ☐ políticos
    - ☑ económicos

2. El huracán Mitch ocurrió en el año...
    - ☐ 1978
    - ☑ 1998

3. Después del huracán muchas personas quedaron...
    - ☑ en la pobreza
    - ☐ en la enfermedad

4. La familia ha llegado a EE.UU. en busca de...
    - ☐ sus parientes
    - ☑ una vida mejor

5. Julio dice que si él estuviera en la misma situación...
    - ☐ se quedaría en su país
    - ☑ emigraría

6. Olivia dice que en EE.UU. todos pueden prosperar si...
    - ☐ emigran
    - ☑ trabajan

7. Julio va a...
    - ☑ invitar a los nuevos vecinos de Olivia a su casa
    - ☐ invitar a Olivia a su casa

Después de la cena, Fabio acompaña a Jennifer a su casa. Hablan del futuro y...

A veces, cuando se es inmigrante, es difícil mejorar en la vida.

Claro, pero tanto tu familia como la mía han sabido integrarse perfectamente en la vida de este país.

Sí, somos muy trabajadores, contribuimos mucho, y vivimos sencillamente, pero bien.

O sea, ... que estás satisfecha con tu vida.

Sí, pero estaría más contenta si pudiera compartirla con alguien.

Jennifer, creo que es hora de que hablemos claro.

Hace tiempo que quiero decirte...

FIN

Repaso y conversación

12-22 La agenda política de los partidos

Paso 1. La clase se divide en grupos de *cuatro*; cada grupo representa un partido político. La misión de cada partido es **(a)** escoger los *tres* asuntos prioritarios de su campaña (véase la lista); **(b)** explicar por qué son prioritarios; y **(c)** mencionar las posibles soluciones. Al final, cada equipo tiene que **(d)** escoger a un/a candidato/a para presentar la campaña electoral de su partido. Un/a secretario/a de cada grupo escribe las ideas principales.

MODELO

E1: *El empleo debe ser una de las prioridades de nuestro partido.*

E2: *Estoy de acuerdo. Hay mucho desempleo en nuestro país.*

E3: *Vamos a crear más puestos de trabajo, abriendo nuevos centros de reciclaje.*

E4: *Otra prioridad debe ser...*

ASUNTOS PRIORITARIOS

- la economía
- el empleo
- el seguro médico para todos
- la inmigración
- las minorías
- la igualdad de género

- la defensa del país
- la ayuda a los países en desarrollo
- la pobreza y el hambre en el mundo
- la cooperación con... (país/es)
- el medio ambiente
- las investigaciones científicas (medicina,...)

Paso 2. Ahora, los/las candidatos/as presentan sus agendas. Luego, todos votan por el/la mejor para la presidencia.

The *¡Con brío!* comic strips have ended. Ask students to recall elements of the plot. If time allows, ask students to review all of the vignettes and write a plot summary.

NOTE! The remainder of this chapter is devoted to activities that encourage both guided conversation and free expression, most commonly springing from readings based on current topics. Students thus recycle what they have learned throughout the course.

12-23 En busca de una vida mejor

Paso 1. Lee el siguiente artículo del periódico *El Mercurio* para saber lo que están haciendo en una ciudad argentina que busca una vida mejor.

Prohibido apurarse

La pequeña localidad de Mar de las Pampas quiere ser la primera "ciudad lenta" de América Latina.

RODRIGO LARA

¿Se imagina vivir en una ciudad sin celulares ni carteles en las calles, y donde la velocidad máxima sea de 30 kilómetros por hora? Eso es lo que pretende la ciudad argentina de Mar de las Pampas.

Este pequeño balneario, a 380 kilómetros al sur de Buenos Aires, intenta conciliar lo moderno con la calidad de vida. Sus habitantes quieren que en la ciudad no se conozcan las alarmas ni las bocinas de los autos, que no haya torres de comunicación y que la policía patrulle las calles a caballo.

"Tiene que ver con darse tiempo para vivir", dice Luis Mazzoni, la cara pública del proyecto.

Vivir sin prisa

El concepto de "ciudad lenta" es primo del de "comida lenta", donde "comer no son 30 minutos, es una hora y media".

En el caso de las "ciudades lentas", la idea es promover la calidad del espacio urbano, la restauración y protección de las zonas típicas, la ecología, una atmósfera amigable y la promoción de los productos de la región.

Palabras útiles	
apurarse	*to hurry*
lento/a	*slow*
calidad de vida	*quality of life*

Paso 2. En grupos de *cuatro*, **(a)** digan cuáles son, según el artículo, las características de esta "ciudad lenta". **(b)** Digan también lo que más y lo que menos les gustaría de vivir en una ciudad así. **(c)** Para concluir, hablen de los aspectos que consideren esenciales para una "vida ideal".

12-23 Write the characteritics of the "slow city" on the board, then have students give their positive or negative reactions (or both) to each item. As students provide feedback on their concept of the "ïdeal life," a student writes those characteristics on the board. The class then talks about each, stating their priorities. Is there a class consensus?

12-24 Historia de un inmigrante que ha triunfado

Paso 1. Lee acerca de Jesse Treviño y observa su mural.

Jesse Treviño (1946–) es pintor y muralista estadounidense de origen mexicano. Estudió en el *Art Students League* en Nueva York. Perdió el brazo derecho en la guerra de Vietnam, pero volvió a pintar, y aprendió a hacerlo con la mano izquierda. Más tarde, obtuvo su Master de la Universidad de Texas. Ahora está trabajando en una obra que se dedicará a las víctimas del ataque terrorista del 11 de septiembre.

El famoso mural de Treviño, *Spirit of Healing*, se encuentra en *Santa Rosa Children's Hospital* en San Antonio, Texas. Este mural, compuesto de 150.000 azulejos[1] cortados a mano, tiene 90 pies de altura y es el mural más grande de América del Norte.

Paso 2. Conversen acerca de:

- la descripción e interpretación del mural

- lo que más les impresiona de la vida de Jesse Treviño

- dos obstáculos o retos[2] que Uds. o personas que conocen han experimentado, y lo que hicieron para superarlos[3]

Palabras útiles	
el ángel	
la paloma	*dove*

[1]tiles, [2]challenges, [3]overcome them

12-25 Para mejorar la vida de los demás[1]

Paso 1. ¿Quieres conocer a una mujer extraordinaria? Observa las fotos y lee la información.

Gloria Wheeler, hondureña casada con norteamericano, ha dedicado muchos años de su vida a ayudar a las mujeres de pueblos remotos de Honduras a encontrar una vida mejor. Les ayuda a organizarse y a solicitar la asistencia de agencias de desarrollo para obtener agua potable, mejorar sus viviendas, aprender el cultivo orgánico de la tierra y críar[2] animales (gallinas, vacas, cabras[3]) que les proporcionan comida e ingresos. Gloria también les ayuda a solicitar micro-créditos para empezar sus propios negocios.

Grupo de mujeres de Las Mercedes, Honduras. Gloria se reúne con ellas frecuentemente para ayudarlas con sus proyectos.

Paso 2. Hablen de:

- dos o tres cosas que buscan estas mujeres hondureñas para tener una «vida mejor» y compárenlas con las que Uds. buscan

- dos o tres personas que Uds. conocen que ayudan a otros a encontrar una vida mejor

- dos o tres personas que han tenido gran influencia en su vida

12-26 La comunicación: algo esencial en el mundo de hoy
RECYCLES vocabulary from chapter themes.

La clase se divide en dos grupos. El primer grupo se sienta en un círculo, y el segundo, en otro círculo alrededor del primero. Cada estudiante de un círculo se sitúa mirando a un/a estudiante del otro. Las parejas hablan durante *un minuto* del primer tema. Luego, el círculo exterior gira[4] hacia la izquierda para efectuar el cambio de parejas y cada pareja habla del siguiente tema y así, hasta hablar de todos. ¡Adelante!

1. Las personas más importantes de tu vida. Explica por qué.
   (El círculo exterior gira hacia la izquierda.)

2. Los pasatiempos y deportes que más te gustan y por qué.

3. Las comidas que más te gustan, dónde las comes y con quién.

4. De todos los trabajos que has tenido, el que te gustó más y por qué.

5. Viajes interesantes que has hecho—adónde, cuándo y con quién.

6. Un incidente interesante que ocurrió en tu vida hace unos años o recientemente.

7. Los efectos de la tecnología en tu vida—los positivos y los negativos.

8. Las prioridades que, en tu opinión, debe tener un gobierno.

[1]others, [2]raising of, [3]goats, [4]turns

12-26 If possible, move tables and desks to make room for the circles. Students may either sit on the floor, if space allows, or stand. The activity can also be carried out with students standing in two rows (A and B), facing each other. If you have an uneven number of students, take part in the activity. At the end of each conversation, the first student in row A moves to the end of the line, with the line moving up one person; students in row B remain in their positions.

¡Exprésate!, a chapter wrap-up focusing on conversation and writing (the latter with *Writing Strategies*), is included in *Apéndice 3*.

Revising Strategy

✏ *Reading aloud*

For more information about this Strategy go to p. A-21.

🎧 Tu mundo cultural

Inmigrantes en busca de una vida mejor

¿Dejarías a tu familia y a tus amigos y tu país para ir en busca de una vida mejor?

Por razones diversas, no todo el mundo encuentra siempre trabajo y condiciones de vida aceptables en su país, y para muchos, la única forma de sobrevivir es emigrar. Estados Unidos ha sido tradicionalmente el destino más frecuente de los emigrantes latinoamericanos, pero en las últimas décadas un elevado número de latinoamericanos está emigrando a España. En ambos casos, los emigrantes toman la decisión difícil y dolorosa de dejar su tierra, su cultura, su familia y sus amigos en busca de una vida mejor.

La emigración de latinoamericanos a EE.UU.

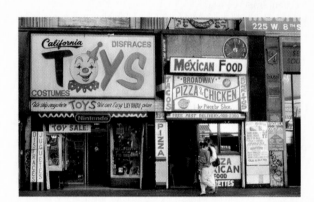

Los Ángeles, en California. Muchos latinoamericanos que emigran a Estados Unidos no están familiarizados con su lengua y su cultura. Sin embargo, la proximidad, el fácil acceso, las oportunidades de trabajo y la existencia de comunidades de sus países que ya están establecidas aquí sirven de incentivo para emigrar.

El restaurante Mi Tierra, en San Antonio, Texas. Excepto en el caso de Cuba y algún otro país, de donde emigraron principalmente por razones políticas, los latinoamericanos generalmente emigran por motivos económicos. Muchos tienen éxito y abren negocios o restaurantes que llegan a formar parte de la cultura de EE.UU. Tal es el caso del restaurante Mi Tierra, que se abrió en 1941 con tres mesas y ahora tiene capacidad para más de 500 personas.

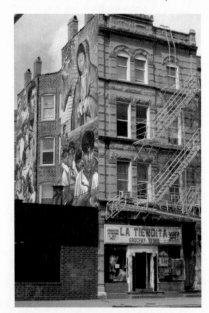

El *Mexican Fine Arts Center Museum* de Chicago. La presencia hispana en EE.UU. y la continua llegada de nuevos inmigrantes está cambiando el paisaje demográfico, la composición étnica y la cultura de EE.UU. Este museo, situado en el barrio mexicano de Pilsen, revela la importancia que están adquiriendo los hispanos en este país. Cuenta con la colección de arte mexicano más grande de EE.UU.

El barrio mexicano de Pilsen, en Chicago. Antes, los latinoamericanos comúnmente se establecían en los estados del sudoeste de Estados Unidos, en Florida y en Nueva York. En la actualidad, los estados de Carolina del Norte y Carolina del Sur, Arkansas, Georgia, Tennessee, Nevada, Alabama y el Medio Oeste son los lugares que atraen a mayor número de estos emigrantes.

La emigración de latinoamericanos a España

En el pasado, los españoles emigraron a países como México, Venezuela, Argentina y Chile en busca de fortuna o como exiliados políticos. En las últimas décadas, gracias al desarrollo económico conseguido en España y a ser miembro de la Unión Europea, el fenómeno se ha invertido[1]. La inmigración de México, República Dominicana, Colombia, Venezuela, Ecuador, Perú, Argentina y de otros países latinoamericanos es ya una realidad en España. Allí la lengua y la cultura no suponen un obstáculo para los inmigrantes, y además, tienen otros incentivos como el seguro médico para todos, un mes de vacaciones y recibir el sueldo en euros, una moneda fuerte. Muchos inmigrantes, una vez regularizada su situación en España, tienen incluso la oportunidad de trabajar en otros países de la Unión Europea. Pero aun así, ser inmigrante no siempre es fácil.

La reciente crisis económica ha afectado también a la economía española y del mismo modo que en EE.UU., muchos emigrantes han tenido que volver a sus países de origen. Sin embargo, España es ya el lugar de residencia de gran número de inmigrantes latinoamericanos y, sin duda, el futuro destino de muchos más.

La bandera española (roja, amarilla y roja) ondea[2] junto al resto de las veintisiete banderas de los países miembros de la Unión Europea.

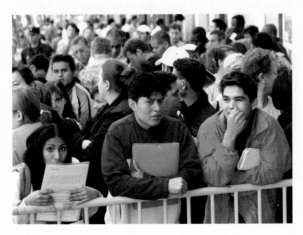

Emigrantes latinoamericanos haciendo fila en una oficina de inmigración de Madrid. La llegada de latinoamericanos a España, con su alto índice de natalidad[3], ha contribuido a mejorar la demografía española que empezaba a alcanzar niveles muy bajos. Además, como en el caso de EE.UU., los inmigrantes están contribuyendo a su economía, cambiando la composición étnica de su población e influenciando la cultura de los españoles.

¿Qué aprendiste?

1. ¿A qué lugares de EE.UU. emigraban antes los latinoamericanos y adónde lo hacen en la actualidad?

2. ¿Por qué emigran? ¿Es una decisión fácil? Explica.

3. ¿Qué incentivos ofrece EE.UU. a los inmigrantes latinoamericanos? ¿Y España?

4. ¿Cuáles son los efectos de la inmigración hispanoamericana en EE.UU. y en España?

Actividad cultural

Imagínense que Uds. tuvieran que emigrar de su país por razones políticas, religiosas o económicas. Digan a qué país emigrarían, cómo, y por qué. Mencionen los incentivos que en su opinión ofrece el país de su elección, los obstáculos y la clase de trabajo que van a encontrar allí.

Contraste cultural

En grupos de *cuatro*, hablen de los inmigrantes de su familia. Indiquen el país de procedencia, las razones por las que emigraron, los obstáculos que encontraron y su contribución a la comunidad.

[1]reversed, [2]waves, [3]**índice...** birth rate

🎞 Tu mundo en vivo

¡Video en acción!

12.1 La contaminación: no todo está perdido

Have the students read the items listed before watching the video.

1. **Antes de ver el video**

   En tu opinión, ¿cuáles son las causas de la contaminación del aire en la Ciudad de México?

2. **Mientras ves el video** Marca los dos factores que, según el video, contribuyen al problema de la contaminación del aire.

   __X__ los vehículos   ____ las plantas nucleares

   ____ la industria   ____ la latitud de la ciudad

   __X__ la situación geográfica de la ciudad

3. **Míralo otra vez** Haz un círculo alrededor de la respuesta correcta.

   1. Hay alrededor de *un millón* / *cuatro millones* de vehículos registrados en la Ciudad de México.

   2. Hace 50 años, se podía ver hasta más de *100* / *200* kilómetros de distancia.

   3. Ahora se puede ver como máximo hasta *1.5* / *10.5* kilómetros de distancia.

   4. Cada *seis* / *nueve* meses, los vehículos son revisados para verificar su nivel de emisiones.

   5. Los vehículos con un *cero* / *uno* en la calcomanía[1] no pueden manejar un día de la semana.

4. **Comenta con la clase**

   a. ¿Qué medidas se están tomando en la Ciudad de México para reducir la contaminación del aire?

   b. ¿Qué medida recomienda el ingeniero civil entrevistado?

12.2 Inmigrantes: aprende de ellos

1. **Antes de ver el video**

   a. ¿Conoces a alguien de Latinoamérica que haya dejado su país para vivir en EE.UU.? ¿Por qué se fue de su país?

   b. ¿Cuáles son algunas de las razones por las que muchos emigran?

Have the students read the quotes before watching the video.

2. **Mientras ves el video** Relaciona las fotos con lo que dice cada persona.

A   B   C   D   E

   __C__ «Aquí tú puedes conseguir un buen trabajo independientemente de la edad que tengas.»

   __B__ «Me siento feliz porque mis hermanos... pudieron terminar sus carreras.»

   __E__ «En un momento pensé que yo tenía muchas cosas que compartir.»

   __A__ «Había bombas por todas partes. Ponían bombas en los centros comerciales.»

   __D__ «Me fue súper difícil integrarme porque dejé a hartos[2] amigos, familia, y actividades.»

3. **Comenta con la clase**

   Comenta las razones por las que emigraron las personas entrevistadas y comparte tus impresiones.

[1]sticker, [2]many *also* muchos

¡Lectura en acción!

¡Los inmigrantes también pueden votar!

En las elecciones de noviembre de 2006, se distribuyó el siguiente aviso en California.

Paso 1. Antes de leer el aviso, contesta las siguientes preguntas.

1. ¿Quiénes crees que pueden votar en Estados Unidos? ¿Quiénes piensas que no?

2. ¿Por qué es importante que todos los votantes cualificados puedan votar?

3. En el pasado, en Estados Unidos, ¿qué grupos de ciudadanos no tuvieron derecho al voto?

As an expansion activity to *Paso 1*, you may wish to ask your students to discuss the following question: **Si un grupo de ciudadanos no pudiera votar, ¿qué consecuencias tendría?**

Usted puede inscribirse para votar si:

- Es ciudadano de los Estados Unidos, aún si **es ciudadano naturalizado**
- Es residente de California
- Tiene por lo menos 18 años de edad el día o antes del día de las próximas elecciones (el 7 de noviembre de 2006)
- No está encarcelado o en libertad condicional por condena de un delito grave
- No ha sido declarado discapacitado mental por una acción judicial

El último día para inscribirse para votar en las elecciones de todo el estado del 7 de noviembre de 2006 es el lunes, 23 de octubre de 2006. Su formulario tiene que estar firmado, fechado y con matasellos de esa fecha o de una fecha anterior.

Debe obtener un formulario en www.ocvote.com, en la oficina de correos, en la biblioteca local o en la oficina local de elecciones del condado con dirección en:

Registrar of Voters
1300 South Grande Ave, Bldg C
Santa Ana, CA 92705
(714) 567-7600
(714) 567-7556 Fax
De 8:00 a 5:00

Esta información oficial es del gobierno de California y de los Estados Unidos.
¡No crea la mentira de que ningún inmigrante puede votar!

Reading Strategy

Inferring meaning from a text

Making logical guesses based on the information presented in a reading in combination with your prior knowledge about a given subject are two helpful strategies when trying to "read between the lines" to infer meaning from a passage.

Paso 2. Lee el aviso y responde a las siguientes preguntas para ver si entendiste la información más importante.

1. Según el aviso, ¿quiénes pueden inscribirse para votar? ¿Quiénes no?

2. ¿Es posible inscribirse para votar el mismo día de las elecciones? Explica.

3. ¿El formulario para inscribirse solamente se puede conseguir en Internet? Explica.

Paso 3. Ahora, piensa en lo que sabes acerca de la importancia del voto en este país y en la controversia actual sobre la inmigración. Antes de contestar las siguientes preguntas, piensa en la información que obtuviste en el aviso.

1. ¿Quién distribuyó el aviso? ¿Qué información te ayudó a dar con la respuesta?

2. ¿Por qué piensas que se distribuyó?

After your students have answered the questions in *Paso 3*, you may wish to share some of the following background information with them. This flyer was distributed prior to the final registration date before the November, 2006 elections. Its purpose was to clarify the misinformation that was distributed in a letter sent, in Spanish, to thousands of registered voters with Spanish surnames in Orange County, California. The original letter claimed that no immigrants could vote, and that to vote unlawfully was a deportable offense.

ʕ Vocabulario: Capítulo 12

Escena 1

La naturaleza *Nature*
la cascada/ catarata *waterfall*
la cordillera *mountain range*
el desierto *desert*
el paisaje *landscape*
la planta tropical *tropical plant*
la selva *jungle*
el volcán *volcano*

En el aeropuerto *At the airport*
la aduana *customs*
la aerolínea *airline*
el/la pasajero/a *passenger*
la puerta de embarque *boarding gate*
la tarjeta de embarque *boarding pass*
el vuelo *flight*

En el avión *On the plane*
el asiento *seat*
 de pasillo *aisle...*
 de ventanilla *window...*
el auxiliar de vuelo *flight attendant (male)*
la azafata *flight attendant (female)*
el/la piloto *pilot*

En el hotel *At the hotel*
el aire acondicionado *air conditioning*
el ascensor *elevator*
el botones *bellhop*
la calefacción *heating*
la habitación doble/ sencilla *double/ single room*
la piscina *swimming pool*
el servicio de habitación *room service*

Para la cama *For the bed*
la almohada *pillow*
la cobija *blanket*
la sábana *sheet*

Verbos y expresiones verbales *Verbs and verbal expressions*
conseguir (i, i) *to get, obtain*
hacer la maleta *to pack*
facturar el equipaje *to check the luggage/ baggage*
perder el avión *to miss the plane*
registrarse *to check in*
reservar *to reserve*
sacar el pasaporte *to get a passport*
volar (ue) *to fly*

Escena 2

La ciencia y la tecnología *Science and technology*
el (carro) híbrido *hybrid (car)*
la contaminación *pollution*
la destrucción de la capa de ozono *destruction of the ozone layer*
la energía eólica (del viento) *aeolic (wind) energy*
la energía solar *solar energy*
la exploración espacial *space exploration*
el invento *invention*
la investigación *research*
el medio ambiente *environment*
la nave espacial *spaceship*
la prensa *press*
el/la radio por satélite *satellite radio*
la Tierra *Earth*
la ventaja/ la desventaja *advantage/ disadvantage*

Preposición *Preposition*
alrededor de *around*

Verbos y expresiones verbales *Verbs and verbal expressions*
comunicarse *to communicate*
diagnosticar *to diagnose*
evitar (enfermedades) *to avoid (illnesses)*
prevenir *to prevent*
prolongar la vida *to prolong life*
proteger *to protect*

Escena 3

En busca de una vida mejor *In search of a better life*
el acuerdo de paz *peace treaty*
el agua potable *potable water*
la diversidad *diversity*
el/la emigrante *emigrant*
el fin *end*
la frontera *border*
el gobierno *government*
el hambre *hunger*
el/la inmigrante *immigrant*
la oportunidad *opportunity*
el país en desarrollo *developing country*
la pobreza *poverty*
el poder *power*

el producto orgánico *organic produce*
la vida sencilla *simple life*

Verbos y expresiones verbales *Verbs and verbal expressions*
contribuir *to contribute*
cultivar *to grow (produce)*
eliminar *to eliminate*
emigrar *to emigrate*
estar satisfecho/a *to be satisfied*
inmigrar *to immigrate*
integrarse a/en *to adjust, integrate oneself*
mejorar *to improve*
prosperar *to prosper*
proveer *to provide*

Autoprueba y repaso: Capítulo 12

Escena 1
De viaje por el mundo hispano

A. Combina las palabras y expresiones de la primera columna con las que mejor les corresponden de la segunda. No se repiten respuestas.

__ 1.	la naturaleza	**a.** la erupción
__ 2.	la cordillera	**b.** el paisaje
__ 3.	el desierto	**c.** la serpiente
__ 4.	el volcán	**d.** las montañas
__ 5.	la cascada	**e.** las flores
__ 6.	la selva	**f.** la arena
__ 7.	las plantas tropicales	**g.** el agua

B. Completa las oraciones con las palabras apropiadas del vocabulario.
   1. Antes de hacer un viaje al extranjero hay que sacar los pasaportes y _____ los boletos.
   2. Antes de hacer un viaje, empacamos o hacemos ___ _____.
   3. Al llegar al aeropuerto, y antes de embarcar, tenemos que _____ el _____.
   4. Si llegamos tarde, podemos perder ___ _____.
   5. Antes de pasar por la puerta de embarque, hay que mostrarle a la empleada de la aerolínea la _____ de _____.
   6. En el avión, después de sentarse en el asiento, hay que _____ el cinturón de seguridad.
   7. La azafata y el auxiliar de vuelo ayudan a los _____ y sirven la comida.
   8. Cuando llegamos a otro país, tenemos que pasar por la _____ antes de salir del aeropuerto.

C. Completa las oraciones con las palabras apropiadas del vocabulario perteneciente al hotel.
   1. Los turistas ___ _____ al llegar al hotel.
   2. Si es una persona sola, pide una habitación _____; si son dos, piden una habitación _____.
   3. En los hoteles, normalmente se cambian las _____ de las camas todos los días.
   4. Las camas dobles tienen dos _____ para poner la cabeza.
   5. En invierno y cuando hace frío, hay una o más _____ de lana en cada cama.
   6. Las habitaciones tienen _____ para cuando hace frío y ___ _____ para cuando hace calor.
   7. Cuando queremos nadar, vamos a la _____ del hotel.
   8. Generalmente, usamos el _____ para subir a los pisos de un hotel.

I. The conditional

D. Indica lo que harían las siguientes personas con un millón de dólares. Usa el verbo de la lista que corresponde.

comprar	**donar**	**gastar**	**hacer**
invertir	**ir**	**poner**	

   1. Carlos ___*compraría*___ una casa en San Diego.
   2. Nosotros _____ un viaje.
   3. Los Ruiz _____ todo el dinero en la Bolsa.
   4. Tú _____ la mayor parte del dinero en una casa nueva.
   5. Yo _____ el dinero en el banco.
   6. Sandra _____ a América del Sur.
   7. Felicia y Ronaldo _____ la mayoría a los pobres.

En resumen

Contesta las preguntas con oraciones completas.
   1. ¿Te gusta volar? ¿Por qué sí o por qué no?
   2. ¿Has ido en avión a algún lugar recientemente? ¿Adónde?
   3. ¿Pasarías las vacaciones en una selva tropical? ¿Por qué sí o por qué no?
   4. ¿Te gustaría ver un volcán activo de cerca? ¿Qué otras aventuras te gustaría tener?
   5. ¿Qué clase de hotel prefieres cuando estás de vacaciones? ¿Y qué clase de habitación?

Escena 2
La ciencia y la tecnología

E. Combina las palabras y expresiones de la primera columna con las que mejor les corresponden de la segunda.

__ 1.	evitar	**a.** el viento
__ 2.	prolongar	**b.** el medio ambiente
__ 3.	encontrar síntomas	**c.** la prensa
__ 4.	la energía eólica	**d.** prevenir
__ 5.	la energía solar	**e.** diagnosticar
__ 6.	la investigación	**f.** el invento
__ 7.	la contaminación	**g.** la exploración
__ 8.	la nave espacial	**h.** el sol
__ 9.	el periódico	**i.** más tiempo

II The imperfect subjunctive

F. La vida de Eulalia era complicada. Para describirla, completa cada oración con un verbo distinto de la lista. Escribe el verbo en el imperfecto de subjuntivo.

decir	estar	hacer	deber
saber	ser	tener	

1. Mi esposo quería que él y yo ___hiciéramos___ un viaje a China.
2. Mi jefe insistía en que yo _____ puntual.
3. Mi tía dudaba que mi perro _____ bien entrenado.
4. Mis colegas decían que todos nosotros _____ pedir un aumento de sueldo.
5. Mi hija prefería que yo no le _____ a mi esposo que ella fumaba.
6. A mi hijo no le gustaba que mi esposo y yo _____ dónde estaba.
7. ¡Ojalá que yo _____ una vida menos complicada!

G. Di lo que ocurriría en las siguientes situaciones hipotéticas. Primero, pon el verbo entre paréntesis en imperfecto de subjuntivo, y luego, completa la oración con a-g, como mejor corresponda.

1. Si todos los países (*proteger*) _protegieran_ el medio ambiente, ... *d.*
2. Si todos los países (*usar*) _____ energías renovables, ...
3. Si los científicos (*poder*) _____ prevenir las enfermedades, ...
4. Si (*haber*) _____ una cura para el cáncer, ...
5. Si yo (*ser*) _____ astronauta, ...
6. Si yo (*hacer*) _____ un viaje espacial alrededor de la Tierra, ...
7. Si yo (*tener*) _____ un radio por satélite, ...

   a. vería todos los continentes y océanos del mundo.
   b. escucharía las noticias de todo el mundo.
   c. sus ciudadanos no necesitarían tanta gasolina.
   d. se preservaría el planeta para las generaciones futuras.
   e. mucha gente podría prolongar la vida.
   f. menos personas morirían de la enfermedad.
   g. iría a la Luna en una nave espacial.

En resumen

Contesta las preguntas con oraciones completas.

1. Cuando vivías con tu familia, ¿qué querías que tus padres hicieran para hacerte feliz?
2. ¿Qué cosas *no* querían tus padres que hicieras tú?
3. ¿Le gusta a tu familia la idea de usar energía renovable? ¿Cuáles crees que usarás tú en el futuro?

4. ¿Cuáles de los inventos tecnológicos más recientes son ahora indispensables en tu vida?
5. ¿Cómo te informas de lo que pasa en el mundo?
6. Si en el futuro se pudiera prevenir enfermedades y prolongar la vida, ¿cuál sería una ventaja y una desventaja?
7. Si en el futuro fuera posible hacer viajes espaciales turísticos, ¿los harías? Explica por qué.

Escena 3
En busca de una vida mejor

H. Completa las oraciones con las palabras apropiadas del vocabulario.

1. Muchas personas cruzan la _____ para emigrar a otro país.
2. Emigran en busca de oportunidades de trabajo, y para _____ su vida.
3. Algunos se _____ a la vida estadounidense, prosperan, y están _____ con su nueva vida. Para otros, es más difícil.
4. En EE.UU. hay inmigrantes de todo el mundo, y esto contribuye a ___ _____.
5. ¿Es posible la cooperación entre los _____ de las naciones del mundo?
6. Al terminar la guerra, los líderes de las naciones firman un _____ de _____.
7. Algunos gobiernos tienen mucho _____, y por eso controlan a otros países.
8. Es importante ayudar a los países en desarrollo a eliminar el _____ y la _____.

En resumen

Contesta las preguntas con oraciones completas.

1. Si fueras inmigrante, ¿qué harías primero al llegar al nuevo país? ¿Y después?
2. ¿Conoces a algún inmigrante? ¿Se ha integrado? ¿Ha prosperado? Explica.
3. ¿Están todas las personas de tu familia satisfechas con la vida que tienen? Explica.
4. Si en este momento tuvieras el poder de hacer algo por la humanidad, ¿qué harías?
5. ¿Y cuál sería un sueño que te gustaría realizar o algo que harías para mejorar tu vida?

Answers to the *Autoprueba y repaso* are found in **Apéndice 2.**

Additional **Autopruebas** online

Apéndice 1: Verbos

Regular Verbs: Simple Tenses

Infinitive Present Participle Past Participle	Indicative					Subjunctive		Imperative (commands)
	Present	Imperfect	Preterit	Future	Conditional	Present	Imperfect	
hablar *to speak* hablando hablado	hablo hablas habla hablamos habláis hablan	hablaba hablabas hablaba hablábamos hablabais hablaban	hablé hablaste habló hablamos hablasteis hablaron	hablaré hablarás hablará hablaremos hablaréis hablarán	hablaría hablarías hablaría hablaríamos hablaríais hablarían	hable hables hable hablemos habléis hablen	hablara hablaras hablara habláramos hablarais hablaran	habla tú no hables hable Ud. hablen Uds. hablemos hablad no habléis
comer *to eat* comiendo comido	como comes come comemos coméis comen	comía comías comía comíamos comíais comían	comí comiste comió comimos comisteis comieron	comeré comerás comerá comeremos comeréis comerán	comería comerías comería comeríamos comeríais comerían	coma comas coma comamos comáis coman	comiera comieras comiera comiéramos comierais comieran	come tú no comas coma Ud. coman Uds. comamos comed no comáis
vivir *to live* viviendo vivido	vivo vives vive vivimos vivís viven	vivía vivías vivía vivíamos vivíais vivían	viví viviste vivió vivimos vivisteis vivieron	viviré vivirás vivirá viviremos viviréis vivirán	viviría vivirías viviría viviríamos viviríais vivirían	viva vivas viva vivamos viváis vivan	viviera vivieras viviera viviéramos vivierais vivieran	vive tú no vivas viva Ud. vivan Uds. vivamos vivid no viváis

Regular Verbs: Perfect Tenses

Indicative								Subjunctive			
Present Perfect		Past Perfect		Future Perfect		Conditional Perfect		Present Perfect		Past Perfect	
he has ha hemos habéis han	hablado comido vivido	había habías había habíamos habíais habían	hablado comido vivido	habré habrás habrá habremos habréis habrán	hablado comido vivido	habría habrías habría habríamos habríais habrían	hablado comido vivido	haya hayas haya hayamos hayáis hayan	hablado comido vivido	hubiera hubieras hubiera hubiéramos hubierais hubieran	hablado comido vivido

Stem-changing -ar and -er Verbs: e → ie; o → ue

Infinitive / Present Participle / Past Participle	Indicative					Subjunctive		Imperative (commands)
	Present	Imperfect	Preterit	Future	Conditional	Present	Imperfect	
pensar (ie) *to think* pensando pensado	**pienso** **piensas** **piensa** pensamos pensáis **piensan**	pensaba pensabas pensaba pensábamos pensabais pensaban	pensé pensaste pensó pensamos pensasteis pensaron	pensaré pensarás pensará pensaremos pensaréis pensarán	pensaría pensarías pensaría pensaríamos pensaríais pensarían	**piense** **pienses** **piense** pensemos penséis **piensen**	pensara pensaras pensara pensáramos pensarais pensaran	**piensa** tú no **pienses** **piense** Ud. **piensen** Uds. pensemos pensad no penséis
volver (ue) *to return* volviendo vuelto (irreg.)	**vuelvo** **vuelves** **vuelve** volvemos volvéis **vuelven**	volvía volvías volvía volvíamos volvíais volvían	volví volviste volvió volvimos volvisteis volvieron	volveré volverás volverá volveremos volveréis volverán	volvería volverías volvería volveríamos volveríais volverían	**vuelva** **vuelvas** **vuelva** volvamos volváis **vuelvan**	volviera volvieras volviera volviéramos volvierais volvieran	**vuelve** tú no **vuelvas** **vuelva** Ud. **vuelvan** Uds. volvamos volved no volváis

Other verbs of this type are:

e → ie: **atender, cerrar, despertarse, empezar, entender, nevar, pensar, perder, preferir, querer, recomendar, regar, sentarse**

o → ue: **acordarse de, acostarse, almorzar, colgar, costar, encontrar, jugar, mostrar, poder, probar, recordar, resolver, sonar, volar, volver**

Stem-changing -ir Verbs: e → ie, i; e → i, i; o → ue, u

Infinitive / Present Participle / Past Participle	Indicative					Subjunctive		Imperative (commands)
	Present	Imperfect	Preterit	Future	Conditional	Present	Imperfect	
sentir (ie, i) *to feel, regret* **sintiendo** sentido	**siento** **sientes** **siente** sentimos sentís **sienten**	sentía sentías sentía sentíamos sentíais sentían	sentí sentiste **sintió** sentimos sentisteis **sintieron**	sentiré sentirás sentirá sentiremos sentiréis sentirán	sentiría sentirías sentiría sentiríamos sentiríais sentirían	**sienta** **sientas** **sienta** **sintamos** **sintáis** **sientan**	**sintiera** **sintieras** **sintiera** **sintiéramos** **sintierais** **sintieran**	**siente** tú no **sientas** **sienta** Ud. **sientan** Uds. **sintamos** sentid no **sintáis**
pedir (i, i) *to ask (for)* **pidiendo** pedido	**pido** **pides** **pide** pedimos pedís **piden**	pedía pedías pedía pedíamos pedíais pedían	pedí pediste **pidió** pedimos pedisteis **pidieron**	pediré pedirás pedirá pediremos pediréis pedirán	pediría pedirías pediría pediríamos pediríais pedirían	**pida** **pidas** **pida** **pidamos** **pidáis** **pidan**	**pidiera** **pidieras** **pidiera** **pidiéramos** **pidierais** **pidieran**	**pide** tú no **pidas** **pida** Ud. **pidan** Uds. **pidamos** pedid no **pidáis**
dormir (ue, u) *to sleep* **durmiendo** dormido	**duermo** **duermes** **duerme** dormimos dormís **duermen**	dormía dormías dormía dormíamos dormíais dormían	dormí dormiste **durmió** dormimos dormisteis **durmieron**	dormiré dormirás dormirá dormiremos dormiréis dormirán	dormiría dormirías dormiría dormiríamos dormiríais dormirían	**duerma** **duermas** **duerma** **durmamos** **durmáis** **duerman**	**durmiera** **durmieras** **durmiera** **durmiéramos** **durimierais** **durmieran**	**duerme** tú no **duermas** **duerma** Ud. **duerman** Uds. **durmamos** dormid no **durmáis**

Other verbs of this type are:

e → ie, i: **divertirse, invertir, preferir, sentirse**

e → i, i: **conseguir, despedirse de, reírse, repetir, seguir, servir, teñirse, vestirse**

o → ue, u: **morir(se)**

Verbs with Spelling Changes

1. c → qu: tocar (model); also buscar, explicar, pescar, sacar

Infinitive Present Participle Past Participle	Indicative Present	Indicative Imperfect	Indicative Preterit	Indicative Future	Conditional	Subjunctive Present	Subjunctive Imperfect	Imperative (commands)
tocar to play (musical instrument), touch tocando tocado	toco tocas toca tocamos tocáis tocan	tocaba tocabas tocaba tocábamos tocabais tocaban	**toqué** tocaste tocó tocamos tocasteis tocaron	tocaré tocarás tocará tocaremos tocaréis tocarán	tocaría tocarías tocaría tocaríamos tocaríais tocarian	**toque** **toques** **toque** **toquemos** **toquéis** **toquen**	tocara tocaras tocara tocáramos tocarais tocaran	toca tú no **toques** **toque** Ud. **toquen** Uds. **toquemos** tocad no **toquéis**

2. z → c: abrazar; also almorzar, cruzar, empezar (ie)

	Present	Imperfect	Preterit	Future	Conditional	Present	Imperfect	
abrazar to hug abrazando abrazado	abrazo abrazas abraza abrazamos abrazáis abrazan	abrazaba abrazabas abrazaba abrazábamos abrazabais abrazaban	**abracé** abrazaste abrazó abrazamos abrazasteis abrazaron	abrazaré abrazarás abrazará abrazaremos abrazaréis abrazarán	abrazaría abrazarías abrazaría abrazaríamos abrazaríais abrazarían	**abrace** **abraces** **abrace** **abracemos** **abracéis** **abracen**	abrazara abrazaras abrazara abrazáramos abrazarais abrazaran	abraza tú no **abraces** **abrace** Ud. **abracen** Uds. **abracemos** abrazad no **abracéis**

3. g → gu: pagar; also apagar; jugar (ue), llegar

	Present	Imperfect	Preterit	Future	Conditional	Present	Imperfect	
pagar to pay (for) pagando pagado	pago pagas paga pagamos pagáis pagan	pagaba pagabas pagaba pagábamos pagabais pagaban	**pagué** pagaste pagó pagamos pagasteis pagaron	pagaré pagarás pagará pagaremos pagaréis pagarán	pagaría pagarías pagaría pagaríamos pagaríais pagarían	**pague** **pagues** **pague** **paguemos** **paguéis** **paguen**	pagara pagaras pagara pagáramos pagarais pagaran	paga tú no **pagues** **pague** Ud. **paguen** Uds. **paguemos** pagad no **paguéis**

4. gu → g: seguir (i, i); also conseguir

	Present	Imperfect	Preterit	Future	Conditional	Present	Imperfect	
seguir (i, i) to follow siguiendo seguido	**sigo** sigues sigue seguimos seguís siguen	seguía seguías seguía seguíamos seguíais seguían	seguí seguiste siguió seguimos seguisteis siguieron	seguiré seguirás seguirá seguiremos seguiréis seguirán	seguiría seguirías seguiría seguiríamos seguiríais seguirían	**siga** **sigas** **siga** **sigamos** **sigáis** **sigan**	siguiera siguieras siguiera siguiéramos siguierais siguieran	sigue tú no **sigas** **siga** Ud. **sigan** Uds. **sigamos** seguid no **sigáis**

5. g → j: recoger; also escoger, proteger

recoger *to pick up* **recogiendo** recogido	Present	Imperfect	Preterit	Future	Conditional	Present	Imperfect	Imperative
	recojo	recogía	recogí	recogeré	recogería	**recoja**	recogiera	
	recoges	recogías	recogiste	recogerás	recogerías	**recojas**	recogieras	recoge tú
	recoge	recogía	recogió	recogerá	recogería	**recoja**	recogiera	no **recojas**
	recogemos	recogíamos	recogimos	recogeremos	recogeríamos	**recojamos**	recogiéramos	**recoja** Ud.
	recogéis	recogíais	recogisteis	recogeréis	recogeríais	**recojáis**	recogierais	**recojan** Uds.
	recogen	recogían	recogieron	recogerán	recogerían	**recojan**	recogieran	**recojamos**
								recoged
								no **recojáis**

6. i → y: leer; also caer, oír. Verbs with additional i → y changes: construir; also destruir, contribuir

leer *to read* **leyendo** leído	Present	Imperfect	Preterit	Future	Conditional	Present	Imperfect	Imperative
	leo	leía	leí	leeré	leería	lea	**leyera**	
	lees	leías	leíste	leerás	leerías	leas	**leyeras**	lee tú
	lee	leía	**leyó**	leerá	leería	lea	**leyera**	no leas
	leemos	leíamos	leímos	leeremos	leeríamos	leamos	**leyéramos**	lea Ud.
	leéis	leíais	leísteis	leeréis	leeríais	leáis	**leyerais**	lean Uds.
	leen	leían	**leyeron**	leerán	leerían	lean	**leyeran**	leamos
								leed
								no leáis

construir *to construct,* *build* **construyendo** construido	Present	Imperfect	Preterit	Future	Conditional	Present	Imperfect	Imperative
	construyo	construía	construí	construiré	construiría	**construya**	**construyera**	
	construyes	construías	construiste	construirás	construirías	**construyas**	**construyeras**	**construye** tú
	construye	construía	**construyó**	construirá	construiría	**construya**	**construyera**	no **construyas**
	construimos	construíamos	construimos	construiremos	construiríamos	**construyamos**	**construyéramos**	**construya** Ud.
	construís	construíais	construisteis	construiréis	construiríais	**construyáis**	**construyerais**	**construyan** Uds.
	construyen	construían	**construyeron**	construirán	construirían	**construyan**	**construyeran**	**construyamos**
								construid
								no **construyáis**

Irregular Verbs

Infinitive Present Participle Past Participle	Indicative					Subjunctive		Imperative
	Present	Imperfect	Preterit	Future	Conditional	Present	Imperfect	
caer *to fall* **cayendo** caído	**caigo**	caía	caí	caeré	caería	caiga	cayera	
	caes	caías	caíste	caerás	caerías	caigas	cayeras	cae tú
	cae	caía	**cayó**	caerá	caería	caiga	cayera	no caigas
	caemos	caíamos	caímos	caeremos	caeríamos	caigamos	cayéramos	caiga Ud.
	caéis	caíais	caísteis	caeréis	caeríais	caigáis	cayerais	caigan
	caen	caían	**cayeron**	caerán	caerían	caigan	cayeran	Uds.
								caigamos
								caed
								no caigáis

conocer (to know, to be acquainted with) / conociendo / conocido

Present	Imperfect	Preterite	Future	Conditional	Present Subjunctive	Past Subjunctive	Commands
conozco	conocía	conocí	conoceré	conocería	conozca	conociera	
conoces	conocías	conociste	conocerás	conocerías	conozcas	conocieras	conoce tú
conoce	conocía	conoció	conocerá	conocería	conozca	conociera	no conozcas
conocemos	conocíamos	conocimos	conoceremos	conoceríamos	conozcamos	conociéramos	conozca Ud.
conocéis	conocíais	conocisteis	conoceréis	conoceríais	conozcáis	conocierais	conozcan Uds.
conocen	conocían	conocieron	conocerán	conocerían	conozcan	conocieran	conozcamos
							conoced
							no conozcáis

dar (to give) / dando / dado

Present	Imperfect	Preterite	Future	Conditional	Present Subjunctive	Past Subjunctive	Commands
doy	daba	di	daré	daría	dé	diera	
das	dabas	diste	darás	darías	des	dieras	da tú
da	daba	dio	dará	daría	dé	diera	no des
damos	dábamos	dimos	daremos	daríamos	demos	diéramos	dé Ud.
dais	dabais	disteis	daréis	daríais	deis	dierais	den Uds.
dan	daban	dieron	darán	darían	den	dieran	demos
							dad
							no déis

decir (to say, tell) / diciendo / dicho

Present	Imperfect	Preterite	Future	Conditional	Present Subjunctive	Past Subjunctive	Commands
digo	decía	dije	diré	diría	diga	dijera	
dices	decías	dijiste	dirás	dirías	digas	dijeras	di tú
dice	decía	dijo	dirá	diría	diga	dijera	no digas
decimos	decíamos	dijimos	diremos	diríamos	digamos	dijéramos	diga Ud.
decís	decíais	dijisteis	diréis	diríais	digáis	dijerais	digan Uds.
dicen	decían	dijeron	dirán	dirían	digan	dijeran	digamos
							decid
							no digáis

estar (to be) / estando / estado

Present	Imperfect	Preterite	Future	Conditional	Present Subjunctive	Past Subjunctive	Commands
estoy	estaba	estuve	estaré	estaría	esté	estuviera	
estás	estabas	estuviste	estarás	estarías	estés	estuvieras	esté tú
está	estaba	estuvo	estará	estaría	esté	estuviera	no estés
estamos	estábamos	estuvimos	estaremos	estaríamos	estemos	estuviéramos	esté Ud.
estáis	estabais	estuvisteis	estaréis	estaríais	estéis	estuvierais	estén Uds.
están	estaban	estuvieron	estarán	estarían	estén	estuvieran	estemos
							estad
							no estéis

haber (to have) / habiendo / habido

Present	Imperfect	Preterite	Future	Conditional	Present Subjunctive	Past Subjunctive	Commands
he	había	hube	habré	habría	haya	hubiera	
has	habías	hubiste	habrás	habrías	hayas	hubieras	
ha	había	hubo	habrá	habría	haya	hubiera	
hemos	habíamos	hubimos	habremos	habríamos	hayamos	hubiéramos	
habéis	habíais	hubisteis	habréis	habríais	hayáis	hubierais	
han	habían	hubieron	habrán	habrían	hayan	hubieran	

hacer (to do, make) / haciendo / hecho

Present	Imperfect	Preterite	Future	Conditional	Present Subjunctive	Past Subjunctive	Commands
hago	hacía	hice	haré	haría	haga	hiciera	
haces	hacías	hiciste	harás	harías	hagas	hicieras	haz tú
hace	hacía	hizo	hará	haría	haga	hiciera	no hagas
hacemos	hacíamos	hicimos	haremos	haríamos	hagamos	hiciéramos	haga Ud.
hacéis	hacíais	hicisteis	haréis	haríais	hagáis	hicierais	hagan Uds.
hacen	hacían	hicieron	harán	harían	hagan	hicieran	hagamos
							haced
							no hagáis

Infinitive Present Participle Past Participle	Present	Imperfect	Preterite	Future	Conditional	Present Subjunctive	Imperfect Subjunctive	Commands
ir *to go* yendo ido	voy vas va vamos vais van	iba ibas iba íbamos ibais iban	fui fuiste fue fuimos fuisteis fueron	iré irás irá iremos iréis irán	iría irías iría iríamos iríais irían	vaya vayas vaya vayamos vayáis vayan	fuera fueras fuera fuéramos fuerais fueran	ve tú, no vayas vaya Ud. vayan Uds. vayamos id, no vayáis
oír *to hear* oyendo oído	oigo oyes oye oímos oís oyen	oía oías oía oíamos oíais oían	oí oíste oyó oímos oísteis oyeron	oiré oirás oirá oiremos oiréis oirán	oiría oirías oiría oiríamos oiríais oirían	oiga oigas oiga oigamos oigáis oigan	oyera oyeras oyera oyéramos oyerais oyeran	oye tú, no oigas oiga Ud. oigan Uds. oigamos oíd, no oigáis
poder (ue) *to be able, can* pudiendo podido	puedo puedes puede podemos podéis pueden	podía podías podía podíamos podíais podían	pude pudiste pudo pudimos pudisteis pudieron	podré podrás podrá podremos podréis podrán	podría podrías podría podríamos podríais podrían	pueda puedas pueda podamos podáis puedan	pudiera pudieras pudiera pudiéramos pudierais pudieran	
poner *to put, place* poniendo puesto	pongo pones pone ponemos ponéis ponen	ponía ponías ponía poníamos poníais ponían	puse pusiste puso pusimos pusisteis pusieron	pondré pondrás pondrá pondremos pondréis pondrán	pondría pondrías pondría pondríamos pondríais pondrían	ponga pongas ponga pongamos pongáis pongan	pusiera pusieras pusiera pusiéramos pusierais pusieran	pon tú, no pongas ponga Ud. pongan Uds. pongamos poned, no pongáis
querer (ie) *to wish, want, love* queriendo querido	quiero quieres quiere queremos queréis quieren	quería querías quería queríamos queríais querían	quise quisiste quiso quisimos quisisteis quisieron	querré querrás querrá querremos querréis querrán	querría querrías querría querríamos querríais querrían	quiera quieras quiera queramos queráis quieran	quisiera quisieras quisiera quisiéramos quisierais quisieran	quiere tú, no quieras quiera Ud. quieran Uds. queramos quered, no queráis

Infinitive / Present Participle / Past Participle	Present	Imperfect	Preterite	Future	Conditional	Present Subjunctive	Imperfect Subjunctive	Commands
saber *to know* sabiendo sabido	sé sabes sabe sabemos sabéis saben	sabía sabías sabía sabíamos sabíais sabían	supe supiste supo supimos supisteis supieron	sabré sabrás sabrá sabremos sabréis sabrán	sabría sabrías sabría sabríamos sabríais sabrían	sepa sepas sepa sepamos sepáis sepan	supiera supieras supiera supiéramos supierais supieran	sabe tú, no sepas sepa Ud. sepan Uds. sepamos sabed, no sepáis
salir *to leave, go out* saliendo salido	salgo sales sale salimos salís salen	salía salías salía salíamos salíais salían	salí saliste salió salimos salisteis salieron	saldré saldrás saldrá saldremos saldréis saldrán	saldría saldrías saldría saldríamos saldríais saldrían	salga salgas salga salgamos salgáis salgan	saliera salieras saliera saliéramos salierais salieran	sal tú, no salgas salga Ud. salgan Uds. salgamos salid, no salgáis
ser *to be* siendo sido	soy eres es somos sois son	era eras era éramos erais eran	fui fuiste fue fuimos fuisteis fueron	seré serás será seremos seréis serán	sería serías sería seríamos seríais serían	sea seas sea seamos seáis sean	fuera fueras fuera fuéramos fuerais fueran	sé tú, no seas sea Ud. sean Uds. seamos sed, no seáis
tener *to have* teniendo tenido	tengo tienes tiene tenemos tenéis tienen	tenía tenías tenía teníamos teníais tenían	tuve tuviste tuvo tuvimos tuvisteis tuvieron	tendré tendrás tendrá tendremos tendréis tendrán	tendría tendrías tendría tendríamos tendríais tendrían	tenga tengas tenga tengamos tengáis tengan	tuviera tuvieras tuviera tuviéramos tuvierais tuvieran	ten tú, no tengas tenga Ud. tengan Uds. tengamos tened, no tengáis
traer *to bring* trayendo traído	traigo traes trae traemos traéis traen	traía traías traía traíamos traíais traían	traje trajiste trajo trajimos trajisteis trajeron	traeré traerás traerá traeremos traeréis traerán	traería traerías traería traeríamos traeríais traerían	traiga traigas traiga traigamos traigáis traigan	trajera trajeras trajera trajéramos trajerais trajeran	trae tú, no traigas traiga Ud. traigan Uds. traigamos traed, no traigáis

Infinitive Present Participle Past Participle	Present	Imperfect	Preterite	Future	Conditional	Present Subjunctive	Imperfect Subjunctive	Commands
venir *to come* **viniendo** venido (also **prevenir**)	**vengo** **vienes** **viene** venimos venís **vienen**	venía venías venía veníamos veníais venían	**vine** **viniste** **vino** **vinimos** **vinisteis** **vinieron**	**vendré** **vendrás** **vendrá** **vendremos** **vendréis** **vendrán**	**vendría** **vendrías** **vendría** **vendríamos** **vendríais** **vendrían**	venga vengas venga vengamos vengáis vengan	viniera vinieras viniera viniéramos vinierais vinieran	**ven** tú no vengas venga Ud. vengan Uds. vengamos venid no vengáis
ver *to see* **viendo** **visto**	**veo** ves ve **vemos** veis ven	**veía** **veías** **veía** **veíamos** **veíais** **veían**	**vi** viste **vio** vimos visteis vieron	veré verás verá veremos veréis verán	vería verías vería veíamos veríais verían	vea veas vea veamos veáis vean	viera vieras viera viéramos vierais vieran	ve tú no veas vea Ud. vean Uds. veamos ved no veáis

Apéndice 2

Respuestas para las Autopruebas

Autoprueba y repaso: Capítulo 1

A. 1. Cómo te, tú, Me llamo   **2.** Hola, estás, gracias, presento, Mucho gusto   **3.** qué, Bien, y tú, Hasta luego (Hasta mañana)   **4.** Buenas, Cómo, llama, y usted, le presento, Mucho gusto, Encantada

B. 1. soy, es   **2.** somos, son   **3.** eres

C. 1. Ella es modesta.   **2.** Él es inteligente.   **3.** Uds. son responsables.   **4.** Ellas son muy organizadas.   **5.** Ellos son puntuales.

D. 1. Sí, (No, no) soy extrovertido/a.   **2.** Sí, (No, no) soy sentimental.   **3.** Sí, (No, no) somos independientes.

E. 1. (*provided*)   **2.** nueve   **3.** once   **4.** treinta   **5.** quince   **6.** catorce   **7.** veinticinco   **8.** cincuenta y cinco

F. 1. Hay...   **2.** Hay... (libros). (o) Hay un libro/ Hay uno.   **3.** Hay... lápices y... bolígrafos. (o) Hay un lápiz (bolígrafo).

G. 1. Son las ocho y cuarto de la mañana. (o) Son las ocho y quince de la mañana.   **2.** Son las diez menos veinte de la mañana.   **3.** Es la una y media de la tarde. (o) Es la una y treinta de la tarde.   **4.** Son las tres y veinticinco de la tarde.   **5.** Son las doce de la noche. (o) Es medianoche.

H. 1. jueves   **2.** miércoles, viernes   **3.** los sábados

I. 1. Es el doce de febrero.   **2.** Es el primero de abril.   **3.** Es el cuatro de julio.   **4.** Es el veintitrés de noviembre.

En resumen

(*Answers may vary.*)   **1.** Me llamo...   **2.** (Muy) Bien, gracias. (o) Regular.   **3.** Soy de...   **4.** Es la... (y/ menos)... (o) Son las... (y/ menos)...   **5.** Hoy es...   **6.** Es el... de (mes).

Autoprueba y repaso: Capítulo 2

Escena 1

A. 1. la estatua, la plaza   **2.** el carro, el estacionamiento   **3.** la calle, la avenida   **4.** el autobús, el carro   **5.** la Facultad de Ciencias, la Facultad de Medicina   **6.** el estadio, el gimnasio

B. 1. alemán, francés   **2.** física, química   **3.** contabilidad, matemáticas   **4.** arte, música   **5.** sociología, psicología

C. 1. (*provided*)   **2.** El, Los profesores   **3.** El, Los carros   **4.** El, Los autobuses   **5.** La, Las estatuas   **6.** La, Las Facultades

D. 1. un, unos, unas   **2.** un, un, un, unos, unas   **3.** una, un, unos, unos

E. 1. (*provided*) ...la cafetería   **2.** ...están ...el estacionamiento   **3.** ...estoy ...el estadio de deportes   **4.** ...estás ...el gimnasio   **5.** ...estamos ...la biblioteca

En resumen

(*Answers may vary.*)   **1.** Sí, (No, no) hay un gimnasio en mi... Sí, (No, no) hay un teatro (una guardería infantil).   **2.** Sí, (No, no) hay un estacionamiento...   **3.** Está (cerca de, al lado de, enfrente de)...   **4.** Está...

Escena 2

F. 1. la pizarra, el borrador   **2.** la mesa, la silla   **3.** la hoja de papel, la papelera   **4.** el lápiz, la hoja de papel   **5.** el examen, la prueba   **6.** la prueba, la nota   **7.** la ventana, la puerta

G. 1. (*provided*)   **2.** azules   **3.** amarillo   **4.** roja   **5.** verde

H. 1. (*provided*)   **2.** Están contentos   **3.** Está, enfermo   **4.** están aburridos   **5.** Estamos, ocupados   **6.** está cansada

En resumen

(*Answers may vary.*)   **1.** Hay... ventanas. (o) No hay ventanas en la...   **2.** Sí, (No, no) hay un televisor. Sí, (No, no) hay un mapa. Hay...   **3.** Están cansados. Están contentos.   **4.** Sí, (No, no) estoy siempre muy ocupado/a.   **5.** Sí, (No, no) estoy estresado/a con frecuencia.

Escena 3

I. 1. la cajera, el mesero   **2.** el enfermero, la médica   **3.** la secretaria, el recepcionista   **4.** el policía, el bombero   **5.** la mujer de negocios, el contador   **6.** la trabajadora social, la abogada

J. 1. Después de clase, voy a la cafetería Oaxaca.   **2.** Más tarde, Uds. van a la biblioteca.   **3.** Esta tarde, Ana va al laboratorio.   **4.** A la una y cuarto, Esteban y Daniel van a la oficina de la profesora Ruiz.   **5.** Esta noche, vamos al teatro.   **6.** Mañana, vas al gimnasio.

K. 1. (*provided*)   **2.** De dónde   **3.** Cuándo   **4.** Adónde   **5.** Cuál   **6.** Cuántos   **7.** Quién   **8.** De quién   **9.** Qué

En resumen

(*Answers may vary.*)   **1.** Sí, (No, no) soy mesero/a. Sí, (No, no) soy dependiente/a (cajero/a).   **2.** Sí, (No, no) hay médicos (enfermeros) en mi...   **3.** Voy los...   **4.** Voy a (al)...   **5.** Voy a casa a la/s...   **6.** Está en...   **7.** Hay... personas en mi familia.

Autoprueba y repaso: Capítulo 3

Escena 1

A. 1. hermano   2. abuela   3. tío   4. primos   5. suegra
6. cuñada   7. sobrina   8. nieta

B. 1. (*provided*)   2. mis   3. tus   4. su   5. sus   6. nuestros, nuestra

C. 1. (*provided*)   2. desayuno, desayuna   3. estudiamos, estudian   4. trabajas, trabajo   5. llegas, llegan   6. regresa, regresamos

En resumen

(*Answers may vary.*)   1. Tengo... años.   2. Sí, (No, no) tengo abuela. Tiene... años.   3. ... y... son mis parientes favoritos. (o) Mis parientes favoritos son... y...   4. Sí, (No, no) ceno en casa con mi familia.   5. Mi... trabaja en...
6. Sí, (No, no) trabajo...

Escena 2

D. 1. pelirroja, morena   2. alta, baja   3. joven, viejo
4. guapa, bonita   5. pequeño, grande   6. delgada, alta

E. 1. cuidar, ayudar   2. abrazar, besar   3. llorar, cuidar
4. visitar, amar   5. llamar, charlar

F. 1. rica   2. trabajadora   3. listo (inteligente)
4. simpáticos   5. viejo   6. difícil

En resumen

(*Answers may vary.*)   1. Sí, (No, no) llamo a mis...   2. Sí, a veces visito a mis... (o) Nunca visito a mis...   3. Son ordenadas (desordenadas). Son perezosas (trabajadoras). Son aburridas (divertidas).   4. La persona más excéntrica de mi familia es... ÉL/Ella es...

Escena 3

G. 1. d.   2. a.   3. b.   4. e.   5. c.

H. 1. c.   2. a.   3. d.   4. e.   5. b.   6. f.

I. 1. es   2. Está, es   3. están, está   4. es, Es   5. es   6. está

En resumen

(*Answers may vary.*)   1. Sí, (No, no) estoy soltero/a. Sí, (No, no) estoy enamorado/a.   2. Sí, (No, no) estoy comprometido/a. Sí, (No, no) estoy casado/a.   3. Mi familia está en...   4. Sí, las personas de mi familia son cariñosas (generosas). (o) No, las personas de mi familia no son cariñosas (generosas).
5. Sí, (No, no) están todos muy ocupados, ...   6. Sí, (No, no) estoy muy ocupado/a, ...

Autoprueba y repaso: Capítulo 4

Escena 1

A. 1. pescar, patinar   2. montar a caballo, caminar
3. nadar, bucear   4. acampar, esquiar   5. manejar, montar en bicicleta   6. jugar al vólibol, tomar el sol

B. 1. (*provided*)   2. gustan   3. gusta   4. gustan

C. 1. (*provided*)   2. me   3. le   4. nos   5. te   6. le
7. nos   8. les

D. 1. (*provided*), vive   2. bebo, bebes   3. comemos, comen
4. compartimos, comparten   5. corro, corres   6. toman, leen, toma, lee   7. deben

En resumen

(*Answers may vary.*)   1. Me gusta tomar el sol,... Me gusta acampar,...   2. Sí, (No, no) monto en bicicleta. Sí, (No, no) juego al tenis. Sí, (No, no) esquío.   3. Sí, (No, no) escribo poemas. Sí, (No, no) dibujo bien. Sí, (No, no) me gusta pintar cuadros.   4. Creo que es fácil (difícil) aprender a esquiar (bucear).

Escena 2

E. 1. tocar la guitarra, cantar   2. bailar, escuchar música
3. navegar por la Red, mandar e-mails   4. salir de paseo, hacer un viaje   5. asistir a conciertos, escuchar música
6. hacer ejercicio, mirar un partido de fútbol   7. ver la televisión, navegar por la Red

F. 1. (*provided*)   2. Voy   3. Veo   4. Salgo   5. doy
6. Vengo   7. traigo   8. digo   9. pongo

En resumen

(*Answers may vary.*)   1. Sí, (No, no) disfruto de los fines de semana, ...   2. Sí, (No, no) me gusta pasar el tiempo con la familia, ...   3. Sí, (No, no) salgo los sábados por la noche. Voy a...   4. Sí, (No, no) hago viajes con frecuencia. Voy a... con...

Escena 3

G. 1. c   2. a   3. d   4. f   5. g   6. b   7. h   8. e

H. 1. Hace fresco. Hace buen tiempo.   2. Hace frío. Nieva.
3. Hace buen tiempo. Llueve.   4. Hace (mucho) calor. Hace sol.

I. sabes, sé, sé, Conoces, Sabes, sé, conoce

J. 1. (*provided*)   2. Vamos a ver un partido en la tele.
3. Va a leer una buena novela.   4. Vas a esquiar.   5. Voy a chatear con mis amigos.   6. Van a ir de compras.

En resumen

(*Answers may vary.*)   1. Hace... Llueve...   2. Me gusta... Me gusta...   3. Sí, (No, no) sé hacer surf. Sí, (No, no) conozco playa/s con olas grandes. Están en...   4. Voy a... Voy a...

Autoprueba y repaso: Capítulo 5

Escena 1

A. 1. (*provided*), naranja   2. la fresa   3. el limón
4. la uva   5. la sandía

B. 1. las papas, el arroz   2. la lechuga, el tomate   3. el ajo, la cebolla   4. la salchicha, el jamón   5. el pollo, el pavo
6. el pescado, el camarón

C. 1. (*provided*)   2. Ocho mil setecientos quince dólares   3. Seis mil quinientos treinta dólares   4. Novecientos ochenta dólares   5. Ciento noventa y cinco dólares

D. (*provided*) La, la, las, lo, Los, me, Nos, te

E. 1. Nosotros la vamos a comprar. (o) Nosotros vamos a comprarla.   2. Yo lo voy a traer. (o) Yo voy a traerlo.   3. Juan y Eva lo van a decorar. (o) Juan y Eva van a decorarlo.   4. Tú las vas a buscar. (o) Tú vas a buscarlas.   5. Sofía los va a llamar. (o) Sofía va a llamarlos.

En resumen

(*Answers may vary.*)   1. ...es mi fruta favorita. (o) Mi fruta favorita es...   2. Como...   3. Sí, (No, no) como carne. ...es mi carne favorita. (o) Mi carne favorita es...   4. Sí, (No, no) como pescado con frecuencia. Lo compro en...   5. Sí, me gusta comer... (o) No, no me gusta comer... Me gusta más... (o) ...me gusta más.

Escena 2

F. 1. f   2. c   3. h   4. b   5. a   6. g   7. d   8. e

G. 1. (*provided*)   2. Vuelven, volvemos   3. Almuerzan, almorzamos   4. Duermen, dormimos   5. piden, pedimos   6. Quieren, queremos

En resumen

(*Answers may vary.*)   1. Desayuno...   2. Sí, (No, no) tomo café...   3. Prefiero...   4. Sí, pido postre. Pido... (o) No, no pido postre.

Escena 3

H. 1. f   2. e   3. d   4. a   5. c   6. b

I. 1. dejar   2. pagar   3. cortar   4. probar   5. preparar   6. cocinar

J. 1. (*provided*)   2. está haciendo   3. está probando   4. estamos poniendo   5. están sirviendo   6. está cortando   7. está comiendo   8. está durmiendo

En resumen

(*Answers may vary.*)   1. Como...   2. Bebo...   3. Sí, (No, no) me gusta cocinar. Sé hacer... Sí, (No, no) las preparo con frecuencia.   4. Sí, (No, no) estoy pensando en mis comidas favoritas.   5. Estoy...

Autoprueba y repaso: Capítulo 6

Escena 1

A. 1. el baño   2. el dormitorio (el cuarto)   3. la sala   4. la cocina   5. la escalera   6. el jardín

B. 1. la ducha, la bañera   2. la cama, la cómoda   3. el lavabo, el fregadero   4. la estufa, el refrigerador   5. la luz, la lámpara   6. el sofá, el sillón

C. 1. (*provided*)   2. encima del   3. detrás del   4. cerca de   5. después del

D. 1. En vez de   2. Antes de   3. durante   4. acerca de   5. Después de, para

E. 1. (*provided*)   2. estas, ésas   3. este, ése   4. esta, ésa, aquélla   5. Estos, Aquéllos

En resumen

(*Answers may vary.*)   1. Sí, alguien vive conmigo. Es... (o) No, nadie vive conmigo.   2. Sí, estoy preparando algo para la cena. Es... (o) No, no estoy preparando nada para la cena.   3. ...es mi cuarto favorito porque... (o) Mi cuarto favorito es... porque...   4. Hay...

Escena 2

F. 1. (*provided*)   2. el despertador   3. el cepillo de dientes, la pasta de dientes   4. el secador, la toalla   5. el peine   6. la ropa, los zapatos,...

G. 1. Se cepilla los dientes.   2. Te secas el pelo.   3. Se despiertan.   4. Nos vestimos. (o) Nos ponemos la ropa.   5. Me peino.

H. (*provided*), se levanta, se quita, se viste, se va, se lava, se cepilla, se pone, se acuesta, se duerme

En resumen

(*Answers may vary.*)   1. Me levanto a las...   2. (Después de levantarme,) Me...   3. Voy a acostarme (Me voy a acostar) a la/s...   4. Sí, (No, no) tengo sueño ahora. Me siento bien/mal.   5. Sí, (No, no) voy a divertirme... Voy a...

Escena 3

I. 1. ordenar el cuarto   2. hacer las compras, hacer la cama   3. doblar la ropa   4. pasar la aspiradora   5. poner o quitar la mesa   6. planchar la ropa   7. lavar y secar los platos, lavar y secar la ropa   8. sacar la basura

J. 1. (*provided*)   2. limpia   3. barre   4. haz   5. pon   6. riega   7. péinate

K. 1. (*provided*)   2. No comas todas las galletas.   3. No juegues al Nintendo ahora.   4. No te sientes en mi cama.   5. No llegues a casa tarde.   6. No salgas con tus amigos cuando tienes tarea.

En resumen

(*Answers may vary.*)   1. ...   2. Lava los platos,...   3. Hoy (Mañana) tengo que...

Autoprueba y repaso: Capítulo 7

Escena 1

A. 1. parque   2. periódico   3. correos   4. cine   5. peluquería   6. semáforo   7. cruzar, tren

B. 1. (*provided*)   2. Haga   3. Visite   4. Compre   5. Cruce   6. Siéntese   7. Pruebe   8. vea   9. vaya   10. asista

C. 1. (*provided*)   2. entró   3. visitaste   4. almorcé   5. escuchamos   6. caminó   7. compré   8. hablaron

En resumen

(*Answers may vary.*)   **1.** Hay...   **2.** Sí, (No, no) hay tiendas cerca de donde vivo. Me gusta/n más...   **3.** Sí, compré algo. Compré algo para... (o) No, no compré nada.   **4.** Sí, cené en un restaurante. Cené en... con... (o) No, no cené en ningún restaurante.   **5.** Sí, (No, no) regresamos...

Escena 2

D. 1. f   **2.** c   **3.** g   **4.** a   **5.** h   **6.** b   **7.** d   **8.** e

E. 1. (*provided*)   **2.** bebieron   **3.** vio   **4.** escribiste, mandaste   **5.** asistimos   **6.** corrió   **7.** abrí, cerré   **8.** entraron, salieron

F. F: (*provided*)   **A:** dieron, fueron, fue   **F:** hiciste   **A:** vi, fui   **F:** volvieron   **A:** fuimos

En resumen

(*Answers may vary.*)   **1.** Sí, (No, no) fui al centro la semana pasada. ...   **2.** Sí, (No, no) fui a la oficina de correos. Sí, (No, no) compré estampillas. Sí, (No, no) mandé un paquete.   **3.** Sí, (No, no) fui al banco. ...

Escena 3

G. 1. suerte, llaves   **2.** llenar   **3.** cambiar (revisar)   **4.** reparó   **5.** parar   **6.** máxima, autopista

H. 1. f   **2.** d   **3.** a   **4.** c   **5.** b   **6.** e

I. 1. A mí, me regaló un viaje...   **2.** A mis abuelos, les regaló una nueva lavadora...   **3.** A ti, te regaló un reloj...   **4.** A mi hermano, le regaló un televisor...   **5.** A nosotros, nos regaló ¡un Porsche...!

En resumen

(*Answers may vary.*)   **1.** Sí, hice un viaje en carro... Fui a... Fui con... ... (o) No, no hice un viaje en carro...   **2.** Sí, les compro regalos a las personas de mi familia. Les compro... (o) No, no les compro... Sí, (No, no) les escribo...   **3.** Sí, le regalé algo a mi... Le regalé... (o) No, no le regalé nada a nadie recientemente.   **4.** Le cuento lo que pasa en mi vida a... Sí, (No, no) me cuenta cosas a mí.

Autoprueba y repaso: Capítulo 8

Escena 1

A. 1. el collar, la cadena   **2.** la cartera, la billetera   **3.** el cinturón, los pantalones   **4.** los *jeans,* la camiseta   **5.** la chaqueta, el suéter   **6.** caro, barato

B. 1. vinieron   **2.** trajeron   **3.** quiso, pudo   **4.** pusimos   **5.** estuvieron   **6.** tuvieron, dije   **7.** supieron, recibimos

En resumen

(*Answers may vary.*)   **1.** Sí, llevo joyas frecuentemente. Llevo... (o) No, no llevo joyas frecuentemente (Nunca llevo joyas).   **2.** Sí, siempre me pruebo la ropa antes de comprarla. (o) (Casi) Nunca/ A veces me pruebo la ropa antes de comprarla.   **3.** Sí, (No, no) me gusta ir de compras cuando hay rebajas, porque...   **4.** Normalmente, pago en efectivo (con tarjeta de crédito).   **5.** Sí, (No, no) tuve que ir de compras el sábado pasado. Sí, (No, no) estuve en un centro comercial. Compré... (o) No compré nada.   **6.** ...

Escena 2

C. 1. la camisa, la corbata   **2.** el traje de baño, las gafas de sol   **3.** el gorro de lana, la bufanda   **4.** el suéter, el abrigo   **5.** la blusa, la falda   **6.** el impermeable, el paraguas

D. 1. (*provided*)   **2.** tantos, como   **3.** tanta, como   **4.** tan, como   **5.** tanto, como   **6.** tanto, como

E. 1. Por lo general, los anillos de oro con diamantes son más caros que los anillos de plata con turquesa.   **2.** Por lo general, las sandalias de plástico son más baratas que las sandalias de cuero.   **3.** Por lo general, las faldas de las chicas jóvenes son más cortas que las faldas de las señoras mayores.   **4.** Por lo general, las rebajas de las tiendas de descuento son mejores que las rebajas de las tiendas por departamentos.

F. (*Answers may vary.*) **1.** La clase de... es la peor de las tres porque...   **2.** La actriz... es la mejor de las tres porque...   **3.** Las películas de... son las más interesantes de las tres porque...   **4.** El carro... es el más divertido de los tres porque...

En resumen

(*Answers may vary.*)   **1.** Llevo el traje de baño,...   **2.** Me pongo un abrigo,...   **3.** Me quito...   **4.** Sí, (No, no) tengo tanta ropa como mi...   **5.** Estoy más (menos) a la moda que él/ella.   **6.** ...es la persona de mi familia que se viste mejor de todos....

Escena 3

G. 1. apagar, prender   **2.** pantalla   **3.** el teclado   **4.** el ratón   **5.** el contestador automático   **6.** los audífonos

H. 1. (*provided*)   **2.** Carmen/ Se la regalé ayer.   **3.** mí/ Me lo regaló ayer.   **4.** nosotros/ Nos la regalaste ayer.   **5.** ti/ Te los regalé ayer.   **6.** sus sobrinas/ Se las regalaron ayer.

I. 1. La camiseta blanca es mía y los pantalones cortos también son míos.   **2.** La chaqueta negra es tuya y los pantalones largos también son tuyos.   **3.** El vestido verde es suyo y las blusas blancas también son suyas.   **4.** Los *jeans* son suyos y la ropa interior también es suya.   **5.** Las camisetas amarillas son nuestras y la ropa limpia que está aquí también es nuestra.

En resumen

(*Answers may vary.*)   **1.** Sí, es mía. La compré hace... (o) No, no es mía.   **2.** Sí, (No, no) me gusta comprar aparatos electrónicos. Me fascina/n...   **3.** Sí, (No, no) me gustaría comprarle un televisor... a mí... porque...   **4.** Sí, (No, no)

tengo una cámara digital. Sí, (No, no) se la presto a mis amigos (hijos). **5.** Sí, (No, no) tomo fotos con frecuencia. Se las mando a... (o) No se las mando a nadie.

Autoprueba y repaso: Capítulo 9

Escena 1

A. 1. c **2.** b **3.** g **4.** a **5.** f **6.** h **7.** e **8.** d

B. 7, 4, 9, 2, 1, 6, 3, 8, 10, 5

C. 1. se vistieron **2.** se divirtieron **3.** se murió, se rió **4.** sirvió **5.** durmieron, se sintieron **6.** llamaron, siguieron **7.** prefirieron

En resumen

(*Answers may vary.*) **1.** Sí, (No, no) me enfermo fácilmente. **2.** Tengo... **3.** Sí, (No, no) me gusta seguir una dieta saludable. Pedimos... **4.** Sí, salí con mi familia (con mis amigos). Sí, (No, no) nos divertimos. ... (o) No, no salí...

Escena 2

D. 1. la pierna, la rodilla **2.** la boca, la lengua **3.** la oreja, el oído **4.** el dedo, la uña **5.** el pie, la mano **6.** la cara, la nariz **7.** el pulmón, el corazón **8.** el estómago, el intestino

E. 1. tenía, era **2.** vivía **3.** jugábamos, nos divertíamos **4.** teníamos, quería **5.** estaba, venían **6.** había, íbamos **7.** éramos

En resumen

(*Answers may vary.*) **1.** Sí, (No, no) hago ejercicio. Quiero tener más fuertes los músculos de los/las... **2.** ... **3.** Sí, (No, no) me preocupaba por mi imagen. Quería cambiar... **4.** Sí, (No, no) me enfermaba frecuentemente cuando era niño/a. Mis padres...

Escena 3

F. 1. el paramédico, la camilla **2.** operar, la cirujana **3.** la venda, la herida **4.** las muletas, el yeso **5.** chocar, tener prisa **6.** caerse, fracturarse **7.** lastimarse, la herida **8.** gritar, ¡Socorro!

G. 1. Era, llovía **2.** Eran, se despertó **3.** se sentía **4.** llamó, habló **5.** le dijo, estaba **6.** le preguntó, tenía **7.** le explicó, le dolía **8.** quería, tenía **9.** le contestó **10.** le dio **11.** se durmió **12.** llegó, lo llevó, llovía, hacía

En resumen

(*Answers may vary.*) **1.** Sí, tuve un accidente de carro, hace... (o) No, nunca tuve un accidente de carro. **2.** Sí, (No, no) tuve una operación cuando era niño/a. Tenía... años. Estuve en... (o) No, no tuve una operación... **3.** Sí, alguien de mi familia se fracturó un brazo (una pierna). Fue mi... (o) Nadie de mi familia se fracturó un brazo (una

pierna). **4.** La última vez que me enfermé, tenía... Sí, (No, no) fui al médico (a la médica). Él/Ella...

Autoprueba y repaso: Capítulo 10

Escena 1

A. 1. c **2.** f **3.** i **4.** a **5.** e **6.** h **7.** d **8.** b **9.** g

B. 1. Quiere que vean... **2.** Quiere que hagan... **3.** Quiere que se acuerden... **4.** Quiere que almorcemos... **5.** Quiere que pidamos... **6.** Quiere que vayamos... **7.** Quiere que sea... **8.** Quiere que esté... **9.** Quiere que se siente...

C. 1. (*provided*), se case **2.** le aconsejan, salga **3.** prefieren, trabaje **4.** insiste, controlen **5.** es, se comprometan

En resumen

(*Answers may vary.*) **1.** Sí, (No, no) me gusta... Sí, (No, no) quiero mudarme. **2.** Sí, (No, no) quiero que construyan más escuelas (hospitales). Sí, (No, no) quiero que les paguen más a los maestros. **3.** Sí, (No, no) hay lugares para relajarse y divertirse. (No) Hay... **4.** Les aconsejo que... **5.** Recomiendo que (nombre de persona)...

Escena 2

D. 1. (*provided*), reúne, organizar **2.** discuten, resolver **3.** aplaude **4.** atiende **5.** dona **6.** enseña **7.** emborracharse **8.** construyen

E. 1. Angelita espera que Víctor sea muy sincero. **2.** A Víctor le encanta que Angelita haga trabajos voluntarios. **3.** Angelita espera que Víctor y ella puedan comunicarse bien. **4.** Víctor siente que sus padres estén en contra de la relación. **5.** Víctor se alegra de que Angelita quiera salir con él otra vez.

En resumen

(*Answers may vary.*) **1.** Sí, hago trabajos voluntarios. ... (o) No, no hago trabajos voluntarios. **2.** Normalmente vuelvo a casa. (o) Normalmente les invito a mis amigos a ir conmigo a algún lugar. Vamos a... **3.** Espero que... **4.** Me alegro (Siento) que todos los miembros de mi familia no vivan en el mismo barrio.

Escena 3

F. 1. g **2.** e **3.** d **4.** b **5.** c **6.** a **7.** f **8.** h

G. 1. No estoy seguro/a de que haya elecciones este mes. **2.** No creo que muchos ciudadanos participen en la manifestación. **3.** Dudo que los reporteros sean siempre objetivos. **4.** Es improbable que todos los ciudadanos respeten las leyes. **5.** Es imposible que todos estén a favor de las centrales nucleares.

H. 1. Creo que rezan tres veces al día. **2.** No creo que haya un concierto en la iglesia hoy. **3.** Dudo que todos sean ateos. **4.** No estoy seguro/a de que vayan una vez por semana. **5.** Estoy seguro/a de que es antigua.

En resumen

(*Answers may vary*.)   **1.** Deben luchar por...   **2.** Estoy a favor de (en contra de) aumentar la seguridad nacional. Estoy a favor de (en contra de) aumentar los impuestos.   **3.** Dudo que...   **4.** Es probable que haya más (menos) guerras en el futuro porque...   **5.** Sí, espero que se puedan resolver. ...

Autoprueba y repaso: Capítulo 11

Escena 1

A. 1. c   **2.** i   **3.** f   **4.** g   **5.** a   **6.** j   **7.** d (o) k   **8.** l   **9.** b   **10.** e   **11.** h   **12.** k (o) d

B. 1. (*provided*) hablado   **2.** han pedido   **3.** han enviado   **4.** he leído   **5.** hemos fotocopiado   **6.** has preparado

C. 1. (*provided*) escrito   **2.** han impreso/ imprimido, han puesto   **3.** han dicho   **4.** ha visto   **5.** han hecho   **6.** han resuelto, han vuelto

En resumen

(*Answers may vary*.)   **1.** El jefe o la jefa ideal...   **2.** Sí, (No, no) me gustaría... porque...   **3.** Sí (No, no) he tenido... ...   **4.** He...

Escena 2

D. 1. éxito   **2.** colegas   **3.** la entrevista   **4.** empleado/a   **5.** suerte, gana   **6.** presupuesto   **7.** deudas

E. 1. (*provided*)   **2.** enviaré   **3.** leerá, guardará   **4.** escribirán   **5.** llamará   **6.** hablaremos   **7.** irá, ofrecerá

F. 1. Tú y yo tendremos...   **2.** Las máquinas harán...   **3.** Muchos de los empleados podrán...   **4.** Yo sabré...   **5.** Tú querrás...   **6.** Nuestro jefe vendrá...   **7.** Él siempre nos dirá...

En resumen

(*Answers may vary*.)   **1.** Sí, (No, no) invierto en la Bolsa. Sí, (No, no) he ganado dinero con mis inversiones.   **2.** Sí, (No, no) tengo muchas deudas, porque...   **3.** Sí, (No, no) he tenido varias entrevistas de empleo. He tenido entrevista/s con... hace...   **4.** En el futuro, (no) trabajaré... (No) Haré...

Escena 3

G. 1. turno   **2.** supervisor/a   **3.** descanso   **4.** maternidad   **5.** enfermedad   **6.** aumento, beneficios, huelga   **7.** sindicato   **8.** despidos   **9.** ganas, jubila

H. 1. Por, para   **2.** Para, por, para   **3.** para, por   **4.** por, por, por

En resumen

(*Answers may vary*.)   **1.** (No) Me gustaría/n...   **2.** Busca...   **3.** Me jubilaré en... (o) Ya estoy jubilado/a.   **4.** Voy a...   **5.** Estoy ahorrando dinero,...   **6.** Podrán...

Autoprueba y repaso: Capítulo 12

Escena 1

A. 1. b   **2.** d   **3.** f   **4.** a   **5.** g   **6.** c   **7.** e

B. 1. comprar (o) conseguir   **2.** la/s maleta/s   **3.** facturar, equipaje   **4.** el avión   **5.** tarjeta, embarque   **6.** abrocharse   **7.** pasajeros   **8.** aduana

C. 1. se registran   **2.** sencilla, doble   **3.** sábanas   **4.** almohadas   **5.** cobijas   **6.** calefacción, aire acondicionado   **7.** piscina   **8.** ascensor

D. 1. (*provided*)   **2.** haríamos   **3.** invertirían   **4.** gastarías   **5.** pondría   **6.** iría   **7.** donarían

En resumen

(*Answers may vary*.)   **1.** Sí, (No, no) me gusta volar porque...   **2.** Sí, he ido en avión (a algún lugar). Fui a... (o) No, no he ido en avión (a ningún lugar).   **3.** Sí, (No, no) pasaría las vacaciones en una selva tropical porque...   **4.** Sí, (No, no) me gustaría ver un volcán activo de cerca. Me gustaría...   **5.** Prefiero un hotel con... y una habitación...

Escena 2

E. 1. d   **2.** i   **3.** e   **4.** a   **5.** h   **6.** f   **7.** b   **8.** g   **9.** c

F. 1. (*provided*)   **2.** fuera   **3.** estuviera   **4.** debiéramos   **5.** dijera   **6.** supiéramos   **7.** tuviera

G. 1. (*provided*)   **2.** usaran, c.   **3.** pudieran, e.   **4.** hubiera, f.   **5.** fuera, g.   **6.** hiciera, a.   **7.** tuviera, b.

En resumen

(*Answers may vary*.)   **1.** Quería que...   **2.** No querían que...   **3.** Sí, (No, no) le gusta la idea de usar energía renovable. Usarían...   **4.** Me informo...   **5.** Una ventaja/ una desventaja sería...   **6.** Sí, (No, no) lo haría porque...

Escena 3

H. 1. frontera   **2.** mejorar   **3.** integran, satisfechos   **4.** la diversidad   **5.** gobiernos   **6.** acuerdo, paz   **7.** poder   **8.** hambre, pobreza

En resumen

(*Answers may vary*.)   **1.** Primero,...   **2.** Sí, conozco a un/ una/ unos/ unas inmigrante/s. (o) No, no conozco a ningún inmigrante. Sí, (No, no) se ha integrado. Sí, (No, no) ha prosperado. ...   **3.** Sí, (No, no) están satisfechas con la vida que tienen. ...   **4.** ...   **5.** ...

Apéndice 3: ¡Exprésate!

Primera parte: ¡A conversar!

Capítulo 2

¡A conversar! Role-play meeting a friend on campus. Greet each other and then ask:

- how you are
- where you're going after class
- at what time you're going home or to work
- then say goodbye

Capítulo 3

¡A conversar! *One* student plays the role of a teenager madly in love. *Two* students are the parents, who want to know who the son or daughter is in love with, and what that person is like. The teenager provides the information and the parents continue to ask questions (is he/she responsible?, etc.), including questions about the person's family.

Capítulo 4

¡A conversar! Imagine that *three* of you are going to take a trip together *each* season in the coming year. Make your plans. Think of:

- estación del año, destino: *El próximo verano vamos a...*
- fecha de salida: *Salimos el...*
- el clima típico en esa estación: *Allí, en verano, normalmente hace... y...*
- actividades: *Vamos a..., ..., ... Vamos a ver...*
- fecha de regreso a casa: *Vamos a regresar el....*

Capítulo 5

¡A conversar! En grupos de *tres,* hablen de la fiesta que más se celebra en su familia. En la conversación hablen y pregunten acerca de lo siguiente:

- estación y fecha del año cuando se celebra
- ocasión y momento del día cuando ocurre
- personas que asisten
- comida y bebidas que se preparan y se sirven, y sus ingredientes principales

- tradiciones familiares de la celebración
- otras cosas curiosas que ocurren o se hacen en esa ocasión

Capítulo 6

¡A conversar! En parejas, hablen de lo siguiente:

- el lugar dónde Uds. viven: dónde está y cómo es
- las personas con quiénes viven
- los quehaceres que tienen
- su rutina en casa desde que se despiertan
- lo que hacen durante el día (trabajo, estudios, ...) y dónde

Capítulo 7

¡A conversar! En grupos de *cuatro,* un/a estudiante habla de un viaje estupendo o terrible que hizo. Los otros le hacen preguntas. Túrnense.

Preguntas:

- ¿Adónde fuiste?
- ¿Cómo fuiste (en carro, tren, etc.) y con quién/es?
- ¿Qué viste?
- ¿Qué comiste?
- ¿Qué hiciste?
- ¿Cuánto tiempo pasaste allí?
- ¿Te gustó?

Capítulo 8

¡A conversar! En grupos de *tres,* hablen de cómo prefieren hacer sus compras, y de las ventajas y desventajas de hacerlo de una forma u otra.

- por la Red (¿Qué sitios visitan con más frecuencia? ¿Qué compran?)
- por catálogo (¿Qué catálogos reciben?)
- en los centros comerciales (¿Cuáles? ¿Qué tiendas prefieren?)
- en tiendas de descuento (¿Cuáles prefieren?)

Capítulo 9

¡A conversar! Pónganse en cada una de las tres situaciones de emergencia que siguen, basándose en la información provista. Un/a estudiante llama al 911 y pide ayuda de la forma más clara y expresiva posible. Otro/a estudiante hace el papel de operador/a. Antes de empezar, repasen el vocabulario para llamadas en la página 188. Túrnense.

- *En tu casa:* tu bebé/ muy enfermo/ fiebre altísima...

- *En la calle:* tu mejor amiga / jugar a... / caerse/ fracturarse...

- *En un restaurante:* intoxicación general / comida en mal estado / 63 personas...

- *En...*

 ## Capítulo 10

¡A conversar! En grupos de *cuatro*, hablen de un barrio, pueblo o ciudad con problemas terribles (puede ser su barrio, pueblo o ciudad) y de cómo solucionarlos. Un/a secretario/a apunta la información para luego compartirla con la clase.

Capítulo 11

¡A conversar! En grupos de *cuatro*, hablen de sus experiencias laborales:

- el trabajo que tienen ahora, la descripción de un día típico en su puesto de trabajo, y los aspectos positivos y negativos del trabajo

- trabajos previos de tiempo parcial o completo

- trabajos previos que les gustaron mucho y por qué

- la situación más desagradable experimentada en su trabajo y cómo se solucionó

- el/la mejor jefe/a que han tenido, y el/la peor; expliquen por qué

 ## Capítulo 12, para concluir...

¡Concurso! La UNESCO (Organización de las Naciones Unidas para la Educación, la Ciencia y la Cultura) va a dar premios a quienes den la charla más interesante sobre un lugar del mundo hispano. Pueden hacer un *podcast,* usar *PowerPoint slides* o utilizar otros recursos para hacer interesante su presentación.

Paso 1. En parejas, preparen una charla de cuatro minutos como máximo. Escojan un lugar hispano que por su belleza o historia sea de su interés.

Paso 2. Den la charla y tomen apuntes al escuchar las otras. Al final, voten para escoger la más interesante. Pero, ¡ojo!, nadie puede votar por la suya.

Segunda parte: ¡A escribir!

The *¡A escribir!* sections in Chapters 2–12 will provide you with guided writing: content outlines, strategies focusing on prewriting, writing, and revising, and *Steps* for each stage of your composition.

Keep three rules in mind throughout:

1. Write exclusively in Spanish, without translating from English.

2. Use Spanish that you have learned, with your book serving as your reference.

3. Use a Spanish-English/ English-Spanish dictionary sparingly, and with the help of your instructor. *Hint:* Cross-reference words, checking both the Spanish and the English side.

 ## Capítulo 2

¡A escribir! Write a brief description of yourself for a Spanish-speaking student you are going to mentor.

- Tell your name (*Me...*).

- Tell your occupation or profession, if you have one (*Soy...*).

- Indicate your nationality and where you are from (city, state, and so on).

- Say when your birthday is.

- Describe yourself using the cognates on page 11.

- Indicate your weekly schedule: on what days and at what times you go to class/work.

- Say what your favorite class is (*Mi clase favorita...*), who the instructor is, and how many students are in the class.

- Make sure to ask him or her some questions as well (see page 61).

Prewriting Strategy

 Listing information

Before you begin writing your description, quickly jot down *words* and *phrases* that apply to each of the items listed. Example: *Susana Gómez/ dependienta y estudiante...*

Steps:
1. *Prewriting:* See strategy.
2. *Writing:* Now turn your words and phrases into full sentences, and where applicable, give as much information as possible.
3. *Revising:* Read your composition carefully. Have you included all of the information requested and checked for correct

spelling and punctuation? **¡Ojo!**[1] Have you **(a)** used **ser** and **estar** correctly, **(b)** omitted the article when indicating the profession, and **(c)** not capitalized nationality, days of the week, and months of the year?

4. *Peer correction*: Exchange papers with a classmate. Circle errors or areas where there are questions, and then talk about them. Make corrections on your own paper as appropriate.

[1]Watch out!

Capítulo 3

¡A escribir! Write a personal ad in which you are looking for an apartment mate. **(a)** State the qualities you seek in the other person and **(b)** describe yourself:

- where you are from
- physical characteristics, personality, age
- profession or vocation and work/study schedule
- friends and family

> *BUSCO*[2] *COMPAÑERO/A DE APARTAMENTO*
>
> *Busco compañero/a...*
> *Soy de... Soy...*
> *Tengo...*
> *...*

[2]I'm looking for

Palabras útiles		
ordenado	flexible	honesto/a
independiente	inteligente	paciente
realista	responsable	sincero/a

- where you are from
- physical characteristics, personality, age
- profession or vocation and work/study schedule
- friends and family

Prewriting Strategy

 Thinking about your audience

Think first about who might be reading your ad. In order to make a positive impression on your reader, consider how to state diplomatically the qualities of the person you seek, and how to best present yourself.

Steps:

1. *Prewriting*: Quickly jot down your initial ideas (**¡en español!**), keeping in mind the accompanying strategy.
2. *Writing*: Turn your thoughts and ideas into sentences, and for smooth transitions, be sure to use transitioning words like **y, o, pero, también, tampoco.**
3. *Revising*: Read your composition carefully. Have you included all of the information requested and checked for

correct spelling and punctuation? **¡Ojo!** Have you **(a)** made your adjectives agree in gender and number with the nouns they describe, **(b)** made your subjects agree with your verbs, and **(c)** omitted the article when indicating the profession?

4. *Peer correction*: Exchange papers with a classmate. On each other's compositions, circle errors or areas where there are questions, and then talk about them. Make corrections on your own paper as appropriate.

Capítulo 4

¡A escribir! Memorial Day weekend is coming up in two weeks and you and three friends are going away. They have asked you to plan the trip. Write an itinerary for the group for Friday–Monday, using the following list as a guide. Include:

Información general

- Adónde van
- Cómo es el clima allí (*Normalmente hace...*)

Itinerario del viernes al lunes

- Cuándo y dónde van a desayunar
- A qué hora van a salir del hotel por la mañana
- Qué van a hacer y dónde
- Qué van a aprender a hacer (*¿el parasail?, etc.*)
- A qué hora y dónde van a cenar
- Qué van a hacer por la noche
- A qué hora van a regresar al hotel

Prewriting Strategy

 Gathering information

Before you begin writing your itinerary, gather information about the potential place for the weekend get-a-way. Check out likely places on the Internet (be adventurous!) or draw from your own experiences.

Steps:

1. *Prewriting*: After gathering your information (see strategy), jot down your initial ideas in words and phrases, **¡en español!**
2. *Writing*: Complete the itinerary using complete sentences, but in bulleted format. So that your readers can readily identify each item, underline a key word or phrase in each sentence: **desayunar**, etc.
3. *Revising*: Read your composition carefully. Have you included the requested information and checked for correct spelling and punctuation? **¡Ojo!** Have you used **a la/s...** to express *at what time*, and correctly used the **ir + a +** *infinitive* construction?
4. *Peer correction*: Exchange papers, circle errors or areas where there are questions, talk about them, and then make corrections on your own paper.

Capítulo 5

¡A escribir! Escribe un mensaje electrónico a un/a amigo/a de Argentina que quiere saber acerca de las costumbres estadounidenses relacionadas con las comidas. Incluye:

> **Palabras útiles**
> (no) tener tiempo *to (not) have time*

- a qué hora se desayuna, se almuerza y se cena
- cuáles son los platos típicos del desayuno/ del almuerzo/ de la cena
- si[1] se cocina mucho en casa (explica qué platos) o si se va a restaurantes de «comida rápida» con frecuencia (explica)
- en qué ocasiones se reúne toda la familia para compartir el almuerzo o la cena
- si muchas personas están a dieta y explica en qué consiste

[1]if

 Writing Strategy

 Let the first draft flow

Write your first draft *quickly*, without stopping to check spelling or grammar. Let your ideas flow!

Steps:
1. *Prewriting*: Jot down your initial ideas in words and phrases.
2. *Writing*: See strategy.
3. *Revising*: Read your composition carefully. Do you want to add to, delete, or re-group some of your information? Have you included all of the information requested and checked for correct spelling and punctuation? **¡Ojo!** Have you **(a)** used **a la/s...** to express *at what time*, **(b)** used the impersonal **se** + *verb* in several of your sentences, and **(c)** checked for agreement between articles and nouns?
4. *Peer correction*: Exchange papers, circle errors or areas where there are questions, talk about them, and then make corrections on your own paper.

Capítulo 6

¡A escribir! Describe a tu familia o a una familia que conoces bien. Incluye:

- el número de personas que hay, cómo son, su edad[2] y su profesión u ocupación
- dónde viven, la descripción detallada de su casa o apartamento
- lo que hacen normalmente— su rutina y pasatiempos favoritos

[2]age

 Writing Strategy

 Developing a good topic sentence

After deciding what family you are going to write about and brainstorming on the content, write a topic sentence that will serve as an introduction to the family. Make it of interest to your readers, perhaps highlighting something that sets the family apart.

Steps:
1. *Prewriting*: Jot down your initial ideas in words and phrases.
2. *Writing*: After your topic sentence (see strategy), write about the information listed with as much detail as possible.
3. *Revising*: Read your composition carefully. Have you included all of the information requested and checked for correct spelling and punctuation? **¡Ojo!** Have you **(a)** expressed age correctly, **(b)** used **ser** and **estar** correctly, **(c)** used reflexive verbs properly when talking about the family's routine, and **(d)** checked for agreement between articles and nouns, and nouns and adjectives?
4. *Peer correction*: Exchange papers, circle errors or areas where there are questions, talk about them, and then make corrections on your own paper.

Capítulo 7

¡A escribir! Describe un día que pasaste en una ciudad. Incluye:

- el nombre de la ciudad y dónde está
- una descripción de lo que hay allí: tiendas, iglesias, museos, parques, etc.
- qué hiciste y quién fue contigo
- tus recomendaciones (mandatos de Ud.) *Visite...*

 Writing Strategy

Using sequencing words to connect your sentences

When narrating a series of events or actions (see third bullet above), use words such as **primero, después, luego, más tarde, esa noche, finalmente**, etc. to convey the order of events and to smoothly transition from one activity to another.

Steps:
1. *Prewriting*: You already know about organizing your thoughts and jotting down lists and key words.
2. *Writing*: Begin with your topic sentence and then provide the descriptive content in a first draft, written without stopping to check spelling, punctuation, and grammar. Let the ideas flow. Where applicable, be sure to use sequencing words (see strategy).

3. *Revising*: As you read your composition, focus on its organization and appropriate division into paragraphs. Check your spelling and punctuation. **¡Ojo!** Have you **(a)** used the correct endings for the preterit tense, **(b)** used **ser** and **estar** correctly, and **(c)** checked for agreement between articles and nouns, and nouns and adjectives?
4. *Peer correction*: Exchange papers, circle errors or areas where there are questions, talk about them, and then make corrections on your own paper.

Capítulo 8

¡A escribir! Un/a estudiante de Chile va a pasar un año en tu *college* o universidad y quiere saber qué ropa debe empacar. Escríbele un *e-mail* con las cosas que va a necesitar y explica por qué. Además de ropa y zapatos, incluye también aparatos electrónicos y otras cosas.

Ejemplos:

Debes traer una chaqueta, una gorra, una bufanda y unos guantes porque aquí en invierno hace frío . Y también, porque vamos a ir a esquiar.

Trae tus CD y DVD; me los puedes prestar.

Writing Strategy

✏ *Providing supporting information*

In order to make your writing more meaningful, provide supporting information around the facts that you convey. For example, if you say to a friend "Bring a bathing suit", you have conveyed simple information. You have painted a picture if you add "Where I live, it's very hot and sunny in the summer and we often go to the beach. Bring your bathing suit!".

Steps:
1. *Prewriting*: Make an outline of the information you want to convey.
2. *Writing*: Be sure to include a topic sentence. For each item or group of items you suggest, provide supporting information (see strategy).
3. *Revising*: Check your content. Have you included appropriate clothing and shoes for a variety of weather conditions and activities? And essential electronic devices? Is your information helpful? Have you checked for correct spelling and punctuation? **¡Ojo!** Have you **(a)** used correct expressions of weather, **(b)** used commands to convey advice, and **(c)** checked for agreement of articles and nouns?
4. *Peer correction*: Exchange papers, circle errors or areas where there are questions, talk about them, and then make corrections on your own paper.

Capítulo 9

¡A escribir! Ustedes son periodistas que colaboran para escribir una noticia en el periódico de su pueblo o ciudad, acerca de un accidente que ocurrió esta mañana. Usen el pretérito y el imperfecto. Incluyan lo siguiente:

• quién/es	• el clima
• qué	• el estado físico y mental
• cuándo	de los heridos antes y
• dónde	después del accidente
• cómo	• la experiencia en el
	hospital

Writing Strategy

✏ *Drafting a newspaper article, from catchy title to strong conclusion*

You will want to come up with a catchy title for your article, followed by a topic sentence that will grab the attention of the reader. When you describe the accident, remember to include details (supporting information). End with a concluding sentence that wraps up the content of the narration, and/ or leaves the reader anticipating what might happen next.

Steps:
1. *Prewriting*: Brainstorm with a classmate about the accident you are going to describe.
2. *Writing*: Follow the steps outlined in the accompanying strategy.
3. *Revising*: Have you successfully conveyed the information but also kept your audience interested? Is your article to the point, but also descriptive? Have you included all of the information requested and checked for correct spelling and punctuation? **¡Ojo!** Be sure to check all forms and uses of the preterit and the imperfect.
4. *Peer correction*: Exchange articles with another pair of students. With your partner, circle errors or areas where there are questions. As a foursome, review your articles and then make corrections as necessary.

Capítulo 10

¡A escribir! Tu compañero/a y tú le escriben una carta al alcalde o a la alcaldesa para comunicarle los problemas que, en su opinión, son los más graves de su barrio, pueblo o ciudad, y lo que le recomiendan para solucionarlos. (*Le recomendamos/ Es importante... que...*)

(fecha)
Estimado/a ...
...
Atentamente,
(su firma)

Drafting a persuasive business letter

In this instance, you and a classmate will be writing to the mayor. He/She is your audience, so you must keep that in mind. Address him/her formally, using the **Ud.** form, and be succinct yet convincing in stating your case.

Steps:

1. *Prewriting*: Brainstorm with a classmate, jotting down and grouping types of problems and solutions.
2. *Writing*: Write your letter (see strategy), beginning with the date and **Estimado/a…** Give examples of each problem, your sentiments about them, and your suggested solutions. End with a polite closing statement.
3. *Revising*: Have you been clear and to the point? Convincing? Be sure to check for correct spelling and punctuation. **¡Ojo!** Are your verbs in the **Ud.** form? In your recommendations and when expressing your sentiments, have you used the subjunctive correctly?
4. *Peer correction*: Exchange letters with another pair of students. With your partner, circle errors or areas where there are questions. As a foursome, review your letters and then make corrections as necessary.

 # Capítulo 11

¡A escribir! Escribe una carta de presentación para el puesto de… En la carta, explica las razones por las que te interesa y por las que consideras que eres un/a buen/a candidato/a.

> (fecha)
> Estimado/a señor/ señora/ señorita…:
> Le escribo para…
> Atentamente,
> (su firma)

 Reviewing a cover letter

If you are writing a cover letter when applying for a job, you need to put your best foot forward. After composing your letter, it's helpful to ask someone with an objective eye to review it and make suggestions regarding its organization, clarity, convincing information, spelling, and punctuation.

Steps:

1. *Prewriting*: Make an outline of what you want to cover.
2. *Writing*: Use formal forms of address (**Ud.**). Your letter would include: a short introductory statement, a sincere expression of interest in the job, and your ample qualifications for it. In your concluding statement, thank the individual for his/her attention.

3. *Revising*: Do you describe your attributes in a positive and enthusiastic way, without sounding like a braggart? Have you checked your letter for the points listed at the end of the accompanying strategy? **¡Ojo!** In your description of your attributes, do your adjectives agree with you, the subject?
4. *Peer correction*: Check each other's letters for the points listed at the end of the strategy, being as objective and critical as possible. Circle and discuss areas that are in question, and then make corrections accordingly.

Capítulo 12

¡A escribir! …y luego, ¡a representar su obra maestra!

Dramaturgos, actores y actrices

La clase se divide en grupos de *tres a cinco* estudiantes. Cada grupo escoge un tema diferente de la lista que sigue, y escribe un mini-drama siguiendo las instrucciones que se dan más abajo.

1. En el centro estudiantil	9. En el consultorio médico
2. En casa con la familia	10. En la calle, hablando con los vecinos
3. En una fiesta con amigos	11. En la oficina
4. En la playa	12. En la fábrica
5. En un restaurante	13. De viaje: en el avión, en el hotel, …
6. Alquilando apartamento	14. En la oficina de inmigración
7. En el centro de la ciudad	
8. De compras	

Instrucciones

- Escriban un mini-drama usando el vocabulario y las estructuras que han aprendido. Usen distintos tiempos verbales y ¡no traduzcan del inglés!

- El mini-drama debe incluir un problema o complicación que hay que resolver.

- Cada mini-drama debe tener una duración máxima de cinco minutos.

- Aprendan sus papeles de memoria.

- Al representar el mini-drama, pronuncien y hablen claramente. ¡Sean muy expresivos!

Reading aloud

Before finalizing and then memorizing your part in the mini-drama, get together with your group and read your parts aloud. Pause to critique areas that might require clarification or revision. Repeat the process a second time, critiquing only at the end.

Steps:

1. *Prewriting:* Work as a group to brainstorm and narrow your ideas. Develop a list **¡en español!** of the roles each one of you will play, actions that will take place, the problem or complication that is to be resolved, and the ending. At this stage you might even want to decide upon props and costumes/ apparel to be worn.

2. *Writing:* Be sure to write directly in Spanish (don't translate from English) and use only Spanish that you have studied! If the skit is divided into subsections, each subgroup is responsible for writing their portion. Another option is for the entire group to work together, with each one providing and jotting down what he or she will say. One student is responsible for getting copies of the first draft to everyone.

3. *Revising:* Each student revises the script and refines his or her role, but also checks the scripts of others. Be sure to check for correct grammar, spelling, and punctuation. Then follow the procedure outlined in the accompanying strategy.

4. *Practicing:* Memorization and ample practice are keys to a successful performance.

Glosario: español-inglés

Note: The glossary that follows is not a dictionary. It only contains words and expressions presented as active vocabulary in *¡Con brío!*

Gender of nouns is indicated except for masculine nouns ending in **-o** and feminine nouns ending in **-a.** Verbs appear in the infinitive form. The number following the entries refers to the chapter in which the word or phrase first appears. The following abbreviations are used in this glossary:

adj.	adjective
adv.	adverb
conj.	conjunction
f.	feminine
form.	formal
inform.	informal
m.	masculine
n.	noun
pl.	plural
prep.	preposition
pron.	pronoun
s.	singular

A

a *prep.* at, to 2
abierto/a open 2
abogado/a *m./f.* lawyer 2
abrazar to hug 3
abrigo coat 8
abril April 1
abrir to open 7
abrocharse el cinturón to fasten one's seatbelt 7
abuela grandmother 3
abuelo grandfather 3
aburrido/a bored 2
aburrirse to get bored 11
acabar de + *infinitivo* to have just done something 10
acampar to camp 4
acción *f.* share (stock) 11
aceite *m.* oil 5
aceituna olive 5
acera sidewalk 10
acerca de *prep.* about (a topic) 6
aconsejar to advise 10
acordarse (ue) de to remember 10
acostarse (ue) to go to bed 6
acuerdo de paz peace treaty 12
acuerdo: estar de acuerdo to agree 10
adiós good-bye 1
aduana customs 12
adultos *m. pl.* adults 3
aerolínea airline 12
aeropuerto airport 12
afeitarse to shave 6
agnóstico/a agnostic 10

agosto August 1
agua *f.* (*but* **el agua**) water 5; **agua potable** potable water 12
ahora now 2
ahorrar to save (time, money) 10
aire *m.* **acondicionado** air conditioning 12
ajo garlic 5
al + *infinitivo* upon (doing something) 6; **al lado de** beside *prep.* 2
alcalde/ alcaldesa mayor 10
alegrarse (de) to be glad/ happy (about) 10
alemán (alemana) *n. adj.* German 2
alfombra rug, carpet 6
álgebra *f.* (*but* **el álgebra**) algebra 2
algo something 6
algodón *m.* cotton 8
alguien someone 6
algún (alguno/a/os/as) any, some 10; **algún día** someday, sometime 4
allí there 2
almohada pillow 12
almorzar (ue) to have lunch 5
almuerzo lunch 5
¿Aló? Hello? 11
alquilar to rent 6; **se alquila** for rent 6
alrededor de around 12
alto stop (road sign) 7
alto/a *adj.* tall 3
altoparlantes *m. pl.* loudspeakers 8
alumno/a student 1
ama de casa *f.* (*but* **el ama...**) homemaker 2
amable kind, pleasant 5
amar to love 3

amarillo/a yellow 2

amigo/a friend 1; **mejor amigo/a** best friend 3

amistad *f.* friendship 3

amor *m.* love 3

anaranjado/a orange 2

ancianos *n. pl.* elderly 3

anexo attachment 11

anillo (de diamante) (diamond) ring 8

anoche *adv.* last night 7

anteayer *adv.* day before yesterday 7

antes de *conj.* before 6

antipático/a disagreeable, unpleasant 3

anuncio ad 8

año year 1; **Año Nuevo** New Year's 1; **año pasado** last year 7; **año que viene** next year 4

apagar to turn off 8

aparato electrónico electronic device/ equipment 8

aplaudir to applaud 10

apoyar to support 8

apoyo support 8

aprender (a) to learn (to) 4

aquí *adv.* here 2

árabe *n. adj.* Arabic 2

árbol *m.* tree 4

archivo file 11

arena sand 4

arete *m.* earring 8

arma *f.* (*but* **el arma**) weapon 10

arquitectura architecture 2

arroba @ 11

arroz *m.* rice 5

arte *m.* art 2

arveja pea 5

ascensor *m.* elevator 12

asiento seat 12; **asiento de pasillo/ de ventanilla** aisle/ window seat 12

asistir a to attend 4

aspiradora vacuum cleaner 6; **pasar la aspiradora** to vacuum 6

asunto subject 11

ataque: sufrir un ataque al corazón to have a heart attack 9

atender (ie) to look after, tend 10

atentamente truly yours 11

ateo/a atheist 10

atún *m.* tuna 5

audífonos headphones 8

aumento raise, increase (in salary, production, etc.) 11

autobús *m.* bus 2

autopista freeway 7

auxiliar de vuelo *m.* flight attendant 12

avenida avenue 2

avión *m.* airplane 12; **perder el avión** to miss the plane 12

ayer *adv.* yesterday 7

ayudar to help 3

azafata *f.* flight attendant 12

azúcar *m.* sugar 5

azul blue 2

B

bailar to dance 4

bajar to go down 6

bajo/a short 3

banana banana 5

banco bank, bench 7

banda band 10

bañarse to take a bath 6

bañera bathtub 6

baño restroom 7; **cuarto de baño** bathroom 6

barato/a cheap, inexpensive 8

barrer to sweep 6

barrio neighborhood 10

basura garbage 6; **cubo de la basura** garbage can 6; **sacar la basura** to take out the trash 6

bebé *m./f.* baby 3

beber to drink 4

bebida drink 5

beige beige 2

beneficio benefit 11

besar to kiss 3

biblioteca library 2

bicicleta bicycle 2

Bien. Fine. Okay. 1; **Muy bien, gracias.** Very well, thanks. 1

billetera wallet 8

biología biology 2

bistec *m.* steak 5

blanco/a white 2

blusa blouse 8

boca mouth 9

boda wedding 3

boleto ticket (movie/ theater/ bus/ plane/ train) 7

bolígrafo pen 1

bolsa bag; purse, handbag 8

Bolsa stock market 11

bombero/a *m./f.* firefighter 2

bonito/a pretty 3

borrador *m.* eraser 2

borrar to delete, erase 11

bosque *m.* forest 4

bota boot 8

botones *m. s.* bellhop 12

brazo arm 9

brócoli *m.* broccoli 5

bucear to snorkel 4

bueno/a good 3

bufanda scarf 8

buscar to look for 5

buzón *m.* mailbox 7

C

cabeza head 9; **tener dolor de cabeza** to have a headache 9

cadena chain 8

caerse to fall 9

café *m.* coffee 5; **(color) café** brown 2

cafetería cafeteria 2

cajero/a *m./f.* cashier 2
cajero automático ATM 7
cálculo calculus 2
calefacción *f.* heating 12
calle *f.* street 2
calor: Hace (mucho) calor. It is (very) hot. 4;
   tener calor to be hot 8
calvo/a bald 3
cama bed 6; **hacer la cama** to make the bed 6
cámara digital digital camera 8
camarón *m.* shrimp 5
cambiar to change; to exchange 7
camilla stretcher 9
caminar to walk 4
camino: Estoy en camino. I'm on my way. 7
camión *m.* truck 10; **camión de la basura** garbage
   truck 10
camisa shirt 8
camiseta t-shirt 8
campaña electoral electoral campaign 10
campo field, countryside 4
candidato/a candidate 10
cansado/a tired 2
cantar to sing 4
cara face 9
cariñoso/a affectionate 3
carne *f.* **de res** beef 5
caro/a expensive 8
carretera highway, road 7
carro car 2; **carro híbrido** hybrid car 12; **Mi carro se**
   descompuso. My car broke down. 7
carta letter 11; **carta de recomendación** letter of
   recommendation 11
cartera purse, handbag 8
cartero/a mail carrier 10
casa house 6; **en casa** at home 2
casado: estar casado/a to be married 3; **recién casados**
   newlyweds 3
casarse to get married 10
cascada waterfall 12
casi *adv.* almost 3
catarata waterfall 12
catedral *f.* cathedral 10
católico/a Catholic 10
catorce fourteen 1
cebolla onion 5
celular *m.* cell phone 8
cena dinner 5
cenar to have dinner 3
centro downtown 7; **centro comercial** mall 8; **centro**
   estudiantil student center 2
cepillarse (los dientes) to brush (one's teeth) 6
cepillo de dientes toothbrush 6
cerca de *prep.* near 2
cereal *m.* cereal 5
cerebro brain 9
cereza cherry 5
cero zero 1

cerrado/a closed 2
cerrar (ie) to close 7
cerveza beer 5
champú *m.* shampoo 6
Chao. Bye. 1
chaqueta jacket 8
charlar to chat 3
cheque *m.* check 7
chica child, girl 3
chícharo pea 5
chicle *m.* chewing gum 10
chico child, boy 3
chimenea fireplace, chimney 6
chino/a *n. adj.* Chinese 2
chocar to crash 9
chuleta de cerdo pork chop 5
cielo sky 4
cien mil one hundred thousand 5
cien one hundred 3, 5
ciencia science 12; **ciencias políticas** political
   science 2
ciento uno one hundred one 5
cinco five 1
cincuenta fifty 1
cine *m.* movie theater 7
cinturón *m.* belt 8
cirujano/a surgeon 9
cita appointment, date 9
ciudad *f.* city 4
ciudadano/a citizen 10
clase *f.* class 1
clima *m.* weather 4
cobija blanket 12
cobrar to cash; to charge 7
cocina kitchen 5, 6
código de área area code 11
colega *m./f.* colleague 11
colgar (ue) to hang 10
collar *m.* necklace 8
comedor *m.* dining room 6
comer to eat 4
comida food, meal 5
cómo how 2; **¿Cómo está usted?** *form.* How are you? 1;
   ¿Cómo estás? *inform.* How are you? 1; **¿Cómo se llama**
   usted? *form.* What is your name? 1; **¿Cómo te llamas?**
   inform. What is your name? 1
cómoda dresser 6
cómodo/a comfortable 8
compañero/a de clase classmate 2
compartir to share 4
comprar to buy 3
compras: hacer las compras to buy groceries, run
   errands 6
comprometerse to get engaged 10
comprometido: estar comprometido/a to be
   engaged 3
computadora computer 1; **computadora**
   portátil laptop 8
comunicarse to communicate 12

con *prep.* with 5; **con frecuencia** *adv.* frequently 3; **Con permiso.** Excuse me (to ask permission to pass by someone or to leave). 1

congestionado: estar congestionado/a to be congested 9

conocer to know, be acquainted with 4

conseguir (i, i) to get, obtain 12

conservador/a conservative 10

construir to construct 10

consultorio médico doctor's office 9

contabilidad *f.* accounting 2

contador/a *m./f.* accountant 2

contaminación *f.* pollution 12

contar (ue) to count 5; to tell, narrate (a story or incident) 5

contento/a happy 2

contestador automático *m.* answering machine 8

contestar to answer 6

contribuir to contribute 12

control remoto *m.* remote control 8

copa wine glass, goblet 5

copiar to copy 11

corazón *m.* heart 9; **sufrir un ataque al corazón** to have a heart attack 9

corbata tie 8

cordillera mountain range 12

correr to run 4

correo: oficina de correos post office 7

cortar to cut 5; **cortar el césped** to mow the lawn 6; **cortarse el pelo** to get a haircut, to cut one's hair 7

cortina curtain 6

corto/a short 8

costar (ue) to cost 5

creer (que) to believe, think (that) 4; **no creer** not to believe 10

crema cream 5

crimen *m.* crime 10

cruzar to cross 7

cuaderno notebook 1

cuadra block 7; **a una cuadra** a block away 7

cuándo when 2

¿cuánto/a? how much? 2

¿cuántos/as? How many? 1, 2

cuarenta forty 1

cuarto room 6; **y cuarto** fifteen past/ quarter after (the hour) 1

cuarto/a fourth 11

cuatro four 1

cuatrocientos/as four hundred 5

cubículo cubicle 11

cubo de la basura garbage can 6

cuchara spoon 5

cuchillo knife 5

cuello neck 9

cuenta account 7; bill 5

cuerpo humano the human body 9

cuidado: tener cuidado to be careful 9

cuidar(se) to take care of (yourself/oneself) 3, 9

cultivar to grow (crops) 12

cumpleaños *m. s.* birthday 1

cuñado/a brother-in-law/ sister-in-law 3

cura cure 9

currículo résumé 11

D

dar to give 4; **dar de comer** to feed 10; **dar fiestas** to give/ throw parties 4; **dar un paseo** to take a walk/stroll 4

de from, of 1; **De nada.** You're welcome. 1; **de repente** suddenly 9

debajo de *adv.* beneath, below, under 6

deber (+ *infinitivo*) should/ must/ ought to (*do something*) 4

décimo/a tenth 11

decir to say, tell 4

dedo finger 9; **dedo del pie** toe 9

dejar to leave (behind) 5; **dejar de** + *infinitivo* to stop (*doing something*) 9

delante de *prep.* in front of 2

delgado/a thin, slender 3

demasiado *adv.* too (much) 8

dentro de *adv.* within, inside (of) 6

dependiente/a *m./f.* salesclerk 2

deporte *m.* sport 4; **practicar deportes** to play, go out for sports 4

derecha: a la derecha to the right, on the right 7

derecho law 2, straight ahead 7; **derechos humanos** human rights 10

desayunar to have breakfast 3

desayuno breakfast 5

descansar to rest 4

descanso break, rest 11

desear to want, wish, desire 5

desierto desert 12

desordenado/a disorganized, messy 3

despedirse (i) (de) to say good-bye (to) 6

despertador *m.* alarm clock 6

despertarse (ie) to wake up 6

despido layoff 11

después de *prep.* after 2, 6

destrucción *f.* **de la capa de ozono** destruction of the ozone layer 12

desventaja disadvantage 12

detrás de *prep.* behind 2

deuda debt 11

devolver (ue) to return (something) 7

día *m.* day 1; **Buenos días.** Good morning. 1; **día festivo** holiday 11; **día laboral** workday 11; **todo el día** all day 3; **todos los días** every day 3

diagnosticar to diagnose 12

dibujar to draw 4

diciembre December 1

diecinueve nineteen 1

dieciocho eighteen 1

dieciséis sixteen 1

diecisiete seventeen 1

diente tooth 6; **cepillarse los dientes** to brush one's teeth 6

diez ten 1

difícil difficult 3

dinero money 5

Dios *m.* God 10

dirección *f.* address 11

discapacitado/a disabled 9

discutir to argue 10

disfrutar de to enjoy 4

diversidad *f.* diversity 12

divertido/a funny, fun 3

divertirse (ie) to have fun/ a good time 6

divorciarse to get divorced 10; **estar divorciado/a** to be divorced 3

doblar to turn 7; **doblar la ropa** to fold the clothes 6

doce twelve 1

documento document 11

doler (ue) to hurt 9

dolor *m.* pain; **tener dolor de cabeza/ estómago** to have a headache/ stomachache 9

domingo Sunday 1

donar to donate 10

dónde where 2; **¿De dónde eres?/¿De dónde es usted?** *inform./form.* Where are you from? 1

dormir (ue) to sleep 5; **dormirse (ue)** to fall asleep 6

dormitorio bedroom 6

dos mil two thousand 5

dos millones two million 5

dos two 1

doscientos mil two hundred thousand 5

doscientos/as two hundred 5

ducha shower 6

ducharse to take a shower 6

dudar to doubt 10

dueño/a owner 10

dulce *m.* sweet, candy 10

durante during 6

durazno peach 5

E

economía economy 11; economics 2

edificio building 2

efectivo: en efectivo cash 8

ejecutivo/a executive 11

ejercicio: hacer ejercicio to exercise 4

eliminar to eliminate 12

embarazada: estar embarazada to be pregnant 9

emergencia emergency 9; **sala de emergencias** emergency room 9

emigrante *m./f.* emigrant 12

emigrar to emigrate 12

empezar (ie) to begin, start 7

empleado/a employee 11

empleo: solicitar empleo to look for a job 11; **solicitud** *f.* **de empleo** job application 11

empresa corporation 11

en in, at 2

enamorarse to fall in love 10; **estar enamorado/a** to be in love 3

Encantado/a. I'm delighted to meet you. 1

encantar to like a lot, love 4

encima de *adv.* on top of, above 6

encontrar (ue) to find 7; **encontrarse (ue) (con)** to meet up (with) (by chance) 7

energía: energía eólica (del viento) aeolic (wind energy) 12; **energía solar** solar energy 12

enero January 1

enfermarse to get sick 9

enfermedad *f.* illness, disease 9, 12

enfermería nursing 2

enfermero/a *m./f.* nurse 2

enfermo/a sick 2

enfrente de *adv.* opposite, facing 2

enojado/a angry 2

ensalada salad 5

enseñar to teach, show 10

entender (ie) to understand 5

entrada entrance 7

entrar (a/en) to enter 7

entre *prep.* between 2

entrevista interview 11

enviar to send 11

equipaje luggage, baggage 12; **facturar el equipaje** to check the luggage/ baggage 12

equipo team 4; **equipo de DVD y video** DVD/VCR player 8

equivocarse to be mistaken, make a mistake 11

escalera stairs 6

escribir to write 4

escritorio desk 1

escuchar (música) to listen to (music) 4

escuela school 2; **en la escuela** at school 2

espalda back 9

español (española) *n. adj.* Spanish 2

espejo mirror 6

espera: sala de espera waiting room 9

esperar to hope, expect 10; to wait for 7

esposa wife 3

esposo husband 3

esquiar to ski 4

esquina corner 7

estación *f.* season 4; **estación de tren** train station 7

estacionamiento parking 2

estacionar to park 7

estadio de deportes stadium 2

estadística statistics 2

estante *m.* bookcase, shelf 6

estar to be 2; **estar a favor de/ en contra de** to be in favor of/ against 10

estatua statue 2

estimado/a dear 11

estómago stomach 9; **tener dolor de estómago** to have a stomachache 9

estrella star 4
estresado/a stressed 2
estudiante *m./f.* student 1
estudiar to study 3
estufa stove 6
evitar to avoid 12
examen *m.* exam 2
examinar to examine 9
éxito: tener éxito to succeed, be successful 11
experiencia experience 11
explicar to explain 7
exploración *f.* **espacial** space exploration 12
extrañar to miss 10

F

fábrica factory 11
fácil easy 3
facturar el equipaje to check the luggage/ baggage 12
facultad *f.* school (of a university) 2; **Facultad de Administración de Empresas** Business School 2; **Facultad de Ciencias** School of Sciences 2; **Facultad de Derecho** Law School 2; **Facultad de Filosofía y Letras** School of Arts 2; **Facultad de Medicina** Medical School 2
falda skirt 8
familia family 3
febrero February 1
fecha date 1; **¿Qué fecha es hoy?** What is today's date? 1
feo/a (un poco) ugly (a little bit) 3
fiebre: tener fiebre to have a fever 9
fila: hacer fila to wait in line 7
filosofía philosophy 2
fin *m.* end 12; **este fin de semana** this weekend 2; **fin de semana pasado** last weekend 7; **los fines de semana** on weekends 3
firmar to sign 7
física physics 2
flan *m.* caramel custard 5
flor *f.* flower 4
foto: tomar fotos to take photos 8
fotocopiadora photocopier 11
fotocopiar to photocopy 11
fracturarse to fracture 9
francés (francesa) *n. adj.* French 2
fregadero kitchen sink 6
freno brake
fresa strawberry 5
fresco: Hace fresco. It is cool. 4
frijol *m.* bean 5
frío cold 4; **Hace (mucho) frío.** It is (very) cold. 4; **tener frío** to be cold 8
frito/a fried 5
frontera border 12
fruta fruit 5
fuego fire 10
fuente *f.* fountain 7
fuera de *adv.* outside (of) 6

fuerte strong 3
fumar to smoke 9
funcionar to work (machinery) 7

G

gafas de sol sunglasses 8
galleta cookie 5
ganancia profit 11
ganar to earn 11; to win 4
ganas: tener ganas de + *infinitivo* to feel like (*doing something*) 11
garaje *m.* garage 6
garganta throat 9; **Me duele la garganta.** My throat hurts. 9
gasolinera gas station 7
gastar to spend 8
gato cat 3
gente *f.* people 7
geografía geography 2
geometría geometry 2
gerente *m./f.* **de ventas** sales manager 11
gimnasio gym 2
gobierno government 12
gordo/a (un poco) fat (a little bit) 3
gorra de béisbol baseball cap 8
gorro de lana wool cap 8
Gracias. Thanks. 1
grande large, big 3
granja farm 4
gripe: tener gripe to have the flu 9
gris gray 2
gritar to scream, yell 9
grúa tow truck 10
guante *m.* glove 8
guapo/a good-looking 3
guardar to save 11; **guardar (la ropa)** to put away (clothes) 6
guardería infantil child care center 2
guerra war 10
guía telefónica telephone book 11
gustar to like 4; **me gustaría** I would like/ love to 8
gusto: Mucho gusto. Nice/Pleased to meet you. 1

H

habitación *f.* room 12; **habitación doble** double room 12; **habitación sencilla** single room 12; **servicio de habitación** room service 12
hablar to speak 3
hacer to make, do 4; **hacer la maleta** to pack a suitcase 12; **hacer un viaje (al campo/ a la ciudad)** to take a trip (to the country/ city) 4
hambre *f.* hunger 12; **tener hambre** to be hungry 5
hamburguesa hamburger 5
harina flour 5
hasta *adv.* until 7; **hasta llegar a...** until you arrive at ... 7; **Hasta luego.** See you later. 1; **Hasta mañana.** See you tomorrow. 1

hay there is, there are 1; **hay que...** one must/ should . . . 7
helado (de vainilla) (vanilla) ice cream 5
herida wound 9
herido/a injured/ wounded person 9
hermano/a brother/ sister 3
hielo ice 5
hígado liver 9
hija daughter 3
hijo son 3
historia history 2
hoja leaf 4; **hoja de papel** sheet of paper 2
Hola. Hello. Hi. 1
hombre *m.* man 1
hombre/ mujer de negocios *m./f.* business executive 2
hombro shoulder 9
hora hour 1; **¿Qué hora es?** What time is it? 1
hotel hotel 12
hotelería hotel management 2
hoy *adv.* today 2
huelga: hacer huelga to go on strike 11
hueso bone 9
huevo (frito) (fried) egg 5
humo smoke 10

I

idioma *m.* language 1
iglesia church 7
igualdad *f.* equality 10
impermeable *m.* raincoat 8
importante important 10
imposible impossible 10
imprimir to print 11
improbable improbable 10
impuestos taxes 10
incendio fire 10
inconsciente: estar inconsciente to be unconscious 9
increíble incredible 10
informática computer science 2
ingeniería engineering 2
inglés (inglesa) *n. adj.* English 2
inmigrante *m./f.* immigrant 12
inmigrar to immigrate 12
inodoro toilet 6
insistir (en) to insist (on) 10
integrarse a/en to adjust, integrate oneself 12
intestino intestine 9
invento invention 12
inversión *f.* investment 11
invertir (ie, i) to invest 11
investigación *f.* research 12
invierno winter 4
invitar to invite 10; **Te invito a...** I'll treat/ invite you to...
inyección: poner una inyección to give a shot 9
ir to go 2; **ir a...** to go to . . . 2; **irse** to go away 6; **ir de compras** to go shopping 4; **ir en barco** to go by boat/ ship 4

isla island 4
italiano/a *n. adj.* Italian 2
izquierda left 7; **a la izquierda** to the left, on the left 7

J

jabón *m.* soap 6
jamón *m.* ham 5
japonés (japonesa) *n. adj.* Japanese 2
jardín *m.* garden 6
jeans *m. pl.* jeans 8
jefe/a de personal director of human resources 11
jefe/a boss 11
joven *adj.* young 3
jóvenes *n. m./f.* young people 3
joyas jewelry 8
joyería jewelry store 7
jubilarse to retire 11
judío/a Jewish 10
jueves *m.* Thursday 1
jugar (ue) al vólibol to play volleyball 4
jugo (de naranja) (orange) juice 5
julio July 1
junio June 1
justicia justice 10

L

labio lip 9
ladrón (ladrona) thief, robber 10
lago lake 4
lámpara lamp 6
lana wool 8
langosta lobster 5
lápiz *m.* pencil 1
largo/a long 8
lástima: es una lástima it is a shame 10
lastimarse to hurt oneself, injure oneself 9
lavabo sink (bathroom) 6
lavadora washing machine 6
lavaplatos *m. s.* dishwasher 6
lavar (los platos) to wash (the dishes) 6; **lavarse (el pelo)** to wash (one's hair) 6
leche *f.* milk 5
lechuga lettuce 5
leer to read 4
legumbre *f.* vegetable 5
lejos de *prep.* far from 2
lengua tongue 9
lentamente slowly 9
lentes *m.* glasses 8; **lentes de contacto** contact lenses 8
levantar: levantar pesas to lift weights 4; **levantarse** to get up 6
ley *f.* law 10
librería bookstore 2
libro book 1

licencia de manejar driver's license 7

limón *m.* lemon 5

limpiar to clean 3; **limpiar el polvo** to dust 6

limpio/a clean 8

línea de producción production line 11

listo/a smart 3

literatura literature 2

llamada de larga distancia long distance call 11

llamar to call 3; **Me llamo...** My name is ... 1

llanta pinchada flat tire 7

llave *f.* key 7

llegar to arrive 2

llenar el tanque to fill the tank 7

llevar to wear, carry 8; to carry, take 7; **(no) llevarse bien con** to (not) get along well with 10

llorar to cry 3

llover (ue) to rain 4

lluvia rain 4

luchar por to fight for 10

lugar *m.* place 1; **lugar del accidente** scene/ place of the accident 9

luna moon 4

lunes *m.* Monday 1

luz *f.* light, electricity 6

M

madre *f.* mother 3

maestro/a *m./f.* teacher 2

maíz *m.* corn 5

maleta suitcase 12; **hacer la maleta** to pack a suitcase 12

malo/a bad 3

mamá mother 3

mañana morning, tomorrow 2; **de la mañana** in the morning 1; **esta mañana** this morning 2; **mañana por la mañana** tomorrow morning 4; **por la mañana** in the morning 2; **todas las mañanas** every morning 3

mandar to send 4; **mandar una carta** to mail/ send a letter 7

manejar to drive 4; **licencia de manejar** driver's license 7

manifestación *f.* demonstration 10

mano *f.* hand 9

mantel *m.* tablecloth 5

mantequilla butter 5

manzana apple 5

mapa *m.* map 2

maquillarse to put on makeup 6

mar *m./f.* sea 4

marca brand 8

marcador *m.* marker 2

marcar to dial 11; **marcar tarjeta** to punch in 11

mariscos seafood/ shellfish 5

martes *m.* Tuesday 1

marzo March 1

más more 5

matar to kill 10

matemáticas mathematics 2

mayo May 1

mayonesa mayonnaise 5

mayor older 3

media naranja soulmate 3

medianoche *f.* midnight 1

medicina medicine 2

médico/a *m./f.* doctor 2

medio ambiente *m.* environment 12

mediodía *m.* noon 1

mejor better 8; **es mejor** it is better 10; **mejor amigo/a** best friend 3

mejorar to improve 12

menor younger 3

menos less 1, 5; **menos cuarto** quarter to (hour) 1

mensaje electrónico e-mail 4

mercado market 5; **mercado en alza y en baja** bull (up) and bear (down) stock markets 11

merienda afternoon snack 5

mermelada jam 5

mes *m.* month 1; **mes que viene** next month 4

mesa table 2; **poner la mesa** to set the table 6

mesero/a *m./f.* server 2

mezquita mosque 10

microondas *m. s.* microwave 6

miedo: tener miedo to be afraid 9

mientras *conj.* while 9; **mientras tanto** meanwhile 9

miércoles *m.* Wednesday 1

mil one thousand 5

millón million 5

mirar to look at, watch 4

mochila backpack 1

moda fashion 8

montaña mountain 4

montar: montar a caballo to ride horseback, go horseback riding 4; **montar en bicicleta** to ride a bicycle 4

morado/a purple 2

moreno/a dark-haired, dark-skinned 3

morir (ue, u) to die 9

mostrar (ue) to show 7

moto(cicleta) *f.* motorcycle 7

mover(se) to move (oneself) 9

muchacho/a boy/ girl 10

mucho *adv.* much, a lot 2, 4

mucho/a/os/as *adj.* much, many, a lot 2

mudarse to move (from house to house) 10

muebles *m. pl.* furniture 6

mujer *f.* woman 1; **mujer de negocios** business executive *f.* 2; **mujer policía** police woman 2

muleta crutch 9

museo museum 7

música music 2

musulmán (musulmana) *n. adj.* Muslim 10

muy very 1

N

nada nothing 6; **De nada.** You're welcome. 1

nadar to swim 4

nadie no one, not anyone, nobody 6

naranja orange 5
nariz *f.* nose 9
naturaleza nature 12
nave espacial *f.* spaceship 12
navegar por la Red to surf the Web 4
Navidad *f.* Christmas 1
necesario/a necessary 10
necesitar to need 3
negocios business 2
negro/a black 2
nevar (ie) to snow 4
nervioso/a nervous 2
nieta granddaughter 3
nieto grandson 3
nieve *f.* snow 4
niña child, girl 3
niñera nanny 3
ningún, ninguno/a no (not a single); none, not any 10
niño child, boy 3
noche *f.* night 3; **Buenas noches.** Good evening./ Good night. 1; **de la noche** in the evening 1; **esta noche** tonight 2; **por la noche** at night 2; **todas las noches** every night 3
nota grade 2
noticias news 7
novecientos/as nine hundred 5
noveno/a ninth 11
noventa ninety 3
novia girlfriend 3
noviembre November 1
novio boyfriend 3
nube *f.* cloud 4
nublado: Está nublado. It is cloudy. 4
nueve nine 1
nuevo/a new 3
número number 1
nunca: (casi) nunca *adv.* (almost) never 3

O

o or 1
obedecer to obey 10
obrero/a worker 11
ochenta eighty 3
ocho eight 1
ochocientos/as eight hundred 5
octavo/a eighth 11
octubre October 1
ocupado/a busy 2
oficina office 11
oído inner ear 9
oír to hear 4
Ojalá (que) + *present subjunctive* I hope . . . 10
ojo eye 9
ola wave 4
olvidarse de to forget 10
once eleven 1

operar to operate 9; **operar la máquina** to operate the machine 11
oportunidad *f.* opportunity 12
oratoria speech 2
ordenar (el cuarto) to straighten up (the room) 6
oreja ear 9
organizar to organize 10
oro gold 8
otoño fall (season), autumn 4
otro/a *adj.* other, another 5

P

paciente *m./f.* patient 9
padre *m.* father 3
padres *m. pl.* parents 3
pagar to pay (for) 5
país *m.* country 7; **país en desarrollo** developing country 12; **país extranjero** foreign country 7
paisaje *m.* landscape 12
pájaro bird 4
pan *m.* bread 5; **pan tostado** toast 5
pantalones *m. pl.* **cortos/ largos** shorts/ long pants 8
pantimedias panty hose 8
papa *f.* potato 5; **papas fritas** French fries 5; **puré** *m.* **de papas** mashed potatoes 5
papá *m.* father 3
papelera wastebasket 2
paquete *m.* package 7
para *prep.* for 6; **para** + *infinitivo* in order to (*do something*) 6
parada de autobús bus stop 7
paraguas *m. s.* umbrella 8
paramédico/a paramedic 9
parar to stop 7
pared *f.* wall 2
pareja couple 3; **mi pareja** significant other 3
¡Paren! Stop! 7
pariente *m./f.* relative 3
parque *m.* park 7
parrilla: a la parrilla grilled 5
partido party (political) 10; game 4; **partido de fútbol** soccer game 4
pasado *n.* past 7
pasajero/a passenger 12
pasaporte: sacar el pasaporte to get a passport 12
pasar: pasar por to go down; to go, pass by 7, 10; **pasar el tiempo (con la familia)** to spend time (with the family) 4; **¡Que lo pases bien!** Have a good time! 7
pasillo hallway 2; aisle 12
pasta de dientes toothpaste 6
pastel *m.* **(de chocolate)** (chocolate) cake 5
pastelería pastry shop 7
pastilla pill 9
patinar to skate 4
pavo turkey 5
paz *f.* peace 10
peatón *m.* pedestrian 7
pecho chest, breast 9
pedir (i) to order, ask for 5

peinarse to comb one's hair 6
peine *m.* comb 6
película film 7
peligroso/a dangerous 10
pelirrojo/a red-headed 3
pelo hair 6; **lavarse el pelo** to wash one's hair 6
pelota ball 4
peluquería hair salon 7
pensar (ie) (+ *infinitivo*) to think, plan/ intend (*to do something*) 5
peor worse 8
pequeño/a small 3
pera pear 5
perder (ie) to lose 7
Perdón. Pardon me./ Excuse me (*to get someone's attention*). 1
perezoso/a lazy 3
periódico newspaper 7
permiso por enfermedad sick leave 11; **permiso por maternidad** maternity leave 11
pero *conj.* but 1
perro dog 3
persona sin hogar homeless person 10
pescado fish (caught) 5
pescar to fish 4
pez *m.* fish (live) 4
pie *m.* foot 9
piel *f.* skin 9
pierna leg 9
pijama pajamas 8
piloto *m./f.* pilot 12
pimienta pepper (spice) 5
pimiento verde/ rojo green/ red bell pepper 5
pintar (un cuadro) to paint (a painting) 4
pintarse las uñas to have one's nails painted, to paint one's nails 7
piña pineapple 5
piscina swimming pool 12
piso floor 6; **primer piso** first floor 6; **segundo piso** second floor 6
pizarra chalkboard 2
planchar to iron 6
planta tropical tropical plant 12
plata silver 8
plato plate, dish 5
playa beach 4
plaza square, plaza 2
pobre poor 3
pobreza poverty 12
poco: un poco a little 1, 4
poder *m.* power 12; **poder (ue)** to be able 5
policía/ mujer policía *m./f.* police officer 2
pollo chicken 5
poner to put 4; **poner la mesa** to set the table 6; **poner una inyección** to give a shot 9; **ponerse (los zapatos)** to put on (one's shoes, etc.) 6
por by, through, around, alongside 6; **por fin** *adv.* finally 9
portero porter, concierge 10
portugués (portuguesa) *n. adj.* Portuguese 2
posible possible 10
postre *m.* dessert 5

practicar deportes to play, go out for sports 4
precio price 8
preferir (ie) to prefer 5
preguntar to ask 7
prejuicio prejudice 10
prender to turn on 8
prensa press 12
preocupado/a worried 2
preocuparse to worry 9
preparar to prepare 5
presentar: Le/ Te presento a... Let me introduce you to . . . 1
presión: tomar la presión to take one's blood pressure 9
prestar to lend 7
presupuesto budget 11
prevenir (enfermedades) to prevent (illnesses) 12
primo a cousin 3
primavera spring 4
primer, primero/a first 11; **primer piso** first floor 6
prisa: tener prisa to be in a hurry 9
probable probable 10
probar (ue) to taste, try 5; **probarse** to try on 8
producto orgánico organic produce 12
profesor/a professor 1
programador/a *m./f.* programmer 2
prolongar la vida to prolong life 12
promoción *f.* promotion 11
propina tip 5
prosperar to prosper 12
proteger to protect 12
protestante *m./f.* Protestant 10
proveer to provide 12
próximo mes/ año/ verano next month/ year/ summer 4
(p)sicología psychology 2
prueba quiz, test 2
pueblo town, people 10
puente *m.* bridge 7
puerta door 2; **puerta de embarque** boarding gate 12
puesto de trabajo position, job 11
pulmón *m.* lung 9
pulsera bracelet 8
punto: en punto on the dot, sharp (time) 1
pupitre *m.* desk (student's) 2
puré *m.* **de papas** mashed potatoes 5

Q

qué what 2; **¿Qué tal el clima?** What is the weather like? 4; **¿Qué tal?** How are you (doing)? 1; **¿Qué tiempo hace?** What is the weather like? 4
quedarse to stay, remain 9; **quedar bien/ mal** to fit/ not fit 8
quehaceres *m. pl.* **domésticos** household chores 6
quejarse to complain 9
quemarse to burn oneself, burn down 10
querer (ie) to want, wish, love 1, 5
queso cheese 5
química chemistry 2
quince fifteen 1
quinientos/as five hundred 5

quinto/a fifth 11
quiosco newsstand 7
quitar: quitar la mesa to clear the table 6; **quitarse (la ropa)** to take off (one's clothes, etc.) 6

R

radio por satélite *m./f.* satellite radio 12
radiografía X-ray 9
rascacielos *m. s.* skyscraper 7
ratón (óptico USB) *m.* (wireless USB) mouse 8
razón: tener razón to be right 11
rebaja sale 8
recepcionista *m./f.* receptionist 2
receta prescription 9
recibir to receive 4
reciclar to recycle 6
recoger to pick up, gather 10
recomendar (ie) to recommend 10
recto straight ahead 7
recuperarse to recuperate 9
refresco soft drink, soda 5
refrigerador *m.* refrigerator 6
regalar to give (as a gift) 7
regalo gift 5
regar (ie) (las plantas) to water (the plants) 6
registrarse to check in 12
regresar to return 3
Regular. Okay./ So, so. 1
reírse (i) to laugh 6
relajarse to relax 10
religión *f.* religion 2
reloj *m.* clock, watch 1
reparar to repair, to fix 7
repartidor/a (de periódicos) *m./f.* (newspaper) delivery person 10
repente: de repente suddenly 9
repetir (i) to repeat 5
reportero/a reporter 10
reservar to reserve 12
resfriado: estar resfriado/a to have a cold 9
residencia estudiantil dormitory, residence hall 2
resolver (ue) to solve, resolve 10
responder to reply, answer 11
reunirse to meet (get together) 10
revisar (el aceite) to check (the oil) 7
revista magazine 7
rezar to pray 10
rico/a rich 3
ridículo/a ridiculous 10
riñón *m.* kidney 9
río river 4
robar to rob, steal 10
rodilla knee 9
rojo/a red 2
romper(se) to break 9, 11
ropa clothing 6, 8
ropa interior underwear 8

ropero closet 6
rosado/a pink 2
rubio/a blond(e) 3
ruido noise 7
ruso/a *n. adj.* Russian 2

S

sábado Saturday 1
sábana sheet 12
saber to know (facts, information), to know how (skills) 4
sacar to take out 7; **sacar la basura** to take out the trash 6; **sacar sangre** to take blood 9
sal *f.* salt 5
sala living room 6; **sala de espera** waiting room 9
salchicha sausage 5
salida exit 7
salir to leave, go out 4; **salir de paseo** to take a walk/ stroll 4
saltar to jump 10
salud *f.* health 2, 9
saludarse to greet 10
sandalia sandal 8
sandía watermelon 5
sándwich *m.* sandwich 5
satisfecho: estar satisfecho/a to be satisfied 12
secador *m.* hairdryer 6
secadora dryer 6
secar (los platos) to dry (the dishes) 6; **secarse** to dry oneself 6
secretario/a *m./f.* secretary 2
Secretaría Registrar's Office 2
sed: tener sed to be thirsty 5
seguir (i) to continue, to follow 7
segundo/a second 11
seguridad nacional *f.* national security 10
seguro (médico) (medical) insurance 9; **(no) estar seguro/a (de)** to (not) be sure 10
seis six 1
seiscientos/as six hundred 5
selva jungle 12
semáforo traffic light 7
semana week 1; **próxima semana** next week 4; **semana pasada** last week 7; **semana que viene** next week 4
sentarse (ie) to sit down 6
sentir (ie, i) to be sorry, regret, feel 10; **sentirse (ie) mal/ bien** to feel bad, sick/ well 6
señal *f.* **de tráfico** road sign 7
señor (Sr.) Mr., sir 1
señora (Sra.) Mrs., ma'am 1
señorita (Srta.) Miss 1
separado/a separated 3
septiembre September 1
séptimo/a seventh 11
ser to be 1
servicio de habitación room service 12
servilleta napkin 5
servir (i) to serve 5
sesenta sixty 3

setecientos/as seven hundred 5

setenta seventy 3

sexto/a sixth 11

sí yes 1

SIDA *m.* AIDS 9

siempre: (casi) siempre *adv.* (almost) always 3

siete seven 1

silla chair 2; **silla de ruedas** wheelchair 9

sillón *m.* easy chair 6

simpático/a nice, likeable 3

sin *prep.* without 5

sinagoga synagogue 10

sindicato union 11

sobre *m.* envelope 11

sobre *prep.* on, above 6; about (a topic) 6

sobrino/a nephew/ niece 3

sociología sociology 2

¡Socorro! Help! 9

sofá *m.* sofa 6

sol *m.* sun 4; **Hace sol.** It is sunny. 4; **tomar el sol** to sunbathe 4

soldado/ la soldado *m./f.* soldier 2

solicitar empleo to look for a job 11

solicitud *f.* **de empleo** job application 11

soltero: ser soltero/a to be single 3

sombrero hat 8

sonar (ue) to ring (phone); to go off (alarm clock) 6

sopa soup 5

sótano basement 6

subir to go up 6

sucio/a dirty 8

sudadera sweatshirt 8

suegro/a father-in-law/ mother-in-law 3

sueldo salary 11

suelo floor 6

sueño: tener sueño to be sleepy 6

suerte luck 7; **¡Qué mala suerte!** What bad luck! 7; **tener suerte** to be lucky 11

suéter *m.* sweater 8

sufrir un ataque al corazón to have a heart attack 9

supervisor/a supervisor 11

T

talla size 8

taller *m.* **mecánico** auto repair shop 7

también *adv.* also 1

tampoco *adv.* not either 1

tanque: llenar el tanque to fill the tank 7

tarde *adv.* late 3; *n. f.* afternoon 1; **Buenas tardes.** Good afternoon. 1; **de la tarde** in the afternoon (p.m.) 1; **esta tarde** this afternoon 2; **más tarde** later 2; **por la tarde** in the afternoon 2; **todas las tardes** every afternoon 3

tarea homework 2

tarjeta: tarjeta de crédito credit card 8; **tarjeta de embarque** boarding pass 12; **tarjeta postal** postcard 7

taza cup 5

té *m.* **(caliente/ helado)** (hot/ iced) tea 5

teatro theater 2

techo roof, ceiling 6

teclado keyboard 8

teléfono telephone 8; **teléfono inalámbrico** cordless phone 8

telenovela soap opera 10

televisor *m.* television 2 **de pantalla plana** flat-screen TV 8

temperatura: tomar la temperatura to take one's temperature 9

temprano *adv.* early 3

tenedor *m.* fork 5

tener to have 3; **tener que** + *infinitivo* to have to (*do something*) 6

teñirse (i) el pelo to have one's hair colored, to color one's hair 7

terapia física physical therapy 2; **terapia del lenguaje** speech therapy 2

tercer, tercero/a third 11

terminar to finish 7

termómetro thermometer 9

tía aunt 3

tío uncle 3

tiempo weather 4; **a tiempo** on time 3; **Hace buen/ mal tiempo.** The weather is nice/ bad. 4

tienda store 7; **tienda por departamentos** department store 7

Tierra Earth 12

tijeras scissors 11

tiza chalk 2

toalla towel 6

tocar (la guitarra) to play (the guitar) 4

tocino bacon 5

tomar to drink, take 5

tomate *m.* tomato 5

tonto/a silly, dumb 3

tobillo ankle 9; **torcerse (ue) el tobillo** to twist/ sprain one's ankle 9

torta (de chocolate) (chocolate) cake 5

tos: tener tos to have a cough 9

trabajador/a hard-working 3

trabajador/a social *m./f.* social worker 2

trabajar to work 3

trabajo work, job 2; **puesto de trabajo** position, job 11; **trabajo social** social work 2; **trabajo de tiempo parcial/ completo** part-time/ full-time work/ job 11

traer to bring 4

tráfico traffic 7

traje *m.* suit 8; **traje de baño** bathing suit 8

tratar de + *infinitivo* to try to (*do something*) 10

trece thirteen 1

treinta y uno thirty-one 1

treinta thirty 1

tres three 1

trescientos/as three hundred 5

triste *adj.* sad 2

turno de día/ noche day/ night shift 11

U

uña finger/ toenail 7; **pintarse las uñas** to paint one's finger/ toenails 7
universidad *f.* university 2
uno one 1
usar to use 3
uva grape 5

V

valle *m.* valley 4
vaso glass 5
veces: a veces sometimes 3
vecino/a neighbor 10
veinte twenty 1
veintiuno twenty-one 1
velocidad *f.* **máxima** maximum speed 7
venda bandage 9
vendedor/a vendor 10
vender to sell 5; **se vende** for sale 5
venir to come 4
ventaja advantage 12
ventana window 2
verano summer 4
ver to see, look at 4; **ver la televisión** to watch TV 4
verdad true 10
verde green 2
verdura vegetable 5
vez: en vez de in place of, instead of 6; **una vez/ dos veces por semana** once/ twice per week 3
viajar to travel 4; **hacer un viaje (al campo/a la ciudad)** to take a trip (to the country/ city) 4
verano summer 4; **verano que viene** next summer 4
vestido dress 8

vestirse (i) to get dressed 6
viajar to travel 4
víctima *f.* victim 10
vida life 6; **vida diaria** daily life 6; **vida sencilla** simple life 12
viejo/a old 3
viento wind 4; **Hace viento.** It is windy. 4
viernes *m.* Friday 1; **viernes pasado** *m.* last Friday 7
vinagre *m.* vinegar 5
vino wine 5
violencia violence 10
visitar to visit 3
viudo/a widower/ widow 3
vivir to live 4
volar (ue) to fly 12
volcán *m.* volcano 12
voluntario/a volunteer 10
volver (ue) to return 5
vómitos: tener vómitos to be vomiting 9
votar to vote 10
vuelo flight 12

Y

y and 1; **y cuarto** fifteen past/ quarter after 1; **y media** half past (the hour)/ thirty 1
ya *adv.* already 7
yeso cast 9

Z

zanahoria carrot 5
zapatería shoe store 7
zapato shoe 6; **zapatos de tenis** sneakers 8

Glosario: inglés-español

A

about (a topic) acerca de 6; sobre *prep.* 6
above encima de 6; sobre *adv.* 6
account cuenta 7
accountant contador/a *m./f.* 2
accounting contabilidad *f.* 2
ad anuncio 8
address dirección 11
adjust oneself integrarse a/en 12
adults adultos *m. pl.* 3
advantage ventaja 12
advise aconsejar 10
affectionate cariñoso/a 3
afraid: to be afraid tener miedo 9
after después (de) 6
afternoon tarde *f.* 1; **every afternoon** todas las tardes 3; **Good afternoon.** Buenas tardes. 1; **in the afternoon** de la tarde 1, por la tarde 2; **this afternoon** esta tarde 2; **afternoon snack** merienda 5
agnostic agnóstico/a 10
agree estar de acuerdo 10
AIDS SIDA *m.* 9
air conditioning aire *m.* acondicionado 12
airline aerolínea 12
airport aeropuerto 12
alarm clock despertador *m.* 6
algebra álgebra *m.* 2
almost casi *adv.* 3
alongside por *adv.* 6
already ya *adv.* 7
also también *adv.* 1
always siempre *adv.* 3
and y 1
angry enojado/a 2
another otro/a 5
answer contestar 6; responder 11
answering machine contestador *m.* automático 8
any algún, alguno/a/os/as 10
applaud aplaudir 10
apple manzana 5
appointment cita 9
April abril 1
Arabic árabe *adj.* 2
architecture arquitectura 2
area code código de área 11
argue discutir 10
arm brazo 9
around alrededor de 12; por 6
arrive llegar 3
art arte *m.* 2
ask preguntar 7; **to ask for** pedir (i) 5
asleep: to fall asleep dormirse (ue) 6
at a; en *prep.* 2; **at home** en casa 2

atheist ateo/a 10
ATM cajero automático 7
attachment anexo 11
attend asistir a 4
August agosto 1
aunt tía 3
auto repair shop taller *m.* mecánico 7
autumn otoño 4
avenue avenida 2
avoid evitar 12

B

baby bebé *m./f.* 3
back espalda 9
backpack mochila 1
bacon tocino 5
bad malo/a 3
bag bolsa 8
bald calvo/a 3
ball pelota 4
banana banana 5
band banda 10
bandage venda 9
bank banco 7
basement sótano 6
bathe, to take a bath bañarse 6
bathing suit traje *m.* de baño 8
bathroom (cuarto de) baño 6
bathtub bañera 6
be able poder (ue) 5
be in a hurry tener prisa 9
be in favor of/ against estar a favor de/ en contra de 10
be estar, ser 1, 2
beach playa 4
bean frijol *m.* 5
bed cama 6; **to go to bed** acostarse (ue) 6
bedroom dormitorio 6
beef carne de res *f.* 5
beer cerveza 5
before antes de *conj.* 6
begin empezar (ie) 7
behind detrás de 2
beige beige 2
believe (that) creer (que) 4
bellhop botones *m.* 12
below debajo de *adv.* 6
belt cinturón *m.* 8
bench banco 7
beneath debajo de *adv.* 6
benefit beneficio 11
beside al lado de *prep.* 2
better mejor 8, 10
between entre *prep.* 2

bicycle bicicleta 2
big grande 3
bill cuenta 5
biology biología 2
bird pájaro 4
birthday cumpleaños m. 1
black negro/a 2
blanket cobija 12
block cuadra 7; **a block away** a una cuadra 7
blond(e) rubio/a 3
blood: **to take blood** sacar sangre 9; **to take one's blood pressure** tomar la presión 9
blouse blusa 8
blue azul 2
boarding gate puerta de embarque 12
boarding pass tarjeta de embarque 12
body: **human body** cuerpo humano 9
bone hueso 9
book libro 1
bookcase estante m. 6
bookstore librería 2
boot bota 8
border frontera 12
bored aburrido/a 2; **to get bored** aburrirse 11
boss jefe/a 11
boy chico 3; niño 3; muchacho 10
boyfriend novio 3
bracelet pulsera 8
brain cerebro 9
brake freno 7
brand marca 8
bread pan m. 5
break/ rest descanso 11
break romper(se) 9, 11; fracturarse 9; **My car broke down.** Mi carro se decompuso. 7
breakfast desayuno 5; **to have breakfast** desayunar 3
breast pecho 9
bridge puente m. 7
bring traer 4
broccoli brócoli m. 5
brother hermano 3
brother-in-law cuñado 3
brown (color) café 2
brush (one's teeth) cepillarse (los dientes) 6
budget presupuesto 11
building edificio 2
burn oneself, burn down quemarse 10
bus autobús m. 2
bus stop parada de autobús 7
business school Facultad f. de Administración de Empresas 2
business negocios 2; **business executive** hombre/ mujer de negocios m./f. 2
busy ocupado/a 2
but pero conj. 1
butter mantequilla 5
buy comprar 3; **to buy groceries** hacer las compras 6
by por prep. 6
Bye. Chao. 1

C

cafeteria cafetería 2
cake pastel m. 5; **(chocolate) cake** torta (de chocolate) 5
calculus cálculo 2
call llamar 3; **long distance call** llamada de larga distancia 11
camera: **digital camera** cámara digital 8
camp acampar 4
campaign: **electoral campaign** campaña electoral 10
candidate candidato/a 10
candy dulce f. 10
cap: **baseball cap** gorra de béisbol 8; **wool cap** gorro de lana 8
car carro 2
caramel custard flan m. 5
care: **to take care of (yourself/oneself)** cuidar(se) 3, 9
careful: **to be careful** tener cuidado 9
carpet alfombra 6
carrot zanahoria 5
carry llevar 7, 8
cash en efectivo 8; cobrar 7
cashier cajero/a m./f. 2
cast yeso 9
cat gato 3
cathedral catedral f. 10
Catholic católico/a 10
ceiling techo 6
cell phone celular m. 8
cereal cereal m. 5
chain cadena 8
chair silla 2; **easy chair** sillón m. 6
chalk tiza 2
chalkboard pizarra 2
change cambiar 7
charge cobrar 7
chat charlar 3
cheap barato/a 8
check cheque m. 7
check in registrarse 12; **check the luggage/ baggage** facturar el equipaje 12; **check (the oil)** revisar (el aceite) 7
cheese queso 5
chemistry química 2
cherry cereza 5
chest pecho 9
chewing gum chicle m. 10
chicken pollo 5
child niño/a 3
child care center guardería infantil 2
chimney chimenea 6
Chinese chino/a n. adj. 2
Christmas Navidad f. 1
church iglesia 7
citizen ciudadano/a 10
city ciudad f. 4
class clase 1
classmate compañero/a de clase 2

clean limpio/a 8; limpiar 3
clear the table quitar la mesa 6
clock reloj *m.* 1
close cerrar (ie) 7
closed cerrado/a 2
closet ropero 6
clothing ropa 6, 8
cloud nube *f.* 4
cloudy: It is cloudy. Está nublado. 4
coat abrigo 8
coffee café *m.* 5
cold frío/a 4; **to be cold** tener frío 8; **to have a cold** estar resfriado/a 9; **It is (very) cold.** Hace (mucho) frío. 4
colleague colega *m./f.* 11
color one's hair, to have one's hair colored teñirse (i) el pelo 7
comb peine *m.* 6; **to comb one's hair** peinarse 6
come venir 4
comfortable cómodo/a 8
communicate comunicarse 12
complain quejarse 9
computer science informática 2
computer computadora 1
concierge portero 10
congested: to be congested estar congestionado/a 9
conservative conservador/a 10
construct construir 10
contact lenses lentes *m.* de contacto 8
continue seguir (i) 7
contribute contribuir 12
cookie galleta 5
cool: It is cool. Hace fresco. 4
copy copiar 11
corn maíz *m.* 5
corner esquina 7
corporation empresa 11
cost costar (ue) 5
cotton algodón *m.* 8
cough tos *f.*; **to have a cough** tener tos 9
count contar (ue) 5
country país *m.* 7; **foreign country** país extranjero 7
countryside campo 4
couple pareja 3
cousin primo/a 3
crash chocar 9
cream crema 5
credit card tarjeta de crédito 8
crime crimen *m.* 10
cross cruzar 7
crutch muleta 9
cry llorar 3
cubicle cubículo 11
cup taza 5
cure cura 9
curtain cortina 6
customs aduana 12
cut cortar 5

D

dance bailar 4
dangerous peligroso/a 10
dark-haired/ dark-skinned moreno/a 3
date cita 9; fecha 1; **What is today's date?** ¿Qué fecha es hoy? 1
daughter hija 3
day día *m.* 1; **all day** toda el día 3; **day before yesterday** anteayer *adv.* 7; **day shift** el turno de día 11; **every day** todos los días 3
dear estimado/a 11
debt deuda 11
December diciembre 1
delete borrar 11
Delighted to meet you. Encantado/a. 1
demonstration manifestación *f.* 10
department store tienda por departamentos 7
desert desierto 12
desire desear 5
desk escritorio 1; **desk (student's)** pupitre *m.* 2
dessert postre *m.* 5
destruction of the ozone layer destrucción *f.* de la capa de ozono 12
developing country país *m.* en desarrollo 12
diagnose diagnosticar 12
dial marcar 11
die morir (ue, u) 9
difficult difícil 3
dining room comedor *m.* 6
dinner cena 5; **to have dinner** cenar 3
director of human resources jefe/a de personal 11
dirty sucio/a 8
disabled discapacitado/a 9
disadvantage desventaja 12
disagreeable antipático/a 3
disease enfermedad *f.* 9
dish plato 5
dishwasher lavaplatos *m.* 6
disorganized desordenado/a 3
diversity diversidad *f.* 12
divorced: to be divorced estar divorciado/a 3; **to get divorced** divorciarse 10
do hacer 4
doctor médico/a *m./f.* 2
doctor's office consultorio médico 9
document documento 11
dog perro 3
donate donar 10
dormitory/ residence hall residencia estudiantil 2
door puerta 2
doubt dudar
downtown centro 7
draw dibujar 4
dress vestido 8; **to dress, get dressed** vestirse (i) 6
dresser cómoda 6
drink bebida 5; beber 4; tomar 5
drive manejar 4

driver's license licencia de manejar 7
dry (the dishes) secar (los platos) 6; **to dry oneself** secarse 6
dryer secadora 6
dumb tonto/a 3
during durante 6
dust limpiar el polvo 6
DVD/VCR player equipo de DVD y video 8

E

ear oreja 9; **inner ear** oído 9
early temprano *adv.* 3
earn ganar 11
earring arete *m.* 8
Earth Tierra 12
easy fácil 3
eat comer 4
economics economía 2
economy economía 11
egg (fried) huevo (frito) 5
eight hundred ochocientos/as 5
eight ocho 1
eighteen dieciocho 1
eighth octavo/a 11
eighty ochenta 3
elderly ancianos 3
electricity luz *f.* 6
elevator ascensor *m.* 12
eleven once 1
eliminate eliminar 12
e-mail messages mensajes *m.* electrónicos/ e-mails 4
emergency emergencia 9; **emergency room** sala de emergencias 9
emigrant emigrante *m./f.* 12
emigrate emigrar 12
employee empleado/a 11
end fin *m.* 12
energy: aeolic (wind) energy energía eólica (del viento) 12
engaged: to be engaged estar comprometido/a/os/as 3; **to get engaged** comprometerse 10
engineering ingeniería 2
English inglés (inglesa) *n. adj.* 2
enjoy disfrutar de 4
enter entrar (a/en) 7
entrance entrada 7
envelope sobre *m* 11
environment medio ambiente *m.* 12
equality igualdad *f.* 10
erase borrar 11
eraser borrador *m.* 2
evening: Good evening./Good night. Buenas noches. 1; **in the evening** de la noche 1
exam examen *m.* 2
examine examinar 9
exchange cambiar 7
Excuse me. Perdón.; Con permiso. 1
executive ejecutivo/a 11

exercise hacer ejercicio 4
exit salida 7
expect esperar 10
expensive caro/a 8
experience experiencia 11
explain explicar 7
eye ojo 9

F

face cara 9
facing enfrente de *adv.* 2
factory fábrica 11
fall caerse 9
fall (season) otoño 4
family familia 3
far from lejos de *prep.* 2
farm granja 4
fashion moda 8
fasten one's seatbelt abrocharse el cinturón 7
fat gordo/a 3
father papá; padre *m.* 3
father-in-law suegro 3
February febrero 1
feed dar de comer 10
feel sentir (ie, i) 10; **to feel bad, sick/well** sentirse (ie) mal/ bien 6; **to feel like doing something** tener ganas de + *infinitivo* 11
fever: to have a fever tener fiebre 9
field campo 4
fifteen quince 1
fifth quinto/a 11
fifty cincuenta 1
fight for luchar por 10
file archivo 11
fill the tank llenar el tanque 7
film película 7
finally por fin *adv.* 9
find encontrar (ue) 7
Fine. Bien. 1
finger dedo 9
fingernail uña 7
finish terminar 7
fire fuego 10; incendio 10
firefighter bombero/a *m./f.* 2
fireplace chimenea 6
first primer, primero/a 11
fish pescar 4; *n.* **(caught)** pescado 5; **(live)** pez *m.* (peces *pl.*) 4
fit quedar 8
five hundred quinientos/as 5
five cinco 1
fix reparar 7
flight attendant (female) azafata 12; **(male)** auxiliar *m.* de vuelo 12
flight vuelo 12
floor suelo, piso 6; **first floor** primer piso 6
flour harina 5

flower flor *f.* 4

flu: to have the flu tener gripe 9

fly volar (ue) 12

follow seguir (i) 7

food comida 5

foot pie *m.* 9

footwear calzado 8

for para *prep.* 6

foreign country país *m.* extranjero 7

forest bosque *m.* 4

forget olvidarse de 10

fork tenedor *m.* 5

forty cuarenta 1

fountain fuente *f.* 7

four hundred cuatrocientos/as 5

four cuatro 1

fourteen catorce 1

fourth cuarto/a 11

fracture fracturarse 9

freeway autopista 7

French francés (francesa) *n. adj.* 2

French fries papas fritas 5

frequently con frecuencia *adv.* 3

Friday el viernes 1; **last Friday** el viernes pasado 7

fried frito/a 5

friend amigo/a 1; **best friend** mejor amigo/a 3

friendship amistad *f.* 3

from de 1

front: in front of delante de *prep.* 2

fruit fruta 5

funny, fun divertido/a 3

furniture muebles *m.* 6

G

game partido 4; **partido de fútbol** soccer game 4

garage garaje *m.* 6

garbage can cubo de la basura 6

garbage truck camión *m.* de la basura 9

garden jardín *m.* 6

garlic ajo 5

gas station gasolinera 7

gather recoger 10

geography geografía 2

geometry geometría 2

German alemán (alemana) *n. adj.* 2

get conseguir (i, i) 12; **to get along well with** llevarse bien con 10; **to get together** reunirse 10; **to get up** levantarse 6

gift regalo 5

girl chica 3; niña 3; muchacha 10

girlfriend novia 3

give (as a gift) regalar 7

give dar 4; **to give a party** dar una fiesta 4

glad: to be glad (about) alegrarse (de) 10

glass vaso 5

glasses (eye) lentes *m.* 8

glove guante *m.* 8

go ir 2; **to go away** irse 6; **to go by boat/ ship** ir en barco 4; **to go by** pasar por 7, 10; **to go down** bajar 6; **to go down/ pass by** pasar por 10; **to go horseback riding** montar a caballo 4; **to go out** salir 4; **to go shopping** ir de compras 4; **to go to bed** acostarse (ue); **to go up** subir 6

goblet copa 5

God Dios *m.* 10

gold oro 8

good bueno/a 3

Good-bye. Adiós. 1

good-looking guapo/a 3

government gobierno 12

grade nota 2

granddaughter nieta 3

grandfather abuelo 3

grandmother abuela 3

grandson nieto 3

grape uva 5

gray gris 2

green verde 2

greet saludarse 10

grilled a la parrilla 5

grow (crops) cultivar 12

gym gimnasio 2

H

hallway pasillo 2

hair pelo 6; **to wash one's hair** lavarse el pelo 6

hair salon peluquería 7

haircut: to get a haircut, cut one's hair cortarse el pelo 7

hairdryer secador *m.* 6

half past (the hour) y media 1

hallway pasillo 2

ham jamón *m.* 5

hamburger hamburguesa 5

hand mano *f.* 9

handbag bolsa 8; cartera 8

hang colgar (ue) 10

happy contento/a 2; **to be happy (about)** alegrarse (de) 10

hard-working trabajador/a 3

hat sombrero 8

have tener 3; **to have fun/ a good time** divertirse (ie) 6; **to have just done something** acabar de + *infinitivo* 10; **to have to do something** tener que + *infinitivo* 6; **to have a headache** tener dolor de cabeza 9

head cabeza 9; **tener dolor de cabeza** to have a headache 9

headphones audífonos 8

health salud *f.* 2, 9

hear oír 4

heart corazón *m.* 9; **to have a heart attack** sufrir un ataque al corazón 9

heating calefacción *f.* 12

Hello./ Hi. Hola. 1; **Hello?** ¿Aló? 11
help ayudar 3; **Help!** ¡Socorro! 9
here aquí *adv.* 2
highway carretera 7
history historia 2
holiday día *m.* festivo 11
homeless person persona sin hogar 10
homemaker ama de casa *f.* (*but* el ama...) 2
homework tarea 2
hope esperar 10, Ojalá (que)+ *present subjunctive* 10
hot: It is (very) hot. Hace (mucho) calor. 4; **to be hot** tener calor 8
hotel hotel *m.* 12; **hotel management** hotelería 2
house casa 6
household chores quehaceres *m.* domésticos 6
how cómo 2; **How are you (doing)?** ¿Qué tal?/ ¿Cómo estás? *inform.* 1; ¿Cómo está usted? *form.* 1; **How many?** ¿Cuántos/as? 1, 2; **How often?** ¿Con qué frecuencia? 3
hug abrazar 3
human humano/a; **human body** cuerpo humano 9; **human rights** derechos humanos 10
hunger hambre *m.* 12; **to be hungry** tener hambre 5
hurt doler (ue) 9; **to hurt oneself** lastimarse 9
husband esposo 3
hybrid car carro híbrido 12

I

ice cream (vanilla) el helado (de vainilla) 5
ice hielo 5
illness enfermedad *f.* 9
immigrant inmigrante *m./f.* 12
immigrate inmigrar 12
important importante 10
impossible imposible 10
improbable improbable 10
improve mejorar 12
in en 2; **in order to (do something)** para + *infinitivo* 6; **in place of** en vez de 6
increase (in salary, production, etc.) aumento 11
incredible increíble 10
inexpensive barato/a 8
injure oneself lastimarse 9
injured (person) herido/a 9
inside (of) dentro de *prep.* 6
insist (on) insistir (en) 10
instead of en vez de 6
integrate oneself integrarse a/en 12
intend (to do something) pensar (ie) (+ *infinitivo*) 5
interview entrevista 11
intestine intestino 9
introduce: Let me introduce you to . . . Le presento a.../ Te presento a... 1
invention invento 12
invest invertir (ie, i) 11
investment inversión *f.* 11
invite invitar 10; **I'll treat/invite you to . . .** te invito a 10
iron planchar 6

island isla 4
Italian italiano/a *n. adj.* 2

J

jacket chaqueta 8
jam mermelada 5
January enero 1
Japanese japonés (japonesa) *n. adj.* 2
jeans jeans *m.* 8
jewelry store joyería 7
jewelry joyas 8
Jewish judío/a 10
job trabajo 2; puesto de trabajo 11; **job application** solicitud *f.* de empleo 11; **to look for a job** solicitar empleo 11; **part/ full-time job** trabajo de tiempo parcial/ completo 11
juice (orange) jugo (de naranja) 5
July julio 1
jump saltar 10
June junio 1
jungle selva 12
justice justicia 10

K

key llave *f.* 7
keyboard teclado 8
kidney riñón *m.* 9
kill matar 10
kind amable 5
kiss besar 3
kitchen sink fregadero 6
kitchen cocina 5, 6
knee rodilla 9
knife cuchillo 5
know saber, conocer 4; **to know how to** saber 4

L

lamp lámpara 6
landscape paisaje *m.* 12
language idioma *m.* 2
laptop computadora portátil 8
large grande 3
late tarde *adv.* 3
later más tarde 2
laugh reírse (i) 6
law school Facultad *f.* de Derecho 2
law derecho 2; ley *f.* 10
lawyer abogado/a *m./f.* 2
layoff despido 11
lazy perezoso/a 3
leaf hoja 4
learn (to) aprender (a) 4
leather goods artículos de cuero 8
leave salir 4; **to leave (behind)** dejar 5
left: on/to the left a la izquierda 7

leg pierna 9
lemon limón *m.* 5
lend prestar 7
less menos 1, 5
letter carta 11; **letter of recommendation** carta de recomendación 11
lettuce lechuga 5
library biblioteca 2
life vida 6; **daily life** vida diaria 6; **simple life** vida sencilla 12
lift weights levantar pesas 4
light luz *f.* 6
like gustar 4; **like a lot** encantar 4
likeable simpático/a 3
lip labio 9
listen to (music) escuchar (música) 4
literature literatura 2
little: a little un poco 1, 4
live vivir 4
liver hígado 9
living room sala 6
lobster langosta 5
long largo/a 8
look after atender (ie) 10
look at mirar 4
look for buscar 5
lose perder (ie) 7
loudspeakers altoparlantes *m. pl.* 8
love amor *m.* 3; **to love** amar 3; querer (ie) 5; encantarle a uno/a 4; **to be in love** estar enamorado/a 3; **to fall in love** enamorarse 10
lucky: to be lucky tener suerte 11; **What bad luck!** ¡Qué mala suerte! 7
lunch almuerzo 5; **to have lunch** almorzar (ue) 5
lung pulmón *m.* 9

M

magazine revista 7
mail a letter mandar una carta 7
mail carrier cartero/a 10
mailbox buzón *m.* 7
make hacer 4; **to make a mistake** equivocarse 11; **to make the bed** hacer la cama 6
mall centro comercial 8
man hombre *m.* 1
many muchos/as 2
map mapa *m.* 2
March marzo 1
marker marcador *m.* 2
market mercado 5
marry, to get married casarse 10; **to be married** estar casado/a 3
maternity leave permiso por maternidad 11
mathematics matemáticas 2
May mayo 1
mayonnaise mayonesa 5
mayor alcalde/ alcaldesa 10

meal comida 5
meanwhile mientras tanto 9
meat carne *f.* 5
medical insurance seguro médico 9; **Medical School** Facultad de Medicina 2
medicine medicina 2
meet reunirse 10; **to meet up (with) (by chance)** encontrarse (ue) (com) 7
message: e-mail messages mensajes *m.* electrónicos/ e-mails 4
messy desordenado/a 3
microwave microondas *m.* 6
midnight medianoche *f.* 1
milk leche *f.* 5
million millón *m.* 5
mirror espejo 6
miss extrañar 10; **to miss the plane** perder el avión 12
Miss señorita (Srta.) 1
mistaken: to be mistaken equivocarse 11
Monday lunes *m.* 1
money dinero 5
month mes *m.* 1; **next month** mes que viene 4; próximo mes 4
moon luna 4
more más 4, 5
morning mañana 1; **every morning** todas las mañanas 3; **Good morning.** Buenos días. 1; **in the morning** de la mañana 1, por la mañana 2; **this morning** esta mañana 2
mother mamá, madre *f.* 3
mother-in-law suegra 3
motorcycle moto(cicleta) *f.* 6
mountain range cordillera 12
mountain montaña 4
mouse (wireless USB) ratón *m.* (óptico USB) 8
mouth boca 9
move (from house to house) mudarse 10; **to move (oneself)** mover(se) 9
movie theater cine *m.* 6
mow the lawn cortar el césped 6
Mr., sir señor (Sr.) 1
Mrs., ma'am señora (Sra.) 1
much, a lot mucho *adv.* 2, 4; mucho/a *adj.* 2
museum museo 7
music música 2
Muslim musulmán (musulmana) *n. adj.* 10
must (do something) deber (+ *infinitivo*) 4; **one must/ should** hay que 7

N

nail (finger/toe) uña 7; **to have one's nails painted, to paint one's nails** pintarse las uñas 7
name: My name is . . . Me llamo... 1; **What is your name?** ¿Cómo se llama usted?/ ¿Cómo te llamas? 1
nanny niñera 3
napkin servilleta 5
narrate (a story or incident) contar (ue) 7
national security seguridad *f.* nacional 10

near cerca de *prep.* 2·
necessary necesario/a 10
neck cuello 9
necklace collar *m.* 8
necktie corbata 8
need necesitar 3
neighbor vecino/a 10
neighborhood barrio 10
nephew sobrino 3
nervous nervioso/a 2
never nunca *adv.* 3
New Year's Año Nuevo 1
new nuevo/a 3
newlyweds recién casados *m.* 3
news noticias 7
newspaper delivery person repartidor/a de periódicos 10
newspaper periódico 7
newsstand quiosco 7
nice simpático/a 3
niece sobrina 3
night noche *f.* 3; **at night** por la noche 2; **every night** to-das las noches 3; **last night** anoche *adv.* 7; **night shift** turno de noche 11
nine hundred novecientos/as 5
nine nueve 1
nineteen diecinueve 1
ninety noventa 3
ninth noveno/a 11
no (not a single); none, not any ningún, ninguno/a 10
no one, not anyone, nobody nadie 6
no no 1
noise ruido 7
noon mediodía *m.* 1
nose nariz *f.* 9
not either tampoco *adv.* 1
notebook cuaderno 1
nothing nada 6
November noviembre 1
now ahora 2
number número 1
nurse enfermero/a *m./f.* 2
nursing enfermería 2

O

obey obedecer 10
obtain conseguir (i, i) 12
October octubre 1
of de 1
office oficina 11
oil aceite *m.* 5
Okay. Regular. Bien. 1
old viejo/a 3
older mayor 3
olive aceituna 5
on sobre 6; **on the dot (time)** en punto 1
once una vez 3
one uno 1

one hundred cien 3, 5
one hundred one ciento uno 5
one hundred thousand cien mil 5
one thousand mil *m.* 5
onion cebolla 5
open abrir 7; abierto/a *adj.* 2
operate operar 9; **operate the machine** operar la máquina 11
opportunity oportunidad *f.* 12
opposite enfrente de *adv.* 2
or o 1
orange naranja 5; anaranjado/a (color) 2
order pedir (i) 5
organic produce producto orgánico 12
organize organizar 10
other otro/a 5
ought to (do something) deber (+ *infinitivo*) 4
outside (of) fuera (de) *adv.* 6
owner dueño/a 9

P

pack a suitcase hacer la maleta 12
package paquete *m.* 7
paint (a painting) pintar (un cuadro) 4
pajamas pijama *m.* 8
pants: long pants pantalones *m.* largos 8
panty hose pantimedias 8
paramedic paramédico/a 9
Pardon me. Perdón. 1
parents padres *m.* 3
park parque *m.* 7; estacionar 7
parking estacionamiento 2
party (political) partido 10
pass (through, by) pasar por 7
passenger pasajero/a 12
passport: to get a passport sacar el pasaporte 12
past: in the past en el pasado 7
pastry shop pastelería 7
patient paciente 9
pay (for) pagar 5
pea arveja, chícharo 5
peace treaty acuerdo de paz 12
peace paz *f.* 10
peach durazno 5
pear pera 5
pedestrian peatón *m.* 7
pen bolígrafo 1
pencil lápiz *m.* 1
people gente *f.* 7; pueblo 10
pepper (spice) pimienta 5; **green / red bell pepper** pimiento verde/ rojo 5
philosophy filosofía 2
phone: cordless phone teléfono inalámbrico 8
photograph, take photos tomar fotos 8
photocopier fotocopiadora 11
photocopy fotocopiar 11
physical therapy terapia física 2
physics física 2

pick up recoger 10
pill pastilla 9
pillow almohada 12
pilot piloto *m./f.* 12
pineapple piña 5
pink rosado/a 2
place of the accident lugar *m.* del accidente 9
plan (to do something) pensar (ie) (+ *infinitivo*) 5
plane avión *m.* 12
plate plato 5
play, go out for sports practicar deportes 4; **to play (the guitar)** tocar (la guitarra) 4; **to play volleyball** jugar (ue) al vólibol 4
pleasant amable 5
Pleased/Nice to meet you. Mucho gusto. 1
police officer policía/ mujer policía *m./f.* 2
political science ciencias políticas 2
pollution contaminación *f.* 12
poor pobre 3
pork chop chuleta de cerdo 5
porter portero 10
Portugese portugués (portuguesa) *n. adj.* 2
position (work) puesto de trabajo 11
possible posible 10
post office oficina de correos 7
postcard tarjeta postal 7
potato papa 5; **mashed potatoes** puré *m.* de papas 5
poverty pobreza 12
power poder *m.* 12
pray rezar 10
prefer preferir (ie) 5
pregnant: to be pregnant estar embarazada 9
prejudice prejuicio 10
prepare preparar 5
prescription receta 9
press prensa 12
pretty bonito/a 3
prevent (illness) prevenir (enfermedades) 12
price precio 8
print imprimir 11
probable probable 10
production line línea de producción 11
professor profesor/a 1
profit ganancia 11
programmer programador/a *m./f.* 2
prolong life prolongar la vida 12
promotion promoción *f.* 11
prosper prosperar 12
protect proteger 12
Protestant protestante *m./f. n. adj.* 10
provide proveer 12
psychology (p)sicología 2
punch in marcar tarjeta 11
purple morado/a 2
purse bolsa, cartera 8
put poner 4; **to put away (clothes)** guardar (la ropa) 6; **to put on (one's shoes, etc.)** ponerse (los zapatos) 6; **to put on makeup** maquillarse 6

Q

quarter past/to (hour) y/menos cuarto 1
quiz prueba 2

R

radio: satellite radio radio *m./f.* por satélite 12
rain lluvia 4; llover (ue) 4
raincoat impermeable *m.* 8
raise (in salary, production, etc.) aumento 11
read leer 4
receive e-mail messages recibir mensajes electrónicos/ e-mails 4
recommend recomendar (ie) 10
receptionist recepcionista *m./f.* 2
recuperate recuperarse 9
recycle reciclar 6
red rojo/a 2
red-headed pelirrojo/a 3
refrigerator refrigerador *m.* 6
Registrar's Office Secretaría 2
regret sentir (ie, i) 10
relative pariente *m./f.* 3
relax relajarse 10
religion religión *f.* 2
remain quedarse 9
remember acordarse (ue) de 10
remote control control *m.* remoto 8
rent alquilar 6; **for rent** se alquila 6
repair reparar 7
repeat repetir (i) 5
reply responder 11
reporter reportero/a 10
research investigación *f.* 12
reserve reservar 12
resolve resolver (ue) 10
rest descanso 11; descansar 4
restroom baño 7
résumé currículo 11
retire jubilarse 11
return (something) devolver (ue) 7
return regresar 3; volver (ue) 5
rice arroz *m.* 5
rich rico/a 3
ride: to ride a bicycle montar en bicicleta 4; **to ride horseback** montar a caballo 4
ridiculous ridículo/a 10
right: human rights derechos humanos 10; **on/to the right** a la derecha 7; **to be right** tener razón 11
ring anillo 8; **diamond ring** anillo de diamante 8; **to ring (phone), go off (alarm clock)** sonar (ue) 6
river río 4
road carretera 7
road sign señal *f.* de tráfico 7
rob robar 10
robber ladrón (ladrona) 10
roof techo 6

room cuarto 6; habitación *f.* 12; **double room** habitación doble 12; **room service** servicio de habitación 12; **single room** habitación sencilla 12

rug alfombra 6

run correr 4; **to run errands** hacer las compras 6

Russian ruso/a 2

S

sad triste *adj.* 2

salad ensalada 5

salary sueldo 11

sale rebaja 8; **for sale** se vende 5

salesclerk dependiente/a *m./f.* 2

sales manager gerente *m./f.* de ventas 11

salt sal *f.* 5

sand arena 4

sandal sandalia 8

sandwich sándwich *m.* 5

satisfied: to be satisfied estar satisfecho/a 12

Saturday sábado 1

sausage salchicha 5

save guardar 11; **save (time, money)** ahorrar 10

say good-bye (to) despedirse (i) (de) 6

say decir 4

scarf bufanda 8

scene of the accident lugar *m.* del accidente 9

school escuela 2; **at school** en la escuela 2; **(of a university)** facultad 2; **School of Arts** Facultad *f.* de Filosofía y Letras 2; **School of Sciences** Facultad de Ciencias 2

science ciencia 12

scissors tijeras 10

scream gritar 9

screen: flat screen TV televisor *m.* de pantalla plana 8

sea mar *m./f.* 4

seafood/ shellfish mariscos 5

season estación *f.* 4

seat asiento 12; **aisle/ window seat** asiento de pasillo/ ventanilla 12

second segundo/a 11; **second floor** segundo piso 6

secretary secretario/a *m./f.* 2

see ver 4; **See you later.** Hasta luego. 1; **See you tomorrow.** Hasta mañana. 1

sell vender 5

send enviar 11; **to send a letter** mandar una carta; **to send e-mail messages** mandar mensajes electrónicos/ e-mails 4

separated: to be separated estar separado/a 3

September septiembre 1

serve servir (i) 5

server mesero/a *m./f.* 2

set the table poner la mesa 6

seven hundred setecientos/as 5

seven siete 1

seventeen diecisiete 1

seventh séptimo/a 11

seventy setenta 3

shame: It is a shame. Es una lástima. 10

shampoo champú *m.* 6

share (of stock) acción *f.* 11

share compartir 4

sharp (time) en punto 1

shave afeitarse 6

sheet sábana 12; **sheet of paper** hoja de papel 2

shelf estante *m.* 6

shirt camisa 8

shoe store zapatería 7

shoe zapato 6; **ponerse (los zapatos) to put on (one's shoes)** 6

shopping: to go shopping ir de compras 4

short bajo/a 3; corto/a 8

shorts pantalones *m.* cortos 8

shot: give a shot poner una inyección 9

should (do something) deber (+ *infinitivo*) 4

shoulder hombro 9

show enseñar 10; mostrar (ue) 7

shower ducha 6; **to take a shower** ducharse 6

shrimp camarón *f.* 5

sick enfermo/a 2; **to get sick** enfermarse 9

sick leave permiso por enfermedad 11

sidewalk acera 9

sign firmar 7

significant other pareja 3

silly tonto/a 3

silver plata 8

simple life vida sencilla 12

sing cantar 4

single: to be single ser soltero/a 3

sink (bathroom) lavabo 6

sister hermana 3

sister-in-law cuñada 3

sit down sentarse (ie) 6

six hundred seiscientos/as 5

six seis 1

sixteen dieciséis 1

sixth sexto/a 11

sixty sesenta 3

size talla 8

skate patinar 4

ski esquiar 4

skin piel *f.* 9

skirt falda 8

sky cielo 4

skyscraper rascacielos *m. s.* 7

sleep dormir (ue) 5

sleepy: to be sleepy tener sueño 6

slender delgado/a 3

slowly lentamente 9

small pequeño/a 3

smart listo/a 3

smoke humo 10; fumar 9

snack: afternoon snack merienda 5

sneakers zapatos de tenis 8

snorkel bucear 4

snow nieve *f.* 4; nevar (ie) 4

So so. Regular. 1

soap opera telenovela 10

soap jabón *m.* 6

soccer game partido de fútbol 4
social work trabajo social 2
social worker trabajador/a social *m./f.* 2
sociology sociología 2
sock calcetín *m.* 8
sofa sofá *m.* 6
soft drink, soda refresco 5
solar energy energía solar 12
soldier soldado *m./* la soldado *f.* 2
solve resolver (ue) 10
some algún, alguno/a/os/as 10
someday, sometime algún día 4
someone alguien 6
something algo 6
sometimes a veces 3
son hijo 3
sorry: to be sorry sentir (ie, i) 10
soulmate media naranja 3
soup sopa 5
space exploration exploración *f.* espacial 12
spaceship nave *f.* espacial 12
Spanish español (española) *n. adj.* 2
speak hablar 3
speech oratoria 2; **speech therapy** terapia del
    lenguaje 2
speed: maximum speed velocidad *f.* máxima 7
spend gastar 8; **to spend time (with the family)** pasar el
    tiempo (con la familia) 4
spoon cuchara 5
sport deporte *m.* 4; **to play, go out for sports** practicar
    deportes 4
sprain one's ankle torcerse (ue) el tobillo 9
spring primavera 4
square, plaza plaza 1
stadium estadio de deportes 2
stairs escalera 6
star estrella 4
start empezar (ie) 7
statistics estadística 2
statue estatua 1
stay quedarse 9
steak bistec *m.* 5
steal robar 10
stock market la Bolsa 11; **bull (up) and bear (down)mar-
    ket** el mercado en alza y en baja 11
stomach estómago 9; **to have a stomachache** tener dolor
    de estómago 9
stop parar 7; **to stop doing something** dejar de + *infinitivo*
    9; **stop (road sign)** alto 7; **Stop!** ¡Paren! 7
store tienda 7
stove estufa 6
straight: straight ahead recto/a, derecho 7
straighten up (the room) ordenar (el cuarto) 6
strawberry fresa 5
street calle *f.* 2
stressed estresado/a 2
stretcher camilla 9
strike (to go on) hacer huelga 11
strong fuerte 3

student alumno/a, estudiante *m./f.* 1
student center centro estudiantil 2
study estudiar 3
subject asunto 11
succeed, be successful tener éxito 11
suddenly de repente 9
sugar azúcar *m.* 5
suit traje *m.* 8
suitcase maleta 12; **to pack a suitcase** hacer la
    maleta 12
summer verano 4; **next summer** verano que
    viene 4; próximo verano 4
sun sol *m.* 4; **It's sunny.** Hace sol. 4
sunbathe tomar el sol 4
Sunday domingo 1
sunglasses gafas de sol 8
supervisor supervisor/a 11
support apoyo 8; apoyar 8
sure: to (not) be sure (no) estar seguro/a (de)
surf the Web navegar por la Red 4
surgeon cirujano/a 9
sweater suéter *m.* 8
sweatshirt sudadera 8
sweep barrer 6
sweet dulce *n. adj.* 10
swim nadar 4
swimming pool piscina 12
synagogue sinagoga 10

T

table mesa 2
tablecloth mantel *m.* 5
take llevar 7, 8; tomar 5; **to take a trip** hacer un viaje 4;
    to take off (one's clothes, etc.) quitarse (la ropa) 6; **to
    take out (the trash)** sacar (la basura) 6, 7
tall alto/a 3
taste probar (ue) 5
taxes impuestos 10
tea (hot/iced) tea té *m.* (caliente/helado) 5
teach enseñar 10
teacher maestro/a *m./f.* 2
team equipo 4
telephone: telephone book guía telefónica 11; **cell phone
    (with camera)** celular *m.* (con cámara) 8; **cordless
    phone** teléfono inalámbrico 8
television televisor *m.* 2; **flat-screen TV** televisor de
    pantalla plana 8
tell decir 4; **to tell (a story or incident)** contar (ue) 7
temperature: to take one's temperature tomar la
    temperatura 9
ten diez 1
tend atender (ie) 10
tenth décimo/a 11
test prueba 2
Thanks. Gracias. 1
theater teatro 2
there is, there are hay 1

there allí 2

thermometer termómetro 9

thief ladrón (ladrona) 10

thin delgado/a 3

think (that) creer (que) 4; **to think (to do something)** pensar (ie) (+ *infinitivo*) 5

third tercer, tercero/a 11

thirsty: to be thirsty tener sed 5

thirteen trece 1

thirty treinta 1

thirty-one treinta y uno 1

three hundred trescientos/as 5

three tres 1

throat garganta 9; **My throat hurts.** Me duele la garganta. 9

through por 6

throw parties dar fiestas 4

Thursday jueves *m.* 1

ticket (movie/ theater/ bus/ plane/ train) boleto 7

time hora 1; **on time** a tiempo 3; **What time is it?** ¿Qué hora es? 1

tip propina 5

tire: flat tire llanta pinchada 7

tired cansado/a 2

toast pan *m.* tostado 5

to a *prep.* 2

toast pan *m.* tostado 5

today hoy *adv.* 2

toe dedo del pie 9

toilet inodoro 6

tomato tomate *m.* 5

tomorrow mañana 2; **tomorrow morning** mañana por la mañana 4

tongue lengua 9

tonight esta noche 2

too (much) demasiado *adv.* 8

tooth diente 6; **to brush one's teeth** cepillarse los dientes 6

toothbrush cepillo de dientes 6

toothpaste pasta de dientes 6

top: on top of encima de *adv.* 6

tow truck grúa 10

towel toalla 6

town pueblo 10

traffic light semáforo 7

traffic tráfico 7

train station estación *f.* de tren 7

travel viajar 4

tree árbol *m.* 4

trip: to take a trip (to the country/city) hacer un viaje (al campo/a la ciudad) 4

tropical plant planta tropical 12

true verdad

truly yours atentamente 11

try probar (ue) 5; **to try on** probarse 8; **to try to (do something)** tratar de + *infinitivo* 10

t-shirt camiseta 8

Tuesday martes *m.* 1

tuna atún *m.* 5

turkey pavo 5

turn off apagar 8

turn on prender 8

turn doblar 7

TV: flat-screen TV televisor *m.* 2; de pantalla plana 8

twelve doce 1

twenty veinte 1

twenty-one veintiuno 1

twice dos veces 3

twist one's ankle torcerse (ue) el tobillo 9

two hundred thousand doscientos mil 5

two hundred doscientos/as 5

two million dos millones 5

two thousand dos mil 5

two dos 1

U

ugly (a little bit) feo/a (un poco) 3

umbrella paraguas *m. s.* 8

uncle tío 3

unconscious: to be unconscious estar inconsciente 9

under debajo de *adv.* 6

understand entender (ie) 5

underwear ropa interior 8

union sindicato 11

university universidad *f.* 2

unpleasant antipático/a 3

until you arrive at . . . hasta llegar a... 7

upon (doing something) al + *infinitivo* 6

use usar 3

V

vacuum pasar la aspiradora 6

valley valle *m.* 4

vegetable legumbre *m.* 5; verdura 5

vendor vendedor/a 10

very muy 1

victim víctima *f.* 10

vinegar vinagre *m.* 5

violence violencia 10

visit visitar 3

volcano volcán *m.* 12

volunteer voluntario/a 10

vomiting: to be vomiting tener vómitos 9

W

wait for esperar 7

wait in line hacer fila 7

waiting room sala de espera 9

wake up despertarse (ie) 6

walk caminar 4; **to take a walk/ stroll** salir de paseo/dar un paseo 4

wall pared *f.* 2

wallet billetera 8

want desear 5; querer (ie) 5

war guerra 10

wash (the dishes) lavar (los platos) 6; **(one's hair)** lavarse (el pelo) 6

washing machine lavadora 6

wastebasket papelera 2

watch reloj *m.* 1; mirar 4; **to watch TV** ver la televisión 4

water (the plants) regar (ie) (las plantas) 6

water agua *f.* (*but* el agua) 5; **potable water** agua potable 12

waterfall cascada, catarata 12

watermelon sandía 5

wave ola 4

weapon arma *f.* (*but* el arma) 10

wear llevar 8

weather clima *m.* 4; **The weather is nice/ bad.** Hace buen/ mal tiempo. 4; **What is the weather like?** ¿Qué tal el clima?/ ¿Qué tiempo hace? 4

wedding boda 3

Wednesday miércoles *m.* 1

week semana 1; **last week** semana pasada 7; **next week** próxima semana 4; semana que viene 4; **once/ twice per week** una vez/ dos veces por semana 3

weekend: last weekend fin *m.* de semana pasado 7; **on weekends** los fines de semana 3; **this weekend** este fin de semana 2

welcome: You're welcome. De nada. 1

well bien 1; **Very well, thanks.** Muy bien, gracias. 1

wheelchair silla de ruedas 9

when cuándo 2

where dónde 2; **Where are you from?** ¿De dónde es usted?/ ¿De dónde eres? 1

while mientras *conj.* 9

white blanco/a 2

widower/ widow viudo/a 3

wife esposa 3

win ganar 4

wind viento 4; **It's windy.** Hace viento. 4

window ventana 2

wine glass copa 5

wine vino 5

winter invierno 4

wish desear 5

with con *prep.* 5

within dentro de *prep.* 6

without sin *prep.* 5

woman mujer *f.* 1

wool de lana 8

work trabajar 3; trabajo 2; **to work, function (machinery)** funcionar 7; **part-time/ full-time work/job** trabajo de tiempo parcial/ completo 11

workday día *m.* laboral 11

worker obrero/a 11

worried preocupado/a 2

worry preocuparse 9

worse peor 8

wound herida 9

wounded person herido/a 9

write escribir 4

X

x-ray radiografía 9

Y

year año 1; **last year** año pasado 7; **next year** próximo año 4; año que viene 4

yell gritar 9

yellow amarillo/a 2

yes sí 1

yesterday ayer *adv.* 7

young joven 3

young people jóvenes *m./f.* 3

younger menor 3

Z

zero cero 1

Credits

Text Credits

Chapter 3 *Page 103:* Reprinted by permission of Lic. Alejandro Ortega, Periodista Diamo Lor Ander, Mendoza, Argentina. 3–103

Chapter 4 *Page 141:* Reprinted by permission of El Diario Montañés.

Chapter 10 *Page 363:* Intel.com, Costa Rica.

Chapter 12 *Page 424:* Reprinted by permission of El Mercurio (11 de Febrero de 2006), "Prohibido apurarse" and "Vivir sin prisa." *Page 429:* "Data from California Orange County Registrar of Voters, Santa Ana, California."

Realia Credits

Chapter 1 *Page 29:* Reprinted by permission of la Escuela Nacional de Artes Plásticas, www.enap.unam.mx

Chapter 2 *Page 44:* "Printed with permission from Centro De Enseñanza Para Extranjeros, Universidad Nacional Autónoma de México. Photograph: Teresa del Castillo." *Page 45:* Reprinted by permission of Universidad de Salamanca Cursos Internacionales. *Page 64:* Reprinted by permission of American Airlines, Inc. © 2006. All rights reserved. *Page 67:* Reprinted by permission of the University of Michigan.

Chapter 4 *Page 119:* Reprinted by permission Street & Smith Sports Group. *Page 127:* "Let's Dance: Merengue Stamp Image © 2005 United States Postal Service. All rights reserved. Used with permission." *Page 135:* Reprinted by permission of Yahoo! Inc. Copyright © 2006 All rights reserved.

Chapter 5 *Page 167:* Reprinted by permission of CAFÉ IBÉRICO Company.

Chapter 6 *Page 213:* Reprinted by permission of Gestión inmobilaria COMOSA.

Chapter 7 *Page 250:* Reprinted by permission of Sistema De Transporte Colectivo, Red Metro Subway. *Page 253:* Reprinted by permission of the Gobierno del Distrito Federal, Secretaría de Turismo.

Chapter 11 *Page 395:* "Printed with permission from Periódico Mural."

Every attempt has been made to contact the Delegations of Coyoacan on page 29, Diario Los Andes page 103, Euroresidents.com page 179, Microsoft page 286, Revista So! Show Off Tu Estado Ideal page 289, Redestb.es page 303, and JD Edwards page 429. Any further information would be welcomed by the publisher.

Photo Credits

Contents *Page xii:* Getty Images, Inc. (top), Masterfile (center), Jupiterimages/Getty Images, Inc. (bottom). *Page xiv:* Wayne Levin/Stone/Getty Images, Inc. (top), Jean Dominique Dallet /SuperStock /SUPERSTOCK (center), FoodPix/Jupiterimages/Getty Images, Inc. (bottom). *Page xvi:* Danita Delimont (top), Photodisc Red/Getty Images (center), Alamy Images (bottom). *Page xviii:* Julie Eggers/Danita Delimont (top), Masterfile (center), Daniel Suarez Zamora/Toyo Ito & Associates, Architects (bottom).

Chapter 1 *Page 1:* Getty Images, Inc. *Page 6:* Courtesy Conchita Lucas (top left), Courtesy Conchita Lucas (top right), Courtesy Conchita Lucas (bottom left), Stockbyte/Getty Images, Inc. (bottom right). *Page 9:* Hola Images/Getty Images, Inc. (left), Rick Gomez/Blend Images/Getty Images, Inc. (center left), Dave Nagel/Image Bank/Getty Images (center right), Jupiterimages/Age Fotostock America, Inc. (right). *Page 24:* Skjold Photographs/The Image Works. *Page 26:* Bettmann/©Corbis (top center), Bettmann/©Corbis (center right), ©Corbis (right), Lake County Museum/©Corbis (center left), Chris Keller/©Corbis (bottom). *Page 28:* The Granger Collection (top left), The Granger Collection (top right), The Granger Collection (bottom left), The Granger Collection (bottom right).

Chapter 2 *Page 33:* Masterfile. *Page 37:* Lajusticia/Oredia/Retna (top left), Stockbyte Platinum/Getty Images, Inc. (top right), PhotoDisc, Inc./Getty Images (bottom left), Dave Nagel/Image Bank/Getty Images (bottom right). *Page 53:* Digital Vision/Getty Images, Inc. *Page 55:* Roger Ressmeyer/©Corbis (top left), Jeff Fusco/Getty Images, Inc. (top center), Getty Images, Inc. (top right), Carlos Alvarez/Getty Images, Inc. (bottom left), Reuters/©Corbis (bottom center), Ronald C. Modra/Sports Imagery/Getty Images, Inc. (bottom right). *Page 59:* Courtesy Santiago Medin. *Page 64:* Creatas/Age Fotostock America, Inc. *Page 65:* Courtesy Pablo Haake. *Page 66:* Wiley Archive (top), Wiley Archive (bottom).

Chapter 3 *Page 71:* Jupiterimages/Getty Images, Inc. *Page 78:* Courtesy of Laila Dawson. *Page 84:* Marlborough Gallery Inc. *Page 85:* Courtesy Gladys Navarro (left), PhotoDisc, Inc./Getty Images (right). *Page 92:* Courtesy Conchita Lucas. *Page 96:* Wiley Archive (left), Wiley Archive (right). *Page 100:* Tony Stone/Getty Images (top), Digital Vision/Getty Images, Inc. (bottom). *Page 101:* Corbis/SuperStock. *Page 102:* Wiley Archive (top left), Wiley Archive (top right), Wiley Archive (bottom).

Chapter 4 *Page 107:* Wayne Levin/Stone/Getty Images, Inc. *Page 117:* Gary Conner/PhotoEdit (top), Corbis Digital Stock (center), Photodisc/Getty Images, Inc. (bottom). *Page 118:* Courtesy Laila Dawson (top), Daniel Garcia/Getty Images (bottom). *Page 119:* Paul A. Souders/©Corbis. *Page 126:* Courtesy Conchita Lucas (top), Javier Pierini/Age Fotostock America, Inc. (center), PhotoDisc/Getty Images, Inc. (bottom). *Page 127:* Lawrence Manning/©Corbis (top).

Page 138: Buddy Mays/©Corbis (top), Corbis Images (top center), Jaques Jangoux/Photo Researchers, Inc. (left), Macduff Everton/©Corbis (bottom left), PhotoDisc, Inc./Getty Images (right), Courtesy Conchita Lucas (bottom left), Courtesy Conchita Lucas (bottom right). Page 139: Galen Rowell/©Corbis (top), Wolfgang Kaehler/©Corbis (bottom left), Courtesy Laila Dawson (bottom right). Page 140: Wiley Archive (all). Page 141: AFP/NewsCom.

Chapter 5 Page 145: Jean Dominique Dallet/SuperStock/SUPERSTOCK. Page 149: Banco de México. Page 151: PhotoDisc, Inc./Getty Images (top left), PhotoDisc, Inc./Getty Images (top center), Corbis Stock Market (top center), PhotoDisc, Inc./Getty Images (top right), PhotoDisc, Inc./Getty Images (center left), PhotoDisc, Inc./Getty Images (center), Fred Maroon/Photo Researchers, Inc. (center), imagebroker/Alamy Images (center right), Burke/Triolo Productions/FPX/Jupiter Images Corp (bottom left), PhotoDisc, Inc./Getty Images (bottom center), Corbis Stock Market (bottom center), Copyright John Wiley & Sons, Inc. (bottom right). Page 158: David Frazier/The Image Works. Page 159: Courtesy of José Antonio Guedejo (top). Page 162: Stewart Cohen/Getty Images. Page 163: Courtesy Laila Dawson (top left), Courtesy Laila Dawson (top center), Courtesy Conchita Lucas (top right), Courtesy Laila Dawson (bottom left), Courtesy Conchita Lucas (right). Page 167: Courtesy Conchita Lucas (top), Image Source/Getty Images, Inc. (bottom). Page 168: Bob Daemmrich/The Image Works (top), Monica Stevenson/FPX/Jupiter Images Corp (top center), Ingram/Alamy (bottom center). Page 169: Lou Robertson/FPX/Jupiter Images Corp (top left), ©Corbis (top right), Courtesy Teresa Kaed (bottom left), Soulders Studios/FoodPix/Getty Images, Inc. (bottom right). Page 174: Courtesy Conchita Lucas (top left), Courtesy Conchita Lucas (top center), Courtesy Conchita Lucas (top right), Courtesy Conchita Lucas (bottom left), Courtesy Conchita Lucas (bottom center), Courtesy Conchita Lucas (bottom right). Page 176: Courtesy Laila Dawson (top right), Corbis Images (top left), Courtesy Conchita Lucas (center left), Courtesy Conchita Lucas (center left), DK Limited/Dave Murray/©Corbis (bottom left). Page 177: Courtesy Conchita Lucas (top left), Courtesy Conchita Lucas (top right), Courtesy Conchita Lucas (top center), Courtesy Conchita Lucas (bottom center), Courtesy Conchita Lucas (bottom right). Page 178: Wiley Archive.

Chapter 6 Page 183: FoodPix/Jupiterimages/Getty Images, Inc. Page 187: The Seattle Times (left), The Seattle Times (right). Page 188: Corbis Digital Stock (top left), Thaine Manske/©Corbis (top right), Corbis Digital Stock (bottom). Page 194: Jeff Greenberg/The Image Works (top), Santiago Fdez Fuentes/Age Fotostock America, Inc. (center), Courtesy Conchita Lucas (bottom). Page 195: Lin Alder/Danita Delimont (top), Courtesy Conchita Lucas (bottom). Page 202: Wiley Archive (top left), Wiley Archive (top right), Courtesy Conchita Lucas (bottom left), Courtesy Conchita Lucas (bottom right). Page 210: Courtesy Conchita Lucas (left), Courtesy Conchita Lucas (right). Page 211: Wiley Archive. Page 212: Wiley Archive.

Chapter 7 Page 217: Danita Delimont. Page 223: Courtesy Elena Herrero. Page 225: Johnny Stockshooter/Age Fotostock America, Inc. Page 229: Greg Johnston/Danita Delimont (left), Victor Englebert/Photo Researchers (right). Page 230: Wesley Bocxe/The Image Works (top), Dave G. Houser/©Corbis (bottom). Page 231: Richard Elliott/Stone/Getty Images. Page 238: Topham/The Image Works (left), ©PIXTAL/Age Fotostock America, Inc. (right). Page 239: Nik Wheeler/©Corbis (top left), Chris Cheadle/Age Fotostock America, Inc. (top center), Macduff Everton/The Image Works (top right), Lindsay Hebberd/©Corbis (bottom left). Page 240: SGM/Age Fotostock America, Inc. (right), Reuters/©Corbis (center), Jeremy Horner/©Corbis (bottom left). Page 241: Courtesy Elena Herrero. Page 243: Chad Ehlers/Getty Images. Page 244: Courtesy Jeanne Nakamaru. Page 251: Roberto Velazquez/©AP/Wide World Photos. Page 252: Wiley Archive.

Chapter 8 Page 257: Photodisc Red/Getty Images. Page 266: David Buffington/©Corbis (top left), Rob Crandall/The Image Works (top right), Nancy Richmond/The Image Works (center right), Courtesy Conchita Lucas (bottom left). Page 267: Courtesy Guayaberas Etc., www.guayaberashirt.com (left), Courtesy Conchita Lucas (center), George Doyle/StockByte Platinum/Getty Images, Inc. (right). Page 271: Jose Luis Pelaez/©Corbis (top), John McCombe/AFP/Getty Images (bottom). Page 275: Westend61/Getty Images, Inc. (first row), Masterfile (first row), Randi Sidman-Moore/Masterfile (first row), Masterfile (first row), Getty Images, Inc. (second row), Altrendo/Getty Images, Inc. (second row), Ryan McVay/Stone/Getty Images, Inc. (second row), Leland Bobbe/The Image Bank/Getty Images, Inc. (second row), iRepublic/Masterfile (third row), Gabrielle Revere/The Image Bank/Getty Images, Inc. (third row), Janet Kimber/The Image Bank/Getty Images, Inc. (third row), Bruce Laurance/Taxi/Getty Images, Inc. (third row), iStockphoto (fourth row), Dorling Kindersley/Getty Images, Inc. (fourth row), iStockphoto (fourth row), iStockphoto (fourth row), iStockphoto (fifth row), iStockphoto (fifth row), iStockphoto (fifth row), iStockphoto (fifth row). Page 276: Alberto E. Rodriguez/Getty Images (top left), Chip Somodevilla/Getty Images (top center), Jeff Christensen/Reuters/©Corbis (top right), Peter Macdiarmid /Getty Images, Inc. (bottom). Page 277: Frazer Harrison/Getty Images (left), ©AP/Wide World Photos (right). Page 279: Ethan Miller/Staff/Getty Images, Inc. (left), AFP/Getty Images, Inc. (right). Page 286: Courtesy Conchita Lucas (top), IT Stock/Age Fotostock America, Inc. (bottom). Page 288: Wiley Archive.

Chapter 9 Page 293: Alamy Images. Page 302: Reuters/©Corbis (top), Hugo Chang/iStockphoto (center), Sue Cunningham/Alamy Limited (bottom). Page 307: Courtesy Conchita Lucas (top), Courtesy of Conchita Lucas (bottom). Page 312: Masterfile (top left), Courtesy Conchita Lucas (top right), Courtesy Conchita Lucas (bottom left), Courtesy Conchita Lucas (bottom center), Courtesy Conchita Lucas (bottom right). Page 313: Courtesy Conchita Lucas (top), Courtesy Conchita Lucas (bottom left), Courtesy

Conchita Lucas (bottom center), Courtesy Conchita Lucas (bottom right). *Page 322:* Keith Dannemiller/©Corbis (top left), Martin Sanmiguel/Getty Images, Inc. (top right), Courtesy Conchita Lucas (bottom left), Kevin O Hara/Age Fotostock America, Inc. (bottom right). *Page 323:* Jean Phillippe Soule/Alamy Limited (top center), Courtesy Conchita Lucas (left), Courtesy Conchita Lucas (bottom center), Henry Beeker/Age Fotostock America, Inc. (top right). *Page 324:* Wiley Archive. *Page 325:* iStockphoto (left), iStockphoto (right).

Chapter 10 *Page 329:* Julie Eggers/Danita Delimont. *Page 333:* DB Michael Staudt/dpa/Landov LLC (left), George Hall/©Corbis (top), Roger Ball/©Corbis (right). *Page 339:* Ryan McVay/Photodisc/Getty Images, Inc. (top left), Philip Lee Harvey/Riser/Getty Images, Inc. (top center), MedioImages/Getty Images, Inc. (top right), Javier Pierini/Jupiter Images Corp (bottom left), Thinkstock/Index Stock Imagery (bottom center), MedioImages/Getty Images, Inc. (bottom right). *Page 342:* Jan Butchofsky/©Corbis (top), Rudi Von Briel/PhotoEdit (bottom). *Page 343:* Dennis MacDonald/Alamy (left), Sonia Frias (right). *Page 348:* Ryan McVay/Photodisc/Getty Images, Inc. (top left), Philip Lee Harvey/Riser/Getty Images, Inc. (top center), MedioImages/Getty Images, Inc. (top center), Javier Pierini/Jupiter Images Corp (top center), Thinkstock/Index Stock Imagery (top right), MedioImages/Getty Images, Inc. (bottom left), ThinkStock/Jupiter Images Corp (bottom center), Anderson Ross/Getty Images, Inc. (bottom right). *Page 350:* Courtesy Laila Dawson (top), Courtesy Laila Dawson (bottom). *Page 351:* Courtesy Laila Dawson (top), Courtesy Laila Dawson (bottom). *Page 353:* Juliet Ferguson/Alamy Limited (left), Courtesy Conchita Lucas (right). *Page 355:* Lou Dematteis/©Corbis. *Page 357:* P. Narayan/Age Fotostock America, Inc. *Page 358:* Susan and Neil Silverman (left), Rafael Marchante/Reuters/©Corbis (right). *Page 360:* Cynthia Farah Haines (top), Cynthia Farah Haines (bottom). *Page 361:* Cynthia Farah Haines. *Page 362:* Wiley Archive.

Chapter 11 *Page 367:* Masterfile. *Page 376:* Stockbyte/Getty Images, Inc. (top), Courtesy Conchita Lucas (left), Gabe Palmer/©Corbis (bottom). *Page 386:* Pep Riog/Alamy Images. *Page 387:* Manuel J. Prieto (left), Wiley Archive (right). *Page 392:* Lou Dematteis/The Image Works. *Page 393:* Lou Dematteis/The Image Works (top), Superstock/Age Fotostock America, Inc. (bottom). *Page 394:* Wiley Archive.

Chapter 12 *Page 399:* Daniel Suarez Zamora/Toyo Ito & Associates, Architects. *Page 400:* Julie Houck/©Corbis (top left), Courtesy Laila Dawson (top right), Steve Benbow/ Woodfin Camp & Associates (bottom left), José Fuste Raga/©Corbis (bottom right). *Page 401:* Ted Kerasote/ Photo Researchers (top), Courtesy of Liz Dougherty (left), Michael Fogden/DRK Photo (right), Courtesy of Laila Dawson (bottom). *Page 408:* Roderick Chen/Age Fotostock America, Inc. (top), Linh Hassel/Age Fotostock America, Inc. (right), J.d. Dallet/Age Fotostock America, Inc. (bottom left), Peter Bowater/Age Fotostock America, Inc. (bottom right). *Page 409:* George Hunter/Stone/Getty Images, Inc. (top), Colin Monteath/Age Fotostock America, Inc. (center), Lin Alder/Danita Delimont (bottom). *Page 410:* Age Fotostock America, Inc. (top), Roy Toft/Danita Delimont (bottom). *Page 411:* Michael and Patricia Fogden/©Corbis (left), Michael Brinson/Iconica/Getty Images (right), Courtesy of Laila Dawson (bottom). *Page 416:* Courtesy Elmundo. *Page 417:* Courtesy of Scaled Composites LLC (top), Courtesy of Japan Agency for Marine-Earth Science and Technology (JAMSTEC) (bottom right), Richard Ellis (bottom left), Richard Ellis (bottom center), Richard Ellis (bottom right). *Page 418:* Jon Arnold/Danita Delimont. *Page 419:* Visum/The Image Works (top), Andoni Canela/ Age Fotostock America, Inc. (bottom). *Page 421:* PictureNet/ Alamy Images. *Page 424:* Courtesy of Laila Dawson. *Page 425:* Courtesy of Laila Dawson. *Page 426:* John Nordell/The Image Works (top left), Courtesy of Alfonzo Fernandez (right), Courtesy of Conchita Lucas (bottom left), Courtesy of Conchita Lucas (bottom right). *Page 427:* ©AP/Wide World Photos (left), Gerald Cerles/Getty Images, Inc. (right). *Page 428:* Wiley Archive.

Índice